Nachtwacht

Bezoek onze internetsite www.awbruna.nl
voor informatie over al onze boeken en softwareproducten.

Sergej Lukjanenko

Nachtwacht

A.W. Bruna Uitgevers B.V., Utrecht

Oorspronkelijke titel
Nochnoy dozor
© 1998 by S.V. Lukjanenko
Vertaling
Studio Imago, Jolanda te Lindert
Omslagontwerp
Wil Immink
© 2006 A.W. Bruna Uitgevers B.V., Utrecht

ISBN 90 229 9135 0
NUR 332

De hierna volgende tekst is nuttig voor de zaak van het Licht en mag derhalve worden gepubliceerd.
De Nachtwacht

De hierna volgende tekst is nuttig voor de zaak van de Duisternis en mag derhalve worden gepubliceerd.
De Dagwacht

Eerste verhaal

De eigen lotgevallen

Proloog

Traag en kreunend sleepte de roltrap zich omhoog – geen wonder, gezien de ouderdom van het station. De wind echter gierde door de betonnen buizen, trok aan zijn haar, rukte aan zijn capuchon, blies zijn sjaal omhoog en duwde Jegor naar beneden.

De wind wilde niet dat hij naar boven ging.

De wind smeekte hem terug te gaan.

Vreemd... het leek wel alsof niemand anders de wind voelde. Er waren maar weinig mensen op pad; rond middernacht was het metrostation altijd bijna uitgestorven. Op de andere roltrap kwamen hem maar een paar mensen tegemoet. Op zijn roltrap ging ook verder bijna niemand naar boven: één man voor hem en twee of drie mensen achter hem. Dat was het wel zo'n beetje.

Op de wind na, misschien.

Jegor stak zijn handen in zijn zakken en keek achterom. Al sinds hij twee minuten geleden uit de trein was gestapt, had hij het gevoel dat er een onbekende blik op hem rustte. Dat boezemde hem geen angst in; het had wel iets hypnotiserends. Het was een stekend gevoel, alsof hij prikjes met een injectienaald kreeg.

Helemaal onder aan de roltrap stond een forse, geüniformeerde man. Voor hem stond een vrouw die een jongetje bij de hand hield wiens ogen steeds dichtvielen. En ten slotte nog een jongere man met een minidiscspeler en een knaloranje jas aan. Het leek wel alsof ook hij stond te slapen.

Niets verdachts. Zelfs niet dat jongetje dat behoorlijk laat naar huis ging. Jegor keek nog een keer naar boven. Daar stond een agent tegen het glimmende hek geleund en zocht met een chagrijnig gezicht naar een gemakkelijke prooi onder de enkele reizigers.

Niets waar Jegor bang voor hoefde te zijn.

De wind duwde nog één keer tegen hem aan en ging toen liggen, alsof hij wel begreep dat het een zinloze strijd was. De jongen keek nog een keer achterom en liep toen snel de naar boven glijdende traptreden op. Hij moest opschieten. Waarom wist hij niet; het moest gewoon. Toen voelde hij ook weer die rare, verontrustende prikkeling en liep er een ijskoude rilling over zijn rug.

Ach, het was gewoon de wind.

Snel liep Jegor door de half openstaande deur naar buiten. De doordringende kou trof hem met alle kracht. Zijn haar was na het zwemmen nog nat geweest

– de föhn had het weer eens niet gedaan – en in een mum van tijd bevroren. Jegor verborg zijn gezicht dieper in zijn capuchon en liep, zonder bij een van de kraampjes te blijven staan, snel naar de tunnel. Er waren weliswaar veel meer mensen op straat, maar hij bleef dat onbehaaglijke gevoel houden. Daarom draaide hij zich onder het lopen nog één keer om, maar hij werd door niemand gevolgd. De vrouw met het kind liep naar de tramhalte, de man met de minidiscspeler was bij een kraampje blijven staan en bekeek de verschillende flessen die te koop werden aangeboden en de militair had het stationsgebouw nog niet eens verlaten.

In de tunnel ging de jongen steeds sneller lopen. Hij wist niet waar het vandaan kwam, maar hij hoorde muziek: rustige, amper waarneembare, maar ongelooflijk mooie muziek. De tere klanken van een fluit, samen met strelende gitaarklanken en begeleid door het getingel van een xylofoon. De muziek riep hem, trok hem naar zich toe. Jegor ontweek een paar uitgelaten mensen die zijn kant op renden en passeerde een waggelende, aangeschoten man. Elke heldere gedachte leek te zijn opgelost. Nu rende hij bijna.

De muziek riep hem.

Nu hoorde hij ook woorden, nog betekenisloze, veel te zachte, maar zeer betoverende woorden. Jegor rende de tunnel uit en bleef toen even hijgend in de kou staan. Op dat moment kwam de trolleybus eraan. Als hij één halte meereed, was hij al bijna thuis...

Langzaam, alsof zijn benen plotseling sliepen, liep de jongen naar de trolley toe. Deze bleef een paar seconden met geopende deuren bij de halte wachten; toen gingen de deuren dicht en reed de bus weg. Terwijl Jegor hem met een lege blik stond na te kijken, werd de muziek steeds luider tot hij de hele ruimte opvulde tussen de halve cirkel van het hoge hotel en het vlakbij gelegen 'huis op poten', waar hij woonde. De muziek nodigde hem uit om te gaan lopen, over de helder verlichte Prospekt die zelfs om deze tijd nog vol drukte was. Trouwens, tot aan zijn huisdeur was het nog geen vijf minuten. En tot aan de muziek zelfs nog minder...

Honderd meter verderop bood het hotel Jegor geen bescherming meer tegen de wind. Een ijzige kou sloeg in zijn gezicht en onderdrukte bijna de melodie die hem riep. De jongen begon te strompelen en bleef staan. De betovering verdween en in plaats daarvan voelde hij weer die vreemde blik op zich gericht. En nu werd dit gevoel heel duidelijk vermengd met angst. Hij draaide zich om en zag weer een trolleybus aankomen. Bovendien lichtte in het schijnsel van de straatlantaarns een feloranje jas op... De man die tegelijk met hem met de roltrap naar boven was gegaan, volgde hem. Hij had zijn ogen weliswaar nog steeds half gesloten, maar liep toch verrassend snel. Hij achtervolgde Jegor zo doelgericht alsof hij hem duidelijk zag.

De jongen begon te rennen.

De muziek klonk weer, met hernieuwde kracht nu, en was boven het geluid van de wind uit te horen. Hij kon nu al enkele woorden verstaan, nou ja, dat had hij gekund, als hij het had gewild.

Hij zou er verstandig aan doen om vlak langs de gesloten, maar helder verlichte winkels te lopen, in de buurt van de voetgangers die zo laat nog op pad waren, in het zicht van de voorbijrazende auto's.

In plaats daarvan liep Jegor door een poort een steegje in dat zich tussen de huizen bevond. Daar lokte de muziek hem naartoe.

Het was er pikdonker. Alleen langs een van de muren bewogen twee schaduwen. Jegor zag hen als door een nevel die door een doods, blauwachtig schijnsel werd verlicht. Het waren een man en een vrouw, beiden nog heel jong, die zo weinig kleren aanhadden alsof het geen twintig graden onder nul was.

De muziek zwol aan tot een triomfantelijk fortissimo en hield toen op. De jongen voelde alle kracht uit zijn lichaam vloeien. Hij baadde in het zweet en zijn knieën werden slap. Het enige wat hij nog wilde, was op het glibberige, met bevroren vuilnis bedekte plaveisel gaan zitten.

'Ach, kleintje...' zei de vrouw zachtjes. Ze had een mager gezicht, holle wangen en een bleke huid. Alleen haar ogen leken te leven: grote, zwarte, fascinerende ogen.

'Laat wat over... In elk geval een beetje,' zei de man. Hij glimlachte. Ze leken wel broer en zus, niet zozeer door hun uiterlijk, maar door iets ongrijpbaars. Iets wat hen omhulde als stoffige, halfdoorzichtige tule.

'Voor jou?' De blik van de vrouw liet Jegor even los. Hierdoor ontspande zijn lichaam zich een beetje, maar nu was hij bang. De jongen opende zijn mond, maar zodra hij de blik van de man opving, bleef de kreet in zijn keel steken... Alsof er een ijskoude laag rubber om zijn lichaam heen strak werd getrokken. 'Ja. Hou hem vast!'

De vrouw snoof smalend. Toen ze Jegor weer aankeek, tuitte ze haar lippen alsof ze hem een vluchtig kusje wilde geven. En ze sprak die zachte, al bijna vertrouwde woorden uit die hij tegelijk met die betoverende muziek had gehoord: 'Kom hier... Kom bij me...'

Jegor bleef roerloos staan. Hij had niet genoeg kracht om weg te lopen, ondanks zijn ontzetting en ondanks de kreet die nog steeds in de keel stak. Hij kon alleen maar blijven staan.

Er liep een vrouw langs de ingang van het steegje met twee grote herdershonden aan de riem. Langzaam, een beetje vertraagd, alsof ze onder water liep of alsof ze zich voortsleepte door een kwade droom.

Toen Jegor vanuit zijn ooghoeken zag hoe de honden aan hun riem trokken en haar het steegje in trokken, flakkerde er een waanzinnige hoop in hem op. De herdershonden gromden wel, maar op de een of andere manier onzeker, vol haat en angst. Hun bazin bleef even staan en tuurde argwanend het steegje in. Jegor zag haar blik... onverschillig, alsof ze een leegte in keek.

'Kom mee!' Ze trok aan de riem en de honden liepen gehoorzaam mee.

De jongeman lachte zachtjes.

De vrouw met de honden ging sneller lopen tot ze niet meer te zien was.

'Hij komt niet!' mopperde de jonge vrouw. 'Kijk toch eens, hij komt gewoon niet!'

'Je moet beter je best doen,' zei de man alleen maar. Hij keek onvriendelijk. 'Je moet het leren!'

'Kom! Kom bij me,' eiste de vrouw energiek. Jegor stond slechts twee meter van haar af, maar ze vond het kennelijk heel belangrijk dat hij uit zichzelf dichter bij haar kwam staan.

Toen voelde Jegor dat hij niet meer genoeg kracht had om zich tegen haar te verzetten. De blik van de vrouw hield hem gevangen, had hem aan een onzichtbare rubberen riem, de woorden lokten hem, en hij kon er niets tegen doen. Hoewel hij wist dat hij zich niet moest bewegen, zette hij een stap. De vrouw glimlachte en haar regelmatige, witte tanden lichtten op. 'Doe je sjaal af,' zei ze.

Hij kon er niet langer weerstand aan bieden. Met trillende handen schoof hij zijn capuchon naar achteren en trok zijn losjes omgeslagen sjaal af. Hij liep naar de zwarte ogen toe die hem riepen.

Toen gebeurde er iets met het gezicht van de vrouw. Haar onderkaak hing opeens naar beneden, haar tanden begonnen te trillen en trokken krom. Er verschenen opeens lange hoektanden die niets menselijks meer hadden.

Jegor zette nog een stap.

1

De nacht begon niet goed.

Toen ik wakker werd, begon het al donker te worden. Vanuit mijn bed zag ik hoe de laatste streepjes licht door de kieren van de luxaflex verdwenen en dacht na. De vijfde nacht dat ik op jacht was... en helemaal zonder resultaat. Ik kon niet verwachten dat ik vandaag meer geluk zou hebben.

Het was koud in huis; de verwarming stond laag. Ik vind trouwens maar één ding prettig van de winter: dat het vroeg donker wordt en er maar weinig mensen op straat zijn. Anders... anders zou ik er allang de brui aan hebben gegeven. Dan zou ik Moskou hebben verlaten en naar Jalta of Sotsji zijn vertrokken. In de buurt van de Zwarte Zee; in geen geval naar een van die verre eilanden in onbekende, warme oceanen. Ik vind het nu eenmaal prettig als ik om me heen Russisch hoor praten.

Onnozele dromen, ik weet het.

Het is namelijk nog een beetje te vroeg voor me om met pensioen te gaan en me in een warm gebied te vestigen.

Dat heb ik nog niet verdiend.

Het leek wel alsof de telefoon netjes had gewacht tot ik wakker werd. Hij ging nu met veel kabaal over, verschrikkelijk gewoon. Ik pakte hem op en hield hem bij mijn oor, zwijgend, zonder iets te zeggen.

'Anton, zeg iets!'

Ik zweeg. Larissa's stem klonk zakelijk, geconcentreerd, maar ook vermoeid. Ze had vast de hele dag nog niet geslapen. 'Anton, zal ik je met de Chef doorverbinden?'

'Liever niet,' bromde ik.

'Hè, hè. Ben je eigenlijk al wakker?'

'Hm.'

'Het is ook elke dag hetzelfde met jou.'

'Is er iets nieuws?'

'Nee, niets.'

'Heb je iets in huis voor je ontbijt?'

'Ik vind wel wat.'

'Goed. Veel succes.'

Dat werd zonder veel overtuiging gezegd, zonder interesse. Larissa had geen vertrouwen in me. De Chef waarschijnlijk ook niet.

'Nou, wel bedankt,' zei ik tegen de ingesprektoon. Ik stond op en liep naar de badkamer. Ik wilde al tandpasta op mijn tandenborstel knijpen, toen ik me realiseerde dat ik te snel wilde gaan en legde de tandenborstel op de rand van de wastafel.

Hoewel het pikdonker was in de keuken, deed ik het licht natuurlijk niet aan. Ik opende de koelkast. Het lampje dat ik eruit had gedraaid, lag tussen de levensmiddelen te bevriezen. Mijn blik viel op een braadpan waarin een zeef hing met daarin een half ontdooid stuk vlees. Ik tilde de zeef uit de pan, bracht de pan aan mijn lippen en nam een slok.

Als iemand soms denkt dat varkensbloed lekker is, dan vergist hij zich behoorlijk.

Nadat ik de braadpan met de rest van het bloed dat al uit het vlees was gedropen weer in de koelkast had gezet, liep ik terug naar de badkamer. Het zwakke licht van de blauwe lamp kon amper iets uitrichten tegen de duisternis. Ik poetste mijn tanden grondig en secuur, maar na een tijdje hield ik het niet meer uit. Ik liep weer naar de keuken, haalde een fles uit de vriezer en nam een slok ijskoude wodka. Daardoor stroomde er niet gewoon een warm gevoel door mijn buik, maar een gloeiende hitte. Dat was een fantastische combinatie van sensaties: die kou aan mijn tanden en die hitte in mijn buik.

'Val toch...' zei ik in gedachten tegen mijn Chef, maar kon me nog net op tijd inhouden. Het zou me niets verbazen als hij ook een maar half uitgesproken verwensing kon opvangen. Ik liep een tijdje door mijn kamer heen en weer om mijn her en der verspreid liggende kleren op te rapen. Mijn broek lag onder mijn bed, de sokken op de vensterbank en mijn overhemd hing om de een of andere reden over het masker van de Tsjoyong.

De oude Koreaanse heerser keek me afkeurend aan.

'Pas dan ook beter op,' mompelde ik. Op datzelfde moment ging de telefoon weer. Ik sprong in de kamer rond tot ik hem eindelijk had gevonden.

'Anton, wil je me soms iets vertellen?' vroeg een stem zonder gezicht.

'Nee, niets,' zei ik knorrig.

'Nou, nou, waar blijft het "Ik prijs me gelukkig dat ik u van dienst mag zijn, Hooggeboren Heer"?'

'Ik ben niet gelukkig. Het spijt me... Hooggeboren Heer.'

De Chef zweeg even.

'Ondanks dat, Anton, vraag ik je toch om de situatie iets serieuzer op te vatten. Afgesproken? Morgenochtend verwacht ik je verslag, hoe dan ook. Enne, veel succes.'

Ik was er niet echt van onder de indruk, maar was nu wel wat rustiger. Ik stopte mijn mobieltje in mijn jaszak en opende de deur naar de hal. Heel even vroeg ik me af of ik nettere kleren aan moest trekken. Vorige week had ik een paar leuke dingen van een stel vrienden cadeau gekregen, maar uiteindelijk besloot ik mijn gewone kloffie aan te houden, omdat dat eigenlijk altijd overal geschikt voor was.

Mijn minidiscspeler moest nog mee. Niet omdat ik de muziek echt nodig had, maar omdat verveling een onverbiddelijke vijand is.

Ik bleef een hele tijd door het spionnetje in de voordeur naar het trappenhuis turen. Niemand.

Het begin van een nieuwe nacht.

Zes uur lang reisde ik met de metro en stapte regelmatig over op een willekeurige andere lijn. Af en toe doezelde ik even weg zodat mijn hersenen en zintuigen zich konden ontspannen. Overal was het rustig. Nou ja, af en toe zag ik wel iets wat interessant was, maar nooit iets wat echt bijzonder was; meer iets voor groentjes. Pas tegen elven, toen het al wat stiller werd in de metro, kwam hier verandering in.

Ik zat met gesloten ogen al voor de derde keer die avond naar de Vijfde Symfonie van Manfredini te luisteren. De minidisc in het apparaat was heel bijzonder: ik had hem hoogstpersoonlijk samengesteld, waarbij de Italiaanse middeleeuwen en Bach werden afgewisseld met de rockbands Alissa en Piknik of Ritchie Blackmore.

Het was steeds weer afwachten welke melodie met welke gebeurtenis samenviel. Vandaag werd mijn geluk opgeluisterd door Manfredini.

Ik werd ergens door fijngeknepen, een kramp schokte door mijn hele lichaam, van mijn tenen tot aan mijn haarwortels. Onwillekeurig floot ik even toen ik mijn ogen opendeed en mijn blik door de wagon liet glijden.

Ik zag de vrouw onmiddellijk.

Een jonge, bijzonder sympathieke vrouw. In een elegante bontjas. Ze hield een handtas en een boek vast.

En ze had een enorme zwarte Wervelwind boven haar hoofd. Zo eentje had ik al zeker drie jaar niet meer gezien!

Ik zat waarschijnlijk heel dom te kijken. De vrouw voelde dat, want ze keek me even aan.

Je kunt beter naar boven kijken!

Nee, natuurlijk kon zij die Wervel niet zien. Ze zou hooguit iets kunnen voelen, een lichte beweging. En heel vaag, alleen maar vanuit haar ooghoeken zou ze boven haar hoofd een hele lichte trilling kunnen zien, alsof er vliegen boven haar hoofd zoemden of zoals de lucht kan trillen, op een warme dag boven het asfalt...

Maar ze kon niets zien. Niets. Ze zou nog een of twee dagen leven, voordat ze op een beijzelde stoep zou uitglijden en wel zo dat ze een fatale hoofdwond opliep. Of ze zou door een auto worden aangereden. Of bij thuiskomst tegen het mes van een dief oplopen die geen idee zou hebben waarom hij deze vrouw eigenlijk vermoordde. En iedereen zou zeggen: 'Ze was nog zo jong. Ze had haar hele leven nog voor zich en iedereen mocht haar graag...'

Ja, vast en zeker. Dat denk ik, want ze ziet er heel aardig en vriendelijk uit. Ik voelde me opeens heel moe, maar niet verbitterd. Naast een dergelijke vrouw voel je je niet zo ellendig als je eigenlijk bent. Je probeert beter te zijn, ook als dat moeilijk is. Je wilt graag bevriend zijn met zo'n vrouw, een beetje met haar flirten, elkaar geheimen vertellen. Mensen worden maar zelden verliefd op zo'n vrouw, maar iedereen houdt wel van haar.

Op die ene na, die de duistere tovenaar heeft betaald.

In feite is een zwarte Wervel een heel alledaags verschijnsel. Toen ik om me heen keek, zag ik er nog een stuk of vijf, zes boven de hoofden van de passagiers hangen. Maar die zagen er allemaal onduidelijk uit, vaag, en ze bewogen amper. Het gevolg van een absoluut middelmatige, onprofessionele verwensing. Iemand schreeuwt tegen een ander: 'Verrek toch, smeerlap!' Of minder vulgair: 'Ga toch fietsen!' En vanuit de Duistere kant komt een kleine wervelstorm naar je toe die het geluk uit je perst en alle kracht uit je zuigt.

Maar een gewone verwensing, een amateuristische en ondoordachte verwensing, houdt hooguit een tot twee uur stand, maximaal een dag. De gevolgen ervan zijn weliswaar onplezierig, maar in geen geval dodelijk. De zwarte Wervel boven het hoofd van de vrouw was van een ander kaliber: duurzaam, afkomstig van een ervaren tovenaar. Zonder dat de vrouw het wist, was ze al dood.

Zonder dat ik erbij nadacht, ging mijn hand naar mijn jaszak. Maar toen realiseerde ik me waar ik was en vertrok mijn gezicht. Waarom doen mobieltjes het eigenlijk niet in de metro? Reizen hun eigenaars soms niet met de ondergrondse?

Nu voelde ik me gedwongen om mijn eigenlijke opdracht uit te voeren – ook al was de kans op succes gering – én om voor de met de vloek belaste vrouw te zorgen. Ik wist niet zeker of het sowieso al te laat was om haar te helpen, maar ik moest hoe dan ook degene vinden die achter de Wervel zat.

Op dat moment kreeg ik een tweede schok. Nu een andere, zonder kramp en zonder pijn, alleen mijn keel werd droog, mijn tandvlees werd gevoelloos, het bloed klopte in mijn slapen en mijn vingertoppen begonnen te jeuken.

Bingo!

Maar waarom uitgerekend nu?

Ik stond op. De trein remde al af voor het volgende station. Ik liep langs haar heen en voelde dat de vrouw me nakeek. Bang. Ook als ze de zwarte Wervel niet kon zien, maakte hij haar kennelijk wel zenuwachtig, voelde ze zich gedwongen de mensen om haar heen in de gaten te houden.

Misschien was ze alleen daardoor nog in leven?

Zonder haar kant op te kijken, stopte ik mijn hand in mijn jaszak. Ik voelde de amulet, een koud staafje van onyx. Eén seconde aarzelde ik en probeerde iets anders te verzinnen.

Maar nee, er was geen andere manier.

Ik greep de staaf stevig vast. Er trok een stekende tinteling door mijn vingers. Toen werd de steen warmer en begon de energie die erin opgeslagen was af te geven. Zo voelde het echt, maar deze warmte kan niet met een thermometer worden gemeten. Het leek wel alsof ik een stukje kool uit een kampvuurtje fijnkneep – een met koude as bedekt stukje kool dat vanbinnen nog gloeiend heet was.

Nadat ik de kracht van de amulet helemaal had geabsorbeerd, keek ik even naar de vrouw. De zwarte Wervel vibreerde en boog een beetje naar mij toe. Deze Wervel was zo sterk, hij beschikte vast over de een of andere vorm van intelligentie.

Ik sloeg toe.

Als er in de wagon... ach, hoezo in de wagon... als er in de hele trein nóg een Andere had gezeten, dan zou hij een felle lichtflits hebben gezien die even gemakkelijk door metaal als door beton kon dringen.

Nooit eerder had ik ingeslagen op een zo complex gestructureerde zwarte Wervel. En nooit eerder had ik de amulet gebruikt op het moment dat hij helemaal opgeladen was.

Het effect overtrof al mijn verwachtingen. De zwakkere vloeken die boven de andere mensen hingen, losten op in het niets. Een oudere vrouw die vermoeid over haar voorhoofd zat te wrijven, keek verbaasd naar haar hand: haar zware migraine was in één klap verdwenen. Een jonge man die afgestompt uit het raam had zitten staren, kromp in elkaar. Toen ontspanden zijn kaken en verdween de doffe zwaarmoedigheid uit zijn blik.

De zwarte Wervel boven het hoofd van de vrouw slonk tot vijf meter en werd zelfs half de wagon uitgeslingerd. Hij veranderde echter niet van vorm en zigzaggend vond hij zijn slachtoffer weer terug.

Wat een kracht!

Wat een trefzekerheid!

Men zegt – maar ik moet toegeven dat ik zoiets nog nooit heb gezien – dat een Wervel, zodra er ook maar twee of drie meter van wordt afgehakt, de oriëntatie verliest en dan aan de eerste de beste mens blijft hangen. Dat is ook geen pretje, maar vreemde vloeken zijn veel zwakker, waardoor het nieuwe slachtoffer een grote kans heeft het te overleven.

Maar deze Wervel kwam koppig terug, als een trouwe hond naar zijn in nood verkerende baasje!

De metro stopte. Ik keek nog een laatste keer naar de Wervel die nu weer boven de vrouw hing en zelfs nog sneller ronddraaide. En er was niets, helemaal niets, wat ik eraan kon doen. Ergens hier op dit perron, onder handbereik, bevond zich het doelwit waarnaar ik al een week lang in Moskou op zoek was. Dat laten ontkomen om de vrouw te volgen, nee, dat kon ik niet maken. De Chef zou geen spaan van me heel laten, en misschien niet alleen figuurlijk gesproken.

Toen de deuren sissend opengingen, keek ik nog een laatste keer naar de vrouw en prentte haar aura in mijn geheugen. Er was een kleine kans dat ik haar weer zou tegenkomen in deze gigantische stad, maar ik moest het toch proberen.

Maar niet nu.

Ik sprong de wagon uit en keek om me heen. Ik had inderdaad geen enkele ervaring in het operationele werk; daar had de Chef helemaal gelijk in. Maar zijn opleidingsmethoden bevielen me absoluut niet.

Hoe moest ik mijn doelwit in vredesnaam vinden?

Als ik op mijn gewone manier naar de mensen keek, zag niemand er verdacht uit. Zelfs nu wemelde het van de mensen. Dit was immers Kurskaja, een station midden op de Ringlijn. Vanaf hier kon je naar het Kursker Station, waar de reizigers aankwamen en van waaruit handelaren naar allerlei bestemmingen vertrokken. Bovendien was dit een station waar talrijke Moskovieten overstapten en naar de lijn renden die hen naar hun buitenwijken bracht.

Zodra ik mijn ogen sloot, openbaarde zich vrijelijk een bijzonder fascinerend beeld: verbleekte aura's. Dat was gebruikelijk als de avond viel.

Daartussen laaide, als een felle, purperrode vlek, iemands boosheid op, verlichtte in feloranje een paartje dat bijna niet kon wachten om met elkaar naar bed te gaan, terwijl de aura's van de dronkaards oplosten in vage bruingrijze strepen.

En nergens een spoor. Alleen maar die droge keel, dat jeukende tandvlees en een hart dat als een razende tekeerging. Het gevoel alsof ik bloed op mijn lippen had. Die toenemende spanning.

Allemaal niet meer dan indirecte aanwijzingen en toch zo duidelijk dat ik ze niet kon negeren.

Wie kon het zijn? Wie?

Achter me ging de trein weer rijden. Het gevoel dat ik vlak bij mijn doel was bleef, het moest hier dus ergens zijn. Er kwam een trein aanrijden op het spoor aan de andere kant van het perron. Ik voelde hoe mijn doelwit in beweging kwam en ernaartoe liep.

Eropaf!

Ik stak het perron over, glipte tussen de mensen door die de borden met vertrektijden bestudeerden, liep naar de achterste wagon van de trein... en voelde mijn doelwit niet meer zo duidelijk. Meteen rende ik naar de voorste wagon... Ja, ik kwam er weer dichterbij...

Warm, koud – zoals in het spelletje.

De mensen stapten in. Ik rende langs de trein, merkte dat er speeksel in mijn mond liep, mijn tanden pijn gingen doen en mijn vingers verkrampten. In mijn koptelefoon dreunde de muziek.

> *In the shadow of the moon,*
> *She danced in the starlight*
> *Whispering a haunting tune*
> *To the night...*

Wat een toepasselijk nummer! Verbazingwekkend toepasselijk zelfs...
Dat beloofde niet veel goeds.
De deuren gingen dicht; ik kon er nog net tussendoor naar binnen springen, bleef stokstijf staan, luisterde. Raak, of niet? Want ik had mijn doelwit nog steeds niet gezien.
Ja, raak!
De metro reed snel over de Ring, terwijl mijn verontruste instincten riepen: 'Hier! Heel dichtbij!'
Zat ik dan dus echt in de juiste wagon?
Ik keek stiekem naar de andere passagiers en moest de hoop toen wel opgeven. Niemand die er bijzonder uitzag.
Goed, ik kan wel wachten.

> *Feel no sorrow, feel no pain,*
> *Feel no hurt, there's nothing gained...*
> *Only love will then remain,*
> *She would say.*

Op station Prospekt Mira voelde ik dat mijn doelwit zich verwijderde. Ik sprong de wagon uit en liep achter de mensen aan die hier overstapten. Dichtbij, heel dichtbij...
Op het perron van de Noord-Zuidlijn voelde ik – het deed bijna pijn – dat mijn doelwit in mijn buurt was. Ik zag al een paar kandidaten: twee jonge vrouwen, een jonge man, een jongen. Ze kwamen allemaal in aanmerking, maar wie van hen was het?
Mijn viertal stapte in dezelfde wagon. Dat was tenminste iets. Ik volgde hen en wachtte af.
Een van de twee vrouwen stapte uit bij Rishskaja.
Ik voelde het doel nog net zo sterk als tevoren.
De jonge man stapte uit bij Alexejewskaja.
Heel goed. De andere vrouw of de jongen? Wie van die twee?
Ik bekeek hen onopvallend. De vrouw was mollig, had roze wangen en zat de

Moskowski Komsomolets te lezen. Ze leek helemaal niet zenuwachtig. De jongen, die in alles haar tegenpool was – mager en zwak – stond bij de deur en streek met zijn vinger over het glas.

Ik vond de vrouw heel wat... appetijtelijker. Twee tegen één dat zij het is.

Maar over het algemeen geeft het geslacht de doorslag.

Geleidelijk begon ik de roep te horen. Nog zonder woorden, nog slechts een gevoelige, plechtige melodie. De geluiden uit mijn koptelefoon drongen inmiddels al niet meer tot me door, want de roep verstikte de muziek helemaal.

Geen van beiden werd onrustig. Of ze konden heel veel verdragen, of ze hadden zich meteen al overgegeven.

De trein reed het station 'Tentoonstelling van de verworvenheden van de nationale economie' binnen. De jongen nam zijn hand van het glas, stapte uit en liep met snelle passen naar de oude uitgang. De vrouw bleef zitten.

Verdorie!

Ze waren allebei nog zo dicht bij me dat ik niet kon uitmaken wie van de twee ik voelde.

Plotseling zwol de muziek jubelend aan en hoorde ik ook een stem.

Een vrouwenstem!

Ik sprong tussen de al dichtgaande deuren door naar buiten en rende achter de jongen aan.

Heel goed. Het einde van de jacht was in zicht.

Maar hoe moest ik het redden met een lege amulet? Ik had geen flauw idee...

Er waren bijna geen mensen uitgestapt; er stonden maar vier andere mensen op de roltrap. Helemaal bovenaan stond de jongen, achter hem een vrouw met een kind en achter mij een gerimpelde, oudere kolonel. De aura van de officier was heel mooi: hij straalde helder en bestond uit fonkelende staalgrijze en lichtblauwe tinten. Geamuseerd en vermoeid bedacht ik me dat ik zijn hulp wel kon inroepen. Mannen zoals hij hechten ook tegenwoordig nog aan het begrip krijgseer.

Alleen... deze oude kolonel zou evenveel nut hebben als een vliegenmepper tijdens de olifantenjacht.

Zonder verder over dit soort onzin na te denken, keek ik weer naar de jongen. Met gesloten ogen scande ik zijn aura.

De uitkomst was ontmoedigend.

Hij was gehuld in een iriserend, halfdoorzichtig schijnsel. Het werd rood, daarna donkergroen en ten slotte vlamde het op als een donkerblauw licht.

Heel bijzonder. Zijn lot was nog niet bezegeld. Een onduidelijk potentieel. De jongen kon uitgroeien tot een ellendige schoft, zich ontwikkelen tot een goed en eerlijk mens of uitgroeien tot een niemand, tot een lege plek... net als de meeste mensen op deze wereld. Alles lag nog open, zoals dat zo mooi heet.

Gewoonlijk hebben kinderen van nog geen twee of drie jaar een dergelijk aura. Bij oudere kinderen zie je ze zelden.

Nu was het wel duidelijk waarom de roep juist hem gold. Een lekker hapje, zonder enige twijfel.

Het water liep me in de mond.

Het duurde allemaal al te lang, veel te lang... Ik keek naar de jongen, keek naar zijn dunne nek onder zijn schedel en verwenste de Chef, de tradities en de rituelen: alles wat onderdeel was van mijn werk. Mijn tandvlees jeukte, mijn keel was helemaal uitgedroogd.

Bloed heeft een bittere, zoutachtige smaak; toch kan deze honger alleen door bloed worden gestild.

Verdorie!

De jongen sprong van de roltrap af, rende door de stationshal en verdween door de glazen deur. Heel even voelde ik me beter. Ik liep hem iets langzamer achterna en hield hem vanuit mijn ooghoeken in de gaten: de jongen dook de tunnel in. Hij rende al, want de roep trok aan hem, trok hem naar zich toe.

Sneller!

Ik rende naar een kraampje en gooide twee munten voor de verkoper neer. Ik zei: 'Voor zes roebel, met ringsluiting,' en probeerde mijn tanden niet te laten zien.

De puistige verkoper viel bijna in slaap – als hij aan het werk was, nam hij zelf kennelijk ook af en toe een slokje – toen hij mij mijn kwartlitertje overhandigde. 'Heb wel eens betere wodka gedronken,' waarschuwde hij mij eerlijk. 'Het is weliswaar geen puur vergif, geen Dorochowskaja, maar toch...'

Ik viel hem in de rede: 'De gezondheid is belangrijker.' Dat spul leek écht niet veel op wodka, maar was nu goed genoeg. Met één hand trok ik aan de draadring zodat de sluiting losging en met de andere haalde ik mijn mobieltje uit mijn zak. De ogen van de verkoper vielen dicht. Al lopend nam ik een slok – de wodka stonk naar kerosine en smaakte nog erger, je reinste slootwater, op een onduidelijke plek illegaal versneden – en rende richting tunnel.

'Hallo?'

Larissa was al weg. Meestal had Pawel 's nachts dienst.

'Met Anton. Hotel Kosmos, hier vlakbij, op een van de binnenplaatsen. Ik volg hem.'

'Een team?' Er klonk interesse door in zijn stem.

'Ja, en ik heb de amulet al ontladen.'

'Wat is er gebeurd?'

Een dakloze, die midden in de tunnel zat te doezelen, stak zijn hand uit alsof hij hoopte dat ik hem de pul zou geven die ik nog niet leeggedronken had. Ik liep hem snel voorbij.

21

'Dat is een ander verhaal... Schiet op, Pawel.'

'De jongens zijn al onderweg.'

Opeens voelde ik pijn in mijn kaak, alsof iemand er een gloeiende naald in stak. Wat een ellende...

'Pasjcha, ik kan niet meer instaan voor wat ik doe,' zei ik nog snel, verbrak de verbinding... en bleef toen staan voor twee agenten op patrouille.

Het is ook altijd hetzelfde liedje!

Waarom komen die ordebewaarders van de mensen altijd op het verkeerde moment tevoorschijn?

'Sergeant Kaminski,' ratelde de jonge agent. 'Uw papieren...'

Wat wilden ze me in de schoenen schuiven? Openbare dronkenschap? Misschien.

Ik stak mijn hand in mijn zak en raakte de amulet aan. Er straalde bijna geen warmte meer van af, maar veel had ik nu ook niet nodig.

'Ik besta niet,' zei ik.

Twee paar ogen dwaalden over me heen, een smakelijke prooi. Toen doofden ze uit en week het laatste vonkje verstand uit hen.

'U bent er inderdaad niet,' echoden ze tegelijk.

Ik had niet genoeg tijd om hen goed te programmeren. Daarom flapte ik er zomaar wat uit: 'Koop maar wat wodka en laat het je goed smaken. Nu! Mars!'

Mijn bevel viel zichtbaar in goede aarde. De agenten liepen hand in hand, als twee jochies tijdens een wandeling, door de tunnel in de richting van de kraampjes. Ik voelde me een beetje schuldig toen ik nadacht over de gevolgen van mijn bevel, maar ik had domweg niet genoeg tijd om er nu nog iets aan te veranderen.

Toen ik de tunnel uitrende, was ik er eigenlijk van overtuigd dat het al te laat was. Het was heel vreemd, maar de jongen was nog niet heel ver gekomen. Hij stond daar maar, een beetje wankelend, zo'n honderd meter voor me uit. Wat een weerstandsvermogen! De roep was zo sterk, ik begreep niet waarom de paar voetgangers die op straat waren niet begonnen te dansen, waarom de trolleybussen niet van de Prospekt afbogen en deze poort inreden, naar waar het prettig was...

De jongen draaide zich om, zag mij kennelijk en liep snel verder.

Afgelopen, hij gaf zich over.

Terwijl ik achter hem aan liep, vroeg ik me koortsachtig af wat ik moest doen. Het zou het verstandigste zijn om op de brigade te wachten. Ze zouden tien minuten nodig hebben, meer niet.

Maar ondertussen kon er van alles gebeuren, kon de jongen van alles overkomen.

Medelijden is gevaarlijk. Het was nu al de tweede keer vandaag dat dit me overkwam. Eerst in de metro, toen ik mijn amulet had ontladen tijdens die mislukte poging om de zwarte Wervel te vernietigen. En nu weer, nu ik deze jongen achtervolgde.

Lang geleden heeft iemand eens iets gezegd waarvan ik nooit heb willen toegeven dat het waar was. Tot op de dag van vandaag heb ik dat ook niet gedaan, hoewel ik al vaak genoeg heb gemerkt dat het wel waar is.

Het welzijn van de gemeenschap en het welzijn van een enkeling zijn zelden verenigbaar.

Dat klopt, dat begrijp ik wel. Dat is de waarheid.

Maar er is vast en zeker een waarheid die erger is dan een leugen.

Ik rende de roep tegemoet. Waarschijnlijk hoorde ik die niet op dezelfde manier als de jongen. Hij hoorde die klanken als een verleidelijke smeekbede, als een betoverende melodie die hem van zijn wil en van zijn krachten beroofde. Voor mij was het precies het tegenovergestelde: een bloedstollend alarm. Bloedstollend...

Mijn lichaam, dat ik al een week lang schandalig had behandeld, gooide het bijltje er nu bij neer. Ik wilde iets drinken, maar geen water, hoewel ik mijn dorst probleemloos had kunnen lessen met de sneeuw die in de stad lag. En ook geen sterkedrank; dan had ik gewoon het flesje kunnen pakken met die smerige drank waar ik ook niks van zou hebben gekregen. Ik wilde bloed.

En dan niet het bloed van een varken of van een koe, maar van een mens.

Deze vervloekte jacht ook...

'Je moet erdoorheen,' had de Chef gezegd. 'Vijf jaar op de analytische afdeling is erg lang, vind je niet?'

Ik weet het niet, misschien is dat wel lang, maar ik vind het daar prettig. Trouwens, de Chef houdt zich zelf ook al zeker honderd jaar niet meer met het operationele werk bezig.

Ik rende langs de verlichte etalages waarin blauw-wit namaak Gsjel-keramiek of plastic levensmiddelen lagen opgestapeld. Auto's raasden voorbij en er waren nog maar een paar mensen op pad. Maar ook dat was een vervalsing, een illusie, slechts één kant van de wereld, en de enige die toegankelijk is voor de mensen. Wat ben ik blij dat ik geen mens ben.

Terwijl ik bleef rennen, riep ik de Schemer erbij.

De wereld zuchtte diep en schoof opzij. Voor me uit verscheen er opeens een lange, dunne schaduw op de grond, alsof ik van achteren werd beschenen door de schijnwerpers van een startbaan. De schaduw bolde op, werd groter, trok zich in zichzelf terug, in die ruimte waarin er geen schaduw meer is. Scheurde zich van het vieze asfalt af, verhief zich, veerde op als een pilaar van dichte rook. De schaduw liep voor me uit...

Terwijl ik steeds sneller ging rennen, verpletterde ik het grijze schaduwbeeld en trad de Schemer binnen. De kleuren van de wereld verbleekten, het leek alsof de auto's op de Prospekt langzamer reden, bleven steken.

Ik was vlak bij mijn bestemming.

Toen ik het steegje in liep, verwachtte ik dat ik alleen nog het slottafereel zou zien: het onbeweeglijke, uitgezogen, leeggedronken lichaam van de jongen en de verdwijnende vampierin.

Maar ik was net op tijd.

De jongen stond voor de vampierin wier lange hoektanden fonkelden en deed langzaam zijn sjaal af. In elk geval was hij nu niet bang – de roep verstikte zijn bewustzijn helemaal. Waarschijnlijk wílde hij zelfs dat die scherpe, fonkelende hoektanden hem zouden aanraken.

Naast hen stond een vampier. Intuïtief begreep ik direct dat hij de baas was: hij had de vrouw geïnitieerd, hij had haar aan het bloed gebracht. En wat nog het ergste was: hij had een Moskous identiteitszegel. De schoft!

In elk geval verhoogde dit mijn kans op succes.

De vampiers draaiden zich naar me om, in verwarring. Ze begrepen niet meteen wat er aan de hand was. De jongen stond in hun Schemer, zodat ik hem niet had kunnen zien, niet had mógen zien. Net als zijzelf.

Langzaam maar zeker werd het gezicht van de jonge vampier minder gespannen; hij glimlachte zelfs, vriendelijk en rustig.

'Hallo.'

Hij dacht dat ik een van hen was. En dat kon je hem niet kwalijk nemen: op dit moment was ik echt een van hen. Bijna. Die week van voorbereidingen was niet voor niets geweest: ik begon al te voelen dat ze er waren, maar was daardoor zelf ook bijna aan de Duistere kant terechtgekomen.

'Nachtwacht,' zei ik en stak mijn hand uit met de amulet erin. Hij was weliswaar ontladen, maar dat was vanaf die afstand niet zo gemakkelijk te zien. 'Treed uit de Schemer!'

De man had waarschijnlijk wel geluisterd. In de hoop dat ik niets wist van het bloedspoor dat hij achter zich aan trok en in de hoop dat ik alles zou afdoen als een 'poging tot een niet-toegestane interactie met een mens'. Maar de vrouw had niet dezelfde zelfbeheersing als hij en begreep niet in welke situatie ze zich bevond.

'Aaaah!!!' Met een kreet stortte ze zich op mij. Nou ja, in elk geval prikte ze haar tanden niet in de hals van de jongen. Ze was nu helemaal ontoerekeningsvatbaar, als een drugsverslaafde die je de naald afpakt die hij net in zijn ader heeft gestoken, als een nymfomane uit wie je je vlak voor haar hoogtepunt terugtrekt.

Voor een mens kwam die aanval te snel; niemand had die kunnen pareren.

Maar ik bevond me in dezelfde tijdzone als de vampierin. Ik hief mijn hand op en spoot een beetje drank in haar door de transformatie misvormde gezicht.

Waardoor komt het toch dat vampiers zo slecht tegen alcohol kunnen?

Het dreigende geschreeuw ging over in een zacht gejammer. De vampierin draaide in het rond en stompte met haar handen op haar gezicht waar de huid en het gruwelijke vlees laagje voor laagje van afbladderden. De vampier echter draaide zich razendsnel om en wilde ervandoor gaan.

Alles ging bijna té soepel. Een geregistreerde vampier is geen toevallige voorbijganger met wie je een eerlijk gevecht kunt voeren. Ik smeet de fles drank naar de vampierin, stak mijn hand uit en greep het koord van het identiteitszegel dat gehoorzaam afrolde. Luid kreunend reikte de vluchtende vampier naar zijn keel.

'Treed uit de Schemer!' riep ik.

Kennelijk begreep hij dat hij nu echt in de knoei zat. Terwijl hij zich op me stortte, probeerde hij de spanning van het strak gespannen koord te halen. Door deze beweging kwamen zijn hoektanden tevoorschijn en begon zijn transformatie.

Als de amulet helemaal opgeladen was geweest, zou ik hem gewoon hebben verdoofd.

Maar nu moest ik hem wel doden.

Het identiteitszegel – een licht glimmend, lichtblauw zegel op de borst van de vampier – knetterde toen ik geluidloos een bevel uitzond. De energie, afkomstig van iemand die veel kundiger was dan ik, stroomde in het dode lichaam. De vampier rende nog. Hij was verzadigd, sterk, en toch voedde een vreemd leven het dode vlees. Maar hij was niet bestand tegen een slag van deze kracht: zijn huid verschrompelde, vouwde zich als perkament over zijn botten en er droop gelei uit zijn oogkassen. Toen viel de wervelende pilaar uiteen en zakte het schokkende skelet voor mijn voeten krakend in elkaar.

Ik draaide me weer om. De vampierin was alweer bij bewustzijn gekomen, maar van haar had ik niets meer te duchten: met grote sprongen verliet ze de binnenplaats. Ze was nog steeds niet uit de Schemer getreden, zodat ik de enige was die dit fascinerende schouwspel kon zien. En de honden natuurlijk. Ergens vandaan klonk het hysterische geblaf van een klein hondje waarin zowel haat als angst doorklonken... én alle gevoelens die honden al sinds onheuglijke tijden voor de levende doden hebben.

Ik had niet meer genoeg puf om de vampierin achterna te gaan. Ik rekte me uit en maakte een afdruk van haar aura: een uitgedroogde, grauwe en muffe aura. Ze zou niet kunnen ontsnappen.

Maar waar was de jongen?

Nadat hij uit de door de vampiers opgeroepen Schemer was getreden, kon hij zijn flauwgevallen of volledig zijn verstard. Maar in de steeg was hij niet. Hij was me ook niet voorbijgelopen... Ik stormde de steeg uit, naar de binnenplaats, en ja hoor, daar was hij.

Hij was er zelfs nog sneller vandoor gegaan dan de vampierin. Dappere knul! Een echt wonder. Mijn hulp had hij in elk geval niet nodig. Vervelend wel dat hij nog wist wat er was gebeurd, maar wie zou een kleine jongen geloven? Morgenochtend zou de herinnering al zijn vervaagd, onduidelijk geworden, veranderd in een onwerkelijke nachtmerrie.

Of zou ik de jongen toch volgen?

'Anton!'

Vanaf de Prospekt kwamen Igor en Garik eraan gerend, twee leden van onze commandogroep.

'De vrouw is ontsnapt!' riep ik.

Garik gaf al lopend een trap tegen het verdroogde lijk van de vampier, waardoor de stank van bederf als een wolk in de ijskoude lucht opsteeg. 'De afdruk!' schreeuwde hij.

Ik overhandigde hem de afdruk van de gevluchte vampierin.

Gariks gezicht vertrok en begon nog sneller te lopen. De speurders begonnen aan hun zoektocht. 'Zorg voor het afval!' brulde Igor nog naar mij.

Met een knikje – alsof ze een antwoord van mij verwachtten – trad ik uit de Schemer. De wereld kreeg weer kleur. De silhouetten van de beide jongens van de operationele afdeling versmolten en zelfs de sneeuw die in de mensenwereld lag, was niet langer door onzichtbare voeten platgetrapt.

Met een zucht liep ik naar de langs het trottoir geparkeerde grijze Volvo. Op de achterbank lagen een paar gewone dingen die ik goed kon gebruiken: een stevige plastic tas, een schep en een bezem. Binnen vijf minuten had ik de restanten van de vampier, die bijna niets wogen, bij elkaar geveegd en de zak in de kofferbak gelegd. Van het smerige hoopje sneeuw dat de slordige huismeester had laten liggen, pakte ik wat modderige klonten. Die strooide ik op de grond van het steegje en stampte ze goed aan zodat de verrotte resten onder de viezigheid werden begraven. Jij krijgt geen menselijke begrafenis, want je bent geen mens...

Dat was het dan.

Ik liep terug naar de auto, ging achter het stuur zitten en maakte mijn jas los. Ik voelde me goed. Heel goed zelfs. De leider van de beide vampiers was dood, onze mensen zouden zijn vriendin grijpen en de jongen leefde nog.

De Chef kon tevreden zijn!

2

'Prutswerk!'

Ik probeerde er iets tegenin te brengen, maar de volgende uitroep knalde als een draai om de oren, snoerde me de mond.

'Geklungel!'

'Maar...'

'Snap je dan tenminste wát je allemaal fout hebt gedaan?'

De Chef klonk nu iets minder boos en daarom durfde ik op te kijken. 'Over het geheel genomen...' begon ik voorzichtig.

Ik vind het prettig in de kamer van de Chef. Als ik al die grappige dingen zie die in vitrines achter kogelvrij glas staan, aan de muren hangen en chaotisch op tafel liggen en samen met diskettes en zakelijke dossiers één geheel vormen, komt er iets kinderlijks in me naar boven. Van de Japanse waaiers tot aan dat gebogen stuk metaal met de opgezette eland, het embleem van een autofabrikant... bij elk object hoort een verhaal. Als de Chef in de stemming is, kan hij de meest merkwaardige verhalen vertellen.

Alleen tref ik hem niet zo vaak in die stemming.

'Goed.' De Chef ijsbeerde niet langer, ging in een leren stoel zitten en stak een sigaret op. 'Begin maar.'

Zijn stem klonk nu zakelijk en paste bij zijn uiterlijk. Een mens zou een veertigjarige man zien die deel uitmaakte van een groepje zakenlui waar de regering hoge verwachtingen van heeft.

'Waarmee?' vroeg ik, waardoor ik de kans liep opnieuw een weloverwogen beoordeling van mijn persoontje te moeten aanhoren.

'Met het opsommen van de fouten. Jouw fouten.'

Dat betekent dus... Goed. 'Mijn eerste fout, Boris Ignatjewitsj,' begon ik met een onschuldig gezicht, 'was dat ik mijn opdracht niet goed heb begrepen.'

'Is dat zo?' vroeg de Chef.

'Tja, ik dacht dat ik de vampier moest opsporen die sinds kort in Moskou op jacht is. Hem opsporen en, eh, onschadelijk maken.'

'Ga door,' spoorde de Chef me aan.

'Eigenlijk zou met deze opdracht mijn geschiktheid voor het operationele werk en voor de buitendienst worden getest. Omdat ik mijn opdracht verkeerd heb ingeschat... ik bedoel, omdat ik handelde volgens het principe "afbakenen en beschermen"...'

De Chef zuchtte en knikte. Iemand die hem niet zo goed kende als ik zou misschien hebben gedacht dat hij onder de indruk was.

'Heb je dit principe dan geschonden?'

'Nee. En dat is dan ook de reden dat ik alles heb verknald.'

'Hoe dan?'

'Meteen al in het begin...' Mijn blik dwaalde naar een opgezette sneeuwuil die in een vitrine stond. Had die net zijn kop bewogen of niet? 'Meteen al in het begin heb ik mijn amulet ontladen met een mislukte poging om een zwarte Wervel te neutraliseren...'

Boris Ignatjewitsj vertrok zijn gezicht. Hij streek zijn haar glad. 'Goed, laten we daarmee beginnen. Ik heb je verslag grondig doorgenomen en als je niet overdreven hebt...'

Verontwaardigd schudde ik mijn hoofd.

'Ik geloof je wel. Goed dan, tegen een dergelijke Wervel kun je met een amulet niets beginnen. Kun je je de classificatie nog herinneren?'

Verdorie! Waarom had ik die oude aantekeningen niet weer doorgenomen?

'Blijkbaar niet. Maar dat is niet belangrijk, omdat deze Wervel helemaal buiten het vaste stramien valt. Het zou je hoe dan ook niet zijn gelukt om met hem af te rekenen...' De Chef boog zich over de tafel heen naar me toe en fluisterde samenzweerderig: 'En weet je...'

Ik luisterde.

'Mij ook niet, Anton.'

Deze bekentenis kwam onverwachts, en ik had geen idee wat ik moest zeggen. Er was weliswaar niemand die hardop beweerde dat de Chef alles kon, maar alle medewerkers dachten dat toch wel.

'Anton, een Wervel met zoveel kracht kan alleen de Schepper vernietigen.'

'Dan moeten we hem zoeken...' zei ik onzeker. 'Onvoorstelbaar, als die vrouw...'

'Het gaat helemaal niet om haar. In elk geval niet alleen om haar.'

'Waarom niet?' flapte ik eruit en zei er vlug achteraan: 'Moeten we een einde maken aan het werk van een duistere tovenaar?'

De Chef zuchtte eens. 'Waarschijnlijk heeft hij een licentie. Waarschijnlijk heeft hij het recht haar met een vloek te belasten... Maar het gaat zelfs niet om de tovenaar. Een zwarte Wervel met zoveel kracht... Kun jij je dat vliegtuigongeluk van vorige winter nog herinneren?'

Ik huiverde. We hoefden onszelf niet te verwijten dat we nalatig waren geweest. De oorzaak van het ongeluk was een hiaat in de wet: de piloot die voor deze vlucht was aangewezen, had de controle over het toestel verloren en dat was vervolgens boven de stad neergestort. Honderden onschuldige mensenlevens...

'Dergelijke Wervels kunnen niet doelgericht worden ingezet. De vrouw is ten dode opgeschreven, maar er valt heus geen dakpan op haar hoofd. De kans is veel groter dat het hele huis instort, er een epidemie uitbreekt of er per ongeluk een atoombom op Moskou wordt gegooid. Dat is de ellende, Anton.'

De Chef draaide zich plotseling om en keek met een vernietigende blik naar de uil. Meteen vouwde die zijn vleugels tegen zijn lichaam, terwijl de fonkeling in de glazen ogen uitdoofde.

'Boris Ignatjewitsj,' zei ik ontzet. 'Dat is mijn schuld...'

'Ja, dat is zo. Er is nog één ding dat je kan redden, Anton.' De Chef schraapte zijn keel. 'Als je medelijden hebt betoond, heb je precies het juiste gedaan. De amulet kon de Wervel niet helemaal verslaan, maar heeft de uitbraak van het inferno wel vertraagd. Daardoor hebben we een dag gewonnen... Misschien wel twee. Ik ben altijd al van mening geweest dat ondoordachte, maar goedbedoelde acties meer effect hebben dan goed doordachte slechte. Als je de amulet niet had gebruikt, dan lag half Moskou nu misschien al in de as.'

'En wat gaan we nu doen?'

'Dat arme meisje zoeken. Haar beschermen... voorzover dat in onze macht ligt. We kunnen de Wervel nog één of twee keer destabiliseren. In de tussentijd moeten we de tovenaar vinden die verantwoordelijk is voor de vloek en hem dwingen de Wervel op te heffen.'

Ik knikte.

'Iedereen zal meedoen aan die zoektocht,' zei de Chef terloops. 'Ik heb onze mensen die op vakantie zijn teruggeroepen. Tegen de ochtend ongeveer arriveren Ilja en Semjon vanuit Sri Lanka, rond de middag komt de rest. Het weer in Europa is slecht; ik heb onze collega's in het Europese bureau om hulp gevraagd, maar zij zijn nog bezig de wolken uit elkaar te drijven...'

'Tegen de ochtend?' Ik keek op de klok. 'Dat duurt nog een dag.'

'Nee, vanochtend,' antwoordde de Chef zonder zich iets aan te trekken van de middagzon die door het raam naar binnen scheen. 'Ook jij gaat op zoek. Misschien lukt het je nog een keer... Zullen we nu je andere fouten bespreken?'

'Heeft deze tijdverspilling dan zin?' vroeg ik bedeesd.

'Wees maar niet bang dat we tijd verspillen.' De Chef stond op, liep naar de vitrine, haalde de opgezette uil eruit en zette hem op tafel. Van dichtbij was goed te zien dat hij echt opgezet was, dat er niet meer leven in die uil zat dan in een bontkraag. 'Laten we het nu eens hebben over de vampiers en hun slachtoffer.'

'De vampierin is ontkomen. En onze mensen hebben haar niet meer te pakken gekregen,' gaf ik vol wroeging toe.

'Wat dit betreft, hoef je jezelf niets te verwijten. Je hebt je goed geweerd. Het probleem is het slachtoffer...'

'Klopt, de jongen weet alles nog. Maar hij is er gewoon vandoor gegaan...'

'Anton, kom nou toch! Die jongen volgde een roep die kilometers bij hem vandaan kwam! Toen hij de poort door ging, had hij zo willoos moeten zijn als een marionet! En toen de Schemer oploste, had hij bewusteloos moeten raken! Anton, als hij zich na dat alles nog kon bewegen, dan sluimert er een fenomenaal potentieel in hem.'

De Chef zweeg.

'Wat ben ik stom geweest!'

'Nee hoor, je hebt gewoon al veel te lang in je laboratorium gezeten. Anton, deze jongen heeft het in zich om machtiger te worden dan ik!'

'Maar dat is...'

'We moeten de feiten onder ogen zien...'

De telefoon op de tafel ging over. Het moest dus wel iets belangrijks zijn, want bijna niemand kende het doorkiesnummer van de Chef. Ook ik niet.

'Stil!' zei de Chef tegen het onschuldige toestel dat daarop zweeg. 'Anton, we moeten deze jongen vinden. De ontsnapte vampierin vormt geen gevaar. Of Igor en Garik krijgen haar alsnog te pakken, of ze loopt een van onze patrouilles wel tegen het lijf. Maar als ze die jongen uitzuigt – of, en dat zou nog veel erger zijn, hem initieert... Je hebt geen idee wat een echte vampier kan doen. Die van vandaag, dat zijn immers slechts muggen vergeleken met een nosferatu. En hij was nog niet eens een van de belangrijkste, hoe gewichtig hij zich ook altijd heeft voorgedaan... Daarom moet die jongen worden gevonden, onderzocht en zo mogelijk worden opgenomen in de Wacht. We mogen hem niet overlaten aan de Duistere kant, want dan zou het evenwicht in Moskou onherroepelijk verstoord raken.'

'Wat is dat? Een bevel?'

'Een licentie,' zei de Chef somber. 'Zoals je weet, heb ik het recht om dit soort instructies te geven.'

'Ja,' antwoordde ik zachtjes. 'Waar zal ik mee beginnen? Liever gezegd, met wie?'

'Dat mag je zelf weten... Misschien toch maar met de vrouw. Maar probeer de jongen ook te vinden.'

'Zal ik dan nu maar gaan?'

'Ga eerst maar eens uitslapen.'

'Ik heb genoeg slaap gehad, Boris Ignatjewitsj.'

'Volgens mij niet. Ik raad je aan om nog een uurtje te gaan liggen.'

Ik begreep er helemaal niets meer van. Ik was vandaag om elf uur opgestaan en meteen naar kantoor gekomen; ik voelde me fit en sterk.

'En dit is je assistente.' De Chef knipte met zijn vingers tegen de opgezette uil. De vogel spreidde zijn vleugels en kraste verontwaardigd.

Ik slikte. 'Wat is dat?' waagde ik te vragen. 'Of liever gezegd, wie is dat?'

'Waarom wil je dat weten?' vroeg de Chef terwijl hij de uil recht aankeek.

'Om te kunnen besluiten of ik wel met hem zou willen samenwerken!'
De uil keek naar mij en blies als een woedende kat.
'Je hebt de vraag niet goed geformuleerd.' De Chef schudde zijn hoofd. 'Of zíj wel met jou zou willen samenwerken – daar gaat het om.'
De uil kraste weer.
'Ja,' zei de Chef, die al niet meer naar mij keek, maar naar de vogel. 'In veel opzichten heb je gelijk. Maar was er niet iemand die heeft gevraagd weer in beroep te gaan?'
De vogel verstarde.
'Ik beloof je dat ik me met de zaak zal bezighouden. En deze keer maken we een goede kans.'
'Boris Ignatjewitsj, volgens mij...' begon ik.
'Het spijt me, Anton, maar ik ben niet geïnteresseerd in jouw mening...' De Chef strekte zijn arm uit; de uil waggelde onzeker op haar gevederde poten naar hem toe en ging op zijn hand zitten. 'Je hebt geen idee hoeveel mazzel je hebt.'
Ik zweeg. De Chef liep naar het raam, schoof hem open en stak zijn arm naar buiten. De uil sloeg met haar vleugels, maakte een duikvlucht en ging ervandoor. Niks opgezet!
'Waar vliegt... het... naartoe?'
'Naar jouw huis. Jullie zullen samenwerken, als team...' De Chef wreef over zijn neuswortel. 'Goed, ze heet Olga. Vergeet dat niet.'
'De uil?'
'Ja. Je moet haar voeren, voor haar zorgen – dan komt alles in orde. En nu ga je nog even slapen. Daarna hoef je niet eerst naar kantoor te komen. Je wacht op Olga en dan gaan jullie direct aan de slag. Controleer bijvoorbeeld de Ringlijn van de metro.'
'Hoezo, nog even slapen...?' begon ik. Maar de wereld om me heen verbleekte, doofde uit, loste al op. Het hoekje van mijn hoofdkussen prikte in mijn wang.
Ik lag in mijn eigen bed.
Ik had een zwaar gevoel in mijn hoofd en mijn ogen zaten dicht. Mijn keel was uitgedroogd en deed pijn.
'Ah...' kreunde ik hees en draaide me op mijn rug. Door de dikke gordijnen kon ik niet zien of het nog nacht was of al klaarlichte dag. Met toegeknepen ogen keek ik op de klok: de fluorescerende cijfers gaven acht uur aan.
Dit was de eerste keer dat de Chef me in mijn droom een audiëntie heeft gegund.
Dat is niet plezierig en al zeker niet voor de Chef die zich in mijn bewustzijn moest persen.
Kennelijk hadden we echt heel weinig tijd als hij het noodzakelijk vond om

me mijn instructies in de wereld van de dromen te geven. Wat had het allemaal echt geleken! Dat zou ik nooit hebben verwacht! De analyse van mijn opdracht, die belachelijke uil...

Ik kromp ineens in elkaar. Er werd op het raam getikt. Een zacht ruisen, steeds weer, alsof iemand met kralen op het raam roffelde. De gedempte kreet van een vogel drong door tot in mijn kamer.

Wat had ik dan verwacht?

Met één sprong was ik uit bed, trok mijn onderbroek recht en rende naar het raam. Al die informatie die ik als voorbereiding op de jacht in mijn hoofd had geprent, was er nog en ik kon elk object onmiddellijk herkennen.

Met één ruk trok ik de gordijnen open, trok de luxaflex omhoog.

De uil zat op de vensterbank. Ze knipperde een beetje met haar ogen; het was immers al opgeklaard en daarom was het licht veel te fel voor haar. Als je op straat stond, zou je amper kunnen zien wat voor vogel voor het raam op de negende verdieping zat. Daar zouden mijn buren, als ze al naar buiten zouden kijken, van hebben opgekeken. Een sneeuwuil midden in het centrum van Moskou!

'Wel verdorie...' zei ik zacht.

Ik had liever een andere uitdrukking gebruikt. Maar die gewoonte hadden ze me afgeleerd, meteen al toen ik voor de Wacht begon te werken. Liever gezegd, dat had ik mezelf afgeleerd. Als je een of twee keer een donkere Wervel boven iemands hoofd ziet verschijnen nadat je hem hartgrondig hebt uitgefoeterd, dan word je wel voorzichtiger met wat je zegt.

De uil keek me aan. Ze wachtte.

Overal hoorde ik vogels. Een zwerm mussen was een eindje verderop in een boom neergestreken en tjilpte aan één stuk door. De raven durfden al iets meer, zij hadden het balkon naast mij en de bomen in de buurt in beslag genomen. Ze krasten onafgebroken en hipten van de ene tak op de andere of vlogen rondjes langs het raam. Instinctief wisten ze dat ze niet veel goeds hoefden te verwachten van zo'n vreemde buur.

De uil reageerde echter nergens op. Ze trok zich niets aan van de mussen en de raven, helemaal niets.

'Nou, jij bent me ook wat moois,' mompelde ik terwijl ik het raam opendeed. Daarbij scheurde ik het papier kapot dat ik 's winters altijd op het raam plak om de tocht tegen te houden. De Chef had vreemde ideeën over mijn partner...

Met één vleugelslag vloog de uil naar binnen, ging op de kledingkast zitten en deed haar ogen op een spleetje na dicht. Alsof ze hier al eeuwen woonde. Of ze het onderweg hier naartoe koud had gekregen? Vast niet, ze was immers een sneeuwuil.

Terwijl ik het raam weer sloot, dacht ik na over wat ik eerst zou gaan doen.

Hoe moest ik met haar communiceren, haar voeren en hoe zou dit gevederde wezen me in vredesnaam kunnen helpen?

'Jij heet dus Olga?' vroeg ik toen ik klaar was met het raam. Het tochtte nog wel door de kieren, maar dat kon wel wachten. 'Hé, vogel!'

De uil deed één oog een beetje verder open. Ze trok zich even weinig van mij aan als van de luidruchtige mussen.

Ik voelde me steeds dommer. Ten eerste werd ik opgescheept met een partner met wie ik niet kon communiceren. En ten tweede was het ook nog eens een vrouw!

Nou ja, een vrouwtjesuil.

Moest ik een broek aantrekken? Ik stond voor haar met alleen een verkreukelde onderbroek aan, ongeschoren, niet uitgeslapen...

Ik voelde me heel stom toen ik mijn spullen bij elkaar zocht en de kamer uit strompelde. 'Neem me niet kwalijk, ik ben zo weer terug,' zei ik, terwijl ik de kamer uit stormde – nu had ze pas echt een goede indruk van me.

Als deze vogel echt was wat ik vermoedde dat ze was, dan had ik zojuist niet bepaald een goede indruk gemaakt.

Het liefst wilde ik een douche nemen, maar durfde niet zoveel tijd te verspillen. Ik moest er maar genoegen mee nemen om me te scheren en mijn bonkende hoofd onder een straal koud water te houden. Op een plankje vond ik tussen enkele flessen shampoo en deodorant een beetje eau de cologne wat ik normaal gesproken nooit gebruik.

'Olga?' riep ik, terwijl ik de grond afzocht.

Ik vond de uil in de keuken, op de koelkast. Ze leek wel dood, een opgezette vogel die hier voor de grap was neergezet. Ongeveer net zoals bij de Chef in de vitrine.

'Leef je?' vroeg ik.

Ze keek me mismoedig aan met een oog dat de kleur had van barnsteen.

'Goed dan.' Ik spreidde mijn armen. 'Zullen we opnieuw beginnen? Ik begrijp best dat ik geen goed figuur heb geslagen. En ik beken ook dat dit chronisch is bij mij.'

De uil luisterde.

'Ik weet niet wie je bent.' Ik pakte een krukje en ging voor de koelkast zitten. 'En jij kunt het me ook niet vertellen. Maar ik kan me natuurlijk wel aan jou voorstellen. Ik heet Anton. Vijf jaar geleden is gebleken dat ik een Andere ben.'

Het geluid dat de uil maakte, deed nog het meest denken aan een onderdrukt lachje.

'Ja,' benadrukte ik. 'Pas vijf jaar geleden. Maar zulke dingen gebeuren. Ik had ontzettend veel last van drempelvrees. Wilde de Schemerwereld gewoon niet zien. En heb die ook niet gezien. Tenminste, niet voordat ik de Chef tegen het lijf liep.'

Kennelijk vond de uil dat interessanter.

'In die tijd organiseerde hij een praktijktraining... Hij had de buitendienstmedewerkers geleerd hoe je onbekende Anderen kunt herkennen. En toen ben ik hem tegen het lijf gelopen...' Ik grijnsde toen ik daaraan terugdacht. 'Natuurlijk heeft hij mijn afweermechanisme doorbroken. En daarna was alles natuurlijk kinderspel... Ik heb de introductiecursus gevolgd en ben daarna op de analytische afdeling gaan werken. Waarbij... mijn leven in feite niet noemenswaard is veranderd. Ik werd een Andere, zonder dat ik dat doorhad. De Chef vond dat maar niets, maar zei er niets van. Ik ben goed in mijn werk en met de rest heeft hij niets te maken. Maar een week geleden is er in Moskou een idiote vampier opgedoken. En uitgerekend ik kreeg de opdracht hem onschadelijk te maken. Zogenaamd omdat alle andere speurders met andere dingen bezig waren, maar in werkelijkheid om mij frontervaring te laten opdoen. Misschien is dat wel de goede manier, maar in de afgelopen week zijn er drie mensen gestorven. Een echte professional zou dat stel al binnen vierentwintig uur te pakken hebben gekregen...'

Ik had dolgraag willen weten hoe Olga daarover dacht. Maar de uil gaf geen kik.

'Wat is dus belangrijker om het evenwicht in stand te houden?' vroeg ik haar toch maar. 'Mij opleiden voor het operationele werk of het leven van drie totaal onschuldige mensen redden?'

De uil zweeg.

'Met mijn normale vaardigheden kon ik geen vampiers herkennen,' vertelde ik. 'Eerst moest ik ontvankelijk worden. Maar ik heb toen geen mensenbloed gedronken; varkensbloed was goed genoeg. En al die preparaten – je weet wel wat ik bedoel...'

Toen ik het over de preparaten had, stond ik op, opende de kast boven de kachel en haalde er een goed afgesloten glazen pot uit. Er zat nog maar een restje van het geklonterde bruine poeder op de bodem vastgeplakt, zodat het geen zin had om het naar de goederenuitgifte te brengen. Ik schudde het poeder in de wasbak en deed de kraan open waarna er een kruidige, bedwelmende geur in de keuken hing. Ik spoelde het glas om en gooide hem in de vuilnisemmer.

'Ik was mezelf bijna niet meer,' zei ik. 'En dat bedoel ik heel letterlijk. Toen ik gisterochtend na de jacht thuiskwam, kwam ik voor het huis mijn buurvrouw tegen. Ik durfde haar niet eens te begroeten, want die lange hoektanden begonnen al tevoorschijn te komen. En vannacht, toen ik die roep hoorde die voor die jongen bestemd was... Nou, het had niet veel gescheeld of ik had meegedaan met die vampiers.'

De uil keek me aan.

'Denk je dat de Chef mij daarom heeft uitgekozen?'

Een opgezette vogel. Een paar veren om een propje watten.

'Zodat ik weet hoe zij zich voelen?'

Beneden drukte iemand op de bel. Ik zuchtte en spreidde mijn armen: wat kan ik eraan doen, het is je eigen schuld, iedere andere gesprekspartner is beter dan deze saaie vogel. Toen ik naar de deur liep, deed ik het licht aan en opende de deur.

Er stond een vampier voor me.

'Kom binnen,' zei ik. 'Kom binnen, Kostja.'

Hij wipte van het ene been op het andere, maar kwam toen toch binnen. Toen hij zijn haar gladstreek, zag ik dat zijn handen nat waren van het zweet en zijn blik onrustig ronddwaalde.

Kostja was nog maar zeventien. Hij was al vanaf zijn geboorte een vampier, een gewone, normale stadsvampier. Dat was behoorlijk vervelend, want een kind van twee vampiers had amper de kans als normaal mens op te groeien.

'Ik kom je cd's terugbrengen,' mompelde Kostja. 'Alsjeblieft.'

Ik nam de stapel cd's van hem aan; het verbaasde me niet dat het er zoveel waren. Normaal gesproken moet je Kostja altijd achter zijn broek zitten voordat hij ze teruggeeft, want hij is zo vergeetachtig als het maar kan.

'Heb je ze allemaal al beluisterd?' vroeg ik. 'En gebrand?'

'Hm... Goed, ik stap maar weer eens op...'

'Wacht!' Ik pakte hem bij de schouders en duwde hem de kamer in. 'Wat is er aan de hand?'

Hij zei niets.

'Heb je het al gehoord?' Ik vermoedde het.

'Er zijn er niet zoveel van ons, Anton.' Kostja keek me aan. 'Als een van ons doodgaat, dan voelen we dat meteen.'

'Ik begrijp het. Trek je schoenen uit, dan gaan we naar de keuken. Dan kunnen we alles bespreken.'

Kostja stribbelde niet tegen. Ik vroeg me koortsachtig af wat ik moest doen. Vijf jaar geleden, toen ik een Andere was geworden en de wereld mij zijn Schemerkant had laten zien, had ik een groot aantal verbijsterende ontdekkingen gedaan. Een van de meest schokkende was dat boven mij een vampiergezin woonde.

Ik weet het nog precies, als de dag van gisteren. Na de les kwam ik thuis, een heel gewone les waardoor ik werd herinnerd aan de opleiding die ik nog niet eens zo lang geleden had afgerond. Drie dubbele lesuren, een docent, de hitte waardoor de witte stofjas aan mijn lichaam plakte: we hadden een aula gehuurd bij de medische faculteit. Ik slenterde naar huis, verdween soms een tijdje in de Schemer – heel even, langer lukte me nog niet – en soms peilde ik de andere voetgangers. En toen kwam ik voor mijn voordeur mijn buren tegen.

Heel aardige lui. Toen ik eens een keer een boormachine van hen wilde lenen, liep Kostja's vader Gennadi, een bouwvakker, onmiddellijk met me mee om me bij te staan in de strijd tegen de betonnen muren. Alsof het de normaalste zaak van de wereld was. En hij liet me duidelijk inzien dat een intellectualist niet zonder het proletariaat kan.

En opeens zag ik dat ze helemaal geen mensen waren.

Het was afschuwelijk. Een bruingrijs aura, een verpletterende last. Ik bleef geboeid staan en keek hen vol ontzetting aan. De gelaatstrekken van Polina, Kostja's moeder, vervaagden meteen en de jongen verstarde en keerde zich van me af. Het gezinshoofd daarentegen liep naar me toe, met elke stap trad hij verder de Schemer in. Hij liep naar me toe op die gracieuze manier die alleen zij bezitten, de vampiers die tegelijk levend en dood zijn. Voor hen is de Schemer hun normale leefmilieu.

De wereld om ons heen was grauw en dood. Ik had zelf niet eens in de gaten dat ik zelf in zijn kielzog in de Schemer was opgedoken.

'Ik heb altijd al geweten dat je op een dag deze grens zou oversteken,' zei hij. 'Dat is prima, hoor.'

Ik deed een stap terug en Gennadi's gezicht trilde.

'Er is echt niets aan de hand,' verzekerde hij mij. Hij stroopte de mouwen van zijn overhemd op, zodat ik het registratiezegel kon zien: een lichtblauwe afdruk op een vale huid. 'We zijn allemaal geregistreerd. Polina! Kostja!'

Zijn vrouw trad ook de Schemer in en knoopte haar blouse los. De jongen kwam niet in beweging; hij liet het zegel pas zien nadat zijn vader hem eens streng had aangekeken.

'Ik moet het controleren,' fluisterde ik. Mijn bewegingen waren onhandig, tot twee keer toe moest ik opnieuw beginnen. Geduldig liet Gennadi alles over zich heen komen. Eindelijk reageerde het zegel. Permanente registratie, geen overtredingen...

'Alles in orde?' vroeg Gennadi. 'Mogen we gaan?'

'Ik...'

'Het is al goed. We wisten dat je ooit een Andere zou worden.'

'Ga maar,' zei ik. Dat was weliswaar niet volgens de regels, maar daar stond mijn hoofd nu niet naar.

'Ja...' Voordat Gennadi uit de Schemer trad, aarzelde hij even. 'Ik ben bij je thuis geweest... Voel je niet langer aan je uitnodiging gebonden, Anton.'

Alles precies zoals het hoorde.

Toen ze waren vertrokken, ging ik op een bank zitten, naast een oude vrouw die van het zonnetje zat te genieten. Ik rookte een sigaret en probeerde mijn gedachten weer op een rijtje te krijgen. De vrouw keek me aan.

'Aardige mensen, vind je niet, Arkasjenka?' meende ze.

Ze kón mijn naam maar niet onthouden. Ze had nog hooguit twee, drie maanden te leven, dat zag ik nu heel duidelijk.

'Niet echt,' zei ik. Nadat ik nog drie sigaretten had gerookt, slenterde ik naar huis. Ik bleef even voor de deur staan en zag hoe de grijze weg, het 'vampier-pad', oploste. Ik had die dag net geleerd hoe ik dat kon zien...

De rest van de dag lummelde ik een beetje. Ik nam mijn aantekeningen door, maar daarvoor moest ik de Schemer in treden. In de normale wereld waren deze dikke schriften maagdelijk wit. Het liefst had ik mijn groepsleider opge-beld, of de Chef, want die had me onder zijn hoede genomen. Maar ik had het gevoel dat ik deze beslissing zelf moest nemen.

Toen het avond was geworden, hield ik het niet langer uit. Ik ging naar de verdieping boven de mijne en belde aan. Kostja deed de deur open en kromp in elkaar. In de realiteit ziet hij er, net als de rest van het gezin, heel normaal uit.

'Wil je je ouders even halen?' vroeg ik.

'Waarom?' bromde hij.

'Ik wil vragen of jullie een kopje thee bij me komen drinken.'

Gennadi dook achter zijn zoon op, dook op vanuit het niets, want hij was veel beter dan ik, de nieuwe aanhanger van het Licht.

'Weet je het wel zeker, Anton?' vroeg hij vol twijfels. 'Dat is echt niet nodig. Het is echt prima zo.'

'Ik weet het zeker.'

Hij zweeg. Toen haalde hij zijn schouders op. 'We komen morgen, als je ons dan uitnodigt. Je moet niets overhaasten.'

Tegen middernacht was ik dolblij dat ze de uitnodiging hadden afgeslagen. Tegen drieën probeerde ik te gaan slapen, gerustgesteld door de wetenschap dat ze niet in mijn huis konden komen. Nooit.

De volgende ochtend – ik had geen oog dichtgedaan – stond ik voor het raam en keek uit over de stad. Er zijn niet veel vampiers. Heel weinig maar. In een omtrek van twee, drie kilometer waren er geen andere.

Wat betekent het eigenlijk om uitgestoten te zijn? Bestraft... niet omdat je een misdaad hebt begaan, maar omdat het in theorie mogelijk is dát je er een zult begaan? En hoe moet zo iemand leven – nou ja, niet leven; daar zou een ander woord voor moeten zijn – als hij naast zijn Wachter woont?

Na afloop van de les kocht ik onderweg naar huis een taartje voor bij de thee.

En nu zat Kostja – een aardige, slimme vent die natuurwetenschappen stu-deerde aan de Staatsuniversiteit van Moskou en die de pech had dat hij als een levende dode was geboren – naast me en roerde met zijn theelepeltje in de suikerpot alsof hij niet zeker wist of hij er iets van zou nemen. Waarom was hij zo verlegen?

In het begin was hij elke dag even aangewipt. Ik was zijn tegenhanger: ik stond aan de Lichte kant. Maar ik liet hem binnen; voor mij hoefde hij niets geheim te houden. We konden gewoon fijn met elkaar kletsen, in de Schemer afdalen en opscheppen over wat we allemaal konden. 'Anton, het is me gelukt te transformeren.' 'Kijk, mijn hoektanden groeien, grrrh...'

Het gekke was dat het allemaal heel normaal was. Lachend keek ik naar de jonge vampier die zijn best deed in een vleermuis te veranderen. Dat is iets voor een eersteklas vampier, wat Kostja niet was en, als het Licht het wil, nooit zal worden ook. En toen gaf ik hem een standje: 'Kostja, dat mag je nooit doen, dat begrijp je toch zeker wel!' En ook dat was heel normaal.

'Kostja, ik deed gewoon mijn werk.'

'Flauwekul.'

'Ze hebben de wet overtreden. Begrijp je wel? Niet ónze wet, als je het weten wilt. Niet alleen de Lichten hebben die aangenomen, maar alle Anderen. Deze jonge vampier...'

'Ik kende hem,' zei Kostja tot mijn verbazing. 'Hij was een leuke vent.'

Verdorie...

'Heeft hij geleden?'

'Nee.' Ik schudde mijn hoofd. 'Het zegel vernietigt iemand onmiddellijk.'

Kostja kromp in elkaar en keek even naar zijn borst. Als je in de Schemer overgaat, dan kun je het zegel ook door de kleding heen zien, maar daar buiten helemaal niet. Kennelijk was hij niet overgegaan. Maar hoe zou ik moeten weten hoe vampiers een zegel zien?

'Wat had ik dan moeten doen?' vroeg ik. 'Hij heeft gemoord. Onschuldige mensen vermoord. Die zich op geen enkele manier konden verdedigen. Hij heeft een jonge vrouw geïnitieerd – op een grove, gewelddadige manier, want ze hád helemaal geen vampier moeten worden. Gisteren hebben ze bijna een jongen vermoord. Zomaar. Niet omdat ze honger hadden.'

'Weet je eigenlijk wel hoe het voelt als we honger hebben?' vroeg Kostja en zweeg toen.

Hij werd volwassen. Hier, voor mijn ogen...

'Ja, want gisteren... ben ik zelf bijna een vampier geworden.'

Even bleef het stil.

'Dat weet ik. Dat voelde ik... hoopte ik.'

Krijg nou wat! Ik was op jacht. En werd bejaagd. Liever gezegd, ze hebben me bespied vanuit een hinderlaag, in de hoop dat de jager prooi zou worden. 'Nee,' zei ik. 'Echt niet.'

'Ik moet toegeven dat hij schuldig was,' bekende Kostja uit zichzelf. 'Maar waarom moest hij sterven? Hij had voor de rechtbank moeten verschijnen. Het tribunaal, een advocaat, een aanklacht... dat was redelijk geweest.'

'Het zou ook redelijk zijn geweest om de mensen buiten onze zaken te houden!' schreeuwde ik. En voor het eerst reageerde Kostja niet op deze toon.

'Jij bent te lang een mens geweest!'

'En daar heb ik helemaal geen spijt van!'

'Waarom heb je hem vermoord?'

'Anders had hij mij vermoord!'

'Hij zou je hebben geïnitieerd!'

'Dat zou nog erger geweest zijn!'

Kostja zweeg, schoof het kopje aan de kant en stond op. Een heel gewone, open, hoewel ook ziekelijk moraliserende jonge knul.

Maar wel een vampier.

'Ik ga maar eens...'

'Wacht.' Ik liep naar de koelkast. 'Hier, dat heb ik gekregen, maar er niets van genomen.'

Tussen de flessen water van het merk Borshomi haalde ik een paar flesjes met elk tweehonderd gram donorbloed tevoorschijn.

'Niet nodig.'

'Kostja, ik weet heus wel dat dit nu juist altijd jullie probleem is. Ik heb het niet nodig. Neem ze toch aan.'

'Wil je me soms kopen?'

Nu werd ik pas echt boos. 'Waarom zou ik? Het zou belachelijk zijn om het weg te gooien, dat is alles! Dat is bloed dat mensen hebben gedoneerd om iemand te helpen!'

Opeens begon Kostja te grijnzen. Hij stak zijn hand uit, pakte een flesje en trok het blikken dopje er zonder enige inspanning af. Toen zette hij het flesje aan zijn lippen, grijnsde nog een keer en nam een slok.

Ik had ze nog niet eerder zien drinken. Eerlijk gezegd heb ik er ook nooit over nagedacht.

'Hou op!' zei ik. 'Hou op met die onzin!'

Kostja's lippen zaten onder het bloed en er liep een dun straaltje over zijn wangen. Nou, eigenlijk stroomde het niet gewoon, maar het werd opgenomen door zijn huid.

'Vind je het afstotelijk om te zien hoe we drinken?'

'Ja.'

'Betekent dit dat je mij ook afstotelijk vindt? Of ons allemaal?'

Ik schudde mijn hoofd. We hadden deze vraag altijd omzeild. Dat was gemakkelijker.

'Kostja... Jij hebt bloed nodig om te leven. En vaak moet het zelfs mensenbloed zijn.'

'Wij leven helemaal niet.'

'Ik bedoel dat meer in het algemeen. Om te kunnen bewegen, denken, praten, dromen...'

'Wat heb jij met de dromen van vampiers te maken?'

'Luister nou eens even. Er leven talloze mensen op deze wereld, meer dan jullie, die op bloedtransfusies zijn aangewezen. In aantal meer dan jullie, plus nog eens de spoedgevallen. Daarom wordt er bloed gegeven, daarom is dat legaal en noodzakelijk... Daar hoef je heus niet om te lachen. Ik weet wat jullie allemaal hebben gedaan voor de ontwikkeling van de geneeskunde, hoe onvermoeibaar jullie de bevolking hebben opgeroepen om donor te worden. Kostja, als iemand op andermans bloed is aangewezen om in leven te blijven... om te blijven bestaan, dan is dat geen ramp. En waar het terechtkomt, in de aderen of in de maag, dat is ook niet van belang. Waar het wel om gaat, is hoe je eraan komt.'

'Jij hebt makkelijk praten,' snauwde Kostja. Ik had het idee dat hij heel even in de Schemer trad om meteen daarna weer naar de realiteit terug te keren. Hij ontwikkelde zich, die jongen ontwikkelde zich. En kreeg steeds meer kracht. 'Gisteren heb je je ware gezicht laten zien, wat ons betreft.'

'Niet waar.'

'Ach, hou toch op...' Hij zette het flesje weer neer, dacht even na en hield hem toen boven de wasbak. 'Wij kunnen op je...'

Achter mij hoorde ik een kreet. Ik draaide me om: de uil, waar ik helemaal niet meer aan had gedacht, had haar kop naar Kostja gedraaid en haar vleugels gespreid.

'Maar...' zei hij. 'Maar...'

De uil vouwde haar vleugels weer en sloot haar ogen tot een spleetje.

'Olga, we zijn hier een serieus gesprek aan het voeren!' brulde ik. 'Laat ons nog even met rust!'

De vogel reageerde niet. Kostja keek van mij naar de uil en weer terug. Toen ging hij zitten met zijn handen gevouwen in zijn schoot.

'Wat is er?' vroeg ik.

'Mag ik gaan?'

Hij was niet gewoon verbaasd of geschrokken, maar totaal van de kaart.

'Ga maar, maar neem de...'

Snel graaide Kostja de flesjes bij elkaar en propte ze in zijn zak.

'Pak toch een zak, idioot! Straks kom je nog iemand op de trap tegen!'

Gehoorzaam stopte de vampier de flesjes in een zakje dat bedrukt was met de tekst: VOOR DE VERNIEUWING VAN DE RUSSISCHE CULTUUR! Met een scheve blik naar de uil liep hij naar de hal en trok zijn schoenen aan.

'Kom maar gauw weer eens langs,' zei ik. 'Ik ben je vijand niet. Zolang je de grens niet overschrijdt, ben ik je vijand niet.'

Hij knikte en stormde mijn huis uit. Ik haalde mijn schouders op en sloot de deur. Toen liep ik weer naar de keuken en keek de uil aan.

'En? Wat had dat te betekenen?'

De barnsteengele ogen bleven uitdrukkingsloos. Ik vouwde mijn handen. 'Kun je mij eens uitleggen hoe wij zo moeten werken? Samenwerken? Kun je op de een of andere manier met mij communiceren? Oprecht, een echt gesprek?'

Ik trad niet helemaal in de Schemer, maar zond alleen maar mijn gedachten daar naartoe. Zo totaal hoef je een onbekende ook niet te vertrouwen. Hoewel, je mag natuurlijk aannemen dat de Chef mij geen onbetrouwbare partner zou hebben toegewezen.

Maar een reactie, ho maar. Als Olga al in staat was om mij via telepathie iets duidelijk te maken, dan liet ze dat nu niet merken.

'Wat zullen we nu doen? We moeten die vrouw vinden. Kun jij haar foto opnemen?'

Geen antwoord. Ik zuchtte en wierp op goed geluk een stuk van mijn herinnering naar de vogel toe.

De uil spreidde haar vleugels, vloog naar me toe en ging op mijn schouder zitten.

'Wat betekent dit? Heb je het begrepen? Maar je hebt gewoon geen zin om antwoord te geven? Goed, zoals je wilt. Wat moet ik nu doen?'

De uil bleef zwijgen.

Ik wist natuurlijk heel goed wat ik moest doen. Dat er geen enkele kans op succes was, deed daar niets aan af.

'En hoe moet ik met jou op mijn schouder buiten rondlopen?'

Ik werd met een geamuseerde, met een bijzonder geamuseerde blik aangekeken. Daarna verdween de vogel die op mijn schouder zat in de Schemer.

Ook een antwoord. Een onzichtbare toeschouwer. En niet slechts een toeschouwer... Kostja's reactie op de uil sprak boekdelen. Kennelijk had ik een partner toegewezen gekregen die de krachten van het Duister veel beter kende dan deze simpele dienaar van het Licht.

'Je hebt me overtuigd,' zei ik opgewekt. 'Maar eerst gaan we nog even wat eten, oké?'

Ik nam een beetje yoghurt en schonk een glas jus d'orange in. Ik werd misselijk van alles wat ik die week had gegeten en gedronken: halfrauwe biefstukken en vleesvocht dat amper van bloed te onderscheiden was.

'Heb jij misschien zin in een stukje vlees?'

De uil keerde zich van me af.

'Zoals je wilt,' zei ik. 'Als je iets wilt eten, kun je me dat vast en zeker wel duidelijk maken.'

41

3

Ik vind het heerlijk om in de Schemer door de stad te struinen. Je bent dan niet onzichtbaar, want dan zou iedereen continu tegen je opbotsen. Nee, de mensen kijken dan gewoon door je heen, zonder je te zien.

Maar nu moest ik openlijk werken.

De dag is niet onze tijd, hoe onbegrijpelijk dat ook klinkt. De volgelingen van het Licht werken 's nachts, als de Duisteren actief worden. En andersom krijgen de Duisteren overdag amper iets voor elkaar... vampiers, diermensen. De Duistere tovenaars moeten overdag het leven van heel gewone mensen leiden. De meesten in elk geval.

Nu dwaalde ik in de omgeving van metrostation Tulskaja. Ik had het advies van de Chef opgevolgd en allereerst de haltes van de Ringlijn afgewerkt. Daar was de jonge vrouw met de zwarte Wervel misschien uitgestapt. Ze moest wel een spoor hebben achtergelaten; zwak misschien, maar toch nog op te vangen. Nu besloot ik de Noord-Zuidlijnen te controleren.

Een belachelijk station, een belachelijke wijk. Twee uitgangen die behoorlijk ver uit elkaar liggen. Een markt, de pompeuze wolkenkrabber van de belastingpolitie, een gigantisch woonhuis. Er waren overal zoveel donkere emanaties dat het spoor van de zwarte Wervel niet eenvoudig te vinden zou zijn.

En zeker niet als ze hier niet eens was geweest.

Ik liep overal rond in een poging de aura van de vrouw op te vangen, zocht af en toe in de Schemer naar de onzichtbare uil die het zich gemakkelijk had gemaakt op mijn schouder. Ze zat maar wat te suffen. Ook zij ving niets op en om de een of andere reden was ik ervan overtuigd dat zij voor deze zoektocht betere kwalificaties had dan ik.

Eén keer werden mijn papieren gecontroleerd door agenten. Twee keer werd ik lastiggevallen door een paar gekke jongeren die mij voor niets, nou ja, voor een armzalige vijftig dollar, een föhn uit China, speelgoed en een goedkoop mobieltje uit Korea wilden geven.

Op een bepaald moment was mijn geduld op. Ik joeg de volgende opdringerige handelaar weg en voerde een remoralisatie op hem uit. Een lichte, op de grens van het toelaatbare. Misschien zou die vent nu ander werk gaan zoeken, maar misschien ook niet...

Precies op dat ogenblik greep iemand me bij mijn elleboog vast. Even daarvoor was er helemaal niemand bij mij in de buurt geweest, en nu stonden er twee mensen achter me. Een sympathieke jonge vrouw met rood haar en een sterke kerel met een dreigende blik.

'Rustig aan,' zei de vrouw. Zij had de leiding, dat begreep ik direct. 'Dagwacht.'

Bij het Licht en bij de Duisternis!

Ik keek haar aan en haalde mijn schouders op.

'Naam,' commandeerde ze.

Liegen zou zinloos zijn geweest, want die twee hadden mijn aura allang opgevangen. Daardoor zou identificatie slechts een kwestie van tijd zijn geweest.

'Anton Gorodetski.'

Ze wachtten.

'Andere,' bekende ik. 'Medewerker van de Nachtwacht.'

Ze lieten mijn elleboog los. En zetten zelfs een stapje achteruit. Toch zagen ze er niet beteuterd uit.

'Kom, de Schemer in,' beval de man.

Kennelijk waren het geen vampiers. Dat was tenminste iets. Dan kon ik tenminste enige objectiviteit verwachten. Ik zuchtte en ging van de ene realiteit over in de andere.

De eerste verrassing was dat het stel echt jong was. De vrouwelijke heks was een jaar of vijfentwintig en de man dertig, net als ik. Zo nodig zou ik me zelfs hun naam nog wel kunnen herinneren, want aan het eind van de jaren zeventig waren er niet veel mannelijke en vrouwelijke heksen geboren.

De tweede verrassing was de ontdekking dat de uil niet meer op mijn schouder zat. Ze was al diep in de Schemer. Ik voelde haar klauwen en kon ze ook zien, maar alleen als ik heel erg mijn best deed. Kennelijk was de vogel tegelijk met mij van de ene realiteit in de andere overgegaan en bevond ze zich nu in een diepere laag van de Schemer.

Het werd steeds interessanter!

'Dagwacht,' herhaalde de vrouw. 'Alissa Donnikowa, Andere.'

'Pjotr Nesterow, Andere,' mompelde de man.

'Is er een probleem?'

De vrouw doorboorde me met een volmaakte 'heksenblik'. Van het ene moment op het andere zag ze er vriendelijker uit, verleidelijker. Ik ben natuurlijk bestand tegen deze directe vorm van beïnvloeding; het is onmogelijk om mij te verleiden, maar haar manier van doen beïnvloedde me wel.

'Wij hebben geen probleem, Anton Gorodetski, maar u hebt een illegaal contact met een mens opgenomen.'

'Is dat zo? Hoe dan?'

'Een interventie van de zevende graad,' gaf ze nu onwillig toe. 'Gering, maar onbetwistbaar. En daarbij hebt u hem ook nog eens aangespoord om naar het Licht te gaan.'

'Gaan we proces-verbaal opmaken?' Opeens vond ik de situatie heel grappig. Zevende graad... dat is niet de moeite waard. Dat is een handeling op de grens tussen magie en een gewoon gesprek.

'Ja zeker.'

'En wat schrijven we dan op? De medewerker van de Nachtwacht heeft in een mens in geringe mate een afkeer van bedrog aangewakkerd?'

'En heeft daardoor het overeengekomen evenwicht verstoord,' vulde de mannelijke heks aan.

'Is dat zo? En welke schade levert dat het Duister op? Als deze handelaar opeens ophoudt met zijn afzetpraktijken, wordt zijn leven natuurlijk veel zwaarder. Hij wordt fatsoenlijker, maar ongelukkiger. Volgens de toelichting bij het Verdrag over het evenwicht tussen de krachten wordt dit niet beschouwd als een verstoring van het evenwicht.'

'Een slimme uitleg,' zei de vrouwelijke heks. 'U bent medewerker van de Wacht. Wat je bij een gewone Andere door de vingers kunt zien, is in uw geval illegaal.'

Ze had gelijk. Een kleine overtreding, maar toch...

'Hij viel me lastig. In het kader van een onderzoek heb ik het recht op magische interventie.'

'Heb je dan dienst, Anton?'

'Ja.'

'En waarom overdag?'

'Ik heb een speciale opdracht. Dat kunt u door de leiding laten bevestigen. Nou ja, uw leiding kan dat laten bevestigen.'

De beide heksen keken elkaar aan. Al staan onze doelstellingen en onze ethische principes lijnrecht tegenover elkaar, onze Bureaus werken toch samen.

En eerlijk gezegd wilde geen van ons de leiding erbij betrekken.

'Goed,' gaf de vrouwelijke heks aarzelend toe. 'Anton, we kunnen het bij een mondelinge waarschuwing laten.'

Ik keek in het rond. Om me heen, in de grijze nevels, zag ik als in slowmotion mensen bewegen. Normale mensen die niet in staat waren uit hun eigen kleine wereld te treden. Wij zijn de Anderen en ook al sta ik aan de kant van het Licht en mijn beide gesprekspartners aan de kant van het Duister, toch heb ik meer met hen gemeen dan met welk mens dan ook.

'Op welke voorwaarden?'

Je mag je niet inlaten met het Duister. Mag geen compromissen met hen sluiten. Het is zelfs nog gevaarlijker om geschenken aan te nemen. Maar regels zijn er om overtreden te worden.

'Geen enkele.'

Maak dat de kat wijs!

Ik keek Alissa aan en probeerde te ontdekken welk spelletje ze speelde. Pjotr begreep niets van de manier waarop zijn partner zich gedroeg. Hij was woedend, want hij had deze aanhanger van het Licht dolgraag een misdrijf in de schoenen geschoven. Aan zijn bedoelingen hoefde ik dus niet te twijfelen. Welke val werd er voor me opgezet?

'Dat kan ik niet aannemen,' zei ik, blij dat ik er niet in was getrapt. 'Alissa, ontzettend bedankt voor je aanbod om de zaak vriendelijk af te handelen. Ik accepteer je aanbod, maar beloof dat ik in eenzelfde situatie van jou een geringe magische interventie tot en met de zevende graad door de vingers zal zien.'

'Afgesproken, Andere,' zei Alissa bereidwillig en stak haar hand uit die ik zonder nadenken aannam. 'Hiermee hebben we onze persoonlijke afspraak bekrachtigd.'

De uil op mijn schouder klapperde met haar vleugels. Vlak naast mijn oor weerklonk een woedend gekras. Tegelijkertijd materialiseerde de vogel zich in de Schemerwereld.

Alissa deinsde terug en haar pupillen werden kleine, verticale spleetjes. De mannelijke heks nam meteen een verdedigende houding aan.

'De afspraak is bekrachtigd!' herhaalde de heks geheimzinnig.

Wat was er hier aan de hand?

Te laat begreep ik dat ik deze afspraak niet in het bijzijn van Olga had moeten maken. Maar aan de andere kant... waarom zou het zo erg zijn? Ik had toch zeker zelf gezien hoe allianties en compromissen werden gesloten! Om nog maar te zwijgen van het feit dat ook andere aanhangers van de Wacht met de Duisteren samenwerkten, ook de Chef zelf. Niet van harte natuurlijk, maar het moest gebeuren!

We streven er niet naar de Duisteren te vernietigen. Waar we naar streven, is het bewaren van het evenwicht. De Duisteren zullen pas verdwijnen als de mensen het slechte in zichzelf hebben overwonnen. En wij verdwijnen als de mensen de voorkeur geven aan de Duisternis in plaats van aan het Licht.

'Deze afspraak staat,' zei ik woedend tegen de uil. 'Leg je daar maar bij neer. Het stelt niet veel voor. Dat is een normale vorm van samenwerking.'

Alissa glimlachte en nam met een knipoogje afscheid van mij. Ze pakte de mannelijke heks bij zijn elleboog en ze zetten een pas achteruit. Een ogenblikje, en toen nog een, en ze traden samen de Schemer uit. Ze flaneerden over de straat. Een heel gewoon stelletje.

'Waar maak je je zo druk over?' vroeg ik. 'Wat wil je? Tijdens het operationele werk moet je altijd compromissen sluiten!'

'Je hebt een fout gemaakt!'

Olga's stem klonk vreemd en paste totaal niet bij haar uiterlijk. Ze had een zachte, fluwelen, zangerige stem. Zo praten kattenmensen, maar vogels niet.

'Aha! Dus je kunt wel praten?'

'Ja.'

'En waarom heb je dan tot nu toe gezwegen?'

'Tot nu toe was alles in orde.'

Toen ik dit hoorde, snoof ik even.

'Ik treed nu uit de Schemer, oké? Ondertussen kun je me uitleggen welke fout ik heb gemaakt. Het is onvermijdelijk dat je tijdens dit werk compromissen moet sluiten met de Duisteren.'

'Je bent helemaal niet gekwalificeerd om compromissen te sluiten.'

De wereld om me heen kreeg weer kleur. Dit proces kun je vergelijken met een camera die is ingesteld op 'sepia' of 'oude zwartwitfilm' en die je terugzet op 'normale kleuren'. Deze vergelijking is eigenlijk heel treffend: de Schemer is echt een oude film. Een heel oude, die de mensheid gelukkig is vergeten. Waardoor hun leven gemakkelijker is.

Terwijl ik richting metro liep, siste ik tegen mijn gesprekspartner: 'Wat heeft mijn kwalificatie daarmee te maken?'

'Een Wachter met een hoge rang is in staat de gevolgen van zijn compromissen in te schatten: is dit echt een handeltje waar beide kanten voordeel van hebben en geen van beide aan het kortste eind trekt, of is dit een koehandeltje waarbij je meer verliest dan wint?'

'Ik geloof er niets van dat je met een interventie van de zevende graad iets ergs kunt veroorzaken.'

Een man die naast me liep, keek me geïrriteerd aan. Ik wilde net tegen hem zeggen dat ik een 'rustige en onschadelijke gek' was – een uiterst effectief middel tegen ongewenste nieuwsgierigheid – maar de man begon al wat sneller te lopen. Kennelijk was hij zelf al tot die conclusie gekomen.

'Anton, je kunt de gevolgen helemaal niet overzien. Je hebt overdreven gereageerd in een volstrekt onbelangrijke, onaangename situatie. Door dat kleine beetje magie dat je hebt gebruikt, zijn de Duisteren zich ermee gaan bemoeien. En toen heb je een compromis met hen gesloten. En het allerergste is, dat er geen enkele reden was voor een magische interventie.'

'Oké, ik zie dat nu ook wel in. En wat doen we nu?'

De stem van de vogel werd sterker, kreeg meer diepte. Waarschijnlijk had ze al een hele tijd niet meer gesproken.

'Nu... niets. Laten we er maar het beste van hopen.'

'Ben je van plan dit aan de Chef te vertellen?'

'Nee, nog niet. We zijn per slot van rekening partners.'

Ik kreeg er een warm gevoel van. Ik had dan wel een fout gemaakt, maar deze onverwachte verbetering van de relatie met mijn partner was dat wel waard.

'Dank je wel. Wat stel je voor?'

'Dat je alles volgens het boekje doet. Probeer het spoor te vinden!'

Ik had liever een iets origineler advies gekregen...

'Kom op, we gaan.'

Om twee uur 's middags had ik niet alleen de Ringlijn, maar ook de Grijze lijn afgezocht. Ik ben dan misschien wel een heel slechte speurder, maar het spoor van gisteren dat ik zelf had opgenomen, zou zelfs mij niet ontgaan. De vrouw met die zwarte Wervel boven haar hoofd was nergens op dit traject uitgestapt. Kennelijk moest ik nog een keer terug naar de plaats waar we elkaar voor het eerst hadden getroffen.

Bij station Kurskaja verliet ik de metro en kocht bij een kraampje een plastic bakje met salade en een beker koffie. Ik voelde me beroerd toen ik de hamburgers en de worstjes zag, hoewel daar maar weinig vlees in zat.

'Wil je ook wat?' vroeg ik aan mijn onzichtbare metgezel.

'Nee, dank je wel.'

Terwijl er kleine sneeuwvlokjes op ons neerdaalden, prikte ik met een heel klein vorkje in mijn aardappelsalade en nam slokjes hete koffie. Een zwerver die kennelijk had gehoopt dat ik bier zou kopen en het lege flesje aan hem zou geven, schuifelde weg richting metro om warm te worden. Verder was er niemand die op me lette. De jonge verkoopster bediende een paar uitgehongerde klanten en de mensen stroomden als een gezichtsloze massa het station in en uit. De verkoper van een boekenstalletje probeerde lusteloos, zonder enige inspiratie, een klant een boek aan te praten. De klant kon maar geen keuze maken.

'Waarschijnlijk heb ik gewoon een rothumeur...' mompelde ik.

'Hoezo?'

'Ik zie alles in een troebel licht, alle mensen zijn klootzakken en idioten, deze salade is bevroren en mijn schoenen helemaal doorweekt.'

De vogel op mijn schouder uitte een geamuseerde kreet. 'Nee, Anton, dat komt niet door je stemming. Je voelt dat het inferno dichterbij komt.'

'Ik ben nooit erg gevoelig geweest.'

'Dat bedoel ik.'

Ik keek naar het station. Probeerde iets van de gezichten af te lezen. Enkele mensen voelden het wel. De mensen die zich op de grens tussen mens en Andere bevonden, zagen er gespannen uit, bezorgd. Ze begrepen niet waar dat gevoel door werd veroorzaakt en probeerden hun ongerustheid voor de buitenwereld te verbergen.

'Bij de Duisternis en bij het Licht... Wat staat ons te wachten, Olga?'

'Alles is mogelijk. Je hebt de uitbarsting uitgesteld, maar daarom zullen de gevolgen gewoonweg rampzalig zijn als de Wervel eindelijk toeslaat. Het vertragingseffect.'

'Daar heeft de Chef me niets over verteld.'

'Waarom zou hij? Je hebt alles goed gedaan. Nu hebben we tenminste een kans.'

'Olga, hoe oud ben jij?' vroeg ik. Als je dat aan een mens zou vragen, zou hij

zich misschien beledigd voelen. Wij kennen echter geen bepaalde leeftijds-
grenzen.

'Oud, Anton. Ik kan me de opstand bijvoorbeeld nog herinneren.'

'De revolutie?'

'De opstand op het Senaatsplein.' De uil lachte even. Ik zweeg. Olga was misschien nog wel ouder dan de Chef.

'Welke rang heb je, partner?'

'Ik heb geen rang, alle rechten zijn me afgenomen.'

'Dat spijt me.'

'Het is wel goed. Daar heb ik me al lang geleden bij neergelegd.'

Haar stem klonk opgewekt, blij zelfs. Toch voelde ik dat Olga er niet helemaal in berustte.

'Ik hoop dat je dit geen onbeleefde vraag vindt, maar... waarom hebben ze je
in dat lichaam opgesloten?'

'Er was geen andere optie. Het is nog veel moeilijker om in het lichaam van
een wolf te leven.'

'Wacht eens even...' Ik gooide de restanten van de salade in een afvalbak.
Toen ik naar mijn schouder keek, kon ik de uil natuurlijk niet zien. Daarvoor
zou ik in de Schemer moeten treden. 'Wie ben je? Als je een diermens bent,
waarom hoor je dan bij ons? En als je een tovenaar bent, waarom heb je dan
zo'n ongewone straf gekregen?'

'Dat is niet belangrijk, Anton.' Heel even klonk haar stem hard als staal.
'Maar het is allemaal begonnen doordat ik een compromis met een Duistere
heb gesloten. Een heel klein compromis. Ik was ervan overtuigd dat ik de
gevolgen ervan kon overzien, maar ik vergiste me.'

Daarom dus...

'Begon je daarom te praten? Wilde je me waarschuwen, maar was je te laat?'

Stilte.

Alsof Olga haar openhartigheid al betreurde.

'Kom, laten we weer aan het werk gaan...' zei ik. Op dat moment piepte het
mobieltje in mijn zak.

Het was Larissa. Waarom moest zij twee diensten achter elkaar draaien?

'Anton, luister... We hebben het spoor van het meisje gevonden. Metrostation Perowo.'

'Verdorie!' zei ik alleen maar. Het was afschuwelijk om in die buitenwijken te
moeten werken.

'Ja,' beaamde Larissa. Ze is een waardeloze speurder; waarschijnlijk draait ze
daarom telefoondiensten. Maar het is een slimme vrouw. 'Anton, ga als de
donder naar Perowo. Al onze mensen verzamelen zich daar om de achtervolging in te zetten. Enne... de Dagwacht loopt daar ook rond.'

'Ik begrijp het.' Ik deed mijn mobieltje weer in mijn zak.

Ik begreep helemaal niets. Wisten de Duisteren alles soms al? En waren ze van plan het inferno los te laten barsten? En hadden ze me niet toevallig opgehouden...

Onzin. Een ramp in Moskou is helemaal niet in het belang van de Duisteren. Maar het zou ook tegen hun aard indruisen om iets te ondernemen om de Wervel tegen te houden.

Ik stapte nog niet in de metro. Ik hield een auto aan, want daarmee won ik tijd... in elk geval een beetje. Ik ging naast de chauffeur zitten, een intellectualist van een jaar of veertig met een donkere huid en een kromme neus. De auto was splinternieuw en de chauffeur zag er zeer succesvol uit. Wat dat betreft was het wel vreemd dat hij op deze manier wat bijverdiende.

Perowo. Een heel grote wijk, heel veel mensen, Licht en Duisternis in een onontwarbare kluwen. Er stonden een paar gebouwen die in alle richtingen donkere en lichte vlekken uitwierpen. Werken daar kon je vergelijken met proberen een zandkorrel te vinden in een stampvolle discotheek met discolampen...

Ik zou daar amper iets kunnen doen, of liever gezegd, helemaal niets. Maar ze hadden me opgedragen ernaartoe te rijden en dus moest ik dat wel doen. Misschien wilden ze me vragen iemand te identificeren.

'En ik dacht nog wel dat we geluk zouden hebben...' fluisterde ik en keek naar buiten. We reden over het Lossiny Eiland, ook geen erg prettige omgeving. Daar verzamelen de Duisteren zich voor de Heksensabbat. En men hield zich dan zelden aan de wetten van de normale mensen. Vijf nachten per jaar moeten we alles verdragen, of bijna alles...

'Dat dacht ik ook...' fluisterde Olga.

'Hoe kan ik het tegen de speurders opnemen?' Ik schudde mijn hoofd.

De chauffeur keek even naar me. Ik had zonder protest zijn prijs geaccepteerd en de rit was hem kennelijk ook welkom geweest. Maar niemand vertrouwt iemand die in zichzelf praat.

'Ik heb een opdracht verknald...' zei ik met een zucht tegen de chauffeur. 'Of liever gezegd, ik heb hem niet goed uitgevoerd. Ik dacht dat ik vandaag wel lekker zou kunnen opscheppen, maar ze zijn beter af zonder mij.'

'Heb je daarom zo'n haast?' vroeg de chauffeur. Hij leek niet om een praatje verlegen, maar hij was nieuwsgierig geworden.

'Ze hebben me bevolen daarnaartoe te gaan,' zei ik.

Wat zou hij van me denken?

'En wat doe jij voor werk?'

'Ik ben programmeur,' antwoordde ik. Een eerlijk antwoord, tussen twee haakjes.

'Perfect,' zei de chauffeur en klakte bewonderend met zijn tong. Wat is daar zo perfect aan? 'Verdien je daar wel genoeg mee?'

Dat was een onzinnige vraag, alleen al omdat ik niet met de metro ging. Toch antwoordde ik: 'Best wel.'

'Ik vraag dat niet zomaar,' vertelde de chauffeur me ongevraagd. 'In mijn bedrijf komt er een vacature voor een systeembeheerder...'

In mijn bedrijf... natuurlijk.

'Ik zie dit als een teken van het lot. Ik neem een passagier mee en die is programmeur. Volgens mij hebt u helemaal geen keus meer.'

Hij begon te lachen alsof hij zijn te zeker klinkende woorden wilde afzwakken.

'Hebt u wel eens met intranet gewerkt?'

'Ja.'

'Ik heb een netwerk met vijftig computers. Dat moet allemaal probleemloos functioneren. We betalen goed.'

Onwillekeurig begon ik te grijnzen. Dat was niet mis: intranet, een goed salaris. En niemand die van mij zou eisen dat ik achter vampiers aan zou gaan, bloed zou drinken en in ijskoude straten op zoek zou gaan naar sporen.

'Zal ik u mijn visitekaartje geven?' De ene hand van de man verdween doelbewust in zijn jaszak. 'Denk er maar eens over na...'

'Nee, dank u wel. Bij het bedrijf waar ik werk, kun je helaas geen ontslag nemen.'

'KGB zeker?' De chauffeur fronste zijn voorhoofd.

'Belangrijker,' antwoordde ik. 'Veel belangrijker. Maar net zoiets.'

'Tja...' De chauffeur zweeg. 'Jammer. Ik dacht al dat het een teken van hogerhand was. Geloof jij in het lot?'

Hij begon me gemakkelijk en onbevangen te tutoyeren. Dat vond ik prettig.

'Nee.'

'Waarom niet?' Hij was oprecht verbaasd, alsof hij tot nu toe alleen maar fatalisten had ontmoet.

'Het lot bestaat niet. Dat is bewezen.'

'Wie heeft dat bewezen?'

'Lui bij mij op het werk.'

Hij proestte het uit. 'Dat is geweldig. Dan heeft het lot er dus niets mee te maken gehad. Waar zal ik je afzetten?'

We waren al bij de Seljony Prospekt.

Ik keek vermoeid naar buiten en tuurde door een laag van de alledaagse realiteit de Schemer in. Ik kon niets herkennen; daarvoor waren mijn capaciteiten onvoldoende. Maar ik voelde wel iets. In de grauwe duisternis flikkerden talloze zwakke vuurtjes. Het leek wel alsof het hele bureau zich hier verzameld had...

'Daar...'

Omdat ik me nu in de gewone realiteit bevond, kon ik mijn collega's niet zien. Ik liep over de grijze sneeuw van de stad naar een groenstrook tussen de flatgebouwen en de Prospekt die bedolven was onder hoge bergen sneeuw. Een paar bevroren boompjes en steeds minder voetsporen, alsof hier kinderen hadden gespeeld of een dronkenman had geprobeerd rechtdoor te lopen. 'Je moet even naar ze zwaaien. Ze hebben je al gezien,' opperde Olga.

Daar dacht ik even over na en volgde toen haar raad op. Ze mochten best denken dat ik heel goed van de ene realiteit in de andere kon kijken.

'Een vergadering,' zei Olga geamuseerd.

Nadat ik voor de zekerheid nog een keer achterom had gekeken, riep ik de Schemer op en trad naar binnen.

Inderdaad, het hele bureau zat hier. De complete afdeling Moskou.

In hun midden stond Boris Ignatjewitsj. Hij droeg lichte kleren: een pak, een kleine bontmuts en – waarom ook niet – een sjaal. Ik stelde me voor hoe hij, omringd door bodyguards, uit zijn BMW was gestapt.

Naast hem stonden de speurders bij elkaar. Igor en Garik, uitmuntende medestrijders. Een markante kop, vierkante schouders en een ondoorgrondelijke, stalen blik. Je zag meteen dat ze acht schoolklassen, een beroepsopleiding en een training bij een speciale eenheid achter de rug hadden. Bij Igor klopte dat precies. Garik had echter ook nog aan twee universiteiten gestudeerd. Hoewel ze er vrij identiek uitzagen en zich ongeveer op dezelfde manier gedroegen, waren hun karakters totaal verschillend. Vergeleken met hen zag Ilja eruit als een fijngevoelige intellectualist. De meeste mensen werden maar al te gemakkelijk op het verkeerde been gezet door de bril met het dunne montuur, het hoge voorhoofd en de open blik. Een Semjon zou je als volgt kunnen beschrijven: een grofgebouwde, gedrongen vent met een sluwe blik in een versleten nylon jas. Een typische provinciaal, op bezoek in de hoofdstad Moskou. En verder nog een overblijfsel uit de jaren zestig, rechtstreeks van de collectieve boerderij. Absolute tegenpolen, maar Ilja en Semjon hebben wel precies dezelfde lekkere bruine kleurtjes en een lusteloze trek op hun gezicht. Ze waren allebei teruggeroepen van hun vakantie op Sri Lanka en dit was wel het laatste waar ze zin in hadden. Ignat, Danila en Farid waren er niet, hoewel ik toch een vers spoor van hen opving. Maar achter de Chef stonden wel Beer en Tijgerjong. Ze hadden zich kennelijk niet gemaskeerd, maar waren op het eerste gezicht toch niet te zien. Toen ik dat koppel zag, werd ik niet goed. Dat zijn geen gewone strijdmakkers, maar dat zijn verdomd goede lui. Die worden er niet voor een kleinigheidje bijgehaald.

Er waren ook veel lui van de binnendienst. Alle vijf medewerkers van de analytische afdeling. De complete wetenschappelijke groep, op Joelja na en dat was eigenlijk niet zo vreemd omdat ze nog maar dertien is. Misschien ontbrak de archiefgroep nog.

'Hallo,' zei ik.

Een paar mensen knikten naar me of glimlachten. Ik zag dat ze wel iets anders aan hun hoofd hadden. Boris Ignatjewitsj gebaarde dat ik naar hem toe moest komen en ging toen verder met zijn verhaal dat hij door mijn verschijnen even had onderbroken.

'...niet in hun belang. Nou ja. Hulp krijgen we niet... Ook goed, uitstekend...' Duidelijk. Hij had het over de Dagwacht.

'Bij onze zoektocht naar de vrouw wordt ons niets in de weg gelegd; het is Danila en Farid bijna gelukt. We hebben waarschijnlijk nog vijf, zes minuten... Maar hoe dan ook, ons is een ultimatum gesteld.'

Ik ving een blik op van Tijgerjong. Haar glimlach voorspelde niet veel goeds. Ja, zij was het: Tijgerjong, een jonge vrouw bij wie de bijnaam Tijgerin absoluut niet paste.

Als onze buitendienstlui ergens niet tegen kunnen, dan is dat het woord ultimatum!

'De zwarte tovenaar is niet van ons.' De Chef wierp de aanwezigen een verveelde blik toe. 'Is dat duidelijk? We moeten hem vinden om de Wervel te bezweren. Maar daarna dragen we de tovenaar over aan de Duisteren.'

'Overdragen?' vroeg Ilja nieuwsgierig.

De Chef dacht even na.

'Een terechte vraag, inderdaad. We zullen hem niet vernietigen en ook niet verhinderen contact op te nemen met de Duisteren. Voorzover ik het kan beoordelen, weten zij in elk geval niet om wie het gaat.'

Alle speurders kregen onwillekeurig een zure blik. Ze maakten zich altijd zorgen over een nieuwe zwarte tovenaar in het controlegebied. Zelfs als hij geregistreerd is en zich aan het verdrag houdt. En een tovenaar die zoveel kracht bezit...

'Ik zou willen dat het anders ging...' zei Tijgerjong zachtjes. 'Boris Ignatjewitsj, als gevolg van ons werk kunnen er ongewild situaties ontstaan...'

De Chef viel haar in de rede: 'Ik vrees dat we dergelijke situaties niet kunnen toelaten.' Hij zei het op een ontspannen toon, zonder nadruk op de woorden, want hij had veel waardering voor haar. Toch accepteerde de jonge vrouw dit meteen. Dat zou ik ook hebben gedaan.

'Dat is eigenlijk alles...' De Chef keek me aan. 'Fijn dat je er bent, Anton. Nu jij er ook bent, wil ik iedereen zeggen dat...'

Zonder het te willen, werd ik gespannen.

'Je hebt goed werk verricht, gisteren. Ja, echt waar. Ik had die zoektocht naar de vampiers eigenlijk alleen maar als een soort test aan jou opgedragen. En niet alleen maar om te kunnen zien hoe het gesteld is met je capaciteiten voor het operationele werk... Je bevindt je al een tijdje in een lastige positie, Anton. Het is voor jou veel moeilijker om een vampier te doden dan voor een van ons.'

'Dat valt wel mee, Chef,' zei ik.

'Daar ben ik blij om. Toch is de hele Nachtwacht je dank verschuldigd. Je hebt een vampier uitgeschakeld en het spoor van de vampierin gevonden. Een heel duidelijk spoor. Je hebt nog steeds te weinig ervaring voor het speurwerk, maar informatie verzamelen kun je wel. Ook bij die jonge vrouw heb je je hoofd koel gehouden. Het was een heel ongewone situatie, maar je hebt een bijzonder humane beslissing genomen... en daardoor tijd voor ons gewonnen. En de afdruk van haar aura is perfect. Ik wist daardoor al meteen waar ik haar moest zoeken.'

Ik stond perplex! Niemand glimlachte, meesmuilde of keek me grijnzend aan. Toch voelde ik me verneukt. De sneeuwuil, die niemand zag, kromp ineen op mijn schouder. Ik zoog de lucht van de Schemer op, koude lucht die nergens naar smaakte.

Ik vroeg: 'Boris Ignatjewitsj, waarom werd ik dan naar de Ringlijn gestuurd? Als u toch al wist in welk gebied u haar moest zoeken?'

'Omdat ik me zou kunnen vergissen,' antwoordde de Chef enigszins verbaasd. 'Laat ik het je nog één keer zeggen: bij een dergelijke zoektocht mag je zelfs niet blindelings vertrouwen op de mening van een hogere in rang. Als je weet dat je alleen bent, moet je op jezelf vertrouwen.'

'Maar ik was niet alleen,' zei ik zachtjes. 'En deze opdracht is ontzettend belangrijk voor mijn partner, dat weet u nog veel beter dan ik. Als u ons ergens naartoe stuurt om wijken te controleren waarvan u weet dat daar niets te vinden is, ontneemt u haar de kans zich te rehabiliteren.'

Het gezicht van de Chef kan helemaal uitdrukkingsloos zijn. Daar kun je niets aan aflezen als hij dat niet wil. Toch had ik het gevoel dat ik de spijker op de kop had geslagen.

'Jullie opdracht is nog niet afgehandeld,' antwoordde hij. 'Anton, Olga... die vampierin moet nog steeds onschadelijk worden gemaakt. Niemand heeft het recht ons hierbij tegen te werken, want ze heeft tegen het verdrag gezondigd. En dan is er nog die jongen die heeft laten zien dat hij buitengewoon resistent is tegen de magie. We moeten hem vinden en hem overhalen de kant van het Licht te kiezen. Aan het werk!'

'En de vrouw?'

'Is al gelokaliseerd. Op dit moment proberen onze specialisten de Wervel te neutraliseren. Als ze daar niet in slagen – en daar kunnen we wel van uitgaan – moeten we uitvinden wie haar die vloek heeft opgelegd. Ignat, dat is jouw opdracht!'

Ik draaide me om en ja hoor, Ignat stond al naast ons. Hij was een grote, goedgebouwde, mooie vent met het lichaam van een Apollo en het gezicht van een acteur. Hij kon lopen zonder enig geluid te maken, wat hem in de gewone realiteit niet kon beschermen tegen ongewenste belangstelling van de andere sekse.

Tegen absoluut ongewenste belangstelling.

'Daar ben ik helemaal niet goed in,' klaagde Ignat. 'Ik vind dit helemaal geen leuke opdracht!'

'Je mag zelf bepalen met wie je in je eigen tijd naar bed gaat,' zei de Chef, 'maar als je aan het werk bent, bepaal ik wat je doet. Zelfs wanneer je naar het toilet gaat.'

Ignat haalde zijn schouders op. Hij keek me met een meelijwekkende blik aan en bromde: 'Dat is discriminatie...'

'Je bent niet in dienst van de overheid,' zei de Chef op gevaarlijk vriendelijke toon. 'Ja hoor, het is discriminatie als ik de meest geschikte medewerker inzet zonder rekening te houden met zijn eigen voorkeuren.'

'Misschien kan ik deze opdracht op me nemen?' vroeg Garik, nauwelijks hoorbaar.

De sfeer werd meteen ontspannen. Het was een publiek geheim dat Garik nooit geluk had bij amoureuze aangelegenheden. Iemand begon te lachen.

'Igor en Garik, jullie gaan door met het zoeken naar die vampierin.' De Chef klonk alsof hij serieus over het voorstel van Garik had nagedacht. 'Ze heeft bloed nodig. Ze is op het laatste moment tegengehouden en inmiddels zal ze helemaal gek zijn van honger en spanning. We moeten ervan uitgaan dat er elk moment een nieuw slachtoffer kan vallen. Anton, jij gaat samen met Olga die jongen zoeken.'

Dat heb ik weer. Ik kreeg weer eens de domste en onnozelste opdracht.

De stad werd bedreigd door een inferno en er zwierf een jonge, wilde en hongerige vampierin door Moskou! En ik moest op zoek naar de een of andere kwajongen die heel misschien sterke magische kwaliteiten bezat!

'Kan ik nu aan mijn opdracht beginnen?' vroeg ik.

'Natuurlijk.' De Chef negeerde mijn onuitgesproken weerstand. 'Doen!'

Ik draaide me om en trad – zonder mijn tegenzin te verhullen – uit de Schemer. De wereld kromp in elkaar en kreeg weer kleur. Nu stond ik als de een of andere debiel midden in het park. Voor een buitenstaander zal dat er wel belachelijk hebben uitgezien. Om nog maar te zwijgen van het ontbreken van voetstappen. Ik stond midden in een opgewaaide hoop sneeuw en om me heen lag een ongerepte laag.

Zo ontstaan legendes. Dankzij onze onvoorzichtigheid, dankzij onze geschokte zenuwen, dankzij domme grapjes en demonstratieve handelingen.

'Wat geeft het ook,' zei ik en liep in de richting van de Prospekt.

'Dank je wel...' hoorde ik zachtjes en teder vlak bij mijn oor.

'Waarvoor, Olga?'

'Omdat je aan me hebt gedacht.'

'Is het echt heel belangrijk voor je om deze opdracht goed uit te voeren?'

De vogel was even stil en zei toen: 'Heel erg.'

'Dan zullen we onze uiterste best doen.'

Terwijl ik door de opgewaaide sneeuw waadde en over een paar stenen sprong – het leek wel alsof dit een gletsjer was of dat iemand hier een rotstuin had willen aanleggen – bereikte ik de Prospekt.

'Heb je cognac in huis?' vroeg Olga.

'Cognac, zeg je? Ja, natuurlijk.'

'Goede kwaliteit?'

'Slechte cognac bestaat niet, dan is het geen cognac.'

De uil snoof. 'Dan mag je een dame uitnodigen voor een kopje koffie met cognac.'

Toen ik me probeerde voor te stellen hoe zij cognac van een schoteltje dronk, schoot ik bijna in de lach.

'Heel graag. Zullen we een taxi nemen?'

'U maakt een grapje, vlegel!' Olga diende me onmiddellijk van repliek met een passend citaat uit *De Twaalf Stoelen*. Nou ja! Wanneer was ze eigenlijk in dat vogellichaam opgesloten? Of kon ze desondanks toch boeken lezen?

'Er bestaat een apparaat dat televisie heet,' fluisterde de vogel.

Duisternis en Licht! Ik was ervan overtuigd dat mijn gedachten betrouwbaar afgeschermd waren!

'Doodnormale telepathie kun je heel goed compenseren door levenservaring, door heel veel levenservaring,' zei Olga schalks. 'Ik heb heus geen toegang tot je gedachten, Anton. Bovendien ben je mijn partner.'

'Ik ben alleen maar...' Ik zwaaide met mijn handen. Het zou dom zijn om iets wat zo voor de hand lag te ontkennen. 'Wat is er met die jongen? Of laten we deze opdracht schieten? Het is immers sowieso een onnozele opdracht...'

'Helemaal niet!' reageerde Olga boos. 'Anton... de Chef heeft toegegeven dat hij zich niet helemaal correct heeft gedragen. En hij heeft ons een kans geboden waar we gebruik van moeten maken. Die vampierin is toch gefixeerd op deze jongen? Je kunt hem vergelijken met een vers worstenbroodje dat je haar uit de mond hebt getrokken. En ze heeft hem aan het lijntje. Daardoor kan ze hem vanuit elk hoekje van de stad naar haar schuilplaats lokken, en dat is in ons voordeel. Je hoeft de tijger niet in de jungle te zoeken als je het geitje op het weitje vastbindt.'

'Er zijn helemaal geen geitjes in Moskou...'

'De jongen kronkelt aan het lijntje. De vampierin heeft geen enkele ervaring. Het is veel moeilijker om een nieuw slachtoffer te vinden dan om het oude slachtoffer te lokken. Geloof me maar.'

Ik huiverde even en verdrong een idiote verdenking. Met een gebaar hield ik een auto aan. 'Ik geloof je,' zei ik somber. 'Zonder meer en voor altijd.'

4

Op het moment dat ik het huis binnenliep, trad de uil de Schemer uit. Ze fladderde op – heel even voelde ik haar klauwen in mijn schouder prikken – en vloog naar de koelkast.

Ik deed de voordeur achter me dicht en vroeg: 'Zal ik een kippenstok voor je kopen?'

Nu pas zag ik hoe Olga praatte: dan begon haar snavel te trillen en moest ze de woorden er met veel moeite uitpersen. Eerlijk gezegd begrijp ik nog steeds niet hoe het kan dat een vogel praat en dan ook nog eens met zo'n menselijke stem.

'Niet nodig hoor; dan ga ik misschien wel eieren leggen.'

Dat was zeker een grapje.

'Sorry hoor, als ik je heb beledigd,' zei ik omzichtig. 'Ik wilde gewoon de sfeer wat ontspannen.'

'Dat weet ik; het is wel goed.'

In de koelkast vond ik een paar zaken die we bij de cognac konden eten: kaas, worst, augurken... Hoe zouden veertig jaar oude cognac en een augurk zich in elkaars gezelschap gedragen? Een beetje verlegen, denk ik. Net als Olga en ik.

Ik pakte de kaas en de worst. 'Ik heb helaas geen citroenen in huis.' Ik realiseerde me heel goed dat mijn voorbereidingen belachelijk waren, maar toch...

'Maar de cognac is heel goed.'

De uil zei niets.

Uit de 'bar', de tafellade, haalde ik een fles Kutusow. 'Heb je deze wel eens gedronken?'

'Ons antwoord op Napoléon?' De uil schoot in de lach. 'Nee, dat merk ken ik niet.'

De situatie werd steeds belachelijker. Ik spoelde twee cognacglazen om en zette ze op tafel. Ik keek twijfelend naar de witte verenbundel. En naar de kromme, korte snavel.

'Jij kunt natuurlijk niet uit het glas drinken. Zal ik een schoteltje voor je pakken?'

'Draai je om.'

Dat deed ik. Achter me hoorde ik gefladder en vervolgens een scherp, onaangenaam gesis zoals van een woedende slang of van lucht die uit een ballon ontsnapt.

'Olga, sorry hoor, maar...' Ik draaide me weer om.

De uil was verdwenen.

Maar dat had ik wel verwacht. Ik had gehoopt dat ze in elk geval af en toe een menselijke gedaante mocht aannemen. En stiekem had ik me voorgesteld hoe Olga eruit zou zien, een in een vogellichaam gevangen vrouw die zich de Dekabristenopstand nog kon herinneren. Om de een of andere reden had ik me haar voorgesteld als vorstin Lopuchina die zich na een bal naar huis haast. Alleen ouder, serieuzer, met wijze ogen, een beetje mager...

Maar op het krukje zat een jonge vrouw... tenminste jong qua uiterlijk. Een jaar of vijfentwintig. Met een kort jongenskapsel en met wangen die zo zwart waren dat het leek alsof ze net uit een brandend huis was ontsnapt. Mooi en met fijne aristocratische gelaatstrekken. Maar die brandlucht... en dat vreselijke haar...

Haar kleren vertelden de rest.

Een smerige legerbroek, zoals ze die in de jaren veertig droegen, een gewatteerde jas met daaronder een grauw, vies legeroverhemd. En blote voeten.

'Ben ik mooi?' vroeg de vrouw.

'Ja, ondanks alles,' antwoordde ik. 'Bij het Licht en bij de Duisternis... hoe komt het dat je er zo uitziet?'

'De laatste keer dat ik een mens was, is vijfenvijftig jaar geleden.'

'Ik begrijp het,' zei ik en knikte. 'Hebben ze je tijdens de oorlog ingezet?'

'Ze hebben me tijdens álle oorlogen ingezet.' Olga lachte zachtjes. 'Tijdens alle belangrijke oorlogen. Op elk ander moment is het me niet toegestaan een menselijke gedaante aan te nemen.'

'Maar het is nu geen oorlog.'

'Dan gaat dat nog gebeuren.'

Nu glimlachte ze niet. Ik onderdrukte een verwensing en maakte alleen het teken dat ongeluk moet afwenden.

'Wil je douchen?'

'Graag.'

'Ik heb geen vrouwenkleren... Maar zijn een spijkerbroek en een overhemd ook goed?'

Ze knikte. Ze stond onhandig op en zwaaide op een vreemde manier met haar armen. Toen keek ze met verbazing naar haar blote voeten en liep naar de badkamer alsof ze zich hier al vaker had gedoucht.

Ik liep snel naar de slaapkamer; ze had vast niet veel tijd nodig.

De spijkerbroek was oud, maar wel een maatje kleiner dan ik nu had. Toch zou hij haar te groot zijn... Een overhemd? Nee, een dun T-shirt was beter. Ondergoed? Hm, hm, hm en nog eens hm.

'Anton!'

Ik pakte de kleren bij elkaar, greep nog snel een schone handdoek en rende de kamer weer uit. De deur van de badkamer stond open.

'Wat is dit voor rare kraan?'

'Geïmporteerd, een mengkraan... Wacht even.'

Ik liep de badkamer in. Olga stond in het bad, met haar rug naar me toe, naakt, en duwde de kraan peinzend heen en weer.

'Omhoog,' zei ik. 'Als je hem omhoog duwt, krijg je water. Links koud en rechts warm.'

'Ik begrijp het, dank je wel.'

Ze schaamde zich helemaal niet voor mij. Niet vreemd natuurlijk, gezien haar leeftijd en rang, ook al maakte die rang deel uit van haar verleden.

Ik ergerde me aan de situatie en werd dus een beetje cynisch.

'Hier zijn wat kleren. Zoek maar uit wat je nodig hebt.'

'Dank je wel, Anton...' Olga keek me aan en zei: 'Let maar niet op mij. Ik heb tachtig jaar in een vogellichaam gezeten, en het grootste deel daarvan in diepe slaap. Toch had ik er genoeg van.'

Haar ogen waren ondoorgrondelijk, magnetisch, gevaarlijk.

'Ik voel me geen mens, maar ook geen Andere of vrouw. Ook geen uil trouwens. Meer... een woedende, oude, geslachtloze idioot die af en toe kan praten.'

Het water kletterde uit de douchekop. Langzaam hief Olga haar armen en ging genietend onder de harde straal staan. 'Ik vind het veel belangrijker om die viezigheid van me af te spoelen dan om een aardige jongeman in verlegenheid te brengen.'

Zonder commentaar accepteerde ik de 'jongeman' en liep de badkamer uit. Hoofdschuddend pakte ik de cognacfles en ontkurkte hem.

Eén ding was nu in elk geval duidelijk: ze was geen diervrouw. Diermensen zouden geen kleding meer hebben gedragen. Olga was een tovenares. Een tovenares, een vrouw die ongeveer tweehonderd jaar oud was, die tachtig jaar geleden was bestraft met het afnemen van haar lichaam, die nog steeds op rehabilitatie hoopte, die specialist was in heftige interacties en die ongeveer vijfenvijftig jaar geleden haar laatste opdracht had gekregen...

Met deze informatie kon ik haar opzoeken in onze database. Ik had geen toegang tot alle gegevens; daarvoor had ik een te lage rang. Maar gelukkig had de hogere leiding geen idee hoeveel informatie je via een indirecte zoekopdracht kon achterhalen.

Natuurlijk alleen maar als ik Olga's identiteit echt wilde achterhalen.

Ik schonk cognac in beide glazen en wachtte. Vijf minuten later kwam Olga de badkamer uit en wreef haar haren droog met de handdoek. Ze had mijn spijkerbroek en T-shirt aan.

Ze zag er nu natuurlijk niet totaal anders uit, maar ik vond haar wel een stuk sympathieker.

'Bedankt, Anton. Je hebt geen idee hoe goed dit voelt.'

'Vast wel.'

'Echt niet. Die geur, Anton, die brandlucht. In die halve eeuw was ik er bijna aan gewend.' Olga ging onbeholpen op de kruk zitten en slaakte een zucht. 'Het is natuurlijk heel erg, maar ik ben wel blij met deze crisis. En ook al krijg ik geen gratie, ik kan me nu in elk geval af en toe wassen...'

'Je kunt deze gedaante wel houden, Olga. Dan koop ik wel een paar goede kleren voor je.'

'Niet nodig, hoor. Ik heb maar een halfuur per dag.'

Olga frommelde de handdoek in elkaar en gooide hem op de vensterbank.

'Wie weet wanneer ik me weer een keer kan wassen,' zei ze met een zucht. 'Of een cognacje kan drinken... Proost, Anton.'

'Proost.'

De cognac was heerlijk. Genietend nam ik een slokje en trok me niets aan van de chaos in mijn hoofd. Olga dronk haar glas in één teug leeg, vertrok haar gezicht, maar zei vriendelijk: 'Niet slecht.'

'Waarom vindt de Chef het niet goed dat je een normaal uiterlijk aanneemt?'

'Dat kan hij niet.'

Duidelijk. Dat betekende dus dat ze niet door het regiokantoor was veroordeeld, maar door een hogere leiding.

'Veel succes, Olga. Wat je ook hebt gedaan, ik geloof dat je schuld allang is vereffend.'

De vrouw haalde haar schouders op. 'Dat wil ik ook wel geloven. Ik begrijp wel dat iemand al snel medelijden met me heeft, maar in feite was mijn straf heel terecht... Maar nu even serieus.'

'Goed.'

Olga boog zich over de tafel naar me toe. 'Ik zeg het je eerlijk: ik heb er genoeg van,' fluisterde ze samenzweerderig. 'Ik heb stalen zenuwen, maar op deze manier kan ik echt niet leven. Het enige wat ik kan doen, is een opdracht uitvoeren die zo belangrijk is dat de leiding me wel gratie móet verlenen.'

'En hoe komen we aan zo'n opdracht?'

'Die hebben we toch al. En die opdracht kun je in drie delen opsplitsen. Ten eerste is er die jongen die we moeten beschermen en aan de kant van het Licht moeten zien te krijgen. En ten tweede die vampierin die we moeten uitschakelen.'

Olga sprak met vaste stem. Opeens geloofde ik haar; beschermen en uitschakelen. Geen enkel probleem.

'Maar dat zijn allemaal kleinigheden, Anton. Jij zult worden bevorderd als dit ons lukt, maar ik schiet er niet veel mee op. Het belangrijkste is die vrouw met de zwarte Wervel.'

'Daar zijn anderen al mee bezig, Olga. Ik... Ze hebben ons van die opdracht afgehaald.'

'Maakt niet uit. Het zal hen niet lukken.'

'O nee?' vroeg ik ironisch.

'Nee. Boris Ignatjewitsj is een krachtige tovenaar. Maar dan wel op andere terreinen.' Olga knipoogde spottend. 'Ik hou me echter al bijna mijn hele leven bezig met alles wat te maken heeft met de uitbarsting van het inferno.'

Nu begreep ik het. 'Daarom heb je het dus over oorlog.'

'Natuurlijk. In een wereld waar vrede heerst, komen zulke uitbarstingen van haat helemaal niet voor. Die vreselijke Hitler... die had wel veel aanhangers, maar die hadden ze in het eerste jaar van de oorlog al neergesabeld. En met hem heel Duitsland. Bij Stalin was het anders, die werd verafgood... onwaarschijnlijk gewoon. En dan heb je een machtig wapen in handen. Anton, ik, een eenvoudige Russische vrouw...' Een vluchtig glimlachje maakte duidelijk wat Olga met 'eenvoudig' bedoelde. 'Ik heb gedurende de hele vorige oorlog geprobeerd te voorkomen dat de vijanden van mijn land zouden vluchten. Alleen al daarvoor had ik gratie moeten krijgen, vind je niet?'

'Absoluut.' Ik kreeg het idee dat ze aangeschoten was.

'Een rotklus... We moeten immers allemaal tegen onze natuur ingaan. Maar om zóver te gaan... En daarom zal het ze dus niet lukken, Anton. Ik zou het kunnen proberen, maar zelfs ik vraag me af of ik het wel kan.'

'Olga, als de zaken er zo slecht voor staan, moet je het melden...'

De vrouw schudde haar hoofd en streek over haar vochtige haar. 'Dat kan ik niet. Het is me niet toegestaan om met wie dan ook contact op te nemen, behalve dan met Boris Ignatjewitsj en de partner die ik op een bepaald moment heb. Ik heb hem alles al verteld, en nu kan ik alleen nog maar afwachten. En hopen dat het me lukt... dat het me op het allerlaatste moment nog lukt.'

'Begrijpt de Chef dat dan niet?'

'Integendeel, volgens mij begrijpt hij het wel.'

'Maar dat is...' fluisterde ik.

'We hebben ooit een relatie gehad, heel lang. En we waren ook vrienden en dat komt niet vaak voor... Oké, Anton, vandaag gaan we ons bezighouden met die jongen en met die idiote vampierin. Morgen moeten we wachten. Wachten tot het inferno losbarst. Afgesproken?'

'Daar moet ik eerst over nadenken, Olga.'

'Natuurlijk, denk er maar over na. Voor mij is het nu weer tijd. Draai je om...'

Ik was niet snel genoeg. Het was waarschijnlijk Olga's eigen schuld; ze had niet opgelet hoeveel tijd ze nog had.

Het was een afschuwelijk gezicht. Olga begon te trillen en boog zich naar voren. Er ging een schokgolf door haar lichaam: haar botten bogen alsof ze van rubber waren. Haar huid barstte, waardoor haar doorbloede spieren vrij kwamen te liggen. Binnen een paar seconden was de vrouw veranderd in een bloederige klomp vlees, een vormeloze bol. En deze bol verschrompelde en verschrompelde, en kreeg zachte, witte veren...

De sneeuwuil slaakte een half menselijke, half vogelachtige kreet en vloog van de kruk af naar haar favoriete plekje op de koelkast.

'Verduiveld!' riep ik tegen alle regels en voorschriften in. 'Olga!'

Buiten adem en met een van pijn vervormde stem zei de vrouw: 'Mooi hè?'

'Waarom? Waarom zo?'

'Dat is onderdeel van de straf, Anton.'

Ik stak mijn hand uit en raakte de uitgespreide, trillende vleugels aan. 'Olga, ik vind alles goed.'

'Dan gaan we beginnen, Anton.'

Ik knikte en liep naar de hal. Ik deed de kast open waarin ik mijn uitrusting bewaarde en trad de Schemer in, want anders zou ik alleen maar kleren en oude rommel zien.

Er landde iets lichts op mijn schouder.

'Wat heb je in de aanbieding?'

'De onyxamulet heb ik ontladen. Kun jij hem weer opladen?'

'Nee, ze hebben bijna al mijn krachten afgenomen. Ze hebben me alleen die krachten laten houden die nodig zijn om een inferno te neutraliseren. Plus mijn herinneringen, Anton... Mijn herinneringen hebben ze me ook laten houden. Hoe wil je die vampierin doden?'

'Ze is niet geregistreerd,' zei ik. 'Dus alleen met ouderwetse middelen.'

De uil stootte een hese kreet uit. 'Gebruiken ze nog steeds espenhout?'

'Dat heb ik in elk geval niet.'

'Juist. Is dat vanwege je vrienden?'

'Ja. Ik wil niet dat ze beginnen te trillen zodra ze mijn huis binnenkomen.'

'Goed, wat dan?'

Ik pakte een pistool uit een holte in de stenen. Ik keek even naar de uil en zag dat Olga het wapen aandachtig bekeek.

'Zilver? Dat is wel pijnlijk voor een vampier, maar niet dodelijk.'

'Hij is geladen met dumdumkogels.' Ik trok het magazijn uit de Desert Eagle. 'Met zilveren dumdumkogels, kaliber 44. Drie treffers en de vampier is zo doorzeefd dat hij niets meer kan doen.'

'En hoe gaat het dan verder?'

'Met ouderwetse middelen.'

'Ik heb geen vertrouwen in techniek,' zei Olga met een stem waarin twijfel doorklonk. 'Ik heb wel eens gezien dat een diermens weer opstond nadat hij door granaten aan flarden was geschoten.'

'Ging dat snel?'

'Hij had er drie dagen voor nodig.'

'En? Wat zei ik net?'

'Goed dan, Anton. Als je je eigen krachten niet vertrouwt...'

Ik zag wel dat ze nog niet echt tevredengesteld was. Maar ik ben geen speurder; ik ben een staffunctionaris die de opdracht heeft gekregen in de buitendienst te werken.

'Het komt wel goed,' zei ik geruststellend. 'Vertrouw me nou maar. Kom, we gaan het lokaas zoeken.'

'Oké, dan gaan we.'

'Hier is het allemaal gebeurd,' zei ik tegen Olga. We stonden bij de poort. In de Schemer natuurlijk.

Af en toe liepen er een paar mensen voorbij die op een grappige manier om me heen liepen, ook al konden ze me niet zien.

'Hier heb je die vampier gedood.' Olga's stem klonk heel zakelijk. 'Goed... Dat begrijp ik, beste vriend. Je hebt het afval niet goed opgeruimd, maar dat is verder niet van belang...'

Volgens mij was er geen enkel spoor van de overleden vampier achtergebleven, maar ik sprak haar niet tegen.

'Hier stond de vampierin... Hier heb je haar ergens mee geslagen... Nee, met wodka besproeid...' Olga giechelde zachtjes. 'Ze is weggegaan... Onze jongens zijn ook niet meer wat ze zijn geweest... En dat terwijl haar spoor nog heel duidelijk is!'

'Ze heeft een andere gedaante aangenomen,' bromde ik somber.

'Een vleermuis?'

'Ja. Garik zei dat ze dat op het laatste moment voor elkaar kreeg.'

'Da's niet zo best. Die vampierin is sterker dan ik had gedacht.'

'En mesjokke. Ze drinkt bloed van levende mensen en ze moordt. Ze heeft geen enkele ervaring, maar is heel sterk.'

'Wij zullen haar vernietigen,' zei Olga resoluut.

Ik zei niets.

'En hier hebben we ook het spoor van de jongen.' In haar stem klonk respect door. 'Inderdaad... een aanzienlijk potentieel. Laten we eens gaan kijken waar hij woont.'

We liepen onder de poort door en liepen de binnenplaats op. Die was groot en helemaal omringd door huizen. Ook ik voelde de aura van de jongen, maar als een zwakke en samengebalde uitstraling. Hij liep hier waarschijnlijk regelmatig langs.

'Loop door,' commandeerde Olga. 'Hier linksaf. Verder. Nu naar rechts. Wacht...'

Ik bleef staan. De tram reed langzaam door de straat. Ik was nog steeds niet uit de Schemer getreden.

'In dit huis,' zei Olga. 'Eropaf. Daar is hij.'

Het was een ontzettend lelijk gebouw. Een flat met een plat dak dat tot overmaat van ramp ook nog op poten of pilaren stond. Op het eerste gezicht leek het wel een gigantisch gedenkteken voor een lucifersdoosje. Bij nadere beschouwing leek het wel tot steen geworden, ziekelijke grootheidswaan.

'Een perfect huis om een moord te plegen,' zei ik. 'Of gek te worden.'

'Wij gaan dat allebei doen,' zei Olga. 'Weet je, daar ben ik toevallig heel goed in.'

Jegor wilde het huis niet verlaten. Toen zijn ouders naar hun werk waren gegaan en de deur achter hen in het slot was gevallen, was hij bang geworden. Tegelijkertijd wist hij dat die angst buiten de muren van deze lege woning over zou gaan in ontzetting.

Niemand zou hem helpen. Niemand, nergens. En het huis gaf hem in elk geval een gevoel van veiligheid.

De wereld was ineengestort, was gisteravond in elkaar gestort. Jegor had altijd openlijk toegegeven – niet alleen tegenover anderen, maar ook tegenover zichzelf – dat hij geen held was. Maar hij was ook geen lafaard. Er waren zaken waar je bang voor kon zijn en moest zijn: vechtersbazen, gekken, terroristen, rampen, brand, oorlog en dodelijke ziektes. Dat was allemaal vergelijkbaar en allemaal even ver weg. Dat gebeurde allemaal wel, maar niet in het leven van alledag. Je hoefde je alleen maar aan een paar regels te houden: 's nachts niet op straat rondzwerven, niet naar onbekende buitenwijken gaan, voor het eten je handen wassen en niet op de treinrails springen. Je kon bang zijn voor narigheid en tegelijkertijd weten dat de kans heel klein was dat zoiets je echt zou overkomen.

Nu was alles veranderd.

Er bestonden fenomenen waar je je niet voor kon verstoppen. Fenomenen die niet bestonden op aarde en niet zouden mogen bestaan.

Er bestonden vampiers.

Hij kon zich alles nog heel duidelijk herinneren. De ontzetting had de herinnering niet weggevaagd. Dat had hij gisteren nog wel gehoopt toen hij naar huis was gerend en zonder uit te kijken de straat op was gerend. En de vage hoop dat de volgende dag zou blijken dat hij alles maar had gedroomd, was niet vervuld.

Het was allemaal waar. Waar en onmogelijk. Maar...

Het was gisteren gebeurd. Het was hem overkomen.

Hij was 's avonds nog laat onderweg geweest, natuurlijk, maar soms kwam hij nog wel later thuis. Zelfs zijn ouders die – daar was Jegor vast van overtuigd – tot de dag van vandaag niet doorhadden dat hij al bijna dertien was, accepteerden dat gelaten.

Toen hij samen met zijn vrienden uit het zwembad was gekomen, nou goed, toen was het al tien uur. Ze waren allemaal McDonald's in gerend en daar ongeveer twintig minuten gebleven. Ook dat was niet ongebruikelijk, want iedereen die het zich kon permitteren, ging daar na de training naartoe. Daarna... daarna waren ze allemaal naar de metro gelopen. Dat was niet ver. Over een goed verlichte straat. Met zijn achten.

Tot dan toe ging alles net als anders.

In de metro was hij om de een of andere reden zenuwachtig geworden. Hij had op de klok gekeken en de andere passagiers bekeken. Maar hij zag niets verdachts.

Behalve dan dat hij muziek hoorde.

En toen begon dat wat niet kon gebeuren.

Om de een of andere reden was hij onder een donkere, stinkende poort doorgelopen. Was op een vrouw en een man toegelopen die daar op hem stonden te wachten. Die hem naar zich toe lokten. Vrijwillig had hij de vrouw zijn keel aangeboden, aan haar dunne, scherpe tanden die niets menselijks meer hadden.

Zelfs nu, thuis, alleen, voelde Jegor deze kou... die zoete, bekoorlijke kriebel over zijn huid. Hij had het zelfs gewild! Hij was wel bang geweest, maar had toch gewild dat die fonkelende hoektanden hem aanraakten, de korte pijn, waarna... waarna... waarna er iets zou gebeuren... waarschijnlijk...

En er was niemand op de hele wereld die hem kon helpen. Jegor herinnerde zich de blik van de vrouw die de honden uitliet. Een blik die door hem heenging, waakzaam, maar absoluut niet onverschillig. Ze was niet bang, omdat ze geen idee had wat er gebeurde... Jegor was alleen maar gered dankzij het feit dat die derde vampier eraan was gekomen. Die bleke vent met zijn md-speler die hem al in de metro op de hielen had gezeten. Dankzij hem waren die andere twee woedend geworden, als hongerige wolven die zich op een opgejaagd, maar nog niet gedood hert stortten.

Vanaf dat moment tolde alles door elkaar en was het veel te snel afgelopen. Geschreeuw over het een of andere verdrag en over de een of andere Schemer. Een blauwe lichtflits, en toen viel de vampier voor zijn ogen uiteen in stof, net als in de bioscoop. Het gejank van de vampierin toen de man iets in haar gezicht had gespoten.

En zijn panische vlucht...

En dat verschrikkelijke inzicht, nog verschrikkelijker dan wat hem was overkomen: hij mocht er niemand iets over vertellen. Ze zouden hem niet geloven... hem niet begrijpen.

Vampiers bestonden niet!

Je kunt niet door mensen heen kijken zonder hen te zien.

Niemand verbrandt in een wervel van lichtblauw vuur, verandert dan in een mummie, een skelet, een hoopje as!

'Dat klopt niet,' zei Jegor tegen zichzelf. 'Ze bestaan wel. Het kan dus. Het komt voor!'

Maar hij kon zichzelf bijna niet geloven...

Hij was niet naar school gegaan en begon daarom het huis maar op te ruimen. Hij wilde iets doen. Af en toe liep Jegor naar het raam en tuurde gespannen naar de binnenplaats.

Niets verdachts.

Maar zou hij ze eigenlijk wel kunnen zien?

Ze zouden komen. Daar twijfelde Jegor geen seconde aan. Ze wisten dat hij zich hen kon herinneren. Hij was een getuige en die zouden ze vermoorden. En niet alleen maar vermoorden! Ze zouden zijn bloed opdrinken en een vampier van hem maken.

De jongen liep naar de boekenkast die voor de helft volstond met videocassettes. Misschien zou hij hier een oplossing vinden. *Dracula – dood en ontevreden.* Nee, dat was een comedy. *Eén keer bijten a.u.b.* Totale onzin. *De inktzwarte nacht – Fright Night.* Jegor huiverde. Die film kon hij zich nog heel goed herinneren en nu zou hij hem echt niet nog een keer durven te bekijken. Maar wat zeiden ze ook alweer in die film... 'Het kruis helpt, als je daarin gelooft.'

Hoe zou een kruis hem kunnen helpen? Hij was immers niet eens gedoopt. En hij geloofde niet in God. Tenminste, tot nu toe niet.

Was het misschien beter om daar nu toch maar mee te beginnen?

Als vampiers bestaan, dan bestaat de duivel ook en als de duivel bestaat, bestaat God dan dus ook?

Als vampiers bestaan, dan bestaat God dus ook?

Als het slechte bestaat, dan bestaat het goede dus ook?

'Onzin,' zei Jegor. Hij stak zijn handen in de zakken van zijn spijkerbroek, liep naar de hal en keek in de spiegel. Zijn spiegelbeeld keek hem aan. Misschien keek hij een beetje te somber, maar verder was hij een heel gewone jongen. Tot nu toe was alles dus nog in orde. Ze waren er niet in geslaagd hem te bijten.

Voor de zekerheid draaide hij zijn hoofd een beetje en probeerde zijn nek te bekijken. Nee, niets. Geen sporen. Alleen maar een dunne en misschien niet helemaal schone hals.

Opeens kreeg hij een idee. Jegor rende naar de keuken en maakte de kater die lekker op de wasmachine lag aan het schrikken. Hij zocht in de zakken met aardappels, uien en wortels.

Daar was het knoflook.

Snel pelde Jegor een teentje en beet erin. Het knoflook was scherp, brandde in zijn mond. Jegor schonk een glas thee in en nam na elke beet een slokje.

65

Veel hielp dat niet, zijn tong brandde nog steeds en zijn tandvlees jeukte. Maar het zou toch zeker wel helpen?

De kater keek de keuken in. Hij staarde vol onbegrip naar de jongen en liep weer weg. Hij begreep niet hoe je iets wat zo smerig was, kon eten.

Jegor kauwde op de beide laatste teentjes, spuwde ze toen uit en smeerde zijn hals ermee in. Hoewel hij vond dat hij zich belachelijk gedroeg, kon hij er niet mee ophouden.

Zijn hals begon nu ook te jeuken. Verdomd goede knoflook. Elke vampier zou alleen al door de geur creperen.

De kater was nu in de hal en begon ontevreden te miauwen. Jegor spitste zijn oren en keek naar buiten. Nee, niets. De deur was vergrendeld met drie sloten en een ketting.

'Krijs niet zo, Greysik!' zei hij boos. 'Anders krijg je knoflook te eten!'

De kater dacht na over het gevaar en liep de ouderslaapkamer in. Wat kon Jegor nog meer doen? Zilver zou ook helpen. De jongen liep de slaapkamer in, maakte de kater weer aan het schrikken, opende de kledingkast en diepte onder lakens en handdoeken het juwelenkistje op waarin zijn moeder haar sieraden bewaarde. Hij haalde er een zilveren kettinkje uit en deed hem om. Dat zou naar knoflook gaan stinken en hij moest het vanavond sowieso weer terugleggen. Zou hij zijn spaarbankboekje plunderen en zelf een kettinkje kopen? Met een kruis eraan. En hem altijd dragen. Misschien moest hij verkondigen dat hij in God geloofde? Zoiets gebeurde immers, dat iemand die nog nooit, nog nooit gelovig was geweest opeens in God geloofde!

Hij liep naar de woonkamer, ging in kleermakerszit op de bank zitten en liet zijn blik peinzend door de kamer dwalen. Hadden ze espenhout in huis? Waarschijnlijk niet. Hoe ziet dat er trouwens uit, espenhout? Zou hij naar de botanische tuin gaan en van een tak espenhout een dolk snijden?

Dat was allemaal prachtig, zeker. Maar of het zou helpen? Als die muziek opnieuw zou klinken, die zachte, betoverende muziek... Misschien zou hij dan gewoon de ketting afdoen, de dolk van espenhout doormidden breken en de knoflookgeur van zijn hals wassen?

Die zachte, zachte muziek... Onzichtbare vijanden. Misschien waren ze al heel dichtbij. En zag hij ze domweg niet. Kon niet goed kijken. Misschien zat de vampier al naast hem. Lachte in zijn vuistje terwijl hij naar die domme knul zat te kijken die zijn verdediging beraamde. Misschien was hij helemaal niet bang voor espenhout of knoflook. Hoe moest hij het opnemen tegen een onzichtbaar wezen?

'Greysik!' riep Jegor. De kater met zijn complexe karakter luisterde niet naar 'poes, poes'. 'Greysik, kom hier!'

De kater stond op de drempel van de slaapkamer. Zijn haren stonden overeind, zijn ogen fonkelden. Hij keek langs Jegor heen, naar een hoek, naar een stoel die bij de salontafel stond. Een lege stoel...

De jongen voelde die inmiddels vertrouwde ijskoude rilling over zijn rug lopen. Hij draaide zich zo snel om dat hij van de bank vloog en op de grond viel. De stoel was leeg. Het huis ook. En ook nog eens stevig vergrendeld. Maar het was wel donker geworden, alsof buiten het zonlicht was uitgedoofd...

Hier was nog iemand.

'Nee!' riep Jegor en kroop weg. 'Ik weet het! Ik weet het! Jullie zijn hier!'

De kater maakte een grommend geluid en vluchtte onder het bed.

'Ik zie je!' brulde de jongen. 'Raak me niet aan!'

De entree zou er sowieso obscuur en smerig hebben uitgezien. Maar vanuit de Schemer gezien, was het je reinste catacombe. De betonnen muren die in de normale realiteit gewoon smerig waren, waren in de Schemer overwoekerd met mos. Weerzinwekkend. Er woonde hier geen Andere die het huis daarvan had kunnen bevrijden... Ik streek met mijn hand over een dichtbegroeid stukje en toen kwam het mos onrustig in beweging, het probeerde de warmte van mijn hand te ontwijken.

'Brand!' commandeerde ik.

Ik heb de pest aan parasieten, ondanks het feit dat ze geen enkele schade aanrichten en alleen maar vreemde gevoelens drinken. De hypothese dat die enorme koloniën blauw mos de menselijke psyche in verwarring kunnen brengen en daardoor een depressie of een zorgeloze opgewektheid veroorzaken, is tot nu toe nooit bewezen. Maar ik heb altijd liever het zekere voor het onzekere genomen.

'Brand!' herhaalde ik en stuurde een beetje kracht naar mijn handpalmen.

Een transparante, hete vlam maakte zich meester van de dikke blauwe laag mos. In een mum van tijd brandde de hele entree. Ik liep naar de lift, drukte op de knop en stapte in. Die was schoner.

'Achtste verdieping,' souffleerde Olga. 'Waarom heb je je krachten daaraan verspild?'

'Dat was toch niet de moeite waard...'

'Misschien heb je al je krachten wel nodig. Laat dat spul toch groeien.'

Ik zweeg. De lift sukkelde naar boven; het was een Schemerlift. Zijn dubbelganger die nog altijd op de begane grond stond, was de gewone.

'Je moet het zelf maar weten,' zei Olga. 'Die jeugd ook... dat inconsequente gedrag.'

De deuren gingen open. Hier op de achtste verdieping raasde het vuur ook al; het blauwe mos brandde als een fakkel. Het was heet, veel warmer dan normaal in de Schemer.

'Die deur, daar...' zei Olga.

'Ik zie het.'

Ik kon de aura van de jongen inderdaad zien, bij de deur. Hij had het huis vandaag nog niet durven verlaten. Het geitje zat aan een stevige lijn en nu hoefden we alleen nog maar op de tijger te wachten.

'Ik ga maar eens naar binnen,' zei ik en duwde tegen de deur.

Die ging niet open.

Dat kon toch niet waar zijn!

In de realiteit kunnen deuren met allerlei sloten vergrendeld zijn, maar de Schemer kent zijn eigen wetten. Alleen vampiers hebben een uitnodiging nodig voordat ze een huis mogen betreden. Dat is de prijs die ze moeten betalen voor hun buitengewone krachten en hun gastronomische relatie met de mensen.

En om in de Schemer een deur te kunnen vergrendelen, moet je ten minste in staat zijn erin te treden.

'Het is de angst,' zei Olga. 'Gisteren is hij ontzettend geschrokken. Toen hij nog maar pas uit de Schemerwereld was teruggekeerd, heeft hij de deur achter zich gesloten en heeft dat, zonder dat hij het doorhad, tegelijkertijd in beide werelden gedaan.'

'En wat doen we nu?'

'We gaan dieper. Volg mij.'

Ik keek naar mijn schouder, maar daar was niemand. Het is niet eenvoudig om de Schemer te bezweren als je er al in zit. Ik moest mijn schaduw regelmatig optillen totdat hij eindelijk meer volume kreeg en voor mij uit onrustig in de lucht bewoog.

'Kom maar, je kunt het best,' fluisterde Olga.

Ik stapte de schaduw in en de Schemer werd dichter. In het hele vertrek walmde een dikke nevel. Alle kleuren verdwenen. Ik hoorde alleen nog maar een geruis: mijn hartslag, zwaar en langzaam, echoënd alsof iemand in een tunnel stond en op een trommel sloeg. En de wind floot – de lucht kroop in mijn longen en rekte mijn bronchiën op. De uil verscheen weer op mijn schouder.

'Ik hou het hier niet lang uit,' fluisterde ik en opende de deur. In deze laag was hij natuurlijk niet vergrendeld.

Er schoot een donkergrijze kater langs mijn benen. Katten kennen geen mensen- of Schemerwereld; zij leven in alle werelden tegelijk. Het is maar goed dat ze zo dom zijn.

'Poes, poes, poes,' fluisterde ik. 'Je hoeft niet bang te zijn, katje...'

Om mijn krachten uit te proberen, sloot ik de deur. Zo, knul, nu ben je een beetje beter beschermd. Maar of je daar iets aan hebt als je de roep hoort?

'Kom eruit,' zei Olga. 'Je krachten nemen heel snel af. Zelfs een ervaren tovenaar wordt door deze laag van de Schemer voor problemen gesteld. Ga ook maar weer een beetje hoger.'

Opgelucht stapte ik eruit. Ik ben nu eenmaal geen speurder die in alle drie de lagen van de Schemer een uitstapje kan maken. En normaal gesproken was dat ook niet nodig.

De wereld kreeg weer kleur. Ik keek om me heen. De woning was gezellig en bevatte geen enkel product uit de Schemerwereld. Een paar strepen blauw mos op de deur; amper de moeite waard. Die zouden vanzelf verdwijnen zodra de hoofdstam was uitgeroeid. Ik hoorde ook geluiden. Ze leken uit de keuken te komen en ik keek naar binnen.

De jongen stond bij de tafel knoflook te eten die hij met warme thee wegspoelde.

'Bij het Licht en bij de Duisternis,' fluisterde ik.

De kleine jongen zag er nu nog nietiger en onbeschermder uit dan gisteren. Mager en slungelig, maar niet echt zwak. Zo te zien deed hij aan sport. Hij droeg een vale spijkerbroek en een blauw T-shirt.

'Arme knul,' zei ik.

'Je moet wel medelijden met hem hebben,' beaamde Olga. 'Het was een slimme zet van de vampiers om het gerucht te verspreiden dat knoflook magische eigenschappen bezit. Ze zeggen dat Bram Stoker dat zelf heeft verzonnen...'

De jongen spuugde een beetje fijngekauwde knoflookpuree op zijn hand en wreef zijn hals hiermee in.

'Knoflook is gezond,' zei ik.

'Klopt. En het helpt, tegen het griepvirus,' zei Olga. 'Lieve help! Maar die jongen is echt heel sterk! De Nachtwacht kan wel een nieuwe speurder gebruiken.'

'Is hij nu van ons?'

'Op dit moment is hij van niemand. Zijn lot is nog niet bezegeld, dat zie je toch zelf ook wel!'

'En, welke kant kiest hij, denk je?'

'Dat is nog niet te zeggen. Nog niet. Daar is hij veel te bang voor. Hij is nu bereid om alles te doen, alleen maar om zich de vampiers van het lijf te houden. Hij kan een Duistere worden en hij kan een Lichte worden.'

'Dat kan ik hem niet kwalijk nemen.'

'Natuurlijk niet. Kom, we gaan.'

De uil fladderde op en vloog door de hal. Ik liep achter haar aan. We bewogen ons nu drie keer zo snel als mensen. Dat is een van de wezenlijke kenmerken van de Schemer: de tijd verstrijkt in een ander tempo.

'We wachten hier,' commandeerde Olga toen ze in de woonkamer was. 'Hier is het warm, licht en gezellig.'

Ik ging in een zachte stoel zitten die naast een tafeltje stond en tuurde naar de krant die daarop lag. Het is ontzettend leuk om in de Schemer een krant te lezen.

Winsten op leningen dalen, verkondigde een kop. In de realiteit staat er namelijk iets heel anders: 'Spanningen in de Kaukasus nemen toe.'

Nu kon ik de krant pakken en de waarheid lezen. De onvervalste waarheid. Dat wat de journalist had gedacht toen hij zijn artikel over een voorgeschreven onderwerp in elkaar flanste... Elk brokstukje informatie dat hij uit officieuze bron had verkregen... De waarheid over het leven en de waarheid over de dood... Maar waarom zou ik?

De wereld van de mensen interesseert me al heel lang niet meer. Die is onze basis, onze bakermat, maar wij zijn Anderen. Wij kunnen door afgesloten deuren heen en houden het evenwicht tussen goed en kwaad in stand. Wij zijn maar met heel weinig en kunnen ons niet vermeerderen. De dochter van een tovenaar wordt niet noodzakelijk een tovenares en de zoon van een diermens leert niet per definitie hoe hij zich 's nachts bij volle maan moet transformeren.

We zijn niet verplicht van de gewone wereld te houden. We beschermen die alleen maar, omdat hij de gastheer is van onze parasieten. En ik haat parasieten!

'Waar denk je aan?' vroeg Olga. De jongen kwam de woonkamer binnen, maar verdween meteen weer de slaapkamer in. Hij bewoog zich heel snel als je in aanmerking nam dat hij zich in de normale wereld bevond. Hij begon wat in een kast te rommelen.

'Aan niets bijzonders. Aan iets treurigs.'

'Dat kan gebeuren. Iedereen doet dat in de eerste paar jaar.' Olga's stem klonk nu bijna menselijk. 'Daarna ben je er wel aan gewend.'

'Dat is nu juist de reden dat ik wel kan janken.'

'Je moet juist blij zijn dat we nog leven. In het begin van deze eeuw was het aantal Anderen teruggebracht tot een kritisch minimum. Weet je dat ze toen serieus hebben overwogen om de Duisteren en de Lichten te verenigen? Dat ze al een eugenetisch programma hadden uitgewerkt?'

'Ja, dat weet ik.'

'De wetenschap heeft ons bijna kapotgemaakt. Ze geloofden ons niet, wilden ons niet geloven. In die tijd ging men ervan uit dat de wetenschap een betere wereld kon creëren.'

De jongen kwam de woonkamer weer binnen. Hij ging op de bank zitten en schoof een kettinkje recht dat om zijn hals hing.

'Hoezo een betere wereld?' vroeg ik. 'Wij zijn uit de mensheid voortgekomen. Wij hebben geleerd om in de Schemer te treden, hebben geleerd de natuur van de dingen en de mensen te veranderen. Maar wat is daardoor veranderd, Olga?'

'Vampiers mogen nu tenminste niet meer zonder licentie op jacht gaan...'

'Vertel dat maar aan de mens wiens bloed hij net drinkt...'

De kater verscheen in de deuropening. Hij staarde naar ons. Blies woedend naar de uil.

'Hij reageert op je!' zei ik. 'Olga, ga dieper de Schemer in!'

'Te laat,' antwoordde ze. 'Sorry, ik heb niet goed opgelet.'

De jongen sprong van de bank af. Veel sneller dan eigenlijk in de mensenwereld kon. Onhandig, want hij begreep zelf niet wat er met hem gebeurde, trad hij in zijn schaduw en viel op de grond. Hij keek me aan – en was de Schemer alweer uit.

'Ik ga dieper...' fluisterde de uil en verdween. Haar klauwen boorden zich pijnlijk in mijn schouder.

'Nee!' schreeuwde de jongen. 'Ik weet het! Ik weet het! Jullie zijn hier!'

Ik stond op en spreidde mijn armen uit.

'Ik zie je! Raak me niet aan!'

Hij lag in de Schemer! Shit! Het was gebeurd. Zonder hulp van buitenaf, zonder opleiding en zonder aanmoediging had de jongen de grens tussen de mensen- en de Schemerwereld overschreden.

Daarvan – van de manier waarop je de eerste keer in de Schemer treedt, wat je daarbij ziet, wat je voelt – hangt het grotendeels af wat je wordt.

Een Duistere of een Lichte.

We mogen hem niet overlaten aan de Duistere kant, want dan zou het evenwicht in Moskou onherroepelijk verstoord raken.

Dit is op het randje, knul.

En dat is erger dan die onervaren vampierin.

Boris Ignatjewitsj heeft het recht over een liquidatie te beslissen.

'Wees maar niet bang,' zei ik zonder me te bewegen. 'Je hoeft niet bang te zijn. Ik ben een vriend en doe je niets.'

De jongen kroop een hoek in en bleef daar verstijfd zitten. Hij hield me in de gaten en begreep kennelijk niet dat hij in de Schemer was getreden. Hij had het idee dat het opeens donker was geworden, alsof er een deken van stilte op hem was neergedaald en alsof ik vanuit het niets was opgedoken...

'Wees maar niet bang,' herhaalde ik. 'Ik heet Anton. En jij?'

Hij zweeg. Hij bleef slikken, voelde aan zijn hals, zocht de ketting en kalmeerde een beetje.

'Ik ben geen vampier,' zei ik.

'Wie ben je!' De jongen schreeuwde. Gelukkig maar dat men deze hartverscheurende kreet in de normale wereld niet kon horen.

'Anton. Ik werk bij de Nachtwacht.'

Nu sperde hij zijn ogen open, alsof hij pijn had.

'Het is mijn werk om mensen tegen vampiers en andere monsters te beschermen.'

'Nietwaar...'

'Hoezo?'

Hij haalde zijn schouders op. Goed. Hij probeerde zijn kansen in te schatten, de situatie te beoordelen. Dat betekende dat de angst hem niet helemaal van zijn verstand had beroofd.

'Hoe heet je?' vroeg ik nog eens. Misschien kon ik de jongen beïnvloeden, ervoor zorgen dat hij niet langer bang was. Maar dat zou een interventie zijn, en ook nog eens een illegale.

'Jegor...'

'Mooie naam. Ik heet Anton. Heb je dat gehoord? Anton Sergejewitsj Gorodetski. Ik werk bij de Nachtwacht. Gisteren heb ik de vampier gedood die probeerde jou te overvallen.'

'Eentje maar?'

Heel goed, er kwam een gesprek op gang.

'Ja, de vampierin is ontsnapt en wordt nu gezocht. Maar je hoeft niet bang te zijn, want nu ben ik hier om op je te passen... en om de vampierin te vernietigen.'

'Waarom is alles zo grijs?' vroeg de jongen opeens.

Opmerkelijk! Wat een attent joch!

'Dat zal ik je uitleggen, maar eerst moet je aannemen dat ik je vijand niet ben. Goed?'

'We zien wel.'

Hij hield zich vast aan dat domme kettinkje van hem, alsof dat hem ergens tegen kon beschermen. Ach jongen toch, was alles maar zo eenvoudig. Maar zilver noch espenhout of het heilige kruis kunnen je redden. Het leven tegen de dood, de liefde tegen de haat – en kracht tegen kracht, want de kracht heeft geen morele grondbeginselen. Zo simpel is het. Zelfs ik heb dat na een jaar of twee, drie begrepen.

'Jegor.' Ik liep langzaam naar hem toe. 'Luister goed naar wat ik je ga vertellen...'

'Blijf staan!'

Hij riep dat zo vastbesloten alsof hij een wapen in zijn hand had. Zuchtend bleef ik staan.

'Goed, maar je moet toch luisteren. Behalve de gewone wereld, de mensenwereld die je kunt zien, bestaat er een wereld van de schaduwen, de Schemerwereld.'

Daar dacht hij even over na. Ondanks zijn paniek – en hij was doodsbang, want ik voelde een verstikkende ontzetting – probeerde hij het te begrijpen. Er zijn mensen die verlamd raken als ze bang zijn, maar er zijn ook mensen die daar kracht aan ontlenen.

Ik had dolgraag tot de tweede categorie behoord.

'Een parallelle wereld?'

Kijk eens, nu kwam de sciencefiction erbij. Oké, goed hoor, het maakt niet uit hoe je het noemt.

'Ja. En in die wereld kunnen alleen diegenen terechtkomen die over bovenna-tuurlijke vaardigheden beschikken.'

'Vampiers?'

'Zij niet alleen. Ook diermensen, heksen, zwarte tovenaars... maar ook witte tovenaars, genezers en zieners.'

'Bestaan die dan allemaal echt?'

Hij was doorweekt: zijn haar plakte tegen zijn hoofd, zijn T-shirt aan zijn lichaam en er liepen zweetdruppels over zijn wangen. Ondanks dat hield de jongen zijn blik strak op me gericht en stond klaar om zich te verdedigen. Alsof dat niet te veel van zijn krachten vergde.

'Ja, Jegor. Veel mensen zijn in staat om in de Schemerwereld te treden. En ze kiezen de kant van het goede of de kant van het slechte. Het Licht of het Duister. Zij zijn de Anderen. Zo noemen wij elkaar: de Anderen.'

'Ben jij een Andere?'

'Ja, en jij ook.'

'Hoezo?'

'Jij bevindt je nu in de Schemerwereld, jochie. Kijk maar om je heen en luister goed. De kleuren zijn verbleekt. De geluiden verstomd. De secondewijzer kruipt heel langzaam over de wijzerplaat. Jij bent in de Schemerwereld getre-den... Jij wilde het gevaar zien en hebt daarbij de grens tussen die twee werel-den overschreden. Hier verstrijkt de tijd langzamer, hier is alles anders. Want dit is de wereld van de Anderen.'

'Ik geloof er niets van.' Jegor draaide zich even om en keek toen weer naar mij. 'En waarom is Greysik hier?'

'De kat?' Ik glimlachte. 'Dieren hebben hun eigen wetten, Jegor. Katten leven in alle werelden tegelijk, voor hen bestaat er geen verschil.'

'Ik geloof er niets van.' Zijn stem trilde. 'Dit is allemaal een droom, dat weet ik zeker! Als het licht verbleekt... Ik slaap. Dat heb ik al vaker meegemaakt.'

'Droom je dan dat je het licht aanknipt, maar dat de lamp niet aangaat?' Ik kende het antwoord op die vraag al en buiten dat was het overduidelijk op het gezicht van de jongen af te lezen. 'Of brandt hij maar heel zwakjes, zoals kaarslicht? En jij loopt rond, terwijl om je heen het donker fladdert, en je steekt je hand uit... maar je kunt je vingers niet meer onderscheiden?'

Hij zweeg.

'Dat overkomt ons allemaal, Jegor. Alle Anderen hebben dit soort dromen. De Schemerwereld kruipt dan in ons, roept ons, herinnert ons aan hem. Jij bent een Andere. Ook al ben je nog jong, toch ben je een Andere. En het hangt alleen maar van jou af of...'

Ik had niet onmiddellijk door dat zijn ogen dicht waren en dat zijn hoofd opzij was gezakt.

'Stommeling!' fluisterde Olga op mijn schouder. 'Hij is voor het eerst helemaal alleen in de Schemer getreden! Daar is hij niet sterk genoeg voor! Trek hem eruit, schiet op, anders blijft hij hier eeuwig!'

De Schemercoma... de ziekte van alle nieuwelingen. Dat was ik bijna vergeten, omdat ik nooit met jonge Anderen samenwerkte.

'Jegor!' Ik stormde op hem af, schudde hem heen en weer en pakte hem onder zijn oksels beet. Hij was licht, heel licht, want in de Schemerwereld verandert niet alleen de tijd. 'Word wakker!'

Geen reactie. De jongen had iets gedaan waar anderen maanden voor moesten oefenen: hij was zonder hulp in de Schemer getreden. Maar de Schemerwereld doet niets liever dan de krachten uit je zuigen.

'Trekken!' Olga nam de leiding. 'Trek hem eruit! Schiet op! Uit zichzelf wordt hij niet wakker!'

Dat was gemakkelijker gezegd dan gedaan. Ik had wel cursussen eerste hulp gevolgd, maar had nog niet eerder iemand uit de Schemer hoeven trekken.

'Jegor, word wakker!' Ik gaf hem een paar oorvijgen. Eerst zachtjes, maar toen heel hard. 'Wat is er aan de hand, jongen? Je bent in de Schemerwereld! Wakker worden!'

Hij werd steeds lichter en vloeide onder mijn handen weg. De Schemer dronk zijn leven op en zoog de laatste krachten uit hem weg. De Schemer veranderde zijn lichaam, nam hem in bezit. Wat had ik nu weer gedaan!

'Scherm je af!' Olga's kille stem bracht me tot bezinning. 'Scherm je samen met hem af... Bewakers!'

Normaal gesproken heb ik zeker een minuut nodig om de kogel te laten ontstaan. Deze keer lukte het me binnen vijf seconden. Er ging een pijnscheut door me heen, alsof er in mijn hoofd een kleine explosie plaatsvond. Ik gooide mijn hoofd in mijn nek toen de negatiesfeer uit mijn lichaam naar buiten trad en me omhulde als een zeepbel die glinsterde in alle kleuren van de regenboog. De zeepbel werd groter, zwol op en nam – weliswaar met tegenzin – zowel mij als de jongen in zich op.

'Goed, hou hem nu vast. Ik kan je niet helpen, Anton. Hou de sfeer rechtop!' Olga had ongelijk; ze hielp me wel, met haar tips. Misschien was ik zelf ook wel op het idee gekomen om de sfeer te ontwikkelen, maar zou dan wel waardevolle seconden hebben verloren.

De lucht om ons heen klaarde op. De Schemer dronk nog steeds onze krachten op, die van mij met enige moeite en die van de jongen met volle teugen, maar nu had hij niet meer dan een paar kubieke meter tot zijn beschikking. De gewone fysieke wetten gelden hier weliswaar niet, maar er heersen wel bepaalde analogieën. In de sfeer ontstond nu een balans tussen onze levende lichamen en de Schemer.

Óf de Schemer zou nu oplossen en zijn prooi met rust laten óf de jongen zou veranderen in een bewoner van de Schemerwereld. Voor altijd. Dat overkomt tovenaars die het uiterste van zichzelf gevergd hebben, uit onoplettendheid of uit noodzaak. Dat overkomt nieuwelingen die niet weten hoe ze zich tegen de Schemer moeten verdedigen en hem meer geven dan zou moeten.

Ik keek naar Jegor: zijn gezicht werd zienderogen grauwer. Hij stond op het punt in de eindeloze ruimtes van de schaduwwereld te treden.

Ik vlijde de jongen in mijn rechterarm, haalde met mijn linkerhand een zakmes tevoorschijn en maakte het met mijn tanden open.

'Dat is gevaarlijk,' waarschuwde Olga.

Ik gaf geen antwoord, maar maakte een snee in mijn onderarm.

Toen het bloed eruit spoot, begon de Schemer te sissen als in een gloeiend hete pan. Alles werd wazig voor mijn ogen. Dat kwam niet door het bloedverlies, maar doordat tegelijk met het bloed het leven uit mij druppelde. Ik had mijn eigen verdediging tegen de Schemer kapotgemaakt.

De wereld werd licht, mijn schaduw sprong naar de grond en ik stapte erdoorheen. De regenboogkleurige membraan van de negatiesfeer scheurde en toen bevonden we ons weer in de gewone wereld.

5

Het bloed spoot in een dun straaltje op het vloerkleed. De jongen die in mijn armen hing, was nog steeds bewusteloos, maar kreeg langzaam maar zeker weer wat kleur in zijn gezicht. In de andere kamer krijste de kater alsof hij werd afgeslacht.

Ik legde Jegor op de bank en ging naast hem zitten.

'Olga, wil je verband halen?'

De uil vloog op en dook als een witte sliert naar de keuken. Onderweg dook ze waarschijnlijk de Schemer in, want al na een paar seconden kwam ze terug met een rolletje verband in haar snavel.

Net toen ik het verband van de uil aannam en mijn hand wilde verbinden, opende Jegor zijn ogen.

'Wie is dat?' vroeg hij.

'Een uil, dat zie je toch wel.'

'Wat was er met me aan de hand?' wilde hij weten. Zijn stem trilde amper.

'Je bent bewusteloos geraakt.'

'Waardoor?' Hij keek angstig naar de bloedspatten op de grond en op mijn kleren. Gelukkig had ik Jegor niet ook helemaal onder gespat.

'Dat is mijn bloed,' vertelde ik hem. 'Ik heb me per ongeluk gesneden. Je moet heel goed opletten, Jegor, als je in de Schaduw treedt. Dat is een vreemde omgeving, zelfs voor ons, de Anderen. Zodra we in de Schemerwereld zijn, moeten we continu kracht afgeven en die weer voeden met onze levensenergie. Een beetje in elk geval. En als je dat proces niet goed onder controle houdt, zuigt de Schemer alle leven uit je. Daar kun je niets tegen doen, dat is de prijs die je ervoor moet betalen.'

'Ik heb dus meer betaald dan had gehoeven?'

'Veel meer. En daarom was je bijna voor eeuwig in de Schemerwereld gebleven. Dat betekent niet je dood, maar dat is misschien nog veel erger.'

'Wacht, ik help je wel even.' De jongen ging rechtop zitten en vertrok zijn gezicht. Kennelijk was hij duizelig. Ik strekte mijn hand uit en hij begon mijn pols te verbinden, onhandig, maar doelbewust. De aura van de jongen was niet veranderd, die volgde nog steeds een ander spoor, bleef neutraal. Hoewel de jongen al in de Schemer was geweest, had die nog geen stempel op hem kunnen drukken.

'Geloof je nu dat ik je vriend ben?' vroeg ik.

'Ik weet het niet. In elk geval geen vijand. Of je kunt me gewoon niets doen!'
Ik strekte mijn hand uit en raakte de hals van de jongen aan. Hij week
meteen achteruit. Ik maakte de sluiting van de ketting los en deed hem af.
'Snap je?'
'Dat betekent dat je geen vampier bent.' Hij sprak iets zachter nu.
'Klopt. Maar niet omdat ik knoflook en zilver kan aanraken. Daarmee kun je
een vampier niet tegenhouden, Jegor.'
'Maar in alle films...'
'Ja, en in alle films winnen de goeien het van de slechten. Bijgeloof is een
gevaarlijke zaak, knul; die wekt valse hoop.'
'Is er dan terechte hoop?'
'Nee, dat zou een contradictie zijn.' Ik stond op en voelde aan het verband.
Petje af, dat was solide en stevig aangebracht. Over een halfuurtje zou ik de
wond kunnen bezweren, maar daar was ik nu nog niet sterk genoeg voor.
De jongen zat op de bank en keek naar mij. Ja, hij was een beetje gerustgesteld.
Maar hij geloofde me nog steeds niet. Gek genoeg had hij geen enkele aandacht
voor de witte uil die met een onschuldige blik op de televisie zat te doezelen.
Kennelijk had Olga toch in zijn bewustzijn ingegrepen. Dat vond ik prima,
want het zou lastig zijn om uit te leggen hoe het zat met deze sprekende uil.
'Heb je hier iets te eten?' vroeg ik.
'Waar heb je dan zin in?'
'Maakt niet uit, thee met suiker. Een stukje brood. Ik heb namelijk ook veel
kracht verloren.'
'We zullen wel iets vinden. En hoe ben je gewond geraakt?'
Dat wilde ik niet precies uitleggen, maar ik wilde ook niet tegen hem liegen.
'Dat heb ik expres gedaan. Dat moest wel, om jou uit de Schemer te halen.'
'Bedankt. Als het echt zo is.'
Best brutaal, dat ventje, maar ik vond dat wel leuk.
'Graag gedaan. Als je in de Schemer was verdwenen, zou mijn baas me onge-
looflijk op mijn kop hebben gegeven.'
De jongen snoof even en stond op. Ondanks alles probeerde hij een stukje bij
me vandaan te blijven. 'Wat is je baas voor iemand?'
'Streng. Hoe zit het, krijg ik nog een kop thee van je?'
'Voor aardige mensen is niets te veel moeite.' Hij was nog steeds bang, maar
verborg dit achter een stoere façade.
'Eén ding moet je goed begrijpen: ik ben geen mens. Ik ben een Andere. En
jij ook.'
'Wat is het verschil dan?' Hij bekeek me demonstratief van top tot teen. 'Qua
uiterlijk zijn we hetzelfde!'
'Zolang ik geen thee krijg, zeg ik helemaal niets. Weet je niet hoe je gasten
moet ontvangen?'

'Ongenode gasten? Hoe ben je eigenlijk binnengekomen?'
'Door de deur. Ik laat het je wel zien, straks.'
'Goed dan.' Kennelijk had hij nu toch besloten om thee voor me te maken.
Ik liep achter hem aan en trok onwillekeurig mijn neus op.
'Eén ding nog, Jegor...' zei ik, omdat ik het niet langer uithield. 'Je moet eerst
even je nek wassen.'
Zonder zich om te draaien, schudde de jongen zijn hoofd.
'Je moet wel toegeven dat het dom is om alleen je nek te beschermen. Het
menselijk lichaam heeft vijf plaatsen waar een vampier hem kan bijten.'
'Is dat zo?'
'Dat is zo! En dan heb ik het natuurlijk alleen over het lichaam van een man.'
Zelfs zijn nek werd vuurrood.
Ik deed vijf grote scheppen suiker in de thee.
'En hoeveel heb ik nodig?'
'Hoe zwaar ben je?'
'Geen idee.'
Ik keek hem taxerend aan. 'Neem er maar vier. Dat helpt tegen een te lage
bloedsuikerspiegel.'
Inmiddels had hij zijn nek gewassen, maar toch rook hij nog steeds naar
knoflook.
'Nu moet je me alles uitleggen!' eiste hij en nam gretig een slok thee.
Zo had ik me dit niet voorgesteld. Helemaal niet. Ik zou achter de jongen
aangaan als hij door de roep werd verrast. De vampierin doden of gevangen-
nemen. En de dankbare jongen naar de Chef brengen die hem dan alles zou
uitleggen.
'Lang geleden...' Ik verslikte me in mijn thee. 'Dat klinkt als een sprookje,
maar dat is het niet, hoor.'
'Ga verder.'
'Goed. Ik begin opnieuw. Er is dus de wereld van de mensen.' Ik gebaarde
naar het raam, naar de kleine binnenplaats en naar de langzaam rijdende
auto's op straat. 'Die wereld, om ons heen. En de meeste mensen kunnen hun
grenzen niet overschrijden. Zo is het altijd al geweest. Maar af en toe duiken
wij op, de Anderen.'
'En de vampiers?'
'Vampiers zijn ook Anderen. Ze zijn natuurlijk wel een speciale soort Anderen; hun capaciteiten liggen van tevoren al vast.'
'Dat begrijp ik niet.' Jegor schudde zijn hoofd.
Natuurlijk niet, ik ben een beroerde gids in Schemerland. Ik kan geen clichés
uitleggen, wil dat niet eens.
'Twee sjamanen die giftige paddenstoelen hebben gegeten, slaan op hun tam-
boerijn,' zei ik. 'Heel, heel lang geleden, nog in de oertijd. Een van de beide

sjamanen houdt de jagers en de hoofdman goed voor de gek. De ander ziet hoe zijn schaduw in het licht van het kampvuur op de grond van zijn hol trilt, groter wordt en zich in zijn volle hoogte opricht. Hij zet een stap en treedt in de schaduw... treedt in de Schemer. En dan wordt het interessant. Begrijp je wel?'

Jegor zweeg.

'De Schemer verandert degene die hem betreedt. Het is een andere wereld, die van mensen Anderen maakt. Wat je wordt, hangt helemaal van jezelf af. De Schemer is een woeste rivier die aan alle kanten even sterk aan je trekt. Je kunt zelf besluiten wat je in de Schemerwereld wilt zijn. Maar dat moet je wel snel beslissen, want je hebt niet veel tijd.'

Nu had hij het begrepen. Zijn pupillen werden kleiner, hij werd een beetje bleek. Een perfecte stressreactie; hij zou een fantastische speurder zijn...

'En wat kan ik worden?'

'Wat je maar wilt. Dat heb je nog niet besloten. En weet je om welke beslissing het gaat? Die tussen goed en kwaad. Tussen Licht en Duister.'

'En ben jij een Goede?'

'Allereerst ben ik een Andere. Het verschil tussen goed en kwaad zit hem in je houding ten opzichte van gewone mensen. Als je kiest voor het Licht, dan gebruik je je capaciteiten nooit in je eigen voordeel. Als je voor het Duister kiest, is dat juist heel normaal. Maar ook een zwarte tovenaar is in staat om zieken te genezen en spoorloos vermisten te vinden. En een witte tovenaar kan besluiten een mens niet te helpen.'

'Dan begrijp ik niet wat het verschil is!'

'Dat zul je nog wel eens begrijpen. Op het moment, waarop je kiest voor de ene of voor de andere kant.'

'Dat zal ik nooit doen!'

'Daarvoor is het al te laat, Jegor. Je bent al in de Schemer geweest en je bent nu al aan het veranderen. De dag waarop je een keuze maakt, zal komen.'

'Als je voor het Licht hebt gekozen...' Jegor stond op en schonk zich nog een kop thee in. Het viel me op dat dit de eerste keer was dat hij met zijn rug naar me toe ging staan zonder bang te zijn. 'Wat ben je dan? Een tovenaar?'

'De leerling van een tovenaar. Ik werk op het kantoor van de Nachtwacht. Dat werk moet ook gebeuren.'

'En wat kun je dan? Als je wilt dat ik je geloof, moet je me iets laten zien.'

Dit ging perfect. Hij was in de Schemer geweest, maar dat had hem nog niet overtuigd. Wat onschuldige hocus-pocus zou hem veel meer imponeren.

'Kijk eens!'

Ik stak mijn hand naar hem uit. Jegor verstijfde en probeerde te begrijpen wat er gebeurde. Toen keek hij naar zijn kopje.

Er kwam al geen damp meer van de thee af. Hij was bevroren en veranderd in een kleine ijscilinder met een troebele bruine kleur en theeblaadjes erin.

'Oeps,' zei de jongen.

Thermodynamica is een heel eenvoudig aspect bij het beheersen van materie. Zodra ik de stroombeweging weer toeliet, begon het ijs te koken. Jegor uitte een kreet en liet het kopje vallen.

'Sorry.' Ik sprong op en pakte een doekje van het aanrecht. Gehurkt maakte ik de vloer schoon.

'Die magie heeft wel wat nadelen,' zei de jongen. 'Jammer van dat kopje.'

'Pas op!'

De schaduw sprong me tegemoet, ik trad de Schemer in en keek naar de scherven. Zij konden zich hun vorm nog herinneren en het was niet de bedoeling geweest dat het kopje kapot zou gaan.

In de Schemer veegde ik met mijn hand enkele scherven bij elkaar. Een paar van de allerkleinste die onder de kachel waren terechtgekomen, rolden uit zichzelf naar me toe.

Toen trad ik weer uit de Schemer en zette het witte kopje op tafel. 'Nu hoef je alleen nog maar thee bij te schenken.'

'Gaaf.' De jongen was kennelijk erg onder de indruk van dit trucje. 'Kan dat met alle dingen?'

'Bij dingen kan het bijna altijd.'

'Anton? En als iets een week geleden stuk is gegaan?'

Ik begon te grinniken.

'Dan niet. Het spijt me, maar dan is het al te laat. De Schemer geeft ons één kans, maar daar moet je snel gebruik van maken, heel snel.'

Jegors gezicht betrok. Wat zou hij een week geleden stuk hebben gemaakt?

'Geloof je me nu?'

'Is dat tovenarij?'

'Ja, de eenvoudigste vorm ervan. Daar hoef je bijna niets voor te leren.'

Misschien was het niet zo slim om dat te zeggen. Ik zag iets oplichten in de ogen van de jongen. Hij overwoog welke mogelijkheden hij had, wat nuttig voor hem zou zijn.

Licht en Duisternis...

'En een ervaren tovenaar... kan die nog meer dingen?'

'Zelfs ik kan nog meer dingen.'

'Ook mensen beïnvloeden?'

Licht en Duisternis...

'Ja,' zei ik. 'Ja, dat kunnen we.'

'En doen jullie dat ook? Waarom kunnen terroristen dan mensen gijzelen? Jullie kunnen er dan toch heel eenvoudig door de Schemer naartoe kruipen en hen neerschieten? Of hen dwingen zichzelf dood te schieten! En waarom gaan er dan mensen dood aan ziektes? Tovenaars kunnen genezen, dat heb je toch zelf gezegd!'

'Dat zou wel het beste zijn,' antwoordde ik.

'Natuurlijk! Jullie zijn toch de tovenaars van het Licht?'

'Maar als wij een bepaalde goede daad verrichten, hebben de Duisteren het recht een slechte daad te verrichten.'

De jongen keek me verbaasd aan. Er was veel over hem heen gekomen de afgelopen vierentwintig uur. Daar ging hij eigenlijk best goed mee om...

'Helaas is het slechte sterker dan het goede, Jegor. Het slechte is destructief. Het is voor de Duisteren gemakkelijker om iets te verstoren dan voor de Lichten om iets goeds te doen.'

'Maar wat doen jullie dan? Jullie hebben toch die Nachtwachters... Vechten die dan met de tovenaars van het Duister?'

Daar mocht ik geen antwoord op geven. En ik begreep ook, met verpletterende duidelijkheid, dat ik helemaal niet zo open met de jongen had mogen praten. Ik had hem veel beter kunnen verdoven. Dieper in de Schemer moeten treden. Maar hem in geen geval van alles uitleggen!

Want ik zou het allemaal niet kunnen bewijzen!

'Vechten jullie met hen?'

'Niet altijd,' zei ik. De waarheid was erger dan de leugen, maar ik had het recht niet tegen hem te liegen. 'We houden elkaar in de gaten.'

'Bereiden jullie je voor op een oorlog?'

Ik keek Jegor aan en bedacht me dat hij helemaal geen domme jongen was. Toch bleef hij een jongen. En als ik hem nu zou vertellen dat er een grote veldslag zou plaatsvinden tussen de goeden en de slechten, dat hij de nieuwe Jedi van de Schemerwereld kon worden, dan hadden we hem in onze zak.

Maar natuurlijk niet voor lang.

'Nee, Jegor. Wij zijn maar een klein groepje.'

'Lichten? Zijn de Duisteren in de meerderheid?'

Nu is hij er klaar voor zijn huis op te geven, zijn moeder en vader te verlaten, een glimmend harnas aan te trekken en voor de goede zaak te sterven.

'Nee, alle Anderen bij elkaar. Luister Jegor, de oorlogen tussen de goeden en de slechten hebben al duizenden jaren een wisselende uitkomst gehad. Af en toe heeft het Licht gezegevierd, maar je kunt je niet voorstellen hoeveel mensen die niet eens weten dat de Schemerwereld bestaat daarbij zijn gestorven. Er zijn maar een paar Anderen, maar iedere Andere kan een gevolg van meer dan duizend gewone mensen hebben. Jegor, als er nu een oorlog zou uitbreken tussen de goeden en de slechten, dan zou de helft van alle mensen sterven. Daarom is ongeveer vijftig jaar geleden een Verdrag ondertekend. Het Grote Verdrag tussen goed en kwaad, tussen het Duister en het Licht.'

Hij keek verbaasd.

Ik haalde eens diep adem en vertelde toen verder. 'Het Verdrag is maar kort. Ik zal hem zo aan je voorlezen, de officiële Russische vertaling. Want inmiddels heb je het recht hem te kennen.'

Ik kneep mijn ogen halfdicht en tuurde het duister in. De Schemer kwam tot leven, wolkte voor me op. Voor mij uit ontrolde zich een grijze baan stof waarop dicht op elkaar rode letters brandden. Je mag het Verdrag niet uit je geheugen citeren; je mag hem alleen maar voorlezen:

> *Wij zijn de Anderen,*
> *wij dienen verschillende krachten,*
> *maar in de Schemer bestaat er geen verschil*
> *tussen de fouten van het Duister*
> *en de fouten van het Licht.*
> *Onze strijd kan de wereld vernietigen.*
> *Wij sluiten het Grote Verdrag van de Wapenstilstand.*
> *Elke kant zal zijn eigen wetten naleven,*
> *elke kant zal zijn eigen rechten hebben.*
> *Wij beperken onze rechten en onze wetten.*
> *Wij zijn de Anderen.*
> *Wij richten de Nachtwacht op,*
> *zodat de krachten van het Licht*
> *waken over de krachten van het Duister.*
> *Wij zijn de Anderen.*
> *Wij richten de Dagwacht op,*
> *zodat de krachten van het Duister*
> *waken over de krachten van het Licht.*
> *De tijd zal over ons beslissen.*

Jegor keek zeer verbaasd.
'Licht en Duister leven dus in vrede met elkaar?'
'Ja.'
'En... de vampiers...' Dit thema kwam steeds weer ter sprake. 'Zijn dat Duisteren?'
'Ja, het zijn mensen die helemaal veranderd zijn door de Schemerwereld. Ze krijgen fantastische vaardigheden, maar verliezen dan wel hun leven. Om te kunnen bestaan, hebben ze energie van buitenaf nodig. En bloed is de gemakkelijkste manier om deze energie te verkrijgen.'
'Maar ze doden mensen!'
'Ze kunnen ook van donorbloed leven. Dat is vergelijkbaar met kunstmatige voeding, jongen. Zonder smaak, maar vol calorieën. Als vampiers toestemming zouden krijgen om op jacht te gaan...'

'Maar ze hebben mij overvallen!'

Hij dacht nu alleen maar aan zichzelf, en dat was niet goed.

'Veel vampiers overtreden de wet. Daarom hebben we immers de Nacht-wacht: om ervoor te waken dat het Verdrag wordt nageleefd.'

'Maar normaal gesproken maken de vampiers geen jacht op mensen?'

Ik voelde een luchtstroom langs mijn wang strijken, veroorzaakt door onzichtbare vleugels. Klauwen boorden zich in mijn schouder.

'Welk antwoord ga je hem geven, Wachter?' fluisterde Olga vanuit de diepte van de Schemer. 'Durf je het aan hem de waarheid te vertellen?'

'Ze gaan op jacht,' antwoordde ik. En ik voegde eraan toe wat mijzelf vijf jaar geleden de meeste angst had aangejaagd: 'Met licenties. Want soms... soms hebben ze levend bloed nodig.'

Hij stelde de vraag niet meteen. Maar in zijn ogen las ik alles wat hij nu dacht, alles wat hij wilde weten. En ik wist dat ik op alle vragen antwoord zou moeten geven.

'En jullie?'

'Wij voorkomen dat er wordt gestroopt.'

'Dan heeft jullie Verdrag hen dus toegestaan om mij te overvallen? Als ze een licentie hadden?'

'Ja,' zei ik.

'En dan zouden ze mijn bloed hebben gedronken? En als jij dan in de buurt was geweest, zou je de andere kant op hebben gekeken?'

Licht en Duisternis...

Ik sloot mijn ogen en het Verdrag vlamde op in de grijze nevel. Gebeeld-houwde regels waarachter eeuwen oorlog en miljoenen levens stonden.

'Ja.'

'Ga weg...'

De jongen stond klaar om weg te duiken. Hij balanceerde op het randje van de hysterie, langs de afgrond van de waanzin.

'Ik ben hiernaartoe gekomen om je te beschermen.'

'Niet nodig!'

'De vampierin is vrij. Ze zal proberen je te overvallen...'

'Ga weg!'

'Heb je de boel verprutst, Wachter?' zuchtte Olga.

Ik stond op. Jegor kromp in elkaar en reed snel met zijn kruk bij me vandaan.

'Je zult het nog wel gaan begrijpen,' zei ik. 'We hebben geen andere keuze...'

Ik geloofde zelf niet eens wat ik zei. En bovendien had het geen zin om nu ruzie te gaan maken. Buiten werd het al donker; de jacht zou al snel begin-nen...

De jongen liep achter me aan alsof hij zeker wilde weten dat ik de woning verliet en me bijvoorbeeld niet achter een kast zou verstoppen. Ik zei niets meer, opende de deur en verliet het huis. De deur viel achter me in het slot. Ik liep een verdieping lager en ging op het trapportaal voor het raam staan. Olga zweeg, en ik ook.

Je mag de waarheid niet zo bot verkondigen. Mensen vinden het al moeilijk genoeg om te erkennen dat we bestaan. Om het dan ook nog een keer eens te zijn met het Verdrag...

'We konden niets doen,' zei Olga. 'We hebben de jongen verkeerd ingeschat, zowel zijn capaciteiten als zijn angst. Hij heeft ons ontdekt. We moesten wel antwoord geven op zijn vragen en hem de waarheid vertellen.'

'Ben je al aan het bedenken wat we in het verslag moeten zetten?' vroeg ik.

'Als jij eens wist hoeveel van dit soort verslagen ik al heb geschreven...'

Vanuit de stortkoker sloeg een smerige stank ons tegemoet. De geluiden van de Prospekt drongen naar binnen en verzonken langzaam in de schemering. De eerste straatlantaarns brandden al. Ik zat daar maar en speelde met mijn mobieltje. Ik vroeg me af of ik zelf de Chef zou bellen of op zijn telefoontje zou wachten. Want Boris Ignatjewitsj zat vast en zeker al naar me te kijken. Vast en zeker.

'Je moet de mogelijkheden van hem hierboven niet overschatten,' zei Olga. 'De Chef zit tot over zijn oren in de problemen met de Zwarte Wervel.'

Mijn mobieltje begon te piepen.

'Raad eens wie dat is?' vroeg ik en klapte hem open.

'Woody Woodpecker. Of Whoopi Goldberg.'

Ik was niet in de stemming voor grapjes.

'Hallo?'

'Waar ben je, Anton?'

De stem van de Chef klonk vermoeid, gekweld. Zo kende ik hem helemaal niet.

'In het trappenhuis van een spuuglelijk flatgebouw. Vlak naast de stortkoker. Het is hier vrij warm en bijna gezellig.'

'Heb je de jongen gevonden?' vroeg de Chef ongeïnteresseerd.

'Ja...'

'Goed. Dan stuur ik Tijgerjong en Beer. Die kunnen hier toch niets meer doen. Jij gaat naar Perowo. Nu.'

Toen ik een hand in mijn zak stopte, zei de Chef onmiddellijk: 'Als je geen geld bij je hebt... nee, ook al heb je wel geld bij je. Hou een auto van de politie aan, dan moeten zij je hier snel naartoe brengen.'

Ik vroeg alleen maar: 'Is de situatie zo ernstig?'

'Behoorlijk. Je kunt nu meteen vertrekken.'

Ik keek door het raam de duisternis in.

'Boris Ignatjewitsj, we zouden die jongen niet alleen moeten laten. Hij beschikt inderdaad over een heel bijzonder potentieel...'

'Ik weet het... Goed. Tijgerjong en Beer zijn al onderweg, wacht maar tot ze er zijn. Als zij op hem passen, loopt de jongen geen gevaar. Maar zodra ze er zijn, moet je hiernaartoe komen.'

Er kwam een piepje uit mijn telefoon. Ik klapte hem dicht en keek naar mijn schouder.

'Wat vind jij hiervan, Olga?'

'Merkwaardig.'

'Waarom? Je hebt toch zelf gezegd dat het hen niet zal lukken.'

'Het is vreemd dat hij jou laat komen en mij niet...' Olga dacht even na. 'Misschien... Ach nee, ik weet het ook niet.'

Ik keek door de Schemer en zag twee vlekjes aan de horizon. De beide speurders kwamen er zo snel aan dat ze hier al over een kwartiertje zouden zijn.

'Hij heeft het adres niet eens gevraagd,' zei ik ontstemd.

'Hij wilde geen tijd verliezen. Heb je niet gemerkt dat hij onze coördinaten heeft opgenomen?'

'Nee.'

'Je moet meer oefenen, Anton.'

'Ik werk niet in de buitendienst.'

'Nu dus wel. Laten we naar beneden gaan. Beneden horen we de roep ook wel.'

Ik stond op – ik vond ons plekje in het trappenhuis echt al heel vertrouwd en gezellig – en liep stijf naar beneden. Ik hield er een treurige, bittere nasmaak aan over. Achter me knalde een deur dicht. Ik draaide me om.

'Ik ben bang,' zei de jongen plompverloren.

'Het is wel goed.' Ik liep weer naar boven, naar hem toe. 'Wij passen op je.'

Hij beet op zijn lippen en zijn blik dwaalde van mij naar het schemerige trappenhuis en terug. Hij vond het maar niets om mij weer binnen te laten, maar miste ook de kracht om alleen te blijven.

'Ik heb het gevoel dat iemand naar me kijkt,' zei hij na een tijdje. 'Ben jij dat?'

'Nee, volgens mij is het de vampierin.'

De jongen huiverde niet. Ik had hem niets nieuws verteld.

'Op welke manier zal ze me overvallen?'

'Als ze niet wordt uitgenodigd, kan ze niet door de deur heen. Dat is een kenmerk van vampiers dat in de verhaaltjes heel treffend wordt beschreven. Maar je zult zelf naar haar toe willen gaan. Je wilt immers nu al uit je huis weg.'

'Ik ga niet naar buiten!'

'Als ze de roep inzet, ga je. Je zult begrijpen wat er gebeurt, maar toch gaan.'

'Kun jij... kun jij me geen raad geven? Wat dan ook?'

Jegor gaf zich over. Hij wilde hulp, wat voor hulp dan ook.

'Ja, dat kan ik. Vertrouw maar op ons.'

Hij aarzelde niet langer dan een seconde. 'Kom binnen.' Jegor deed de deur open. 'Maar... mijn moeder komt zo van haar werk.'

'Ja, en?'

'Ga je je dan verstoppen? Of moet ik iets bepaalds tegen haar zeggen?'

'Breek daar je hoofd maar niet over,' zei ik. 'Maar ik...'

De deur van de buren ging open, voorzichtig, een klein stukje maar, met de ketting erop. Ik zag het kleine, gerimpelde gezicht van een oude vrouw. Heel even raakte ik haar bewustzijn aan, heel vluchtig en zo voorzichtig mogelijk, om haar toch al aangetaste hersenen niet nog meer te beschadigen.

'O, jij bent het...' Het oudje straalde over haar hele gezicht. 'Jij, eh...'

'Anton,' hielp ik haar bereidwillig.

'Ik dacht al dat er een onbekende rondsloop,' zei de oude vrouw. Ze maakte de ketting los en stapte de portiek in. 'Tegenwoordig moet je overal rekening mee houden. De mensen doen maar wat ze willen...'

Ik stelde haar gerust: 'Maakt u zich maar niet ongerust. Het komt wel goed. Ga maar lekker televisie kijken. Vanavond begint een nieuwe serie.'

Ze knikte, keek me nog even vriendelijk aan en verdween weer in haar huis.

'Wat is dat voor serie?'

'Geen idee.' Ik haalde mijn schouders op. 'Zomaar eentje. Er zijn meer dan genoeg soaps, ja toch?'

'En waar ken je onze buurvrouw van?'

'Ik? Haar? Nergens van.'

De jongen zweeg.

'Juist,' zei ik. 'Wij zijn de Anderen. Ik kom niet meer mee naar binnen, want ik moet weg.'

'En dan?'

'Anderen zullen je beschermen, Jegor. Je hoeft niet bang te zijn: zij zijn profs en veel betere beschermers dan ik.'

Ik tuurde door de Schemer. Twee feloranje stralen kwamen naar het flatgebouw toe.

'Die... Ik wil hen niet!' De jongen raakte meteen in paniek. 'Jij moet blijven!'

'Dat kan niet. Ik heb een andere opdracht.'

Beneden, bij de entree, knalde de deur en ik hoorde voetstappen. De beide strijdmakkers negeerden de lift.

'Ik wil hen niet!' De jongen maakte aanstalten om de deur te sluiten alsof hij zich wilde afschermen. 'Ik vertrouw hen niet!'

Ik viel hem in de rede: 'Of je vertrouwt alle Nachtwachters of niet een. Wij zijn geen eenzame supermannen in rood-met-blauwe capes. Wij worden betaald voor dit werk. Wij zijn de politie van de Schemerwereld. Mijn woorden zijn de woorden van de Nachtwacht.'

'En wie zijn dat?' De jongen legde zich bij zijn lot neer. 'Tovenaars?'

'Ja, maar dan wel zeer gespecialiseerde.'

Beneden, onder aan de trap, dook Tijgerjong op.

'Hallo, jongens,' riep de jonge vrouw vrolijk en overbrugde met één sprong het hele trappenhuis.

Een mens kon met geen mogelijkheid zo springen. Jegor dook in elkaar en week achteruit, terwijl hij wantrouwig naar Tijgerjong keek. Ik schudde mijn hoofd: kennelijk stond de jonge vrouw op het punt te transformeren. Dat vond ze prettig en op dit moment had ze alle reden om zich uit te leven.

'Hoe staat het ervoor in Perowo?' vroeg ik.

Tijgerjong zuchtte eens diep en glimlachte toen. 'Ach... lollig. Ze zijn allemaal in paniek. Ga nu maar, Antosjka, ze wachten al op je... En dit hier is zeker mijn kleine beschermeling?'

De jongen keek haar zwijgend aan. De Chef had een goede beslissing genomen door Tijgerjong hiernaartoe te sturen om Jegor te beschermen, dat moest ik hem nageven. Jong en oud vertrouwde haar en vond haar sympathiek. Ze zeggen dat ook de Duisteren zich wel eens door haar lieten beetnemen, wat hen dan duur kwam te staan.

'Ik ben geen beschermeling,' zei de jongen snel. 'Ik heet Jegor.'

'En ik heet Tijgerjong.' De vrouw was het huis al ingelopen en sloeg even heel lief haar arm om hem heen. 'Laat me nu het strijdtoneel maar eens zien, dan kunnen we onze verdediging in stelling brengen!'

Hoofdschuddend liep ik naar beneden. Binnen een minuut of vijf zou ze hem hebben laten zien hoe ze aan haar naam was gekomen.

Beer liep me tegemoet en bromde: 'Hallo.'

'Hallo.' We gaven elkaar even de hand. Van alle medewerkers van de Wacht riep Beer de vreemdste en meest tegenstrijdige emoties in me op.

Beer was iets groter dan gemiddeld, sterk en had een ondoorgrondelijk gezicht. Hij zei nooit veel. Wat hij in zijn vrije tijd deed, waar hij woonde... Dat wist niemand, behalve Tijgerjong misschien. Het gerucht ging dat hij helemaal geen tovenaar was, maar een diermens. Ze zeggen dat hij eerst bij de Dagwacht heeft gewerkt, tot hij tijdens de een of andere missie opeens naar onze kant was overgelopen. Dat was natuurlijk een onzinverhaal, want de Lichten veranderen net zomin in Duisteren als andersom. Maar Beer had iets waar je je ongewild aan ergerde.

Hij liep door en zei: 'De auto staat al op je te wachten. De chauffeur is een klootzak. Je bent er zo.'

Beer stotterde een beetje en hield zijn zinnen daarom kort. Hij haastte zich niet, omdat Tijgerjong de bewaking al op zich had genomen. Toch mocht ik geen tijd verspillen.

'Is het erg daar?' vroeg ik en ging sneller lopen.

'Dat kun je wel zeggen,' klonk het van boven.

Ik sprong met verschillende treden tegelijk de trap af en stormde het gebouw uit. De auto stond al te wachten en ik móést even stilstaan om hem goed te bekijken. Het was een elegante BMW, donkerrood, het nieuwste model. Op het dak had iemand liefdeloos een sirene geplakt. De beide portieren aan de kant van het flatgebouw stonden open. De chauffeur leunde half naar buiten en zat gulzig te roken. Ik zag dat hij onder zijn jasje een pistool droeg. Bij het achterportier stond een oudere, bijzonder grote man. Hij droeg een heel duur pak onder zijn openhangende jas. En op de revers ervan fonkelde het embleem van een afgevaardigde.

'Ja, wie is het dan?' zei de man in zijn mobiele telefoon. 'Ik kom zo snel als ik kan! Wat? Wat voor wijven, verdomme! Ben je gek geworden? Kun je dan zelf helemaal niets?'

Toen hij mij vanuit zijn ooghoeken zag aankomen, verbrak hij de verbinding zonder afscheid te nemen. Hij stapte in. De chauffeur nam nog een laatste trek, gooide zijn peuk toen weg en ging rechtop zitten. De motor begon zachtjes te brommen en net toen ik voorin was gaan zitten, schoot de auto weg. Er krasten beijzelde takken tegen het portier.

'Ben je blind of zo?' blafte de afgevaardigde tegen de chauffeur, hoewel het helemaal mijn schuld was. Maar toen de eigenaar van de auto zich naar me omdraaide, veranderde zijn stem. Hij zei: 'Jij wilt dus naar Perowo?'

Nog niet eerder had een afgevaardigde van de staf mij mee mogen nemen. En al zeker niet iemand uit de hogere regionen van de politie of een peetvader van de maffia. Aan zijn kop kon ik wel zien dat zij voor een Wachter met zijn capaciteiten allemaal gelijk waren, maar dat had ik nog nooit uitgeprobeerd.

'Ja, naar de plaats waar die anderen vandaan kwamen. En zo snel als je kunt...'

'Je hoort het, Wolodka,' zei de afgevaardigde tegen de chauffeur. 'Schiet dus een beetje op!'

Wolodka gaf gas. Hij deed dat zo abrupt dat ik me even niet goed voelde en in de Schemer keek: zouden we heelhuids arriveren?

Ja, dat zouden we. Maar niet dankzij de voortreffelijke rijkunst van de chauffeur of mijn succesfactor die bij mij, net als bij alle Wachters, kunstmatig was verhoogd. Het was veel meer dankzij het feit dat iemand een probabiliteitsveld had gemaakt en alle ongelukken, files en chagrijnige verkeersagenten uit de weg had geruimd.

In onze afdeling is de Chef de enige die dat kan. Maar waarom?

'Ik ben ook bang...' fluisterde de onzichtbare vogel op mijn schouder. 'Toen ik samen met de graaf...'

Ze zweeg, alsof ze zich opeens realiseerde dat ze te veel had gezegd.

De auto scheurde door rood licht een kruising over en ontweek een paar auto's en een vrachtauto, waardoor hij bijna helemaal schuin ging hangen. Bij een parkeerplaats wees iemand onze kant op.

'Ook een slokje?' vroeg de afgevaardigde vriendelijk. Hij hield een flesje Remi Martin en een plastic bekertje omhoog. Ik vond dat zo grappig dat ik zonder aarzelen wat drank in het bekertje schonk. Zelfs bij deze snelheid en het slechte wegdek reed de auto rustig waardoor de cognac niet over de rand gulpte.

Ik gaf hem het flesje terug, knikte, haalde de koptelefoon uit mijn zak, propte de beide uiteinden in mijn oren en deed de minidisc aan. Ik hoorde een stokoud nummer van de groep Woskressenje, mijn favoriete nummer.

> *Er was eens een stadje, zo klein als speelgoed,*
> *Ziekte, invasie kwam lang niet meer voor.*
> *De straat liep omhoog naar het weidse land toe,*
> *Een roestig kanon op het bolwerk ervoor.*

> *Jaar na jaar geen feesten of werken heel zwaar*
> *Het hele stadje dat sliep*
> *Maar dromend zagen ze lege steden daar*
> *Uitgehakt in grottendiep.*

Wij bereikten de hoofdweg en de auto ging steeds sneller rijden. Ik was nog nooit zo snel door Moskou gereden. Ook niet door een andere stad trouwens... Als het probabiliteitsveld niet zou zijn vrijgemaakt, zou ik hem hebben gedwongen om gas terug te nemen, het was gewoon griezelig.

> *Tot op een dag in de koude grot weerklonk muziek*
> *Maar het stadje dat sliep...*
> *Wie lokte dat gezang? Waarheen lokte die muziek?*
> *Niemand die weet wie riep...*

Onwillekeurig schoot me te binnen dat zanger Romanow ook een Andere was. Alleen niet geïnitieerd. Ze hadden hem te laat in de gaten gehad... Toen hadden ze hem wel een aanbod gedaan, maar dat had hij afgeslagen.

Ook een manier.

Hoe vaak zou hij deze muziek 's nachts horen?

> *Maar wie in een zwoele nacht het raam openliet*
> *Die vindt men niet meer*
> *Ze zijn in een land waar leven leven was*
> *Het lied achterna...*

'Wil je nog wat?' De afgevaardigde was ontzettend zorgzaam. Wat zouden Beer en Tijgerjong hem hebben verteld? Dat ik zijn beste vriend ben? Dat ik hem eeuwig dankbaar zal zijn? Dat ik de buitenechtelijke, maar zeer geliefde zoon van de president ben?

Wat is dit toch allemaal onzinnig! Er zijn honderden manieren om het vertrouwen van de mensen te winnen en hun sympathie en hulpvaardigheid. Het Licht heeft daarvoor zo zijn eigen manieren, maar helaas beschikt het Duister ook over een hele batterij. Onzinnig.

En de vraag blijft natuurlijk: waar heeft de Chef mij voor nodig?

6

Ilja stond bij de stoeprand op me te wachten. Hij stond er met zijn handen in zijn zakken en keek geïrriteerd naar de lucht waar kleine sneeuwvlokjes uitvielen.

'Eindelijk,' zei hij alleen maar nadat ik met een handdruk afscheid van de afgevaardigde had genomen en uit de auto was gestapt. 'De Chef heeft zo langzamerhand schoon genoeg van het wachten.'

'Wat is er hier aan de hand?'

Ilja grijnsde, maar zonder een spoortje plezier. 'Zie je straks wel... Laten we gaan.'

We liepen over platgelopen sneeuw en ontweken de vrouwen die beladen met plastic tassen uit de supermarkt kwamen. Grappig. Ook al zijn er tegenwoordig bij ons gewone supermarkten, toch komen de mensen nog altijd naar buiten alsof ze urenlang in de rij hebben moeten staan voor gebraden haantjes.

'Is het ver?' vroeg ik.

'Als het ver zou zijn, zou ik met de auto gaan.'

'Hoe is het met onze dekhengst? Is hij klaargekomen?'

'Ignat heeft zijn best gedaan,' was het enige wat Ilja zei. Om de een of andere reden voelde ik heel even een wraakzuchtig genoegen, alsof de mislukking van de knappe Ignat in mijn voordeel werkte. Als de zaak dit vereiste, belandde hij gewoonlijk binnen één, twee uur nadat hij de opdracht had gekregen in het betreffende bed.

'De Chef heeft gezegd dat we ons op een evacuatie moeten voorbereiden,' zei Ilja opeens.

'Wat?'

'Totale voorbereiding. Als we de Wervel niet kunnen stabiliseren, zullen de Anderen Moskou verlaten.'

Ik kon hem niet in de ogen kijken, omdat hij voor me uitliep. Maar waarom zou Ilja tegen me liegen?

'En de Wervel is nog steeds...' begon ik. En zweeg. Ik zag het zelf.

Voor ons, boven een troosteloze flat van acht verdiepingen in de donkere, met sneeuwwolken bedekte hemel, draaide de Zwarte Wervel langzaam in het rond.

Je kon hem nu niet langer wervel of wervelwind noemen. Nu alleen nog maar wervelstorm. Hij kwam niet uit dit gebouw, maar uit het gebouw erachter dat we nog niet konden onderscheiden. En aan de hoek van deze donkere slurf te zien, moest deze wervelstorm bijna uit de aarde vandaan komen.

'Verdui...' fluisterde ik.

'Zeg dat niet te hard!' Ilja snoerde me de mond. 'Anders komt hij nog echt!'

'Die is zeker dertig meter...'

'Tweeëndertig. En hij wordt nog steeds groter.'

Ik keek snel naar mijn schouder en zag Olga zitten. Ze was uit de Schemer getreden.

Heeft er iemand wel eens een geschrokken vogel gezien? Geschrokken, zoals een mens?

Het leek wel alsof de uil haar veren opzette. Kunnen veren wel rechtop staan? In haar ogen smeulde een geeloranje barnsteenvuur. Mijn arme jas scheurde helemaal bij de schouder, doordat haar klauwen er steeds dieper in drongen, alsof ze zich in mijn vlees wilden boren.

'Olga!'

Ilja draaide zich om en knikte. 'O ja... de Chef beweert dat de Wervel in Hiroshima kleiner was.'

De uil begon met haar vleugels te klapperen en vloog lichtjes op. Achter me begon een vrouw te gillen. Ik draaide me om en keek in een ontzet gezicht waarin wijd opengesperde ogen de vogel nakeken.

'Dat is een kraai,' zei Ilja kalm en draaide zich half naar de vrouw toe. Hij keek haar aan. Zijn reactievermogen was veel groter dan het mijne. Meteen daarna liep deze toevallige getuige om ons heen, terwijl ze mopperde over de veel te smalle stoep en over mensen die anderen de weg versperren.

'Groeit hij snel?' vroeg ik en knikte naar de Wervelstorm.

'Bij vlagen. Op dit moment is hij stabiel. De Chef heeft Ignat maar net op tijd teruggeroepen. Kom...'

De uil vloog met een wijde boog om de Wervelstorm heen. Daarna vloog ze over ons heen. Olga had nog wel een restje zelfbeheersing, maar ze was in verwarring. Dat bleek wel uit het feit dat ze zo onvoorzichtig uit de Schemer was getreden.

'Wat heeft hij eigenlijk gedaan?'

'In feite niets... Hij heeft zich alleen een beetje te eigenzinnig gedragen. Hij heeft haar aangesproken. Toen forceerde hij de boel, waardoor de Wervel groter werd... En niet zo'n beetje ook.'

'Dat begrijp ik niet,' zei ik verward. 'Een dergelijke groei is alleen maar mogelijk als een tovenaar hem tegelijkertijd oplaadt met energie en op die manier het inferno oproept...'

'Daar gaat het nu juist om. Iemand heeft Ignats spoor gevolgd en olie op het vuur gegooid. Hierlangs...'

We bereikten de entree van het gebouw dat ons beschutte tegen de Wervel. De uil vloog op het laatste moment achter ons aan. Ik keek verbaasd naar Ilja, maar vroeg niets. Ik zou toch al snel te horen krijgen waarom we hier waren. De commandopost was ingericht in een van de huizen op de begane grond. De enorme stalen deur, die in de wereld van de mensen goed afgesloten was, stond in de Schemer wijd open. Zonder te aarzelen, dook Ilja de Schemer in en liep door. Ik had echter een paar seconden nodig om mijn schaduw op te tillen en achter hem aan te gaan.

De ruime woning had vier gezellige kamers. Het was er lawaaierig, warm en berookt.

Meer dan twintig Anderen hadden zich hier ingekwartierd. Zowel speurders als wij, de bureauratten. Niemand reageerde op mijn komst, maar Olga trok wel alle aandacht naar zich toe. Ik zag dat de oudgediende medewerkers van de Wacht haar kenden, ook al was er niemand die de witte uil begroette of toelachte.

Wat heb je toch gedaan?

'De Chef is in de slaapkamer,' zei Ilja die zelf naar de keuken liep. Daarvandaan hoorde ik gerinkel van glazen. Misschien dronken ze thee, misschien iets sterkers. Ik keek heel even de keuken in en zag dat ik gelijk had. Ze stonden op het punt Ignat op te vrolijken met wat cognac. Onze seksterrorist zag er totaal verpletterd en verbijsterd uit; een dergelijke afgang had hij al heel lang niet meer meegemaakt.

Ik liep door, duwde de eerste de beste deur open en keek naar binnen.

De kinderkamer. Een vijfjarig kind lag in een klein bedje te slapen; op het kleed ernaast sliepen zijn ouders en een meisje in de tienerleeftijd. Ze hadden de huurders van dit huis dus in een diepe slaap gebracht, zodat ze ons niet voor de voeten zouden lopen. De complete staf zou natuurlijk ook heel goed in de Schemer hebben kunnen werken, maar waarom zouden we onze krachten op die manier verspillen?

Iemand tikte me op de schouder. Ik keek om en zag dat Semjon voor me stond.

'De Chef is daar,' zei hij alleen maar. 'Ga maar...'

Kennelijk wisten ze allemaal dat ik werd verwacht.

Ik liep een kamer binnen en kon mijn ogen eerst niet geloven.

Niets is belachelijker dan een commandogroep van de Nachtwacht die in een gewone huurwoning is ondergebracht.

Boven een kaptafel, waarop allerlei cosmetica en accessoires prijkten, hing een magische bol van gemiddeld formaat. Op deze bol was in vogelvlucht de Wervel te zien. Onze beste beeldenoproeper, Lena, zat er zwijgend en geconcentreerd op een bekleed krukje naast. Ze had haar ogen dicht, maar toen ik binnenkwam, hief ze ter begroeting even haar hand op.

Goed, tot nu toe was alles net als altijd. De beeldenoproeper van de bol ziet de ruimte in zijn geheel; niets ontgaat hem.

De Chef had het zich gemakkelijk gemaakt. Hij lag half op het met kussens overdekte bed. Hij droeg een bonte kamerjas en zachte, oosterse schoenen en had een gekleurde kap op zijn hoofd. De zoete rook van een verplaatsbare waterpijp vulde het vertrek. De witte uil zat voor hem. Zo te zien communiceerden ze non-verbaal met elkaar.

Ook dat was heel normaal. Als het heel spannend werd, viel de Chef terug op de gewoontes die hij zich had aangewend in Midden-Azië, waar hij eind negentiende, begin twintigste eeuw had gewerkt. Eerst had hij zich voorgedaan als een moefti, later als Basmachileider en vervolgens als bevelhebber van het Rode Leger. Daarna heeft hij een jaar of tien als secretaris van het districtsbestuur gewerkt.

Danila en Farid stonden bij het raam. Zelfs met mijn capaciteiten kon ik het purperkleurige glanzen van de magische staaf zien die zij in hun mouwen hadden verstopt.

Gewone standaard voorzorgsmaatregelen. De staaf zou dus wel bescherming nodig hebben. Danila en Farid waren weliswaar niet de sterkste strijders, maar ze hadden wel ongelooflijk veel ervaring. En dat is soms veel belangrijker dan brute kracht.

Maar hoe paste die andere Andere die zich in het vertrek bevond in het plaatje?

Hij zat onopvallend in een hoekje. De man was broodmager, had ingevallen wangen, kortgeknipt zwart haar en grote, treurige ogen. Zijn leeftijd kon ik onmogelijk schatten; hij was misschien dertig jaar, of driehonderd. Hij droeg donkere kleren. Zijn soepel vallende pak en zijn grijze overhemd pasten perfect bij zijn uiterlijk. Een mens zou misschien hebben gedacht dat hij lid was van een kleine sekte. En op de een of andere manier klopte dat ook nog.

Hij was een tovenaar van het Duister. En had ook nog eens een hoge rang. Toen hij me even aankeek, voelde ik dat mijn beveiligingspantser – dat trouwens niet van mezelf was! – scheurde en langzaam werd ingedrukt.

Onwillekeurig zette ik een stap achteruit. Maar de tovenaar had zijn blik al naar de vloer gericht alsof hij wilde aangeven dat zijn peiling alleen maar toevallig en vluchtig was geweest.

'Boris Ignatjewitsj.' Ik hoorde dat mijn stem een beetje kraakte.

De Chef knikte even en wendde zich toen tot de tovenaar van het Duister. Die keek meteen naar de Chef.

'Geef hem de amulet,' zei de Chef kortaf.

'Ik doe niets wat het Verdrag verbiedt...'

De stem van de Duistere klonk bedrukt en zacht, als van een mens op wie het leed van de hele wereld rust.

94

'Ik ook niet. Maar mijn medewerkers moeten immuun zijn voor welke waarnemer dan ook.'

Aha! Er zat dus een waarnemer van het Duister in onze staf! Dus bevond zich vlak bij ons een staf van de Dagwacht met een van onze mensen erin.

De tovenaar van het Duister stak zijn hand in de zak van zijn colbert en haalde er een ivoren, besneden medaillon uit dat aan een koperen ketting hing. Hij stak zijn hand naar me uit.

'Gooi het naar me toe!' zei ik.

De tovenaar glimlachte mat, melancholiek en met een medelijdende blik. Hij gooide het medaillon naar me toe en ik ving hem op. De Chef knikte tevreden.

'Naam?' vroeg ik.

'Seboelon.'

Die naam had ik nog niet eerder gehoord. Hij was dus óf erg onbekend óf hij bevond zich in de hogere regionen van de Dagwacht.

'Seboelon...' herhaalde ik en bekeek de amulet. 'Je hebt geen macht meer over me.'

Het medaillon werd warm in mijn hand. Ik drukte hem tegen mijn overhemd aan, knikte naar de tovenaar van het Duister en liep naar de Chef.

'Zo staan de zaken ervoor, Anton,' mompelde de Chef. 'Zo staan ze ervoor. Zie je dat daar?'

Ik keek uit het raam en knikte.

De Zwarte Wervel groeide vanuit een flat van acht verdiepingen, net zo'n flat als waar wij ons in bevonden. De dunne, buigzame steel van de Wervel wortelde ergens in de begane grond. Als ik me uitrekte tot in de Schemer zou ik het huis goed kunnen zien.

'Hoe heeft dit kunnen gebeuren?' vroeg ik. 'Boris Ignatjewitsj, dit is niet zoiets als een dakpan die op je hoofd valt, geen gasexplosie in een portiek...'

'We doen wat we kunnen.' De Chef leek zich tegenover mij te willen rechtvaardigen. 'We hebben alle raketbases onder controle, ook die in Amerika en Frankrijk, en in China worden de noodzakelijke maatregelen op dit moment afgerond. Met de tactische atoomwapens is het minder eenvoudig. De laserraketten die we kunnen inzetten, kunnen we met geen mogelijkheid identificeren. Er bevindt zich al genoeg bacteriologische rotzooi in de stad... Ongeveer een uur geleden is er bij het Instituut voor Virusonderzoek bijna iets vrijgekomen.'

'Je kunt het lot niet misleiden,' zei ik aarzelend.

'Juist. We proberen een lek in de bodem van een boot te repareren, en die boot is dan ook nog eens doormidden gebroken.'

Opeens merkte ik dat iedereen – de tovenaar van het Duister, Olga, Lena en de strijdmakkers – naar me keek. Ik begon me onbehaaglijk te voelen.

'Boris Ignatjewitsj?'

'Je hebt een band met haar.'

'Wat?'

De Chef zuchtte en haalde de pijp uit zijn mond, waardoor koude opium-rook naar de vloer zakte. 'Jij, Anton Gorodetski, programmeur, alleenstaand en met gemiddelde capaciteiten, hebt een band met deze vrouw met die zwarte ellende boven haar hoofd.'

In de hoek zuchtte de tovenaar van het Duister amper hoorbaar. Ik kon niets beters verzinnen om te vragen dan: 'Waarom?'

'Ik weet het niet. We hebben Ignat op haar gezet en hij heeft goed werk geleverd. Je weet dat hij iedereen, man of vrouw, kan inpalmen.'

'Maar haar niet?'

'Jawel, maar toch werd de Wervel opeens groter. In dat halve uur waarin ze bij elkaar waren, is hij gegroeid van anderhalve meter tot vijfentwintig meter. We moesten hem wel terugroepen... Per omgaande.'

Ik keek naar de tovenaar van het Duister. Het leek alsof Seboelon naar de vloer keek, maar toen tilde hij zijn hoofd op. Nu bleef mijn verdediging intact: de amulet beschermde me goed.

'Daar zitten we niet op te wachten,' zei hij zacht. 'Alleen een wilde doodt een olifant om 's ochtends een stukje vlees te hebben.'

Dat vond ik een domme vergelijking, maar waarschijnlijk loog Seboelon niet.

'Zo'n grote verstoring hebben we maar zelden nodig,' voegde de tovenaar van het Duister eraan toe. 'Op dit moment zijn er bij ons geen projecten aan de gang waarvoor zoveel energie vrijgemaakt moet worden.'

'Dat mag ik toch hopen...' zei de Chef met een vreemde, krakende stem. 'Seboelon, je moet weten dat wij er, mocht er een catastrofe plaatsvinden, in elk geval de grootst mogelijke voordelen uit willen halen.'

Op het gezicht van de tovenaar van het Duister zag ik een zweem van een glimlach.

'Het aantal mensen dat dan in paniek zal raken, in huilen zal uitbarsten en ellende zal meemaken, zal ontzettend groot zijn. Maar het aantal mensen dat nieuwsgierig voor de televisie hangt, geniet van het leed van een ander, zich erover verheugt dat die ramp hun stad niet heeft getroffen, grapjes maakt over het derde Rome dat zijn straf niet ontkomt... de straf van God... zal veel, onmetelijk veel groter zijn. Dat weet je wel, mijn vijand.'

Dit was geen leedvermaak; hooggeplaatste Duisteren zijn helemaal niet in staat tot een dergelijke reactie. Het was alleen maar informatie.

'En toch zijn we daarop voorbereid,' zei Boris Ignatjewitsj. 'Dat weet je.'

'Inderdaad. Maar wij zijn in het voordeel. Tenminste, als je niet nog een aas in handen hebt, Boris.'

'Je weet dat ik altijd vier azen heb.'

De Chef wendde zich tot mij alsof de tovenaar van het Duister hem helemaal niet meer interesseerde. 'Anton, de Wervel wordt niet gevoed door de Dagwacht. Hij is afkomstig van één enkele persoon. Van een onbekende tovenaar van het Duister met ongelooflijke krachten. Hij wist dat Ignat er was en heeft toen die groei geforceerd. Jij bent nu nog onze enige hoop.'

'Waarom?'

'Dat heb ik je al verteld: jullie hebben een band met elkaar. Anton, het probabiliteitsveld laat drie mogelijkheden zien.'

Op een teken van de Chef rolde zich in de lucht een wit scherm uit. Seboelon vertrok zijn gezicht; waarschijnlijk was hij geraakt door de vrijgekomen energie.

'De eerste groeicurve,' zei de Chef. Op het witte scherm, dat vrij in de ruimte hing, liep een zwarte streep. Aan het einde liep hij uit in een grillige vlek die over de rand van het scherm uitstak. 'Dit is de meest waarschijnlijke gang van zaken. De Wervel bereikt zijn maximum en het inferno breekt uit. Miljoenen slachtoffers. Een mondiale ramp – atomisch, biologisch, een asteroïdenregen, een aardbeving met een kracht van 12 op de schaal van Richter. Alles wat je maar kunt bedenken.'

'Is een directe uitbraak van het inferno mogelijk?' vroeg ik voorzichtig. Ik keek steels naar de tovenaar van het Duister: hij keek onaangedaan.

'Nee, amper. Het hoogste punt is nog lang niet bereikt.' De Chef knikte. 'Aan de andere kant zouden de Dag- en Nachtwachters elkaar dan allang hebben vernietigd, volgens mij. De tweede mogelijkheid...'

Een dun lijntje dat afboog van de zwarte lijn. Een afgebogen uitloper.

'De vernietiging van het doel. De Wervel lost op zodra zijn doel sterft, helemaal vanzelf.'

Seboelon bewoog even. 'Ik ben graag bereid bij deze kleine actie behulpzaam te zijn,' bood hij vriendelijk aan. 'De Nachtwacht kan dat in zijn eentje niet uitvoeren, hè? Wij zijn jullie dus graag van dienst.'

Even was het stil. Toen begon de Chef te lachen.

'Zoals je wilt.' Seboelon haalde zijn schouders op. 'Nogmaals, wij bieden jullie onze diensten aan. We zitten helemaal niet te wachten op een wereldramp die in één klap miljoenen mensen doodt. Nog niet.'

De Chef keek me aan en zei: 'De derde mogelijkheid. Kijk maar eens goed!'

Vanuit hetzelfde punt ontstond er een kronkelende lijn die dunner werd en in het niets verdween.

'In dat geval verschijn jij op het toneel, Anton.'

'Wat moet ik doen?' vroeg ik.

'Dat weet ik niet. De probabiliteitsprognose geeft nooit precieze aanwijzingen. Er is maar één ding dat zeker is en dat is dat jij de Wervel kunt bezweren.'

Er schoot een maffe gedachte door me heen: dat mijn test nog niet was afgesloten... dat ik als test werd ingezet. Ik had de vampier gedood, en nu... Maar nee. Dat kon niet! Niet als er zoveel op het spel stond.

'Ik heb nog niet eerder een Zwarte Wervel bezworen.' Mijn stem klonk een beetje vreemd, niet zozeer bang, maar eerder verbaasd. De tovenaar van het Duister giechelde, op een weerzinwekkende verwijfde manier.

De Chef knikte en zei: 'Dat weet ik, Anton.'

Toen stond hij op, trok zijn kamerjas stevig dicht en liep naar me toe. Hij zag er nogal gek uit. In deze gewone Moskouse woning leek hij met zijn oosterse optreden wel een mislukte karikatuur.

'Niemand heeft ooit een dergelijke Wervel bezworen. Jij bent de eerste die dat gaat proberen.'

Ik zei niets.

'Dit moet je je ook realiseren, Anton: als je een fout maakt, hoe klein ook, dan ben jij de eerste die verbrandt. Dan heb je niet eens genoeg tijd om de Schemer in te komen. Je weet toch wat er met een Lichte gebeurt als die in een uitbraak van het inferno terechtkomt?'

Mijn keel werd droog en ik knikte.

'Neem me niet kwalijk, mijn vriendelijkste vijand,' zei Seboelon geamuseerd. 'Gun je je medewerkers niet het recht om te kiezen? Zelfs in een oorlog roept men in dergelijke situaties toch vrijwilligers op.'

'Wij hebben vrijwilligers opgeroepen,' zei de Chef zonder zich om te draaien. 'Wij zijn allemaal vrijwilligers, al heel lang zelfs. En we hebben geen keuze.'

'Wij wel. Altijd.' De tovenaar van het Duister grinnikte weer.

'Als we de mensen het recht geven om te kiezen, dan maken we hier zelf gebruik van. Seboelon...' – Boris Ignatjewitsj keek naar de tovenaar van het Duister – '... je zit je hier voor een ongeïnteresseerd publiek uit te sloven. Bemoei je er alsjeblieft niet mee...'

'Ik zeg al niets meer.' Seboelon liet zijn hoofd zakken en ging op zijn hurken zitten.

'Probeer het,' zei de Chef. 'Anton, ik kan je geen raad geven. Je moet het gewoon proberen. Alsjeblieft, probeer het. En... vergeet alles wat ik je heb geleerd, geloof niets van wat je tijdens de lessen hebt genoteerd, vertrouw je eigen ogen niet en vertrouw onbekende woorden niet.'

'Wie moet ik dan geloven, Boris Ignatjewitsj?'

'Als ik dat wist, Anton, zou ik de staf verlaten en zelf dat huis binnengaan.'

Tegelijkertijd keken we naar buiten. De Zwarte Wervel draaide in het rond, tuimelde van de ene kant naar de andere. Een mens die erlangs liep, draaide zich opeens om en liep met een wijde boog om de punt van de Wervel heen. Ik zag dat er al een paadje om de Wervel heen was ontstaan: de mensen konden het kwaad dat boven de aarde smeulde weliswaar niet zien, maar ze voelden wel dat het dichterbij kwam.

'Ik zal Anton wel rugdekking geven,' zei Olga opeens. 'Hem dekken en de verbinding in stand houden.'

De Chef ging akkoord, maar zei: 'Van buitenaf. Jij blijft buiten... Anton... ga nu. Wij zullen je zo goed mogelijk tegen waarneming afschermen.'

De witte uil vloog op van het bed en landde op mijn schouder.

Ik wierp nog een laatste blik op mijn vrienden en op de tovenaar van het Duister. Toen verliet ik het vertrek. Het viel me op dat onmiddellijk elk geluid in de woning verstomde.

Ze lieten me in totale stilte vertrekken, zonder een overbodig woord, zonder een schouderklopje, zonder me nog een goede raad te geven. Want in feite deed ik niets speciaals. Ik ging gewoon sterven.

Het was stil.

Eigenlijk verontrustend stil, zelfs voor een Moskouse buitenwijk op dit late uur. Alsof iedereen zich in zijn huis had verschanst, met de lichten uit en de dekens over het hoofd getrokken, en zweeg. Zweeg, niet gewoon sliep. Alleen door de ramen flikkerden nog blauwrode vlekken, want iedereen had de televisie aan. Dit deden ze meestal als ze bang waren of somber. Dan keken ze naar allerlei programma's, van teleshopping tot het nieuws. Mensen zien de Schemerwereld niet, maar voelen wel of hij in de buurt is.

'Olga, wat vind jij van deze Wervel?' vroeg ik.

'Onverslaanbaar.'

Kort en bondig.

Ik stond voor de entree van het flatgebouw en keek naar de beweeglijke slurf van de Wervel. Ik wilde nog niet naar binnen gaan.

'Wanneer... bij welke afmeting kun je de Wervel verpletteren?'

Olga dacht na. 'Als hij vijf meter hoog is. Dan heb je nog een kans. Als hij drie meter is, dan lukt het zeker.'

'En dan wordt die vrouw gered?'

'Misschien.'

Iets liet me niet los. In deze ongewone stilte, nu zelfs de auto's om deze verdoemde wijk heen reden, waren er nog andere geluiden te horen.

Toen wist ik het. De honden huilden. In alle gebouwen, in alle huizen om ons heen beklaagden de ongelukkige dieren zachtjes, erbarmelijk en hulpeloos hun baasjes. Zij konden het inferno zien aankomen.

'Olga, geef me informatie over deze vrouw. Van alles.'

'Swetlana Nasarowa. Vijfentwintig jaar. Internist, werkt in Polikliniek nr. 17. Geen observaties van de Dagwacht. Magische capaciteiten zijn niet ontdekt. Haar ouders en jongere broertje wonen in Bratejewo. Ze heeft onregelmatig contact met hen, hoofdzakelijk telefonisch. Vier vriendinnen die we hebben nagetrokken en tot nu toe zijn die in orde. Ze heeft normale contacten met haar omgeving en er zijn geen sterke antipathieën vastgesteld.'

'Een arts,' zei ik peinzend. 'Olga, misschien is dat een spoor... De een of andere oudere man of vrouw... die ontevreden is over de behandeling. In de laatste jaren van hun leven komen soms zomaar latente magische capaciteiten naar boven...'

'Dat wordt onderzocht,' antwoordde Olga. 'Tot nu toe is niets ontdekt.'

Dat zou ook te mooi zijn geweest. Het was ook stom om te gaan gissen; anderen, die slimmer waren dan ik, hadden zich immers al een halve dag met die vrouw beziggehouden.

'Wat nog meer?'

'Bloedgroep A. Geen ernstige ziektes, zo nu en dan een lichte pijn op het hart. Eerste seksuele contact toen ze zeventien was, met een leeftijdgenootje, uit nieuwsgierigheid. Vier maanden getrouwd geweest, sinds vier jaar gescheiden, vriendschappelijke relatie met ex-man. Geen kinderen.'

'Capaciteiten van de man?'

'Geen enkele. Hetzelfde geldt voor zijn nieuwe vrouw. Die zijn als eersten nagetrokken.'

'Vijanden?'

'Twee jaloerse collegaatjes. Twee afgewezen bewonderaars, ook collega's. Een schoolkameraad heeft een halfjaar geleden geprobeerd om een vervalste ziekteverklaring van haar los te krijgen.'

'En?'

'Dat heeft ze niet gedaan.'

'Wat goed, zeg. Hoe zit het bij hen met de magie?'

'In feite niet aanwezig. Die jaloezie gaat over gewone dingen. Bij allemaal zijn de magische capaciteiten maar matig tot ontwikkeling gekomen. Onvoldoende voor zo'n sterke Wervel.'

'Zijn er de laatste tijd patiënten van haar overleden?'

'Nee.'

'Waar komt deze vloek dan vandaan?' vroeg ik retorisch. Het verbaasde me niet langer dat de Wacht op een dood punt was beland. Swetlana was waarschijnlijk een onschuldig lammetje. Vijf vijanden in vijfentwintig jaar... petje af.

Olga hulde zich in stilzwijgen.

'We moeten gaan,' zei ik. Ik draaide me om naar het raam waarin ik de silhouetten van de Wachters kon zien. Een van hen zwaaide naar me. 'Olga, hoe heeft Ignat het aangepakt?'

'Volgens schema F. Hij heeft haar op straat aangesproken, deed net alsof hij een verlegen intellectualist was. Toen een kopje koffie in een bar. Wat kletsen. Ons object vond hem al snel sympathiek. Toen heeft Ignat hun relatie gefor-

ceerd. Heeft champagne en likeur gekocht en toen zijn ze met zijn tweeën hiernaartoe gegaan.'
'Verder.'
'De Wervel begon te groeien.'
'Waarom?'
'Zomaar. Ze vond Ignat leuk, ja, ze voelde zich zelfs sterk tot hem aangetrokken. Maar op dat moment begon de Wervel te groeien, en wel in een rampzalig tempo. Ignat heeft drie gedragspatronen uitgeprobeerd, heeft haar een niet mis te verstane uitnodiging ontlokt om 's nachts te blijven, maar toen begon de Wervel ontzettend te groeien. Toen is Ignat teruggeroepen en heeft de Wervel zich gestabiliseerd.'
'Hoe hebben ze hem teruggeroepen?'
Ik was al bijna bevroren en mijn schoenen waren helemaal doorweekt. En nog steeds was ik er niet klaar voor om iets te doen.
'Het toneelstukje met de zieke moeder. Opbellen op zijn mobieltje, een kort telefoongesprek, excuses en de belofte morgen op te bellen. Alles keurig netjes. Het object is geen moment wantrouwig geworden.'
'En toen heeft de Wervel zich dus gestabiliseerd?'
Olga zweeg. Kennelijk had ze net contact met de analisten.
'Hij is nu zelfs een klein beetje ingezakt. Drie centimeter. Maar dat kan net zo goed de gebruikelijke afname zijn, het normale patroon als hij niet meer wordt gevoed.'
Er klopte iets niet, ook al kon ik mijn vermoedens niet onder woorden brengen.
'Welk deel van het gebouw is van haar, Olga?'
'Dit pand plus haar eigen huis. Er komen vaak zieke mensen naar haar toe.'
'Goed, dan ga ik als patiënt naar haar toe.'
'Heb je hulp nodig om haar een verkeerde herinnering te geven?'
'Nee hoor, dat kan ik zelf wel.'
'De Chef is akkoord,' zei Olga na een korte pauze. 'Aan de slag. Dit is jouw verhaal: Anton Gorodetski, programmeur, ongetrouwd, al drie jaar bij haar onder behandeling, diagnose maagzweer, woont in dit gebouw op nummer 64. Dat huis staat op dit moment leeg, zo nodig kunnen we daar gebruik van maken.'
'Drie jaar krijg ik niet voor elkaar,' bekende ik. 'Een jaar. Maximaal een jaar.'
'Goed.'
Ik keek Olga aan die mij op haar beurt aankeek. In haar starre vogelblik schemerde iets van de met roet besmeurde, aristocratische vrouw door die in mijn keuken cognac had zitten drinken.
'Veel succes,' zei Olga. 'Zorg ervoor dat de Wervel kleiner wordt. Op zijn minst tien meter... Dan ga ik het proberen.'

101

De vogel vloog op en drong meteen de Schemer in, en verdween ergens in de diepste lagen ervan.

Ik liep zuchtend naar de voordeur. De slurf van de Wervel zwabberde heen en weer en probeerde me te raken. Ik hield mijn handpalmen naar hem toe en vormde met mijn handen de *xamadi*, het negatieteken.

De Wervel begon te trillen en week achteruit. Zonder angst, alsof hij de spelregels begreep. Als het dreigende inferno al zulke afmetingen aanneemt, dan moet het wel intelligent zijn. Dan is het geen domme doelzoeker, maar eerder een onverbiddelijke en ervaren kamikaze. Dat klinkt tegenstrijdig, een ervaren kamikaze, maar met betrekking tot het Duister is dit een terechte uitdrukking. Als de Hellewervel in de mensenwereld doordringt, moet hij sterven. Maar dat betekent niet veel meer dan de dood van één wesp in een enorme zwerm.

'Jouw tijd is nog niet gekomen,' zei ik. Het inferno zei natuurlijk niets terug, maar toch wilde ik deze woorden hardop uitspreken.

Ik liep langs de slurf heen. Het leek wel alsof de Wervel van gitzwart glas was gemaakt, dat een rubberachtige soepelheid bezat. De buitenkant bewoog amper, maar in de diepte, waar het donkerblauw overging in een ondoordringbare duisternis, vermoedde je een razende rotatie.

Maar misschien vergiste ik me wel. Misschien had zijn laatste uur precies op dit moment geslagen...

Er zat niet eens een codeslot op de voordeur. Nou ja, er was wel een codeslot, maar dat was uit de muur gerukt en kapotgemaakt. Niet erg verbazingwekkend. Een kleine groet van het Duister. Zijn vlekjes zag ik inmiddels al niet meer, het graffiti en de schoenafdrukken op de muren, de kapotte lampen en de smerige liften. Maar ik had nu wel zin om boos te worden.

Ik hoefde niet naar het huisnummer te vragen. Ik voelde het meisje – ondanks haar huwelijk kon ze nog heel goed een meisje worden genoemd; dat hangt immers vooral af van de leeftijd. Ik wist waar ik naartoe moest gaan, zag haar woning al, nou ja, ik zag hem niet, maar nam hem in zijn totaliteit waar.

Het enige wat ik niet wist, was hoe ik deze verdomde Wervel uit moest schakelen...

Voor haar voordeur bleef ik staan. Het was een gewone deur; hij was niet van staal wat heel bijzonder is voor een huis in een flatgebouw; vooral met dat slot bij de entree dat eruit was getrokken. Ik zuchtte eens en belde aan. Elf uur. Best wel laat.

Ik hoorde voetstappen. Geen enkele geluidsisolatie...

7

Ze deed de deur zomaar open.

Ze vroeg niets, keek niet door het spionnetje, had geen ketting op de deur. En dat in Moskou! 's Nachts! Terwijl ze alleen thuis was! De Wervel had de laatste restjes voorzichtigheid bij haar vernietigd, precies die waakzaamheid waarmee de jonge vrouw het nog een paar dagen had kunnen volhouden. Zo sterven ze dan ook meestal, de mensen op wie een vloek rust...

Je kon het Swetlana nog niet aanzien. Ze had lichte wallen onder haar ogen, maar het was haar nog niet aan te zien wat voor nacht ze achter de rug had. En haar kleren: een rok, een leuke blouse, hoge hakken – alsof ze iemand verwachtte of uit wilde gaan.

'Goedenavond, Swetlana,' zei ik en zag in haar ogen herkenning oplichten. Natuurlijk, ze zou me nog vaag van gisteren kennen. En ik moest gebruikmaken van dit moment, waarop ze wist dat ze me kende maar niet meer waarvan.

Ik strekte me uit, de Schemer in. Heel voorzichtig, want het leek wel alsof de Wervel aan het hoofd van de vrouw zat vastgeplakt; hij kon elk moment reageren. Voorzichtig, want ik wilde haar niet om de tuin leiden.

Zelfs niet voor haar eigen bestwil.

Dit is alleen de eerste keer interessant en grappig. Als je het daarna nog steeds leuk vindt, dan ben je niet op je plaats bij de Nachtwacht. Het is één ding om verwachtingen te veranderen, en dan ook nog altijd ten goede. Het is heel wat anders om een herinnering te manipuleren. Dat is onvermijdelijk, dat moet gebeuren, dat is onderdeel van het Verdrag. Alleen al wanneer we in en uit de Schemer treden, veroorzaakt dit bij de omstanders een amnesie van enkele seconden.

Maar als je er lol in krijgt om met de herinnering van iemand anders te spelen, dan kun je beter vertrekken.

'Goedenavond, Anton.' Haar stem werd zachter, toen ik haar dwong om zich iets te herinneren wat ze nooit had meegemaakt. 'Wat is er met je aan de hand?'

Ik klopte met een scheef lachje op mijn buik. Nu woedde er een orkaan in Swetlana's herinnering. Ik ben niet zo knap dat ik haar een totaal verkeerde herinnering kan geven, maar gelukkig waren twee, drie suggesties voldoende. Daarna hield ze zichzelf voor de gek. Ze vormde zich een beeld van mij uit een oude bekende op wie ik leek, uit een andere, nog oudere en vagere kennis die ze aardig vond en uit tientallen patiënten van mijn leeftijd plus een paar buren. Een zacht duwtje van mij was voldoende om dit proces, waarbij Swetlana het totaalplaatje kreeg, in gang te zetten: een goed mens – depressief – is echt vaak ziek... Vaak flirt hij een beetje, echt maar een beetje, omdat hij niet erg zeker is van zichzelf. Woont in dezelfde flat, een etage hoger.

'Heb je pijn?' Zelfs nu lukte het haar nog zich te concentreren. Een heel goede arts, een arts uit roeping.

'Een beetje. Ik heb gisteren een beetje te veel gedronken.' En daar had ik ogenschijnlijk veel spijt van.

'Anton, ik heb je toch gewaarschuwd... Nou ja, kom maar even binnen...'

Ik liep naar binnen en deed de deur achter me dicht. Zelfs daar maakte ze zich niet druk over. Ik trok mijn jas uit en keek ondertussen snel om me heen; zowel in de gewone wereld als in de Schemer.

Goedkope vloerbedekking, een versleten kleed, oude laarzen, een radiotelefoon, een plafonnière met een eenvoudige, opengewerkte glasplaat, een goedkoop ding uit China. Eenvoudig. Schoon. Gewoontjes. Dat kwam vast niet doordat ze als districtsarts weinig verdiende. Ze gaf waarschijnlijk gewoon niets om gezelligheid. Slecht... heel slecht.

In de Schemerwereld zag de woning er een beetje beter uit. Geen walgelijke flora, geen spoor van het Duister. Behalve de Zwarte Wervel dan natuurlijk. Die domineerde alles... Ik kon hem helemaal zien, vanaf de slurf die boven het hoofd van de jonge vrouw ronddraaide, tot aan het bovenste gedeelte dat tot een hoogte van dertig meter reikte.

Ik liep achter Swetlana aan de enige kamer binnen. Hier was het wel een beetje gezelliger. De bank – of liever gezegd: het hoekje onder een ouderwetse staande lamp – was warm oranje. Aan twee wanden hingen zeven boekenplanken... Natuurlijk.

Langzaam maar zeker begon ik haar te begrijpen. Niet alleen als onderwerp van mijn werk, niet alleen als mogelijk slachtoffer van de geheimzinnige tovenaar van het Duister, niet alleen als de onvrijwillige oorzaak van een catastrofe, maar als mens.

Een eetlezer, introvert en vol complexen, vol belachelijke idealen en een kinderlijk geloof in de knappe prins die haar zoekt en zonder mankeren zal vinden. Haar werk als arts, een paar vriendinnen, een paar vrienden en heel, heel veel eenzaamheid. Nauwgezet werken volgens de Codex voor de stichters van het communisme, af en toe een bezoekje aan een café, zelden verliefd. Avond na avond op de bank met een boek, de telefoon onder handbereik, in gezelschap van het kalmerende gebrom van de televisie.

Wat zijn jullie toch nog met velen, jullie jongens en meisjes van onbestemde leeftijd, opgevoed door de generatie van de jaren zestig. Wat zijn jullie toch met velen, ongelukkig en ongeschikt voor het geluk. Ik zou jullie willen beklagen, helpen. Jullie door de Schemer laten beroeren, heel licht, amper merkbaar. Jullie een beetje zelfbewustzijn geven, een sprankje optimisme, een vleugje wilskracht, een korreltje ironie. Jullie helpen, zodat jullie anderen kunnen helpen.

Maar dat mag niet.

Elke handeling van het goede betekent een uitnodiging aan het slechte om ook een handeling te verrichten. Het Verdrag! De Wachters! Het evenwicht van de wereld!

Lijd of word waanzinnig, overtreed de wet, meng je onder de massa, geef ongevraagd cadeaus, dwing het lot in een andere richting en probeer uit te vinden waar je echte vrienden en je betrouwbare vijanden vandaan kunnen komen om je de Schemer in te sturen. Voor altijd.

'Anton, hoe is het met je moeder?'

O ja. Ik, patiënt Anton Gorodetski, heb een oude moeder. Ze heeft last van osteoporose en van een hele serie andere ouderdomskwaaltjes. En is ook patiënt bij dokter Swetlana.

'Goed, heel goed. Met mij gaat het een beetje...'

'Ga maar even liggen.'

Ik trok mijn trui en hemd omhoog en ging op de bank liggen. Swetlana ging naast me zitten. Ze wreef met warme handen over mijn buik en zocht toen mijn lever.

'Doet dit pijn?'

'Nee... nu niet.'

'Hoeveel heb je gedronken?'

Terwijl ik in de hersenen van het meisje naar de antwoorden zocht, beantwoordde ik haar vragen. Ik hoefde niet net te doen alsof ik doodging. Ja... Doffe pijn, niet heel erg... Na het eten... Nu is het een beetje erger...

'Het is nu nog een ontsteking van je maagwand, Anton.' Swetlana trok haar hand terug. 'Daarmee valt niet te spotten, dat weet je wel. Ik zal je een recept meegeven...'

Ze stond op, liep naar de deur en haalde haar tas uit de gang.

Ik hield de hele tijd de Wervel in de gaten. Er gebeurde niets. Mijn komst had de Hellewervel weliswaar niet groter laten worden, maar ik kon hem ook niet verzwakken.

'Anton...' De stem drong vanuit de Schemer tot me door, ik herkende de stem van Olga. 'Anton, de Wervel is ongeveer drie centimeter geslonken. Op de een of andere manier heb je de juiste aanpak gevonden. Denk daar even over na, Anton.'

De juiste aanpak? Wanneer? Ik had immers nog niets gedaan, alleen maar een reden voor dit bezoek bedacht!

'Anton, heb je nog medicijnen?' Swetlana was aan tafel gaan zitten en keek me aan.

'Ja, nog een paar capsules,' zei ik knikkend en trok mijn hemd weer recht.

'Ga nu maar naar huis en neem er eentje. En koop dan morgen weer nieuwe. Je moet ze twee weken lang voor het naar bed gaan innemen.'

Kennelijk hoorde Swetlana bij de artsen die op tabletten vertrouwen. Dat vond ik geen probleem, want ik deed dat ook. Wij, de Anderen, hebben een irrationeel respect voor de wetenschap. Daardoor grijpen we, zelfs in die gevallen waarin elementaire magische handelingen ook effect zouden hebben, naar pijnstillers en antibiotica.

'Swetlana, sorry dat ik het vraag...' Verlegen keek ik een andere kant op. 'Heb je soms problemen?'

'Hoe kom je daarbij, Anton?' Ze hield niet op met schrijven en keek me ook niet aan. Maar ze verstijfde.

'Dat gevoel heb ik gewoon. Heeft iemand je soms lastiggevallen?'

De jonge vrouw legde haar vulpen neer, en keek me nieuwsgierig en met een vleugje sympathie aan.

'Nee hoor. Hoe kom je daarbij? Het zal de winter wel zijn; die duurt al veel te lang.'

Ze dwong zich tot een glimlachje en de Hellewervel boven haar hoofd slingerde en zwaaide gretig met zijn slurf.

'De lucht is grijs, de wereld is grijs. Ik heb nergens zin in... Niets heeft nog zin. Ik ben moe, Anton. Maar als het straks lente is, gaat het wel weer over.'

'Je hebt last van depressies,' flapte ik eruit. Ik had helemaal niet door dat ik deze diagnose uit haar gedachten haalde, maar ze merkte het niet.

'Misschien. Maar er is niets wat niet verdwijnt door een beetje zon... Bedankt voor je belangstelling, Anton.'

Nu glimlachte ze wel van harte, hoewel het er nog een beetje gekweld uitzag.

'Anton, tien centimeter eraf!' hoorde ik Olga's stem vanuit de Schemer. 'De Wervel slinkt! Anton, de analisten werken er keihard aan, ga zo door!'

Wat had ik goed gedaan?

Die vraag is veel erger dan de vraag: 'Wat heb ik verkeerd gedaan?' Als je een fout maakt, hoef je je gedrag alleen maar vanuit de basis te veranderen. Maar als je je doel hebt bereikt zonder te weten waardoor... dan heb je pas echt een probleem. Voor een slechte schutter die toevallig in de roos heeft geschoten, is het niet gemakkelijk zich te herinneren hoe hij zijn armen heeft gehouden en zijn ogen heeft dichtgeknepen, hoe hij zijn vinger heeft gespannen en het schot heeft afgevuurd – zonder meteen ook toe te geven dat de kogel door een stomme windvlaag in de roos is terechtgekomen.

Ik realiseerde me opeens dat ik Swetlana zat aan te staren. Zwijgend en ernstig beantwoordde ze mijn blik.

'Neem me niet kwalijk,' zei ik. 'Alsjeblieft Swetlana, neem me niet kwalijk. Ik overval je hier 's avonds laat, bemoei me met dingen die me niets aangaan...'

'Het is wel goed, hoor. Ik ben zelfs heel blij dat je er bent. Wil je misschien een kopje thee?'

'Twintig centimeter eraf, Anton! Zeg ja!'

Zelfs dit aantal centimeters waarmee de waanzinnige Wervel slonk, was een geschenk van het lot. Dat waren mensenlevens. Tientallen, misschien wel honderden levens, aan de komende catastrofe ontsnapt. Ik had geen idee hoe ik het voor elkaar kreeg, maar ik vergrootte Swetlana's weerstand tegen het inferno. En de Wervel werd langzaamaan kleiner.

'Dank je wel, Swetlana. Heel graag.'

De vrouw stond op en liep naar de keuken. Ik liep achter haar aan. Wat was hier aan de hand?

'Anton, we hebben een voorlopige analyse.'

In het raam – de gordijnen waren al dicht – meende ik het witte silhouet van een vogel te zien die over de muur gleed en naar Swetlana keek.

'Ignat heeft zich aan het algemene schema gehouden: complimenten, interesse, verering, flirten. Dat vond ze prettig, maar het heeft wel geleid tot het groter worden van de Wervel. Maar jij hebt een andere manier gekozen: medeleven. En dan ook nog eens passief medeleven.'

Er volgden geen suggesties, wat betekende dat de analisten nog geen conclusies hadden getrokken. Maar nu wist ik wel hoe ik me verder moest gedragen. Ik zou mijn thee met een treurige blik en een medelijdend lachje opdrinken en dan zeggen: 'Je ogen staan vermoeid, Sweta.'

Zo mocht ik haar nu toch wel noemen, zeker? Ja, vast wel.

'Anton?'

Ik had een beetje te lang naar haar gekeken. Swetlana staarde naar de kachel. Daarop stond de zware, door het vocht in de keuken dof geworden ketel. Ze was niet bang, want dat gevoel kende ze niet meer doordat de Zwarte Wervel dat al tot de laatste druppel uit haar had gezogen. Ze zag er een beetje verlegen uit.

'Is er iets?'

'Ja, ik voel me ongemakkelijk, Swetlana. Ik duik midden in de nacht op, zeur je de oren van het hoofd en blijf dan ook nog een kopje thee bij je drinken...'

'Maar ik heb je toch zelf gevraagd of je wilde blijven, Anton. Weet je, het was een rare dag vandaag... ik wil nu niet alleen... Laten we zeggen dat dit de manier is waarop je me voor het consult betaalt, oké? Als je hier blijft zitten en een beetje met me praat...' zei ze snel.

Ik knikte. Elk woord zou verkeerd kunnen vallen.

'De Wervel is weer vijftien centimeter kleiner geworden. Anton, je hebt de juiste aanpak gekozen!'

Ik had helemaal nérgens voor gekozen, dat moesten die stomme analisten eindelijk eens inzien! Ik heb de capaciteiten van iemand anders gebruikt om een onbekend huis binnen te dringen, om in een onbekend bewustzijn te kruipen en zo mijn bezoek te verlengen... en nu liet ik me gewoon met de stroom meedrijven. In de hoop dat de stroom me daar naartoe bracht waar ik naartoe moest.

'Wil je jam, Anton?'

'Ja...'

Wat een vreemde theevisite. *Alice in Wonderland* was niets hierbij vergeleken! De vreemdste theevisites vinden niet in een konijnenhol plaats, aan een tafel met een gekke hoedenmaker. Maar in een kleine keuken in een klein huis, met oude thee van die ochtend, met kokend water eroverheen, frambozen-jam uit een drieliterpot – dat is het toneel waarop de slechte acteurs een echt gekke theevisite ten beste geven. Hier – en alleen hier – worden woorden uit-gesproken die anders nooit gezegd kunnen worden. Hier worden met één gebaar van een goochelaar kleine slechte geheimen aan het licht gebracht, worden de lijken van familieleden uit de kast gehaald en zit er een handjevol cyaankali in de suikerpot. En nooit is er de gelegenheid om op te staan en weg te lopen, want steeds weer krijg je net op tijd thee bijgeschonken, jam aangeboden en de open suikerpot voor je neus geschoven.

'Anton, ik ken je nu al een jaar...'

Een klein beetje verwarring in de ogen van de vrouw. Haar hersenen vullen gehoorzaam de gaten, houden een verklaring paraat waarom ik, een sympa-thieke en aardige man, eigenlijk haar patiënt ben gebleven.

'Tot nu toe alleen maar door mijn werk, maar nu... Om de een of andere reden voel ik de behoefte om met je te praten... zoals met een buurman. Zoals met een vriend. Vind je dat goed?'

'Natuurlijk, Sweta.'

Een dankbaar lachje. Niemand zal snel het koosnaampje van mijn naam gebruiken. 'Antosjka' was de volgende stap, maar een te grote stap.

'Fijn, Anton. Weet je, op de een of andere manier ben ik mezelf niet meer helemaal. En dat gaat nu al drie dagen zo.'

Natuurlijk, hoe zou je jezelf kunnen zijn als het zwaard van Nemesis boven je hoofd hangt. De blinde, woedende Nemesis, ontsnapt aan de macht van dode goden.

'Zoals vandaag... Ach, laat ook maar...'

Ze wilde me over Ignat vertellen. Want ze begreep niet wat haar overkwam, waarom ze bijna met een toevallige bekende naar bed was gegaan. Ze dacht dat ze gek werd. Dat overkomt alle mensen die met Anderen te maken krij-gen.

'Swetlana, heb je... heb je misschien ruzie met iemand gemaakt?'

Een onbehouwen aanpak. Maar ik moest opschieten, ik moest gewoon opschieten, ook al wist ik zelf niet waarom. De Wervel had zich gestabiliseerd en vertoonde nu een neiging tot slinken. Toch moest ik opschieten.

'Waarom denk je dat?'

Swetlana vond de vraag niet vreemd en ook niet te persoonlijk. Ik haalde mijn schouders op en zocht naar een verklaring.

'Zoiets overkomt me wel vaker.'

'Nee hoor, Anton, ik heb met niemand ruzie gemaakt. Ik zou niet weten met wie of waarover. Het is iets wat in mezelf zit...'

Je vergist je, meisje. Je hebt geen idee hoe erg je je vergist. Boven je hoofd hangt een Zwarte Wervel van een omvang zoals die maar eens in de honderd jaar voorkomt. En dat betekent dat iemand je zo ontzettend haat als maar zelden voorkomt bij een mens. Of bij een Andere.

'Misschien moet je gewoon eens uitrusten,' stelde ik voor. 'Ergens naartoe rijden... een rustige plek.'

Terwijl ik dat zei, realiseerde ik me opeens dat er een oplossing was voor dit probleem. Weliswaar eentje die ontoereikend was en voor Swetlana zelf toch nog de dood zou betekenen. De een of andere rustige plek... de taiga, de toendra, de noordpool. Dan zou de vulkaan daar uitbarsten, de asteroïde daar neerkomen, de kruisraket met de kernkop daar inslaan. Het inferno zou zich niet laten tegenhouden, maar dan zou alleen Swetlana eronder lijden.

Het was maar goed dat een dergelijke oplossing voor ons even onmogelijk is als de moord zoals de tovenaar van het Duister had voorgesteld.

'Waar denk je aan, Anton?'

'Sweta, toch is er iets waardoor je gedeprimeerd bent.'

'Anton, dat is te heftig. Zoek een ander onderwerp, Anton!'

'Is dat dan te merken?'

'Ja.'

Swetlana keek naar de grond. Ik bereidde me al voor op een kreet van Olga dat de Zwarte Wervel zich klaarmaakte voor een laatste, catastrofale groei, dat ik alles had verpest en verknald, en dat ik vanaf dit moment de dood van duizenden mensen op mijn geweten had. Maar Olga zweeg.

'Ik ben een verraadster.'

'Wat?'

'Ik heb mijn moeder verraden.'

Ze keek ernstig en had niet die walgelijke blik van iemand die een smerige streek heeft uitgehaald en er nog trots op is ook.

'Ik begrijp je niet, Sweta...'

'Weet je, Anton, mijn moeder is ziek. Haar nieren. Ze moet regelmatig aan de dialyse... maar dat is heel vervelend... En daarom... heeft men mij voorgesteld... om een transplantatie uit te voeren.'

'Waarom aan jou?' Ik begreep het nog steeds niet.

'Ze hebben voorgesteld dat ik een nier zou afstaan. Aan mijn moeder. Waarschijnlijk zou die nier niet worden afgestoten, dat heb ik al laten onderzoeken... Maar ik heb geweigerd. Ik... ik ben bang.'

Ik zweeg. Nu had ze haar kaarten op tafel gelegd. Iets had gewerkt, iets in mij maakte dat Swetlana helemaal open tegen me was. Haar moeder.

Een moeder!

'Anton, je bent fantastisch! Onze mensen zijn al onderweg.' Olga's stem jubelde. Waarom ook niet... we hadden de tovenares van het Duister gevonden! 'Grappig... Bij het eerste contact had niemand iets opgevangen, iedereen dacht dat ze niets waard was... Geweldig. Kalmeer haar, Anton, praat met haar, troost haar...'

In de Schemer kun je je oren niet sluiten; je hoort alles wat ze tegen je zeggen.

'Swetlana, niemand heeft het recht om zoiets van je te verlangen...'

'Nee, natuurlijk niet. Ik heb het aan mijn moeder verteld... en ze heeft geëist dat ik alles zou vergeten. Ze heeft gezegd dat ze zichzelf iets zou aandoen als ik het toch zou doen. Dat ze... sowieso zou sterven. En dat ik me daarom niet hoef te laten verminken. Ik had niets moeten zeggen, maar gewoon een nier aan haar moeten afstaan. Achteraf, na de operatie, hadden we haar alles wel kunnen vertellen. Met één nier kan ik zelfs nog kinderen krijgen... Daar zijn gevallen van bekend.'

De nieren. Wat een lachertje! Wat een kleinigheid! Eén uurtje werk voor een echte tovenaar van het Licht. Maar we mogen niemand behandelen; voor elke echte genezing zal een tovenaar van het Duister een vloek, een boze blik uitdelen.

En dan haar moeder, haar eigen moeder, die zich onbewust een fractie van een seconde door haar gevoelens heeft laten meeslepen, en hardop dat ene zegt en haar dochter domweg verbiedt een operatie zelfs maar te overwegen... en haar inwendig vervloekt.

En de monstrueuze Zwarte Wervel groeit.

'Ik weet gewoon niet meer wat ik moet doen, Anton. Ik doe alleen nog maar domme dingen. Vandaag ben ik bijna met een onbekende man naar bed gegaan.' Swetlana had er zichzelf dus toe gedwongen om me dit ook te vertellen. Hoewel, het had haar waarschijnlijk net zoveel moeite gekost om dat over haar moeder te vertellen.

'Sweta, we verzinnen nog wel iets,' zei ik. 'Eerst is het van belang dat je kalmeert en jezelf niet onnodig straft...'

'Maar ik heb het haar expres verteld, Anton! Ik wist hoe ze zou reageren! Ik wilde dat ze het me zou verbieden! Ze moest me wel vervloeken, stomme idioot die ik ben!'

Swetlana, je weet niet half hoe waar het is wat je zegt... Niemand weet welke mechanismen hier aan het werk zijn, wat er in de Schemer gebeurt en hoe groot het verschil is tussen de vloek van een onbekende en die van een geliefde persoon, een zoon, een moeder... En niets is erger dan de vloek van een moeder.

'Rustig aan, Anton.' Olga's stem bracht me onmiddellijk tot bezinning. 'Dat is te gemakkelijk, Anton. Heb je al eens een vloek van een moeder meegemaakt?'

'Nee,' zei ik. Als ik dit hardop zou zeggen, gaf ik zowel Olga als Sweta antwoord.

'Het is mijn eigen schuld.' Swetlana schudde haar hoofd. 'Dank je wel, hoor, maar het is echt mijn eigen schuld.'

'Zoiets heb ik al eens eerder meegemaakt,' hoorde ik vanuit de Schemer. 'Lieve Anton, zoiets ziet er anders uit! De woede van een moeder, dat is een felle zwarte flits en een grote Wervel. Maar hij lost binnen de kortste keren op. Vrijwel altijd.'

Misschien wel; daar ging ik geen ruzie over maken. Olga is de expert op het gebied van vloeken en zij heeft al het een en ander meegemaakt. Natuurlijk, niemand wenst zijn eigen kind iets slechts toe – tenminste, niet op de lange termijn. Maar er zijn uitzonderingen.

'Er zijn natuurlijk uitzonderingen,' beaamde Olga. 'Haar moeder wordt op dit moment grondig gescreend. Maar... ik zou er niet van uitgaan dat er snel iets uitkomt.'

'Swetlana,' zei ik. 'Zijn er nog andere mogelijkheden? Bestaat er geen andere behandeling voor je moeder? Iets anders dan een transplantatie?'

'Nee. Ik ben arts, dus ik kan het weten. De medische wetenschap is niet almachtig.'

'Moet het dan per se de medische wetenschap zijn?'

Ze keek verbaasd. 'Wat bedoel je daarmee, Anton?'

'Niet de traditionele geneeskunst, maar de volksgeneeskunde.'

'Anton...'

Ik viel haar in de rede: 'Ik weet het wel, Swetlana, het is moeilijk om daarin te geloven. Het barst van de kwakzalvers, oplichters en gestoorden. Maar het kan toch zeker niet allemaal onzin zijn, denk je wel?'

'Anton, geef me dan één volksgenezer die iemand met een echt ernstige ziekte heeft genezen.' Swetlana keek me met een ironische blik aan. 'Ik bedoel niet over hem vertellen, maar me hem laten zien. Deze persoon en zijn patiënten en dan het liefst voor en na de behandeling. Dan geloof ik je, dan geloof ik overal in. Aan bovennatuurlijke vaardigheden, genezers en meesters van de Lichte en Duistere magie...'

Ik huiverde onwillekeurig. Boven de vrouw hing het mooiste bewijs van het bestaan van 'zwarte' magie, een perfect bewijs.

'Ik kan je wel iemand laten zien,' zei ik. Ik dacht er opeens aan hoe ze Danila een keer het kantoor in hadden gesleept. Na een gewone botsing, zoals ze weliswaar niet dagelijks voorkomen, maar die ook niet bijzonder ernstig was. Hij had gewoon pech gehad. Ze wilden een gezin van diermensen arresteren, vanwege de een of andere kleine overtreding van het Verdrag. De diermensen hadden zich alleen maar hoeven over te geven en dan zou het bij een klein onderzoek van de Wachten zijn gebleven.

De diermensen wilden liever verzet bieden. Ze lieten een spoor na – een bloedspoor waar de Nachtwacht tot nu toe niets van wist en nu ook niet te weten zou komen. Danila ging als eerste, en ze verscheurden hem volgens de regels van de kunst: zijn linkerlong, zijn hart, een diepe wond in zijn lever, en ze rukten een hele nier uit zijn lijf.

De Chef heeft Danila opgelapt, met hulp van bijna alle Wachters, allen die daar toen toe in staat waren. Ik stond in de derde kring. Het was niet zozeer onze taak om de Chef energie te geven, maar veel meer om invloeden van buitenaf tegen te houden. Toch keek ik af en toe schuins naar Danila. Steeds weer dook hij de Schemer in, soms alleen, soms samen met de Chef. Elke keer als hij weer in de realiteit kwam, zagen zijn wonden er beter uit. Het bleek allemaal niet erg gecompliceerd te zijn, want zijn verwondingen waren nog vers en nog niet door het lot voorbeschikt. Ik twijfelde er geen moment aan dat de Chef Swetlana's moeder kon genezen. Zelfs als haar lot in de nabije toekomst zou eindigen, als ze binnenkort zou sterven. Hij kon haar genezen. Dan zou haar dood ergens anders door worden veroorzaakt.

'Anton, vind je het niet griezelig om zoiets te zeggen?'

Ik haalde mijn schouders op. Swetlana zuchtte. 'Iemand hoop geven, is een verantwoordelijkheidskwestie. Ik geloof niet in wonderen, Anton, maar nu ben ik wel bereid om er in één te geloven. Vind je dat niet eng?'

Ik keek haar aan. 'Nee, Swetlana, ik vind veel dingen eng, maar andere dingen.'

'Anton, de Wervel is wéér twintig centimeter gekrompen. De Chef laat je weten dat je gewoon fantastisch bent.'

Iets in haar stem beviel me niet. Een gesprek door de Schemer is weliswaar niet te vergelijken met een normaal gesprek, maar toch komen gevoelens over.

'Wat is er gebeurd?' vroeg ik door de dode, grauwe sluier heen.

'Ga verder met je werk, Anton.'

'Wat is er gebeurd?'

'Was ik maar zo zeker van mijn zaak,' zei Swetlana. Ze keek naar het raam. 'Hoorde jij dat ook? Een soort geruis...'

'De wind,' opperde ik. 'Of anders liep er iemand langs.'

'Olga, geef antwoord!'

'Met de Wervel is het prima in orde, Anton. Hij wordt langzaam maar zeker kleiner. Op de een of andere manier versterk je haar innerlijke weerstand. Volgens onze berekeningen moet hij tegen de ochtend zover zijn geslonken dat hij geen gevaar meer oplevert. Dan kan ik aan het werk.'

'Wat is het probleem dan? Ik voel toch dat er een probleem is, Olga!'

Ze zweeg.

'Olga, we zijn toch partners?'

Dat hielp. Op dit moment kon ik de witte uil weliswaar niet zien, maar ik wist dat ze met haar ogen knipperde en dat ze even naar het raam van de commandopost keek. Naar de Chef en de waarnemer van het Duister.

'Er is een probleem met de jongen, Anton.'

'Met Jegor?'

'Anton, waar zit je aan te denken?' vroeg Swetlana. Het is moeilijk om tegelijkertijd met de reële en met de Schemerwereld in contact te zijn.

'Ik denk dat het geweldig zou zijn als je je kon opdelen.'

'Anton, je hebt een missie die veel belangrijker is.'

'Leg dat eens uit, Olga.'

'Dat begrijp ik niet, Anton.' Dat was Swetlana weer.

'Weet je, ik heb net gehoord dat een kennis van me in de problemen zit. Grote problemen.' Ik keek haar aan.

'De vampierin. Zij heeft de jongen in haar macht.'

Ik voelde niets. Geen emoties, geen spijt, geen woede, geen verdriet. Ik voelde alleen maar dat koude en leegte bezit namen van mijn lijf.

Dat had ik waarschijnlijk al verwacht. Ik wist niet waarom, maar ik had het wel verwacht.

'Maar Beer en Tijgerjong zijn bij hem!'

'Het is nu eenmaal zo gelopen.'

'Wat is er met hem aan de hand?'

Als hij maar niet geïnitieerd is! Dood, ja, hij kan maar beter gewoon dood zijn. De eeuwige dood is erger.

'Hij leeft. Ze heeft hem gegijzeld.'

'Wat?'

Dat was nog nooit gebeurd. Zoiets was gewoon nog nooit voorgekomen. Gijzelen – dat soort dingen doen mensen.

'De vampierin eist onderhandelingen. Ze wil een proces... Ze hoopt dat ze er zonder kleerscheuren van afkomt.'

In gedachten gaf ik de vampierin een complimentje voor haar snelle inzicht. Ze had geen enkele kans om te ontsnappen, had die nooit gehad. Maar om alle schuld op haar al vermoorde vriend die haar geïnitieerd had te schuiven...

'Ik wist immers van niets. Had geen flauw idee. Iemand heeft me gebeten. Zo ben ik diegene geworden die ik nu ben. Zonder dat ik de spelregels kende.

Zonder dat ik het Verdrag had gelezen. Ik zal een gewone, gezagsgetrouwe vampierin zijn...'

En deze ontwikkeling was inderdaad niet uitgesloten! Vooral als de Nacht-wacht op een compromis aanstuurde. En dat doen we altijd – we hebben geen andere keus, omdat elk mensenleven moet worden beschermd.

Ik was opgelucht en stortte totaal in. Maar wat kon deze knul me eigenlijk schelen? Als het lot hem aanwees, zou hij de wetmatige buit van vampiers en diermensen worden. Zo is het leven. En ik zou hem links laten liggen. Zelfs als het lot hem niet aanwees... Hoe vaak slaagde de Nachtwacht erin om niet in te grijpen als veel mensen door de Duisteren stierven... Maar gek genoeg had ik me al bemoeid met de strijd om hem, partij voor hem getrokken, was in de Schemer getreden en had bloed vergoten. En nu liet hij me niet meer onverschillig. Integendeel...

Een gesprek in de Schemer is veel sneller afgelopen dan een gesprek in de mensenwereld. Toch moest ik mijn aandacht verdelen tussen Olga en Swetla-na.

'Anton, maak je niet druk over mijn problemen.'

Ondanks alles had ik het liefst hardop gelachen. Er waren nu al honderden mensen die zich druk maakten om haar problemen, ook al zou Swetlana zich dat nooit kunnen voorstellen.

'Weet je, er is een wet,' begon ik. 'De wet van de toevalsparen. Jij hebt pro-blemen, maar daar heb ik het niet over. Een ander mens heeft ook grote pro-blemen. Persoonlijke problemen, maar dat maakt het niet gemakkelijker.'

Ze begreep het. En bleef kalm. Dat vond ik prettig.

'Mijn problemen zijn ook persoonlijk,' zei ze ten slotte.

'Niet helemaal,' zei ik. 'Volgens mij.'

'En deze persoon... kun je hem helpen?'

'Dat doen anderen,' zei ik.

'Weet je dat zeker? Bedankt dat je naar me hebt geluisterd, maar mij kan nie-mand helpen. Het lot is zo gek.'

'Gooit ze me eruit?' vroeg ik door de Schemer. Ik wilde nu haar bewustzijn niet aanraken.

'Nee,' antwoordde Olga. 'Nee... ze voelt het, Anton.'

Had ze soms de capaciteiten van een Andere? Of flikkerde er, veroorzaakt door het dreigende inferno, toevallig iets op?

'Wat voelt ze?'

'Dat je ergens anders nodig bent.'

'Waarom juist ik?'

'Dit waanzinnige, bloedzuigende kreng... Ze wil alleen maar met jou onder-handelen. Met degene die haar partner heeft vermoord.'

Nu voelde ik me echt niet goed. Iedereen bij ons kreeg een cursus antiterreurmaatregelen. Dat werd vooral gedaan om te voorkomen dat we zouden terug-grijpen op onze capaciteiten als Andere als we in menselijke ruzies terecht-kwamen. Voor ons werk was het eigenlijk niet nodig. Wij hadden de psycho-logie van terroristen besproken en in dat licht gedroeg de vampierin zich absoluut logisch. Ik was de eerste medewerker van de Wacht geweest die ze had ontmoet. Ik had haar mentor gedood en haar zelf verwond. Voor haar was ik bij uitstek de belichaming van de vijand.

'Eist ze dat al lang?'

'Sinds een minuut of tien.'

Ik keek Swetlana aan. Droge ogen, rustig, geen tranen. Het is altijd het moei-lijkst als iemand niet te koop loopt met zijn leed.

'Sweta, en als ik nu wegga?'

Ze haalde haar schouders op.

'Alles is zo stom...' zei ik. 'Ik denk dat je nu hulp nodig hebt of in elk geval iemand die naar je luistert. Of iemand die hier bij je zit en koude thee drinkt.'

Een vaag glimlachje en een licht knikje.

'Maar je hebt gelijk... er is nog een mens die hulp nodig heeft.'

'Je bent bijzonder, Anton.'

Ik schudde mijn hoofd. 'Niet bijzonder. Heel bijzonder.'

'Ik heb het gevoel... alsof ik je al heel lang ken, maar je toch nu pas voor het eerst heb ontmoet. En alsof je tegelijkertijd met mij en met iemand anders praat.'

'Ja,' zei ik. 'Dat is ook zo.'

'Ik word toch niet gek?'

'Nee.'

'Anton... Je bent vast niet toevallig naar me toe gekomen.'

Ik gaf geen antwoord. Olga fluisterde iets en zweeg. Boven haar hoofd draai-de de enorme Wervel langzaam in het rond.

'Nee,' zei ik. 'Ik ben gekomen om je te helpen.'

Als de tovenaar van het Duister, die de vloek heeft uitgesproken, naar ons kijkt... Als het allemaal toch geen toeval is, geen 'vloek van een moeder', maar een doelgerichte professionele aanval...

Deze wolk van het Duister boven het hoofd van Swetlana had nog maar een heel klein beetje meer haat nodig. Het zou al voldoende zijn om haar wil om te leven een beetje te verminderen. Dan zou er een doorbraak volgen. Dan zou er een vulkaan losbarsten in het centrum van Moskou, de elektronica van een gevechtssatelliet zou doorbranden, een griepvirus muteren...

We keken elkaar zwijgend aan.

Ik had het idee dat ik op het punt stond te ontdekken wat er aan de hand was. De oplossing van het raadsel lag voor het grijpen. Al onze versies waren dom en banaal, al die oude regels en modellen waar we ons door lieten leiden, ook al had de Chef ons gevraagd ze overboord te gooien. Maar dan zou je moeten nadenken, moest je je – misschien maar heel even – losrukken van de gebeurtenissen, moest je naar de kale muur staren of naar de belachelijke televisie, moest je je niet laten verscheuren door de wens om één klein mens te helpen... en tienduizenden, honderdduizenden mensen. Dan mocht je je niet in dat moeras wagen dat deze verraderlijke keuze opriep, het moeras dat altijd verraderlijk zou blijven, welke keuze je ook zou maken. Het enige verschil was dan dat ik in het ene geval snel zou sterven, in één klap in de grijze weidsheid van de Schemerwereld zou overgaan, en in het andere geval langzaam en pijnlijk, terwijl in mijn hart het doffe vuur van de zelfverachting zou oplaaien.

'Sweta, ik moet gaan,' zei ik.

'Anton!' Dat was niet Olga, maar de Chef. 'Anton...'

Hij zweeg even. Hij kon me geen bevelen geven, want de situatie was ethisch gezien in een impasse geraakt. Kennelijk bleef de vampierin bij haar eis en wilde ze met niemand anders onderhandelen. Als de Chef me zou opdragen om te blijven, liet hij de jongen sterven – dat kon hij mij niet opdragen. Dat kon hij zelfs niet aan me vragen.

'We regelen je vertrek...'

'Zeg maar liever tegen die bloedzuiger dat ik eraan kom...'

Swetlana strekte haar arm uit en raakte even mijn hand aan. 'Kom je terug?'

'Morgen,' zei ik.

'Dat wil ik niet,' zei de vrouw snel.

'Dat weet ik.'

'Wie ben je?'

Een vlugge introductie in de geheimen van het universum? Klappen, alweer?

'Dat vertel ik je morgen.'

'Ben je gek geworden,' hoorde ik de Chef zeggen.

'Moet je echt weg?'

'Zeg dat alsjeblieft niet!' riep Olga. Ze voelde wat ik dacht.

Toch zei ik: 'Sweta, als men je heeft voorgesteld om je te laten verminken om het leven van je moeder te redden en jij dat hebt geweigerd... Dat was toch goed en verstandig, vind je ook niet? Maar nu gaat het niet goed met je. Het gaat nu zo slecht met je dat je nu zou willen dat je toch maar onverstandig was geweest.'

'Als je nu niet weggaat, voel je je dan slecht?'

'Ja.'

'Ga dan maar. Maar kom weer terug, Anton.'

Ik stond op en liet de koud geworden thee staan. De Hellewervel draaide boven ons rond.

'Zeker weten,' zei ik. 'En... geloof me, alles is nog niet verloren.'

Daarna zeiden we niets meer tegen elkaar. Ik liep naar buiten, naar beneden. Swetlana deed de deur achter me dicht. Deze stilte, deze dodelijke stilte. Vannacht waren zelfs de honden te moe om te janken.

Onverstandig. Ik handelde absoluut onverstandig. Als er geen ethische oplossing is, dan moet je wel onverstandig zijn. Had iemand dat tegen me gezegd? Of dacht ik aan een zin in een van mijn oude collegeaantekeningen, een zin uit een voordracht? Of zocht ik een rechtvaardiging?

'De Wervel...' fluisterde Olga. Ik herkende haar stem bijna niet, zo toonloos. Ik wilde mijn hoofd intrekken.

Ik deed de voordeur open en liep de bevroren straat op. De witte uil vloog als een bol veren boven mijn hoofd.

De Hellewervel was kleiner geworden, was geslonken. In verhouding met zijn totale omvang weliswaar weinig, maar toch voldoende om het met het blote oog te kunnen zien. Anderhalf, twee meter.

'Wist je dat het zo zou lopen?' vroeg de Chef.

Ik keek omhoog naar de Wervel en schudde mijn hoofd. Wat was hier aan de hand? Waarom was de Wervel gegroeid toen Ignat opdook, een specialist als het erom ging mensen in een milde stemming te brengen? En waarom zorgden mijn verwarde kletspraatjes en mijn overhaaste aftocht ervoor dat de Wervel kleiner werd?

'De ploeg analisten moet er een schepje bovenop doen,' zei de Chef. Ik begreep wel dat hij dit tegen iedereen zei, niet alleen tegen mij. 'Wanneer kunnen we een werkzaam model van de uitkomsten verwachten?'

De auto kwam bij de Seljony Prospekt vandaan, hulde me in het licht van de koplampen, de banden gierden, de auto schokte over de gaten in het opengescheurde asfalt en stopte voor het flatgebouw. De lage, donkeroranje sportwagen zag er lachwekkend uit tussen al die troosteloze hoge woonflats. Het beste vervoermiddel was immers, zoals altijd, een jeep.

Semjon zat achter het stuur en leunde uit het raam. 'Stap in,' zei hij. 'We moeten je zo snel mogelijk afleveren.'

Ik keek naar Olga die mijn blik opving.

'Mijn werk is hier. Ga maar.'

Ik liep om de auto heen en ging naast Semjon zitten. Ilja zat achterin. Kennelijk was de Chef van mening dat Beer en Tijgerjong versterking nodig hadden.

'Anton,' hoorde ik Olga door de Schemer heen zeggen. 'Vergeet niet dat je vandaag een schuld op je hebt geladen. Hou dat in je achterhoofd, elke seconde...'

Ik begreep niet meteen waar ze het over had. Misschien over die kleine heks van de Dagwacht? Wat had zij hiermee te maken?

De auto schoot vooruit en bonkte met de bodem tegen de bevroren betonplaten waaruit de weg bestond. Semjon vloekte dat het een aard had en trok aan het stuur. Daarna reed de auto met een jankende motor in de richting van de Prospekt.

'Van welke idioot heb je deze auto afgepakt?' vroeg ik. 'Met dit weer...'

'Hi, hi,' grinnikte Ilja. 'Boris Ignatjewitsj heeft jou zijn auto geleend.'

'Echt waar?' vroeg ik en draaide me om. De Chef kwam naar zijn werk met een dienst-BMW. Van deze neiging tot onpraktische luxe had ik tot nu toe nooit iets gemerkt.

'Echt waar. Hoe heb je dat voor elkaar gekregen, Antosjka?' Ilja knikte in de richting van de boven het gebouw draaiende Wervel. 'Het is me nooit opgevallen dat je over dergelijke capaciteiten beschikte!'

'Ik heb hem niet aangeraakt. Alleen maar met die vrouw gepraat.'

'Gepraat? Of geflikflooid?'

Typisch Ilja; zo gedroeg hij zich altijd als hij zenuwachtig was. En er waren genoeg dingen om ons druk over te maken. Toch vertrok ik mijn gezicht. Misschien omdat er een soort onbeschaamdheid in zijn woorden doorklonk, of misschien omdat ze me kwetsten.

'Nee, Ilja, zeg zulke dingen alsjeblieft niet.'

'Sorry,' zei hij zonder meer. 'Wat heb je dan gedaan?'

'Gewoon met haar gepraat.'

Eindelijk reed de auto de Prospekt op.

'Hou je vast,' commandeerde Semjon. Ik werd in mijn stoel gedrukt en achterin zat Ilja te rommelen, haalde een sigaret tevoorschijn en stak hem op.

Al binnen twintig tellen begreep ik dat de snelheid tot nu toe een gezellig wandeltempo was geweest.

'Semjon, is de kans op een ongeluk uitgeschakeld?' riep ik. De auto schoot door de nacht alsof hij probeerde het licht van zijn koplampen in te halen.

'Ik zit al zeventig jaar achter het stuur,' blafte Semjon me minachtend toe. 'Tijdens de Blokkade ben ik met vrachtwagens over de Straten van het Leven naar Leningrad gereden!'

Hoewel ik absoluut niet aan zijn woorden twijfelde, vroeg ik me toch af of die ritten toen niet wat minder gevaarlijk waren geweest. Deze snelheid konden ze toen bij lange na niet halen – en voor een Andere is het geen enkel probleem om van tevoren een bominslag te berekenen. Op dat moment kwamen ons nog maar weinig auto's tegemoet, maar helemaal leeg was de weg zeker niet. Het wegdek was heel erg slecht, en onze sportwagen was absoluut niet berekend op deze manier van rijden.

'Ilja, wat is er eigenlijk gebeurd?' vroeg ik en probeerde niet naar de vrachtauto te staren die voor ons uitweek. 'Weet jij daarvan?'

'Met de vampierin en dat joch, bedoel je?'

'Ja.'

'We hebben weer eens laten zien hoe dom we zijn, dat is er gebeurd.' Ilja vloekte. 'Hoewel ook domheid relatief is... Eerst ging alles heel normaal. Tijgerjong en Beer hebben de ouders van die jongen wijsgemaakt dat ze verre, maar geliefde familieleden waren.'

'Wij komen uit de Oeral?' vroeg ik. Ik herinnerde me de cursus 'Omgaan met mensen' en de verschillende manieren waarop je contact met hen kunt opnemen.

'Ja, en alles ging uitstekend. Een grote tafel, genoeg te drinken, specialiteiten uit de Oeral, afkomstig uit de supermarkt om de hoek...'

Ik dacht weer aan de propvolle tas van Beer.

'Kortom, het ging van een leien dakje.' In Ilja's stem klonk niet zozeer woede door als wel onbegrensde rechtvaardiging voor het gedrag van zijn collega's. 'Het was licht, warm, alles was in orde. Soms zat dat joch erbij en soms verdween hij in zijn kamer... Hoe hadden zij kunnen weten dat hij in zijn eentje in de Schemer kon treden?'

Ik kreeg er koude rillingen van.

Inderdaad, hoe?

Ik had er met geen woord over gerept. Noch met hen, noch met de Chef. Niemand wist het. Ik had de jongen uit de Schemer getrokken en hem een beetje van mijn bloed gegeven – en daar had ik het bij gelaten. Een echte held. Een eenzame strijder.

Zonder argwaan vertelde Ilja verder: 'De vampierin heeft hem met haar roep naar zich toe gelokt. Die was zo perfect dat Tijgerjong en Beer er niets van hebben gemerkt. En hij was sterk... Die jongen heeft geen kik gegeven. Hij is gewoon de Schemer ingetreden en op het dak geklommen.'

'Hoe?'

'Via de balkons. Het dak is maar drie verdiepingen hoger. Daar heeft de vampierin op hem gewacht. Omdat ze had gemerkt dat de jongen werd bewaakt, heeft ze hem gegrepen en zich bekendgemaakt. Op dit moment liggen zijn ouders diep en vast te slapen, terwijl de vampierin wacht en de jongen vasthoudt. Tijgerjong en Beer zitten zich ontzettend op te winden.'

Ik zweeg. Er viel niets te zeggen.

'Onze eigen stommiteit,' besloot Ilja. 'En een rampzalige samenloop van omstandigheden. Gelukkig is de jongen nog door niemand geïnitieerd... Wie had kunnen denken dat hij in de Schemer kan treden?'

'Ik wist het.'

Misschien werd ik achtervolgd door herinneringen. Misschien door mijn angst, hier in deze auto die in een ijltempo over de straten reed. Ik keek de Schemer in.

Wat hebben de mensen toch een geluk dat ze niet zien, nooit zien hoe slecht ze het hebben – want dat kúnnen ze niet zien!

De diepgrijze hemel waaraan geen ster fonkelt en nooit zal fonkelen, een hemel zo dik als pap die in een dof vaal licht schemert. Alle silhouetten vervagen, ze versmelten met de huizen met op hun muren dat blauwe tapijt van mos, de bomen waarvan de takken in het Schemerlicht bewegen zonder zich ooit iets aan te trekken van de wind, en de straatlantaarns waar de Schemervogels overheen vliegen, bijna zonder hun vleugels te bewegen. Er komen ons auto's tegemoet – het kan bijna niet langzamer, de mensen verzetten bijna geen stap. Het is alsof je alles door een grijs filter ziet en alles met een propje watten in je oor hoort. Een zwartwitfilm zonder geluid, het kleinood van een decadente regisseur. De wereld waaruit wij onze krachten halen. De wereld die ons leven opdrinkt. De Schemer. Zoals je erin gaat, zo kom je er ook weer uit. De grijze nevel breekt de schil die je leven lang met je meegroeit, trekt de kern – dat wat de mensen hun ziel noemen – uit je vandaan. Proeft die. En als je voelt hoe je tussen de kaken van de Schemer knarst, als je de doordringende koude wind voelt, bijtend als het speeksel van een slang... dan word je een Andere.

En dan beslis je aan welke kant je gaat staan.

'Bevindt de jongen zich nog altijd in de Schemer?' vroeg ik.

'Ze zijn allemaal in de Schemer...' Ilja was achter me aan gedoken. 'Anton, waarom heb je het niet gewoon verteld?'

'Ik heb er niet aan gedacht. Dacht dat het niet belangrijk was. Ik ben geen speurder, Ilja.'

Hij schudde zijn hoofd.

We kunnen elkaar niet de les lezen, tenminste, amper. Vooral niet als iemand echt schuldig is. Dat is ook niet nodig, want onze straf zuivert ons. De Schemer verleent ons krachten waar geen mens over beschikt, geeft ons een leven dat naar menselijke maatstaven bijna eeuwig is. En pakt alles van ons af, als het tijd is.

Op die manier leven we allemaal op de pof. Niet alleen de vampiers en de diermensen die moeten doden om hun bizarre bestaan te verlengen. De Duisteren kunnen zich het goede niet permitteren. Voor ons is het juist andersom.

'Als het me niet lukt...' Ik maakte de zin niet af. Ook zo was het wel duidelijk.

8

In de Schemer zag alles er zelfs mooi uit. Op het dak, het platte dak van dat logge 'huis op poten' brandden lichtjes in verschillende kleuren. Het enige wat hier kleur heeft, zijn onze gevoelens. En die hadden we!

Het felst straalde een zich in de hemel borende zuil van vuurrode vlammen: de angst en de woede van de vampierin.

'Ze is sterk,' zei Semjon alleen maar toen hij naar het dak keek en het portier met zijn voet dicht schopte. Met een zucht begon hij zich uit te kleden.

'Wat ben je van plan?' vroeg ik.

'Ik ga via de muur naar boven, via de balkons. Als ik jou was, Ilja, zou ik het ook doen, maar dan wel in de Schemer, dat is gemakkelijker.'

'En hoe ga jij naar boven?'

'Op de traditionele manier. Dan is de kans groter dat ze me niet ontdekt. Maak je geen zorgen... Ik beklim al zestig jaar allerlei bergen; ik heb de vlag van de fascisten op de Elbrus neergehaald.'

Semjon kleedde zich tot op zijn ondergoed uit en gooide zijn kleren op de motorkap. Meteen daarna sprak hij een korte beschermingsspreuk uit waardoor er over zijn spullen en over de auto een beschermlaagje kwam te liggen.

'Je weet wat je doet?' vroeg ik nog.

Semjon grijnsde, rilde van de kou, maakte een paar kniebuigingen en maaide met zijn armen in het rond zoals een sporter tijdens de warming-up. In een zacht sneeuwbuitje liep hij met een soepel drafje naar het gebouw toe.

Ik vroeg aan Ilja: 'Gaat hem dat lukken?' Ik wist hoe hij in de Schemer bij de muur van een gebouw naar boven kon komen. In theorie. Maar een klim in de normale wereld, en dan ook nog eens zonder uitrusting...

'Vast wel,' zei Ilja niet helemaal overtuigd. 'In de Jauza, toen hij tien minuten lang onder water bleef, dacht ik ook dat hij nooit weer boven zou komen.'

Ik mompelde mismoedig: 'Dertig jaar onderwatersport.'

'Veertig... Nu ga ik, Anton. Hoe ga jij naar boven, met de lift?'

'Ja.'

'Goed dan. Schiet maar op.'

Hij trad de Schemer in en rende achter Semjon aan. Ze zouden waarschijnlijk ieder een andere muur nemen, maar ik was niet van plan om uit te vinden wie langs welke muur naar boven klom. Ik moest mijn eigen weg gaan, die zeker niet gemakkelijker zou zijn.

'Waarom moest je mij nu juist ontmoeten, Chef...' fluisterde ik en rende naar de entree. De sneeuw knarste onder mijn schoenen en het bloed klopte in mijn oren. Ondertussen haalde ik het pistool uit mijn zak en zette hem op scherp. Acht zilveren dumdumkogels. Dat moest genoeg zijn. Als ik maar raak schiet... Als ik maar het juiste moment kan vinden waarin ik een kans heb de vampierin te raken zonder de jongen te verwonden.

'Vroeg of laat zouden we elkaar sowieso hebben ontmoet, Anton. En zo niet, dan de Dagwacht wel; die hadden evenveel kans jou te krijgen.'

Het verbaasde me niet dat hij me in de gaten hield. Ten eerste ging het hier om een belangrijke zaak. En ten tweede is en blijft hij mijn hoofdmentor.

'Boris Ignatjewitsj, als...' Ik deed mijn jas los en stak het pistool op mijn rug achter mijn riem. 'Wat Swetlana betreft...'

'We hebben haar moeder grondig nagetrokken, Anton. Niets. Ze is niet in staat een vloek op te leggen. Absoluut niet.'

'Nee, dat bedoelde ik niet, Boris Ignatjewitsj. Ik heb nagedacht. Ik voelde geen medelijden met haar.'

'En wat wil je daarmee zeggen?'

'Ik weet het niet. Maar ik heb geen medelijden met haar gehad. En haar ook geen complimentjes gegeven. Me niet gerechtvaardigd.'

'Ik begrijp het.'

'En nu... Ga nu weg alstublieft. Dit hier is mijn zaak.'

'Goed. Het spijt me dat ik je de buitendienst heb ingestuurd. Veel succes, Anton.'

Ik kon me niet herinneren dat de Chef zich ooit, bij wie dan ook maar, had verontschuldigd. Maar ik had geen tijd meer me daar nog langer over te verbazen, omdat de lift eindelijk voor me stopte.

Ik drukte op de knop voor de bovenste verdieping en greep zonder nadenken naar het aan het snoertje bevestigde knopje van mijn koptelefoon. Vreemd, de muziek was al aan. Wanneer had ik de minidiscspeler aangezet?

Wat heeft het lot met me voor?

> *Alles komt goed. Voor de een is hij niets,*
> *maar voor mij is hij de tsaar.*
> *En ik sta in het duister, voor de een als een schaduw,*
> *voor de anderen onzichtbaar.*

Ik was helemaal weg van Piknik. Zouden ze Sjkljarski al eens hebben nagetrokken, of hij bij de Anderen hoort? Dat zou interessant zijn... Liever niet trouwens. Hij kan maar beter blijven zingen.

Ja, ik dans niet in de maat,
heb het niet goed aangepakt,
heb daar ook niet mijn best voor gedaan.
En nu lijk ik op de regen,
die de grond nog niet heeft natgemaakt,
een bloem die niet bloeit.
Ik, ik, ik ben onzichtbaar.
Ik, ik, ik ben onzichtbaar.
De gezichten zijn als rook,
de gezichten zijn als rook.
Hoe wij zegevieren, zullen de anderen nooit begrijpen.

Zou de laatste zin een goed voorteken kunnen zijn?

De lift stopte.

Nadat ik via de laatste trap van het trappenhuis naar boven was geslopen, zag ik dat er een luik in het dak zat. Het slot was er afgebroken, er echt afgebroken – de beugel hing in elkaar gedrukt en uit elkaar gebogen in de lucht. De vampierin had daar waarschijnlijk niets mee te maken, omdat zij waarschijnlijk naar het dak gevlogen was. De jongen was via de balkons naar boven gegaan.

Dan bleven Tijgerjong en Beer over. Hoogstwaarschijnlijk Beer; Tijgerjong zou het luik eruit hebben getrokken.

Ik trok mijn jas uit en liet die samen met de ruisende minidiscspeler op de grond vallen. Ik voelde even naar het pistool op mijn rug – dat zat stevig klem. Techniek zou waanzin zijn? Dat zullen we nog wel eens zien, Olga, dat zullen we nog wel eens zien.

Ik gooide mijn schaduw naar boven, projecteerde hem de lucht in. Ik rekte me uit en dook er in één keer in. In de Schemer beklom ik de ladder naar het dak. Het blauwe mos, dat een dikke laag vormde op de ijzeren buizen, veerde onder mijn vingers en probeerde weg te kruipen.

'Anton!'

Ik rende het dak op en boog meteen naar voren: het waaide hier stevig! Een geluidloze, ijskoude rukwind. Net zozeer een echo uit de mensenwereld als wel een gril van de Schemer. Ik werd er nog enigszins tegen afgeschermd door de betonnen opbouw van de lift, maar als ik nog één stap zou zetten, zou de wind helemaal door me heen blazen.

'Anton, wij zijn hier!'

Tien meter verderop stond Tijgerjong. Ik keek naar haar en was even jaloers: in elk geval had zij geen last van de kou.

Waar diermensen en tovenaars de massa voor hun transformatie vandaan halen, wist ik niet. Waarschijnlijk niet uit de Schemer, maar zeer zeker ook niet uit de mensenwereld. In mensengedaante woog deze vrouw vijftig kilo, misschien iets meer. Als jonge tijgerin, die in aanvalshouding op het bevroren dak stond, woog ze wel honderdvijftig kilo. Haar aura lichtte oranje op en over haar vacht gleden langzaam kleine vonkjes. Haar staart zwaaide gelijkmatig heen en weer en ze krabde met haar rechtervoorpoot over de dakbedekking. Op deze plaats was het dak al tot op het beton opengekrabd – iemand zou dit voorjaar last hebben van lekkage...

'Kom hier, Anton!' brulde de tijgerin zonder zich om te draaien. 'Ze is hier!'

Beer was dichter bij de vampierin gekomen dan Tijgerjong. Nu zag hij er nog afschuwelijker uit. Deze keer had hij voor zijn transformatie het lichaam van een ijsbeer uitgekozen dat, in tegenstelling tot de echte poolbewoners, sneeuwwit was, net zoals op de plaatjes in een prentenboek. Ja, hij was dus toch een tovenaar, geen heropgevoed diermens. Diermensen zitten vast aan één, hooguit twee variaties. Beer had ik al eens gezien als een onhandige bruine beer – die keer dat we een carnavalsfeest voor de Amerikaanse delegatie van de Wacht hadden georganiseerd – en als grizzlybeer bij het aanschouwelijk onderwijs voor transformaties.

De vampierin stond bij de rand van het dak.

Ze was verzwakt, duidelijk zwakker dan tijdens onze eerste ontmoeting. Haar gezicht was nog smaller en haar wangen waren ingevallen. Net als alle vampiers had ze in de eerste fase van de verandering van haar organisme continu vers bloed nodig. Toch moet je je niet voor de gek laten houden door haar uiterlijk: dat uitgeteerde uiterlijk is alleen maar de buitenkant; het kwelt haar, maar vermindert haar krachten niet. De brandwonden in haar gezicht waren al verminderd, de sporen waren bijna niet meer te zien.

'Jij!' Er klonk triomf door in de stem van de vampierin – alsof ze niet met me wilde onderhandelen, maar me wilde opofferen.

'Ik.'

Jegor stond voor de vampierin; zij gebruikte hem als dekking tegen de speurders. De jongen bevond zich in de Schemer dat door de bloedzuiger was opgewekt. Daardoor was hij nog bij bewustzijn. Hij stond daar maar, zwijgend, bewegingloos, en keek afwisselend naar mij en naar Tijgerjong. Kennelijk verwachtte hij het meest van ons. De vampierin had één hand op de borst van de jongen gelegd en drukte hem zo tegen zich aan. De andere hand hield ze om zijn hals, met haar nagels uit. De situatie was duidelijk: een patstelling. Voor beide kanten.

Als Tijgerjong en Beer de bloedzuiger zouden aanvallen, zou ze in één beweging zijn hoofd van zijn romp scheuren. Dat zou niet kunnen genezen – zelfs niet met de mogelijkheden waar wij over beschikten. Aan de andere kant: als zij de jongen zou doden, was er niets meer wat ons zou tegenhouden.

Je mag de vijand niet in het nauw drijven. Vooral niet als je hem wilt doden.

'Je wilde dat ik zou komen. Hier ben ik dan.' Ik hief mijn handen op om te laten zien dat ik geen wapen bij me had. Ik deed een stap naar voren.

Toen ik tussen Tijgerjong en Beer ging staan, liet de vampierin haar lange hoektanden zien. 'Blijf staan!'

'Ik heb geen espenhout bij me en ook geen vechtamulet. Ik ben geen tovenaar, ik kan je dus niets doen.'

'Die amulet! Om je hals hangt een amulet!'

Dat was het dan...

'Die heeft niets met jou te maken; die beschermt me tegen iemand anders, iemand die ver boven je staat.'

'Doe hem af!'

O, o, dat pakte niet goed uit... Dat pakte zelfs heel slecht uit... Ik greep de halsketting, trok de amulet eraf en liet hem vallen. Als Seboelon wilde, kon hij nu proberen me te beïnvloeden.

'Ik heb hem afgedaan. Zeg nu wat je wilt.'

De vampierin draaide haar hoofd – haar hals draaide 360 graden in het rond. Nou, nou. Daar had ik nog nooit van gehoord. Onze strijdmakkers kennelijk ook niet: Tijgerjong begon te grommen.

'Er sluipt nog iemand rond!' De vampierin sprak met de stem van een mens, het hysterische gekrijs van een dom meisje dat toevallig kracht en macht had gekregen. 'Wie? Wie?'

Haar linkerhand, waar ze klauwen aan had laten groeien, drukte in de keel van de jongen. Ik kromp in elkaar toen ik me voorstelde wat er zou gebeuren als er slechts één druppeltje bloed zou vloeien: de bloedzuiger zou de controle over zichzelf verliezen! Haar andere hand wees met een vreemd verwijtend gebaar, dat mij deed denken aan Lenin op de pantserwagen, naar de rand van het dak.

'Hij moet tevoorschijn komen!'

Ik zuchtte en riep: 'Ilja, kom maar tevoorschijn...'

Boven de dakrand uit verschenen vingers. Meteen daarna klom Ilja over het lage hekje heen en ging naast Tijgerjong staan. Hoe had hij zich daar kunnen verstoppen? Op de zonwering van een balkon? Of had hij in de lucht gehangen, vastgeklemd aan de laag blauw mos?

'Ik wist het wel!' zei de vampierin triomfantelijk. 'Bedrog!'

Het leek alsof ze niet doorhad dat Semjon er ook was. Misschien deed onze flegmatieke vriend al honderd jaar aan ninjitsu...

'En jíj hebt het over bedrog?'

'Juist ja, ik.' Heel even flikkerde er iets menselijks op in de ogen van de vampierin. 'Want ik kan bedriegen! Jullie niet!'

Goed. Fijn dat jij dat kunt en wij niet. Geloof en hoop. Als jij soms denkt dat een leugentje om bestwil alleen door dominees wordt gebruikt, dan geloof je dat maar. Als jij soms denkt dat het goede alleen in de oude gedichten van een miskende dichter met de vuisten wordt doorgevoerd, dan hoop je dat maar.

'Wat wil je?' vroeg ik.

Ze zweeg even alsof ze daar nog niet over had nagedacht. 'Leven.'

'Daar is het nu te laat voor. Je bent al dood.'

De vampierin liet haar tanden weer zien.

'O ja? Maar doden kunnen iemands hoofd er afscheuren, weet je dat?'

'Ja, en verder kunnen ze niets.'

We staarden elkaar aan. Dat was vreemd, theatraal en gekunsteld, want het hele gesprek had sowieso geen zin; we zouden elkaar hoe dan ook niet begrijpen. Zij is dood; haar leven betekent de dood van iemand anders. Ik leef. Maar in haar visie is het allemaal precies andersom.

'Daar kan ik niets aan doen.' Opeens was haar stem rustiger, zachter. En ook de hand om Jegors keel ontspande zich een beetje. 'Jullie, jullie... jullie die men de Nachtwacht noemt, die 's nachts niet slapen, die denken dat ze het recht hebben om de wereld te beschermen tegen het Duister... Waar waren jullie toen ze mijn bloed dronken?'

Beer zette een stapje naar voren. Een heel klein stapje maar, waarbij het leek alsof hij zijn enorme poten nauwelijks naar voren zette. Het leek alsof hij door de krachtige wind naar voren gleed. Ik vroeg me af of hij nog eens tien minuten op die manier naar voren zou kruipen. Dat had hij het afgelopen uur ook gedaan, want zo lang duurde dit gesprek al. Tot hij eindelijk zijn kans schoon zag: dan zou hij springen en als hij geluk had, zou de jongen uit de greep van de vampierin worden getrokken en er met een paar gebroken ribben van afkomen.

'We kunnen niet iedereen in de gaten houden,' zei ik. 'Dat is gewoon onmogelijk.'

En wat het ergste was, ik begon medelijden met haar te krijgen. Ik had geen medelijden gevoeld met de jongen die in het spel tussen Licht en Duister was terechtgekomen, of met de jonge Swetlana boven wier hoofd een vloek hing, of met de onschuldige stad die onder de vloek zou lijden... Maar met de vampierin had ik medelijden. Want inderdaad, waar waren wij geweest? Wij, die ons de Nachtwacht noemen...

'Je had hoe dan ook een keus,' zei ik. 'En nu moet je niet beweren dat het niet zo is. De initiatie vindt alleen plaats met wederzijdse instemming. Je had kunnen sterven. Fatsoenlijk kunnen sterven. Als een mens.'

'Fatsoenlijk?' De vampierin schudde haar hoofd, waarbij haar haren om haar schouders wapperden. Waar bleef Semjon nou toch? Zo moeilijk was het toch niet om op het dak van een gebouw van negentien verdiepingen te klimmen? 'Dat was precies wat ik wilde... Fatsoenlijk. Maar degene die zijn handtekening onder de licentie heeft gezet, die voedsel van mij heeft gemaakt? Heeft die zich soms fatsoenlijk gedragen?'

Bij het Licht en bij het Duister...

Ze was niet domweg het slachtoffer van een doorgedraaide vampier geweest. Ze was de voorbestemde buit, uitgekozen door het blinde lot. En het was haar lot om haar leven te geven, om het leven van een onbekende te verlengen. Maar die vent, die voor mijn ogen een handjevol as was geworden, die door zijn zegel was verbrand, die vent is verliefd geworden. Echt verliefd. Hij had dit onbekende leven niet opgezogen, maar het meisje tot zijn gelijke gemaakt.

De doden kunnen niet alleen hoofden afscheuren, maar ook liefhebben. Het is alleen jammer dat zelfs hun liefde bloed nodig heeft.

Hij moest de jonge vrouw wel verstoppen, omdat hij een vampier van haar had gemaakt. Hij moest haar voeden, en wel met levend bloed. Bloed uit de voorraad, geschonken door naïeve mensen, was hiervoor niet geschikt.

Dat was de oorzaak geweest van de stroperij in de straten van Moskou en pas toen werden wij uiteindelijk wakker... wij, de hoeders van het Licht, de beroemde Wachters van de Nacht die mensenoffers leveren aan het Duister.

Het ergste tijdens een oorlog is het als je je vijand begrijpt. Want begrijpen, betekent vergeven. Maar daar hebben we het recht niet toe. Sinds de schepping van de aarde hebben we daar het recht niet toe.

'Maar toch had je een keuze,' zei ik. 'Die had je. Het verraad van een ander geldt niet als een rechtvaardiging voor je eigen verraad.'

Ze begon zachtjes te lachen.

'Ja, ja, beste dienaar van het Licht. Natuurlijk, je hebt gelijk. En je kunt nog duizend keer zeggen dat ik dood ben. Dat mijn ziel is verbrand en opgelost in de Schemer. Maar dan moet je mij eens uitleggen wat het verschil is tussen mij, een achterbaks en kwaadaardig wezen, en jou. Probeer het zo uit te leggen dat ik je geloof...'

De vampierin boog haar hoofd en keek naar Jegor.

'En jij, jongen... begrijp jij mij?' vroeg ze op vertrouwelijke toon, bijna vriendschappelijk. 'Geef antwoord. Geef me een heel eerlijk antwoord, zonder... zonder op die klauwen te letten. Ik neem je niets kwalijk.'

Beer gleed naar voren. Weer een heel klein beetje. Ik merkte dat zijn spieren zich spanden, hoe hij zich klaarmaakte voor de sprong.

Zonder geluid te maken, met een soepele en tegelijk snelle beweging – hoe krijgt hij het voor elkaar om zich in de mensenwereld zo snel te bewegen? – dook Semjon eindelijk achter de vampierin op.

'Zeg op, kleintje!' eiste de bloedzuiger opgewekt. 'Geef antwoord! Maar wees eerlijk! En als jij vindt dat hij gelijk heeft en ik niet, als je dat werkelijk denkt... dan laat ik je gaan.'

Ik ving Jegors blik op.

En wist wat hij zou antwoorden.

'Jij hebt ook... gelijk.'

Leegte. Kou. Geen kracht meer voor emoties.

'Wat wil je?' vroeg ik. 'Bestaan? Goed, geef je dan over. Dan kom je voor de rechtbank, voor de gemeenschappelijke rechtbank van de Wachten...'

De vampierin keek me aan. Ze schudde haar hoofd. 'Nee. Ik vertrouw die rechtbank niet, de Nachtwacht niet... en de Dagwacht ook niet.'

'Waarom heb je mij dan laten roepen?' vroeg ik. Semjon sloop naar de vampierin toe, kwam dichter en dichterbij...

'Om wraak te nemen,' zei de vampierin alleen maar. 'Je hebt mijn vriend vermoord. Nu vermoord ik de jouwe – voor jouw ogen. Daarna... daarna zal ik proberen... jou te vermoorden. Maar zelfs als me dat niet lukt...' Ze lachte even. 'Het is voldoende als je weet dat je de jongen niet hebt kunnen redden. Nietwaar, Wachters? Jullie zetten je handtekening onder licenties, zonder dat je de mensen daarbij in de ogen kijkt. Maar dat zouden jullie wel moeten doen... Dan komt de moraal in het spel, jullie hele verkeerde, goedkope, gemene moraal...'

Semjon sprong.

Op hetzelfde moment sprong Beer.

Dat was mooi, dat ging sneller, omdat elke kogel vliegt, omdat elke tover werkt, omdat het uiteindelijk altijd het lichaam is dat de klap uitdeelt, ondersteund door de behendigheid die in twintig, veertig of honderd jaar is gerijpt. En toch trok ik het pistool achter mijn rug vandaan en vuurde één schot af. Ik wist best dat de kogel langzaam en traag vooruit zou komen, zoals bij een vertraagde opname in een goedkope actiefilm, waardoor de vampierin nog de gelegenheid zou hebben om hem te ontwijken en om te doden.

Semjon hing uitgestrekt in de lucht, alsof hij op een glazen muur was gebotst en kroop naar een onzichtbare grens die ook de Schemer in leidde. Beer gooide de muur omver – hij was veel massiever. De kogel, die lieflijk als een libel naar de vampierin vloog, laaide met vlammende tongen op en verdween.

Als ik niet had gezien dat de ogen van de vampierin langzaam groter waren geworden en dat ze er niets van begreep, dan zou ik hebben gedacht dat zijzelf de beschermende koepel had gebouwd. Ook al was dit een privilege van een hooggeplaatste tovenaar.

'Die twee staan onder mijn bescherming,' zei iemand achter me.

Ik draaide me om... en keek Seboelon aan.

Het verbaasde me dat de vampierin niet in paniek raakte.

Het verbaasde me ook dat ze Jegor niet doodde. De mislukte aanval en het verschijnen van de tovenaar van het Duister waren voor haar veel verrassender dan voor ons, want ik had het verwacht; ik had er rekening mee gehouden zodra ik de amulet had afgedaan.

Het verbaasde me niet dat hij er al zo snel was. De Duisteren hebben zo hun eigen trucs. Maar waarom vond Seboelon, de waarnemer van de Duisteren, deze kleine discussie belangrijker dan zijn aanwezigheid in onze commandopost? Was hij niet langer geïnteresseerd in Swetlana en de Wervel boven haar hoofd? Had hij soms iets ontdekt wat ons was ontgaan?

Die verdomde gewoonte om eerst alles te analyseren! De speurders doen dit vanwege de aard van hun werk. Zij reageren van nature onmiddellijk op gevaar, storten zich in de strijd en verliezen of winnen die.

Ilja had zijn magische staf al getrokken. Het lichte blauwpaarse licht straalde te fel voor een tovenaar van de derde graad, en te gelijkmatig om te geloven dat Ilja's krachten opeens waren toegenomen. Waarschijnlijk had de Chef de staaf zelf opgeladen.

Had hij iets vermoed? Had hij rekening gehouden met de komst van iemand wiens krachten zich met de zijne konden meten?

Noch Tijgerjong, noch Beer hadden hun uiterlijk veranderd. Hun magie hoefde zich niet aan te passen, al helemaal niet als ze een menselijke vorm aannamen. Beer keek nog steeds naar de vampierin en negeerde Seboelon totaal. Tijgerjong ging naast mij staan. Semjon wreef over zijn heup en liep langzaam om de vampierin heen, terwijl hij demonstratief voor haar langs slenterde. Hij liet de tovenaar van het Duister aan ons over.

'Die twee?' brulde Tijgerjong.

In eerste instantie begreep ik niet waar ze zich zo aan ergerde.

'Die twee staan onder mijn bescherming,' herhaalde Seboelon. Hij droeg een vormeloze, dikke mantel en op zijn hoofd had hij een verfrommelde muts van donker bont. De tovenaar hield zijn handen weliswaar in zijn zakken, maar ik was er zeker van – en had geen idee waarom – dat hij niets bij zich had, geen amulet, geen pistool.

'Wie ben jij?' schreeuwde de vampierin. 'Wie ben jij?'

'Je hoeder en beschermer.' Seboelon keek mij aan. Nee, hij keek mij niet aan, maar zijn blik gleed over me heen, langs mij heen. 'Je Meester.'

Wat was er met hem aan de hand? Was hij gek geworden? De vampierin had geen idee hoe de krachten waren verdeeld. Ze was totaal opgefokt. Had zojuist nog verwacht dat ze dood zou gaan... het einde van haar leven. Nu doemde de kans op om er heelhuids van af te komen, maar deze toon...

'Ik heb geen Meester!' De vrouw, die het leven uit de dood van anderen opzoog, lachte. 'Wie je ook bent, iemand van het Licht of iemand van het Duister... Luister goed: ik heb geen Meester!'

Ze liep dichter naar de rand van het dak en sleepte Jegor met zich mee. Ze hield hem nog steeds met één hand vast, terwijl ze de andere om zijn keel geklemd hield. Een gijzelaar... heel handig tegen de krachten van het Licht. En misschien zelfs tegen de krachten van het Duister?

'Seboelon, wij hebben een afspraak,' zei ik. Ik legde mijn hand op de rug van Tijgerjong. 'Zij is van jou. Neem haar mee, tot het proces begint. We houden ons aan het Verdrag.'

'Ik neem hen allebei...' Zonder iets te zien, keek Seboelon naar voren. De wind sloeg in zijn gezicht, maar de ogen van de tovenaar, die nooit knipperden, waren wijd open alsof ze van glas waren. 'De vrouw en de jongen zijn van ons.'

'Nee, alleen de vampierin.'

Ten slotte keurde hij me toch nog een blik waardig.

'Adept van het Licht, ik neem alleen wat me toekomt. Ik hou me aan het Grote Verdrag. De vrouw en de jongen zijn van ons.'

'Jij bent sterker dan ieder van ons,' zei ik. 'Maar jij bent alleen, Seboelon.'

Treurig en medelijdend schudde de tovenaar van het Duister zijn hoofd.

'Nee, Anton Gorodetski.'

Ze kwamen achter de opbouw van de lift vandaan: een man en een vrouw, beiden jong. Ze kwamen me bekend voor. Maar al te bekend.

Alissa en Pjotr. De beide heksen van de Dagwacht.

Seboelon zei zachtjes tegen de jongen: 'Jegor! Begrijp je wat het verschil is tussen ons? Aan welke kant geef jij de voorkeur?'

De jongen zweeg. Maar misschien alleen maar omdat de klauwen van de vampierin tegen zijn keel drukten.

'Is er soms een probleem?' vroeg Tijgerjong met een schorre stem.

'Hm,' erkende ik.

'Jullie beslissing?' vroeg Seboelon alleen maar. Zijn Wachters zwegen, bemoeiden zich er niet mee.

'Ik vind dit maar niks,' zei Tijgerjong. Ze liep een stukje in de richting van Seboelon en haar staart zwiepte onverbiddelijk tegen mijn knieën. 'Mij bevalt het standpunt dat de Dagwacht in deze inneemt helemaal niks.'

Kennelijk was Beer het met haar eens: als die twee samenwerkten, was er altijd maar eentje die het woord voerde. Ik keek naar Ilja. Deze draaide de staaf in zijn handen en glimlachte, een mismoedig, bedrukt lachje. Als een kind dat in plaats van een speelgoedpistool een geladen Uzi mee had genomen naar zijn vrienden. Het liet Semjon kennelijk allemaal koud. Hij trok zich nergens iets van aan; hij trainde al zeventig jaar in vechten op daken.

'Seboelon, spreek jij namens de Dagwacht?' vroeg ik.

Heel even lichtte er een vleugje twijfel op in de ogen van de tovenaar van het Duister.

Wat was er hier aan de hand? Waarom had Seboelon onze staf verlaten, waarom maakte hij geen gebruik van de gelegenheid om een onbekende tovenaar met buitengewone krachten op te sporen en over te halen de kant van de

Dagwacht te kiezen? Een dergelijke kans liet je niet liggen, zelfs niet als het ging om een vampierin met een kleine jongen met een enorme potentie. Waarom wilde Seboelon een conflict aangaan?

En waarom, waarom aarzelt hij in vredesnaam – dat zie ik toch, zonder twijfel! – om namens de hele Dagwacht op te treden?

'Ik spreek als privépersoon,' zei Seboelon.

'Dan is er dus alleen maar sprake van een paar kleine persoonlijke meningsverschillen,' concludeerde ik.

'Ja.'

Hij wilde de Wachten er niet bij betrekken. Nu waren we alleen nog maar Anderen, weliswaar in dienst en weliswaar ook met een paar opdrachten die we moesten uitvoeren, maar Seboelon gaf er de voorkeur aan om dit conflict niet te laten escaleren tot een officiële confrontatie. Waarom? Was hij zo overtuigd van zijn eigen krachten of was hij bang dat de Chef zou opduiken?

Ik begreep er helemaal niets meer van.

Maar de hamvraag was: waarom had hij de staf verlaten en de zoektocht naar de heksenmeester die Swetlana haar vloek had opgelegd, opgegeven? De Duisteren waren door blijven gaan met hun pogingen deze tovenaar te pakken te krijgen. En nu waren ze bereid daar zomaar van af te zien?

Wat wist Seboelon? Wat wisten wij niet?

'Jullie armzaligen...' begon de tovenaar van het Duister. Hij kon zijn zin niet afmaken: het slachtoffer had de volgende stap gezet.

Ik hoorde Beer brullen, niet-begrijpend, vertwijfeld, en draaide me om.

Jegor, de hele tijd in de rol van gijzelaar en tegen de vampierin aangedrukt, was opgelost... verdwenen.

De jongen was dieper in de Schemer getreden.

De vampierin sloeg haar handen in elkaar, alsof ze hem wilde vasthouden en zo mogelijk vermoorden. Driftig sloegen haar klauwen tegen elkaar, maar raakten geen levend lichaam meer. De vampierin sloeg zichzelf onder haar linkerborst, op haar hart.

Wat jammer dat ze een ondode was!

Beer nam een sprong. Als een levende hoop sneeuw stortte hij zich op de plaats waar vlak daarvoor Jegor nog had gestaan en sloeg de vampierin neer. Haar trillende lichaam raakte helemaal onder zijn massa begraven... Het enige wat eronder uitstak, was de klauwachtige hand die krampachtig tegen zijn harige zijkant sloeg.

Precies op dat moment tilde Ilja de staaf omhoog. Het blauwpaarse licht verbleekte een beetje, voordat de staaf explodeerde en in een witte vlammenzee veranderde. Het leek wel alsof er uit de handen van de speurder een lichtstraal spoot, als van de schijnwerper van een vuurtoren, een verblindende straal die je bijna kon grijpen. Met de grootste moeite zwaaide Ilja zo met zijn handen dat één straal langs de hemel gleed. Zo'n straal hadden ze in Moskou al sinds de oorlog niet meer gezien. Hij zwaaide de lichtstraal langs de hemel en liet deze gigantische lichtknuppel op Seboelon neerkomen.

De tovenaar van het Duister gaf een schreeuw.

Hij werd erdoor geveld en het drukte hem tegen het dak. De lichtzuil ontsproot uit Ilja's handen, steeds beweeglijker en steeds zelfstandiger. Dat was geen lichtstraal meer, geen zuil van vlammen, maar een witte slang die zich kronkelde. De zilveren schubben werden groter. Het ene uiteinde van het gigantische lichaam werd steeds platter en veranderde in een muts. Daaronder vandaan kwam een plat gezicht met starre ogen, groot als de banden van een vrachtwagen. Opeens kwam de tong naar buiten, een dunne, gespleten tong die vlamde als een gasbrander.

Ik sprong opzij, omdat de staart me bijna raakte. De vuurcobra krulde zich op, stortte zich op Seboelon en stootte zijn kop naar achteren in de kronkels van zijn lichaam. Achter de oplaaiende ringen ranselden drie schaduwen op elkaar in, die door de beweging tot troebele strepen vervloeiden. De sprong van Tijgerjong, die zich op de vrouwelijke heks had gestort, en de mannelijke heks van de Dagwacht kon ik gewoon niet zien.

Ilja begon zachtjes te lachen en trok nog een staaf onder zijn gordel vandaan. Nu was het een doffe, die hij duidelijk zelf had opgeladen.

Had hij dan dus een wapen gehad dat speciaal voor Seboelon was bedoeld? Had de Chef geweten wie we zouden tegenkomen?

Ik inspecteerde het dak. Op het eerste gezicht leek het alsof we alles onder controle hadden. Beer had de vampierin klemgezet en mepte wild op haar in. Af en toe kwamen er onderdrukte geluiden onder hem vandaan. Tijgerjong hield de Wachters in bedwang en had zo te zien geen hulp nodig. De witte cobra was bezig Seboelon te wurgen.

De anderen hoefden niets te doen. Ilja, die de staaf klaar hield, bekeek het hele gedoe en leek zich af te vragen op welk groepje hij zich zou storten. Semjon, die niet langer in de vampierin geïnteresseerd was en al helemaal geen aandacht voor Seboelon had, slenterde naar de dakrand en keek naar beneden. Verwachtte hij soms dat er versterking op komst was voor de Duisteren? En ik stond erbij, met dat nutteloze pistool in mijn hand.

De schaduw legde zich al meteen bij mijn eerste poging op de grond. Toen ik erin stapte, voelde ik de kou branden. Niet de kou die de mensen kennen, niet de kou die iedere Andere al eens heeft gevoeld, maar de kou van de diepe Schemer. Hier waaide geen wind meer, hier verdwenen sneeuw en ijs onder je schoenen, hier woekerde geen blauw mos. Hier golfde alleen de nevel; dikke, taaie, vormeloze nevel. Je kon de nevel vergelijken met gestremde melk. Alle vijanden veranderden in troebele schaduwen die zich amper bewogen. Alleen de met Seboelon vechtende cobra was net als tevoren snel en verblindend –

132

dit gevecht vond in alle lagen van de Schemer plaats. Toen ik me voorbereidde, voelde ik me niet goed... Met hoeveel energie was de magische staaf wel niet opgeladen!

Waarom, bij het Duister en bij het Licht? Waarom? Noch de jonge vampierin, noch de jongen, deze Andere, waren dergelijke inspanningen waard!

'Jegor!' riep ik.

De kou ging me door merg en been. Ik was nog maar twee keer eerder in de tweede laag van de Schemer gedrongen. Eén keer tijdens mijn opleiding, samen met mijn docent, en de andere keer was gisteren om door de afgesloten deur te kunnen. Hier had ik geen bescherming en met elke seconde namen mijn krachten verder af.

'Jegor!' Ik liep door de nevel. Achter me hoorde ik doffe slagen – de slang sloeg iemand op het dak, diens lichaam klem in zijn muil. Ik wist zelfs wiens lichaam...

Omdat de tijd hier langzamer verstrijkt, was er een kleine kans dat de jongen nog niet bewusteloos was geraakt. Ik ging naar de plaats waar hij in de tweede laag van de Schemer was gedoken en probeerde iets te herkennen, maar merkte het lichaam op de grond niet op. Ik struikelde, viel, stond weer op, ging op mijn hurken zitten en zat recht tegenover Jegor.

'Ben je in orde?' vroeg ik onnodig. Overbodig, want hij had zijn ogen open en keek me aan.

'Ja.'

Onze stemmen klonken gedempt en dreunend. Vlak bij ons bewogen twee schaduwen: Beer was nog steeds bezig de vampierin te verscheuren. Wat hield ze het lang vol!

En wat hield de jongen het lang vol.

'Laten we gaan,' zei ik en strekte mijn hand naar hem uit en raakte hem even bij zijn schouder aan. 'Dit hier is te veel. We lopen de kans dat we hier voor altijd blijven.'

'Ja, en?'

'Je begrijpt het niet, Jegor! Dit lijden! Als je in de Schemer oplost, dan moet je eeuwig lijden! Dat kun je je gewoon niet voorstellen, Jegor! Kom mee!'

'Waarom zou ik?'

'Om te leven.'

'Waarom zou ik?'

Ik kon mijn vingers niet meer krommen. Het pistool werd zwaar, leek wel uit ijs gegoten. Met een beetje geluk zou ik het nog één of twee minuten langer uithouden...

Ik keek Jegor aan.

'Iedereen moet zijn eigen beslissingen nemen. Ik ga nu. Ik heb iets wat het leven de moeite waard maakt.'

Hij vroeg nieuwsgierig: 'Waarom wil je me redden? Heeft jouw Wacht mij nodig?'

'Ik geloof niet dat je bij onze Wacht zult komen...' zei ik tot mijn eigen verbazing.

Hij lachte. Er gleed opeens een schaduw tussen ons door. Semjon. Had hij iets gemerkt? Was er iets met iemand gebeurd?

En ik zat daar maar, verloor mijn laatste krachten en probeerde de geplande zelfmoord van een kleine Andere te voorkomen – die hoe dan ook al verloren was.

'Ik ga,' zei ik. 'Neem me niet kwalijk.'

De schaduw klemde zich aan me vast, kleefde aan mijn vingers en kroop bij mijn gezicht omhoog. Toen ik me achterwaarts van hem losrukte, siste de Schemer boos, teleurgesteld door mijn gedrag.

'Help me,' smeekte Jegor. Ik kon zijn stem al bijna niet meer horen, omdat ik al bijna uit de Schemer was. Hij had zich op het laatste moment bedacht.

Ik strekte mijn arm uit en greep zijn hand. Overal werd aan me getrokken, de Schemer duwde me naar buiten, terwijl de nevel om me heen versmolt. Mijn hulp was puur symbolisch; het echte werk moest de jongen zelf doen.

En dat deed hij dan ook.

Wij vielen de bovenste laag van de Schemer in. De koude wind sloeg ons in het gezicht en dat voelde heel plezierig. De flauwe bewegingen om ons heen veranderden in een snel handgemeen. De grijze, verbleekte kleuren leken wel licht te geven.

Iets was er veranderd in die seconden waarin wij met elkaar hadden gepraat. De vampierin lag nog steeds onder Beer te trappelen – dat was het niet. De jonge mannelijke heks lag op het dak, dood of bewusteloos. Daarnaast draaiden Tijgerjong en de vrouwelijke heks om elkaar heen – dat was het ook niet. De slang!

De witte cobra was zo opgezwollen, was nu zo bol dat ze een kwart van het dakoppervlak in beslag nam! Het leek wel alsof iemand hem vol met lucht had gepompt en als een vlieger had opgelaten. Maar misschien was ze helemaal op eigen kracht de laaghangende hemel in gevlogen. Semjon stond in de een of andere oude gevechtshouding naast de in elkaar vervlochten wendingen van het vlammenlichaam. Uit zijn handen sloegen kleine oranje kogels tegen de spoel van witte vlammen aan. Hij richtte niet op de cobra, maar op iemand die eronder lag. Iemand die allang dood had moeten zijn, maar nog steeds bleef doorvechten.

Een explosie!

Een wervel van licht, flarden van donker. Ik werd ruggelings op de grond gesmeten. Ik sleurde Jegor mee in mijn val, maar het lukte me nog om zijn hand te grijpen. Tijgerjong en de vrouwelijke heks lieten elkaar los, vlogen naar de dakrand en bleven doodstil bij het hek liggen. Beer was door de vampierin omlaag getrokken; ze was gewond en verminkt, maar leefde nog. Semjon stond te wankelen, maar nog wel rechtop; hij werd afgeschermd door een dof oplichtende beschermingslaag. De enige die naar beneden stortte, was de bewusteloze mannelijke heks: hij viel door het verroeste hekwerk heen en buitelde als een natte zak naar beneden.

Alleen Ilja stond er nog alsof hij wortel had geschoten. Ik zag geen bescherming om hem heen, maar net als tevoren bekeek hij het hele gebeuren nieuwsgierig en hield de staaf stevig vast.

De restanten van de vlammencobra stoven op, wervelden als lichtgevende wolkjes waar de vonken van afspatten die in lichtstralen vervlogen. Onder dit vuurwerk stond Seboelon langzaam op en spreidde zijn armen in een ingewikkeld magisch gebaar. Tijdens de vechtpartij waren zijn kleren van hem afgescheurd, zodat hij nu helemaal naakt was. Zijn lichaam was veranderd en vertoonde nu de klassieke kenmerken van een demon: in plaats van huid doffe schubben, een verkeerd gevormde schedel, in plaats van haren een vervilte pels en kleine ogen met verticale pupillen. Tussen zijn benen bungelde een veel te groot lid en aan zijn achterste zag ik een korte, gespleten staart.

'Ga weg!' riep Seboelon. 'Ga weg!'

Wat was er aan de hand in de mensenwereld? Uitbarstingen van dodelijk verlangen en redeloze, blinde vreugde, hartaanvallen, ondoordachte handelingen, ruzies tussen de beste vrienden, bedrog van trouwe geliefden... De mensen zien niet wat hier gebeurt, maar hun ziel wordt er wel door beroerd.

Waarom?

Waarom doet de Dagwacht dit allemaal?

Op dat moment voelde ik opeens een rust over me komen. Een koude, nuchtere en al bijna vergeten rust.

Een gecombineerde zet. Als ik eens aannam dat alles verliep zoals de Dagwacht het had gepland... laten we daar eens van uitgaan. En dan verbinden we alle toevalligheden met elkaar, te beginnen met mijn jacht in de metro...

Nee, we beginnen met het moment waarop de jonge vampier voor onze ogen als voedsel het meisje kreeg toegewezen op wie hij hopeloos verliefd werd.

Mijn gedachtestroom was nu zo trefzeker alsof ik was gehersenspoeld, in het bewustzijn van een ander mens was gekropen zoals onze analisten dat wel eens doen. Nee, zo was het natuurlijk niet, maar een paar stukjes van deze puzzel kwamen opeens in beweging, namen een andere plaats op de tafel in, kwamen tot leven en voegden zich voor mijn ogen samen.

De Dagwacht wás helemaal niet geïnteresseerd in de vampierin!

De Dagwacht zou het vanwege een jongen die in potentie grote capaciteiten had niet op een conflict laten aankomen.

Er was maar één reden waarom de Dagwacht zoiets op touw zou zetten.

De tovenaar van het Duister met een legendarische potentie.

De tovenaar van het Duister die hun positie zou versterken – niet alleen in Moskou, maar op het hele continent.

Maar ze zouden hem toch ook zó wel hebben gekregen? Wij hebben immers beloofd dat wij de tovenaar van het Duister aan hen zouden overlaten...

Deze onzichtbare tovenaar was de X-factor. De enige onbekende grootheid in de vergelijking. Jegor zou je als de factor Y kunnen beschouwen: zijn weerstand tegen de magie was al té ontwikkeld voor een beginneling onder de Anderen. Desondanks was de jongen een bekende grootheid, maar dan wel eentje met een onbekende factor. Die bewust in de vergelijking was opgenomen. Om hem ingewikkelder te maken.

'Seboelon!' schreeuwde ik. Achter mijn rug rolde Jegor om; hij had willen opstaan, maar gleed toen uit op het ijs. Semjon, met zijn bescherming nog steeds intact, ging bij de tovenaar vandaan. Ilja keek volstrekt onaangedaan naar alles wat er gebeurde. Beer liep naar de vampierin die probeerde op te krabbelen. Tijgerjong en de heks Alissa doken alweer op elkaar. 'Seboelon!'

De demon keek me aan.

'Ik weet om wie jullie vechten!'

Nee, toch wist ik het nog niet. Maar langzaam begon het me te dagen, want de puzzel werd één geheel en ik zag een mij bekend gezicht...

De demon opende zijn muil – zijn kaken klapten naar links en naar rechts, zoals bij een kever. Hij deed me steeds meer aan een gigantisch insect denken; zijn schubben waren aan elkaar gegroeid tot een pantser, zijn genitaliën en zijn staart waren gekrompen, terwijl aan zijn zijden nieuwe extremiteiten groeiden.

'Dan ben je... dood.'

Zijn stem klonk nog net als eerst, maar bedachtzamer nu, en intelligenter. Seboelon strekte zijn arm naar me uit. Deze werd naar achteren toe steeds langer; er groeiden steeds nieuwe gewrichten aan.

'Kom hier...' fluisterde Seboelon.

Iedereen verstijfde. Behalve ik. Ik liep naar de tovenaar van het Duister toe. Van de mentale bescherming, waar ik jarenlang aan had gewerkt, was geen spoor meer over. Het ging mijn krachten te boven, verre te boven, om me tegen Seboelon te verzetten.

'Blijf staan!' brulde Tijgerjong en keerde zich af van de toegetakelde, maar grijnzende heks. 'Blijf staan!'

Ik had maar al te graag naar haar geluisterd, maar ik kon het niet.

'Anton...' hoorde ik achter me. 'Draai je om...'

Dat kon ik wel. Toen ik mijn hoofd omdraaide, scheurde ik mijn blik los van de barnsteenkleurige ogen met de verticale pupillen.

Daar zat Jegor, gehurkt. Hij was niet sterk genoeg om op te staan. Het was verbazingwekkend dat hij nog bij bewustzijn was, want hij kreeg geen energie meer van buitenaf. De aanvoer, die de interesse van de Chef had opgewekt en die er vanaf het begin was geweest, was gestopt. De X-factor. In het spel gebracht om de situatie gecompliceerder te maken.

Aan Jegors hand bungelde de koperen ketting met de kleine amulet.

'Vang!' riep de jongen.

'Vang hem niet!' riep Seboelon. Maar te laat, want ik had de amulet die voor mijn voeten was terechtgekomen al gegrepen. Toen ik de amulet aanraakte, voelde het alsof ik een gloeiend kooltje in mijn hand had.

Ik keek naar de demon en schudde mijn hoofd. 'Seboelon... je hebt geen macht meer over me.'

De demon brulde en kwam op me af. Macht had hij niet meer, maar nog wel meer dan genoeg kracht.

'Nou, nou,' zei Ilja schoolmeesterachtig.

De ruimte tussen ons werd doorsneden door een loden, witte muur. Seboelon gaf een schreeuw, want hij rende tegen de magische barrière op – een web van zuiver wit licht – dat hem achteruit gooide. Hij schudde zijn verbrande poten met een grappig gebaar heen en weer; zo zag hij er eerder lachwekkend uit dan angstaanjagend.

'Een combinatie met meerdere zetten?' zei ik. 'Heel eenvoudig, hè?'

Alles op het dak verstomde. Tijgerjong en de heks Alissa stonden naast elkaar en probeerden niet langer over elkaar heen te vallen. Semjon keek afwisselend van mij naar Ilja en ik wist niet wie van ons tweeën hem het meest verbaasde. De vampierin jammerde zachtjes voor zich heen en probeerde op te staan. Ze was er slechter aan toe dan de anderen. Zij had al haar krachten gegeven om levend uit het gevecht met Beer te komen, en nu deed ze haar uiterste best te regenereren. Met onvoorstelbaar veel moeite dook ze uit de Schemer op en veranderde in een vage silhouet.

Zelfs de wind leek opeens te zijn gaan liggen...

'Hoe maakt men van een mens een tovenaar van het Duister die door en door puur is?' vroeg ik. 'Hoe trekt men een mens naar de kant van het Duister die niet kan haten? Men kan overal moeilijkheden voor hem veroorzaken – steeds maar weer, in de hoop dat hij boos wordt... Maar dat levert niets op. Deze mens toont steeds weer dat hij te puur is... deze vrouw.'

Ilja begon zachtjes en instemmend te lachen.

'Het enige wat ze kan haten...' – ik keek Seboelon aan; in zijn ogen was alleen nog maar machteloze woede te zien – '...is zichzelf. En dan deze verrassende zet. Een ongebruikelijke. Men zorgt ervoor dat haar moeder ziek wordt. Zodat het meisje zich suf piekert, zich schaamt voor haar zwakheid en hulpeloosheid. Waar het op aankomt, is dat we haar zo in een hoek drijven dat ze alleen nog maar kan haten. Ook al is die haat alleen op haarzelf gericht, maar toch: haat. Natuurlijk is er dan kans op een mogelijke vertakking. De kleine kans dat een enkele medewerker van de Nachtwacht, een onervaren buitendienstmedewerker...'

Mijn benen knikten; ik ben er echt niet aan gewend om zo lang in de Schemer te blijven. Ik zou voor Seboelon door de knieën zijn gegaan en dat had ik absoluut niet gewild. Maar Seboelon sloop door de Schemer naar me toe en pakte me bij de schouders vast. Waarschijnlijk doet hij dit al honderdvijftig jaar lang.

'... Een onervaren buitendienstmedewerker,' herhaalde ik. 'Die wijkt zomaar van het gebruikelijke schema af. Hij beklaagt of troost de vrouw niet, voor wie medelijden dodelijk zou zijn geweest. En dus moet men hem van dit project afhalen. Een situatie creëren waardoor hij geen minuut rust heeft. Zodat hij voor een minder belangrijke klus wordt ingeschakeld, en hem ook nog eens door een persoonlijk gevoel van verantwoordelijkheid of sympathie aan deze opdracht binden, met alles wat zich maar voordoet. Daarvoor is het geen probleem een eenvoudige vampier op te offeren, ja toch?'

Seboelon begon zich weer terug te veranderen. Hij nam snel zijn eerdere uiterlijk van een bescheiden intellectualist weer aan.

Vreemd. Waarom? Ik heb gezien wat hij in de Schemer is geworden, voor eens en voor altijd is geworden.

'Een combinatie met meerdere zetten,' herhaalde ik. 'Ik zou durven zweren dat Swetlana's moeder helemaal niet aan een dodelijke ziekte hoeft te sterven. Daar hebben jullie een handje bij geholpen, binnen de grenzen van het toelaatbare, natuurlijk... Maar ook wij hebben onze rechten.'

'Ze is van ons,' zei Seboelon.

'Nee.' Ik schudde mijn hoofd. 'Het inferno zal niet uitbreken. Haar moeder zal weer gezond worden. Ik ga nu naar Swetlana toe en vertel haar alles. De vrouw komt mee naar de Nachtwacht. Jullie hebben verloren, Seboelon. Hoe dan ook verloren.'

De over het dak verspreid liggende kleren kropen naar de tovenaar van het Duister toe, groeiden aan elkaar, sprongen omhoog en omhulden hem: deze treurige, charmante man die zich zo bezorgd maakte om de wereld.

'Niemand van jullie zal hier vandaan gaan,' zei Seboelon. Achter hem wolkte het donker op, alsof er twee zwarte vleugels werden gespannen.

Ilja lachte weer.

'Ik ben sterker dan jullie.' Seboelon keek naar Ilja. 'Jouw geleende krachten zijn niet onuitputtelijk. Jullie zullen voor altijd hier blijven, in de Schemer, in een diepte waar jullie nooit in hebben durven kijken...'

Semjon zuchtte eens en zei: 'Anton, hij heeft het nog steeds niet begrepen.'

Ik draaide me om en vroeg aan Ilja: 'Boris Ignatjewitsj, deze poppenkast is toch zeker niet langer noodzakelijk, wel?'

De jonge, stoere speurder schokte met zijn schouders.

'Natuurlijk niet, Antosjka. Maar ik heb zo zelden het genoegen de Chef van de Dagwacht aan het werk te zien... Vergeef een oude man. Ik hoop dat het voor Ilja in mijn lichaam net zo interessant is geweest...'

Boris Ignatjewitsj nam zijn oude gedaante weer aan. In één klap, zonder theatrale tussenstappen van de metamorfose en zonder lichteffecten. Net als altijd droeg hij zijn kamerjas en zijn kap, maar hij had ook tartarenlaarzen aan van zacht leer met overschoenen erover.

Het was fantastisch om Seboelons gezicht te zien.

De donkere vleugels verdwenen niet, maar werden ook niet groter. Ze bewogen zich onzeker, alsof de tovenaar wilde wegvliegen, maar ook weer niet.

'Maak een einde aan de operatie, Seboelon,' zei de Chef. 'Als jullie je onmiddellijk hiervandaan en uit Swetlana's huis terugtrekken, dan zullen we geen officiële aanklacht indienen.'

De tovenaar van het Duister aarzelde geen seconde.

'We gaan.'

De Chef knikte alsof hij niets anders had verwacht. Je zou bijna gaan denken... Maar hij had de staf laten zakken en de barrière tussen mij en Seboelon was verdwenen.

'Ik zal niet vergeten welke rol je hier hebt gespeeld,' fluisterde de tovenaar van het Duister nog tegen me. 'Nooit!'

'Onthou het maar,' beaamde ik. 'Dat kan geen kwaad.'

Seboelon legde zijn handen op elkaar, de machtige vleugels sloegen in de maat en hij verdween. Daarvoor had de tovenaar nog naar de heks gekeken die hem had toegeknikt.

O, o, dat vond ik maar niets. Na de strijd te worden bespuugd is niet dodelijk, maar wel heel onaangenaam.

Met lichte, dansende schreden die helemaal niet pasten bij het bebloede gezicht en de ontwrichte, naar beneden hangende linkerarm, liep Alissa naar me toe.

'Jij moet ook gaan,' zei de Chef.

'Natuurlijk, met het grootste genoegen,' antwoordde de heks. 'Maar eerst heb ik nog een klein, een heel klein recht. Ja toch, Anton?'

'Ja,' fluisterde ik. 'Een interventie tot en met de zevende graad.'

Op wie zou zij ingrijpen? Op de Chef? Natuurlijk niet. Op Tijgerjong, Beer, Semjon...? Onzin! Jegor? Maar wat zou ze kunnen aanrichten met de geringste vorm van interventie?

'Stel je open,' eiste de heks. 'Stel je open, Anton. Dat is een interventie van de zevende graad. De Chef van de Nachtwacht is mijn getuige: ik ga niet te ver.'

Semjon kreunde luid en drukte zo hard in mijn schouder dat het pijn deed.

'Zij heeft daar het recht toe,' zei ik. 'Boris Ignatjewitsj...'

'Doe het maar,' zei de Chef zacht. 'Ik kijk toe.'

Ik zuchtte en stelde me open voor de heks. Wat kon ze me eigenlijk doen? Niets! Een interventie van de zevende graad – daarmee kon ze me niet naar de kant van het Duister trekken. Dat zou toch belachelijk zijn!

'Anton,' zei de heks zacht. 'Vertel je Chef wat je op het hart hebt. Vertel hem de waarheid. Geef eerlijk en oprecht antwoord. Zoals je moet antwoorden.'

'Een minimale interventie...' herhaalde de Chef. Als er al pijn in zijn stem doorklonk, dan was die zo goed verstopt dat ik het niet kon horen.

'Een combinatie met meerdere zetten,' zei ik en keek Boris Ignatjewitsj aan. 'Aan beide kanten. De Dagwacht offert zijn pion op. Net als de Nachtwacht. Om het grote doel te bereiken. Om een tovenares van grote, ongeëvenaarde kracht aan de eigen kant te krijgen. Een jonge vampier die zo graag wilde liefhebben, kan rustig sterven. Een kleine jongen met de zwakke vaardigheden van de Anderen kan rustig sterven, omkomen in de Schemer. De eigen medewerkers kunnen rustig lijden. Want er is een doel dat alle middelen heiligt. Twee Grote Tovenaars die elkaar al eeuwenlang bestrijden, beginnen weer met een kleine oorlog. En dat bezorgt de tovenaar van het Licht meer werk; hij zet alles op één kaart. Als hij verliest, is dat niet alleen maar onaangenaam... het is een stap de Schemer in, de eeuwige Schemer in. Desondanks zet hij alles op één kaart. Zet zijn eigen mensen in, net als de anderen. Is het niet zo, Boris Ignatjewitsj?'

'Ja,' antwoordde de Chef.

Alissa begon zachtjes te lachen en liep naar het luik. Nu kon ze niet vliegen. Tijgerjong had haar danig door de mangel gehaald. En toch was ze in een goede bui.

Ik keek naar Semjon die mijn blik ontweek. Tijgerjong veranderde langzaam weer in een vrouw, en probeerde ook om mij niet aan te kijken. Beer gaf een luide brul en liep, zonder zijn uiterlijk te veranderen, naar het luik. Hij nam het zwaarder op dan de anderen. Hij is te rechtlijnig. Beer, deze uitstekende vechter en tegenstander van compromissen...

'Jullie zijn schoften, allemaal,' zei Jegor. Hij krabbelde onhandig overeind en dat kwam niet alleen omdat hij uitgeput was – de Chef zorgde al voor hem; ik zag de dunne draadjes kracht die zich in de lucht spanden – maar omdat het in het begin altijd moeilijk is je van je eigen schaduw los te trekken.

Ik volgde hem. Dat was nu geen probleem meer, omdat er in het laatste kwartier zoveel energie in de Schemer was gevloeid dat zijn gebruikelijke agressieve taaiheid was verminderd.

Precies op het moment waarop ik uit de Schemer trad, hoorde ik een walgelijke doffe dreun: de mannelijke heks die van het dak was gevallen, was als een blok op het asfalt neergekomen.

Geleidelijk kwamen de anderen eraan. Een sympathieke vrouw met zwart

haar, bloed onder haar linkeroog en gebroken jukbeenderen; een onverstoorbaar, robuust kereltje; een imposante zakenman in een oriëntaals gewaad...
Beer was al weg. Ik wist wat hij zou doen in zijn woning, in zijn hol: zich een stuk in de kraag drinken en gedichten lezen. Hoogstwaarschijnlijk hardop. En tegelijkertijd televisiekijken.
De vampierin was er ook. Het ging vreselijk slecht met haar; ze gromde iets, schudde haar hoofd en probeerde over haar stukgebeten arm te likken. Uitgeput probeerde deze weer aan elkaar te groeien. Eromheen was alles bespat met bloed... niet met haar bloed natuurlijk, maar met het bloed van het laatste slachtoffer...
'Verdwijn,' zei ik en hief mijn zware pistool. Mijn hand trilde verdacht.
De kogel sloeg kletsend in, drong door in haar lichaam en in de zij van de vrouw gaapte een verschrikkelijke wond. De vampierin kreunde en drukte met haar gezonde hand op de wond. Haar andere arm bungelde aan een paar dunne pezen.
'Dat was niet nodig,' zei Semjon zacht. 'Dat was echt niet nodig, Anton...'
Toch richtte ik nu op haar hoofd. Maar precies op dat moment schoot er een gigantische zwarte schaduw uit de hemel, een vleermuis, zo groot als een condor. Deze spreidde zijn vleugels, schermde de vampierin af en kromde zich door de krampen van de transformatie.
'Zij heeft recht op een proces.'
Ik kon niet op Kostja schieten. Ik stond daar maar en keek naar de jonge vampier die in hetzelfde huis woonde als ik. Hij ontweek mijn blik niet, maar keek me recht en onverzettelijk aan. Hoe lang sluip je al achter me aan, mijn vriend en tegenstander? En waarom? Om een soortgenoot te redden of om te verhinderen dat ik de stap zou zetten die mij tot je aartsvijand zou maken?
Ik haalde mijn schouders op en stak mijn pistool achter mijn riem. Je hebt gelijk, Olga. Alle techniek is onzin.
'Ze heeft inderdaad gelijk,' beaamde de Chef. 'Semjon, Tijgerjong, begeleid haar.'
'Goed,' zei Tijgerjong. Ze keek me aan, niet medelijdend, maar vol begrip. Met lichte pas liep ze naar de vampierin.
'Haar wacht sowieso de maximale straf,' fluisterde Semjon voordat hij haar volgde.
Zo verlieten ook zij het dak: Kostja met in zijn armen de kreunende vampierin die er niets meer van begreep en daarachter Semjon en Tijgerjong die hen zwijgend volgden.
Wij drieën bleven over.
'Jij hebt echt capaciteiten, mijn jongen,' zei de Chef zacht tegen Jegor. 'Niet bijzonder grote, maar de meesten hebben die niet eens. Ik zou het fijn vinden als je mijn leerling zou worden...'

'Sode...' begon Jegor. Uit beleefdheid maakte hij zijn zin niet af. De jongen zat stilletjes te huilen, vertrok zijn gezicht en probeerde zijn tranen in te houden, maar slaagde daar niet in. Een kleine interventie van de zevende graad en dan zou hij zich beter voelen. Hij zou dan begrijpen dat het Licht niet tegen het Duister kan strijden zonder daarbij naar alle wapens te grijpen die hem ter beschikking staan.

Ik hief mijn hoofd op naar de Schemerhemel, opende mijn mond en ving de koude sneeuwvlokken op. Je zou koud moeten worden. Voor altijd. Maar niet zoals in de Schemer. Je zou ijs moeten worden, geen nevel; sneeuw, maar geen modder; zou moeten verstenen, niet smelten...

'Jegor, laten we gaan. Ik breng je naar huis,' opperde ik.

'Ik... het is... immers niet ver,' zei de jongen.

Ik stond daar nog lang, slikte afwisselend sneeuw en wind, en merkte niet dat hij wegging. Ik hoorde de Chef vragen: 'Jegor, kun jij je ouders zelf wekken?', maar zijn antwoord hoorde ik niet.

'Anton, als dit een troost voor je is... de aura van de jongen is niet veranderd,' zei Boris Ignatjewitsj. 'Nog steeds onbepaald...' Hij greep me bij de schouders, een kleine en beklagenswaardige man. Hij deed in niets denken aan de verzorgde ondernemer of de tovenaar van de eerste graad. Hij was niet meer dan een jong gebleven oudere, die weer eens een klein gevecht in een eindeloze oorlog had gewonnen.

'Dat is tenminste iets.'

Dat had ik ook gewild. Geen bepaalde aura. Het eigen lot.

'Anton, er is werk aan de winkel.'

'Ik weet het, Boris Ignatjewitsj...'

'Kun jij alles uitleggen aan Swetlana?'

'Ja, waarschijnlijk wel... Nu kan ik dat wel.'

'Je moet het me maar niet kwalijk nemen, maar ik gebruik dat wat ik heb... Gebruik diegenen die tot mijn beschikking staan. Jullie zijn met elkaar verbonden. Een heel gewoon, mystiek verbond dat niet kan worden verklaard. Niemand had jou kunnen vervangen.'

'Ik begrijp het.'

De sneeuw bleef op mijn gezicht liggen, bevroor op mijn wimpers, liep in stroompjes over mijn wangen. Ik had de indruk dat ik er bijna in was geslaagd om te bevriezen, maar daartoe had ik het recht niet.

'Weet je nog wat ik je heb gezegd? Dat het veel moeilijker is om een Lichte te zijn dan een Duistere...'

'Ja...'

'Voor jou zal dat nog moeilijker worden, Anton. Jij zult verliefd op haar worden. Met haar gaan samenwonen, een tijdje. Dan zal Swetlana verder trekken. En jij zult ervaren hoe ze afstand van je neemt, dat ze zich in kringen ophoudt die ver staan boven die... waar jij toegang toe hebt. Je zult lijden. Daar is niets aan te doen; je hebt alleen in het begin een rol gespeeld. Zo gaat dat met iedere Grote Tovenaar, met iedere Grote Tovenares. Zij gaan over lijken, over de lijken van vrienden en geliefden. Zij kunnen niets anders.'

'Dat begrijp ik toch... Ik begrijp alles...'

'Zullen we gaan, Anton?'

Ik zweeg.

'Zullen we gaan?'

'Komen we niet te laat?'

'Nog niet. Het Licht heeft zo zijn eigen wegen. Ik leid je maar een kort stukje, daarna... daarna moet je je eigen weg vinden.'

'Dan blijf ik hier nog even staan,' zei ik. Ik sloot mijn ogen en voelde hoe de sneeuwvlokken op mijn wangen bleven liggen.

'Als je eens wist hoe vaak ik ook zo heb gestaan,' zei de Chef. 'Precies zo, om in de hemel te kijken en iets af te smeken... De ene keer een zegen, de andere keer een vloek.'

Ik zei niets, want ik wist dat ik tevergeefs zou wachten.

'Anton, ik ben half bevroren,' zei de Chef. 'Ik heb het koud. Zoals een mens. Ik wil een glas wodka drinken en onder een deken kruipen. Gaan liggen en wachten tot je Swetlana hebt geholpen... Tot Olga heeft afgerekend met de Wervel. En dan op vakantie gaan. Iljoesja kan mijn plaats innemen; hij is per slot van rekening al eens in mijn vel gekropen, en dan rij ik naar Samarkand. Ben jij daar wel eens geweest?'

'Nee.'

'Niet heel erg mooi, eerlijk gezegd. Vooral nu niet. Er is daar niets wat mooi is, behalve mijn herinneringen dan. Maar die zijn van mij alleen. Goed, hoe is het met jou?'

'Laten we gaan, Boris Ignatjewitsj.'

Ik wreef de sneeuw van mijn gezicht af.

Iemand wachtte op mij.

En dat is het enige wat ons weerhoudt om te bevriezen.

Tweede verhaal

De eigen kring

Proloog

Zijn naam was Maxim.

Niet echt een weinig voorkomende naam, maar ook weer geen alledaagse naam als Sergej, Andrej of Dima. Welluidend. Een degelijke Russische naam, ook al liggen de wortels ervan bij de Grieken, de Waregers of Zweedse Noormannen en de Scythen.

Ook over zijn uiterlijk was hij wel tevreden. Niet het gelikte uiterlijk van een acteur uit de een of andere serie, maar ook weer niet gewoontjes, geen alledaags gezicht. Een knappe man, die opviel. En ook atletisch, maar geen krachtpatser, geen zichtbare aderen, geen fanatisme dat hem elke dag naar de sportschool dreef.

Hij werkte als accountant bij een grote buitenlandse onderneming. Met zijn inkomen kon hij zich allerlei buitensporigheden veroorloven, maar het was ook weer niet zo hoog dat hij protectiegeld aan criminelen moest betalen.

Alsof zijn beschermengel voor eens en voor altijd had besloten: 'Jouw leven moet een beetje gemakkelijker verlopen dan dat van anderen.' Een beetje, maar toch beter. Maar het allerbelangrijkste was dat Maxim daar helemaal tevreden mee was. Waarom zou hij carrière willen maken, een luxe wagen hebben, naar uitnodigingen voor recepties van de high society hengelen of per se een gigantische woning willen bezitten? Het leven was op zich al mooi, ook zonder al die materiële zaken die je vroeger of later toch wel krijgt. In die zin betekende het leven precies het tegenovergestelde van geld, dat op zich niets waard was.

Natuurlijk dacht Maxim niet op die manier over deze zaken na. Een kenmerk van mensen die een prettig leven leiden, is dat ze dat helemaal normaal vinden. Alles gaat zoals het moet gaan. En als iemand niet krijgt wat hij wenst, dan is dat helemaal zijn eigen schuld. Dan is hij lui en stom geweest. Of heeft overdreven eisen gehad.

Maxim vond de uitdrukking 'overdreven eisen' prachtig. Die klopte precies. Die verklaarde bijvoorbeeld waarom zijn slimme en mooie zus met een dronkaard wegkwijnde in Tambow. Want was het nou echt nodig geweest om naar iets beters en veelbelovenders te streven? Nou, dat had ze dan gevonden. Of zijn oude schoolvriend, die al meer dan een maand met gebroken botten in het ziekenhuis lag. Hij had zijn zaak toch willen uitbreiden? Nou dan. Gelukkig kon hij nog zeggen dat hij het er levend van af had gebracht. En dat zijn concurrenten op de al lang geleden verdeelde markt voor edelmetaal goede manieren bleken te hebben...

En in slechts één geval betrok Maxim de uitdrukking 'overdreven eisen' op zichzelf. Maar dat was een dusdanig bijzonder en ingewikkeld aspect dat hij daar niet eens over wilde nadenken. Het was gemakkelijker om dat niet te doen. Gemakkelijker om te berusten in die vreemde drang die hem af en toe in de lente overviel, vaak ook in de herfst en bij hoge uitzondering midden in de zomer. Dan verjoeg de onverdraaglijke hitte elk greintje gezond verstand, elke waakzaamheid en elk vleugje twijfel aan zijn eigen geestelijke gesteldheid. En Maxim had absoluut niet het idee dat hij schizofreen was. Hij had talloze boeken gelezen en ervaren artsen bezocht, maar was bij hen natuurlijk niet in details getreden.

Nee, hij was normaal. Kennelijk bestond er inderdaad iets wat iemand met gezond verstand niet kon begrijpen. Overdreven eisen... wat slecht. Maar waren ze eigenlijk wel zo overdreven?

Maxim zat in zijn auto, de motor was niet aan. Het was een schone, goed onderhouden Toyota. Niet het duurste en mooiste model, maar een veel betere wagen dan de meeste auto's die in Moskou rondreden. In de ochtendschemering was zelfs van dichtbij niet te zien dat hij achter het stuur zat. Zo had hij de hele nacht gezeten, had naar het getik van de afgekoelde motor geluisterd, was half bevroren, maar had zichzelf niet toegestaan de verwarming aan te doen. Zoals gebruikelijk in dit soort situaties wilde hij niet slapen, en niet roken. Hij wilde niets; hij vond het plezierig om gewoon maar te zitten, onbeweeglijk, een schaduw in zijn langs het trottoir geparkeerde auto, en te wachten. Het enige wat hem stoorde, was dat zijn vrouw weer zou denken dat hij de nacht bij een minnares doorbracht. Maar hoe moest hij haar bewijzen dat hij geen geliefde had, geen langdurige relatie? En dat zijn slippertjes alleen maar bestonden uit de gebruikelijke affaires tijdens vakanties, geflirt op het werk en een enkele hoer tijdens een zakenreisje – en die laatsten had hij niet van het gezinsbudget betaald, maar waren hem aangeboden door klanten. Dat kon je immers niet weigeren; je wilde immers niemand beledigen? Of stel dat ze zouden denken dat hij homo was, zodat ze de volgende keer schandknapen voor hem zouden regelen...

De groen oplichtende cijfers van de klok sprongen op vijf uur. Algauw zouden de conciërges verschijnen, op weg naar hun werk. Dit was een oude wijk, gerenommeerd; hier vond men het belangrijk dat alles schoon was. Gelukkig maar dat het niet regende en ook niet sneeuwde; de winter was afgelopen en had plaatsgemaakt voor de lente met al haar problemen en overdreven eisen...

Hij hoorde een voordeur dichtslaan. Er verscheen een jonge vrouw op straat. Ze bleef even staan en verschoof de riemen van haar schoudertas, een meter of tien bij zijn auto vandaan. Deze stomme huizen zonder tuin; hier werkte hij niet graag en hier zou men ook wel niet graag wonen. Wat had je aan een gerenommeerde wijk als de leidingen aan het verrotten waren, de metershoge muren stijf stonden van de schimmel en er waarschijnlijk spoken rondwaarden?

Maxim glimlachte even en stapte uit. Zijn lichaam functioneerde perfect, zijn spieren waren gedurende de nacht niet ingeslapen, maar leken zelfs nog sterker te zijn geworden. Een goed teken.

Maar toch, het interesseerde hem wel: zouden er eigenlijk spoken bestaan?

'Galina!' riep hij.

De vrouw draaide zich om. Ook dat was een goed voorteken, want anders zou ze zijn weggerend. Een man die je voor dag en douw voor je huis staat op te wachten, is toch verdacht en gevaarlijk?

'Ik ken u niet,' zei ze. Rustig en nieuwsgierig.

'Klopt,' zei Maxim. 'Maar ik ken u wel.'

'Wie bent u?'

'De rechtheer!'

Dit woord beviel hem wel, dit archaïsche, hoogdravende, feestelijke woord. Rechtheer: degene die het recht heeft recht te spreken.

'En over wie wilt u rechtspreken?'

'Over jou, Galina.' Maxim was geconcentreerd en zakelijk. Langzaam werd het hem zwart voor de ogen, ook dat was een goed voorteken.

'O ja?' Toen ze hem snel even aankeek, zag Maxim een geelachtig vuur in haar pupillen. 'Maar denkt u dat u daar ook in zult slagen?'

'Dat zal ik,' antwoordde Maxim en hief zijn arm. Hij had de dolk al in zijn hand, een smal, dun houten wapen. Het had ooit een lichte kleur gehad, maar het was in de afgelopen drie jaar donkerder geworden, doordrenkt...

De vrouw gaf geen kik toen het houten lemmet onder haar hart haar lichaam binnendrong.

Ook deze keer voelde Maxim weer die angst, een korte en verzengende golf van schrik... Had hij misschien toch een fout gemaakt? Ondanks alles?

Met zijn linkerhand greep hij het houten kruis dat hij altijd op zijn borst droeg. Zo stond hij daar: met in zijn ene hand de houten dolk en de andere stevig om het kruis heen. Daar stond hij, tot de vrouw begon te veranderen...

Het ging snel. Het ging altijd snel: de transformatie in een dier en weer terug in een mens. Een paar seconden lag er een dier op de stoep, een zwarte panter met een verstarde blik en ontbloot gebit, een slachtoffer van de jacht, gekleed in een zakelijk pakje, met een panty aan en schoenen om de kleine voeten. Daarna werd het proces weer teruggedraaid.

Maxim verbaasde zich minder over deze snelle en normaal gesproken vertraagd op gang komende transformatie dan over het feit dat de dode vrouw geen zichtbare wond had. Het korte moment van haar metamorfose had haar gereinigd, genezen. Er zat alleen nog een gat in haar blouse en in haar colber-tje.

'Geloofd zij u, Heer,' fluisterde Maxim en keek neer op de dode diervrouw. 'Geloofd zij U, Heer.'

Hij had niets in te brengen tegen de rol die hem in dit leven was toebedeeld. Toch drukte die rol zwaar op hem, hij die geen overdreven eisen stelde.

1

Die ochtend merkte ik dat de lente echt haar intrede had gedaan.

De vorige avond had er nog een heel andere lucht boven de stad gehangen, hingen er nog wolken boven Moskou en rook je nog vochtige, modderige wind en de nog niet gevallen sneeuw. Je wilde je dieper in je luie stoel nestelen, een video met de een of andere luidruchtige en stompzinnige – dus Amerikaanse – film opzetten, een glas cognac drinken en daar lekker bij in slaap vallen.

De volgende ochtend was alles veranderd.

Met de zwier van een geroutineerde tovenaar was er een lichtblauwe doek over de stad gelegd en door straten en pleinen gehaald alsof daarmee de laatste sporen van de winter waren weggeveegd. En zelfs de hopen bruine sneeuw in de hoeken en de goten wekten niet de indruk dat het beginnende voorjaar iets over het hoofd had gezien, maar leken bij het plaatje te horen. Als een aandenken...

Glimlachend liep ik naar de metro.

Vaak is het heel fijn om een mens te zijn. Dit leven leefde ik al een week: ik ging naar mijn werk, maar bleef altijd op de eerste verdieping. Ik had ruzie met de server die een serie merkwaardige hebbelijkheden aan de dag legde, installeerde voor de meisjes van de boekhouding nieuwe programma's waarvan noch zij, noch ik de noodzaak inzagen. 's Avonds ging ik naar de schouwburg of een voetbalwedstrijd, of naar een bar of een restaurant. Het maakte niet uit waarnaartoe, als het maar rumoerig was en vol mensen. Het is nog interessanter om een mens in de massa te zijn dan om alleen maar een mens te zijn.

Op het kantoor van de Nachtwacht – gevestigd in een gebouw van drie verdiepingen dat we van onze eigen dochteronderneming huurden – waren natuurlijk in geen velden of wegen mensen te bekennen. Zelfs de drie oude werksters waren Anderen. Zelfs de potige bewakers bij de entree, die kwajongens en vertegenwoordigers moesten afschrikken, bezaten een magisch potentieel. Zelfs de loodgieter – een zuiplap zoals iedere fatsoenlijke loodgieter in Moskou – was een tovenaar... Hij zou zelfs een redelijke tovenaar zijn geweest als hij niet aan de drank verslaafd was geraakt.

De twee onderste verdiepingen zagen er onopvallend uit. Tot hier mocht de fiscale recherche komen, maar ook onze zakenpartners uit de mensenwereld en onze beschermheren. Deze beschermheren op hun beurt moesten aan de Chef belasting afdragen – maar dat ging het gewone voetvolk niets aan, toch? Ook de gesprekken die hier werden gevoerd, waren heel alledaags. Politiek, belastingen, inkopen doen, het weer, avontuurtjes van anderen en de eigen amoureuze avonturen. De vrouwen roddelden over de mannen en wij deden niet voor hen onder. Men flirtte met elkaar, beraamde intriges om de poten onder de stoel van de directe leidinggevende weg te zagen en besprak de kansen op een bonus.

De rit naar Sokol duurde een halfuur. Ik verliet de metro. Hier buiten was het lawaaiig en de lucht was vergeven van de uitlaatgassen. En toch, het was lente.

Ons kantoor is niet in de slechtste wijk van Moskou gevestigd. En al helemaal niet vergeleken met de plek waar het hoofdkantoor van de Dagwacht is gevestigd. Maar hoe je het ook wendt of keert, het Kremlin is niets voor ons: de sporen die het verleden op het Rode Plein en op de oude stenen muren heeft gedrukt, zijn nog maar al te duidelijk zichtbaar. Misschien verdwijnen die nog eens, maar tot nu toe ziet het er daar niet naar uit... helaas.

Vanaf het metrostation ging ik te voet, want het was niet zo ver. Ik zag alleen maar vrolijke gezichten om me heen, verwarmd door de zon en door de lente. Daarom hou ik zo van dit seizoen: dat vermindert het gevoel van sombere machteloosheid. En je komt minder vaak in de verleiding...

Een van de bewakers stond voor de ingang te roken. Hij knikte vriendelijk naar me; het was niet zijn taak om heel erg streng te controleren. Boven was ik degene die de computer in hun kamer op internet kon aansluiten en er een paar nieuwe spelletjes op kon installeren, of ervoor kon zorgen dat ze alleen toegang hadden tot interne informatie en de personeelsdossiers.

'Je bent laat, Anton,' zei hij opgewekt.

Ik keek twijfelend op mijn horloge.

'De Chef heeft iedereen naar de vergaderzaal laten komen. Ze zijn al naar je op zoek.'

Dat was vreemd, omdat ik normaal gesproken niet bij de ochtendbespreking aanwezig hoefde te zijn. Zou er iets mis zijn met het besturingssysteem? Waarschijnlijk niet, want dan hadden ze me wel uit bed gebeld; dat zou niet de eerste keer zijn.

Ik knikte en liep snel door.

Er is wel een lift in het gebouw, maar die is heel oud. Daarom rende ik maar liever de trap op naar de derde verdieping. Voor de trap naar de derde verdieping stond nog een bewaker, die veel belangrijker was. Garik had dienst. Toen ik vlak bij hem was, kneep hij zijn ogen half dicht en keek door de Schemer om mijn aura te scannen en om de tekens te controleren die alle Wachters op het lichaam dragen. Pas daarna zei hij: 'Schiet eens op.'

De deur naar de vergaderzaal stond op een kier. Ik liep snel naar binnen: er waren al dertig medewerkers, voornamelijk buitendienstmedewerkers en analisten. De Chef liep heen en weer voor een kaart van Moskou en knikte. Ondertussen zei Witali Markowitsj, zijn plaatsvervanger voor de marketingafdeling, een zeer zwakke tovenaar maar wel een geboren zakenman: 'Op deze manier dekken we de lopende kosten helemaal af, zodat er geen enkele noodzaak is om, eh, terug te vallen op bijzondere financiële transacties. Als de vergadering mijn voorstellen steunt, kunnen we de salarissen van onze medewerkers, in eerste instantie natuurlijk van de buitendienst, iets verhogen. Ook de betalingen bij tijdelijke arbeidsongeschiktheid evenals de uitkeringen voor de gezinnen van overleden medewerkers zouden, eh, een beetje worden verhoogd. Dat kunnen we ons wel permitteren...'

Grappig wel dat tovenaars die lood in goud, kool in diamanten en repen papier in fonkelnieuwe creditcards kunnen veranderen, economisch actief worden. Maar in feite slaan ze hiermee twee vliegen in één klap. Aan de ene kant geeft men de Anderen die zo weinig capaciteiten hebben dat ze er niet van kunnen leven iets te doen. Aan de andere kant vermindert men op deze manier het risico dat het evenwicht van de krachten wordt verstoord.

Toen ik binnenkwam, knikte Boris Ignatjewitsj me even toe.

Hij zei: 'Dank je wel, Witali. Volgens mij is de situatie nu wel duidelijk en is er op jullie werkzaamheden niets aan te merken. Zullen we stemmen? Dank je wel. Zo, nu we er allemaal zijn...'

Onder de alerte blik van de Chef sloop ik naar een lege stoel en ging zitten.

'... kunnen we ons nu met het belangrijkste onderwerp bezighouden.'

Semjon, die naast me zat, boog zich even naar me over en fluisterde: 'Het belangrijkste onderwerp is de betaling van de partijcontributie voor maart...'

Ik kon een grijns niet onderdrukken. Af en toe leek Boris Ignatjewitsj inderdaad wel op een oude partijfunctionaris. Ik vond dat veel minder erg dan wanneer hij zich gedroeg als een middeleeuwse inquisiteur of een generaal buiten dienst, maar misschien was dat een vergissing.

'Het belangrijkste onderwerp is een protest van de Dagwacht dat ik twee uur geleden heb ontvangen.'

Ik begreep hem niet meteen. De Dagwacht en de Nachtwacht zaten elkaar continu in de haren. Elke week werd er wel een protest ingediend; vaak werd dit op regionaal niveau afgehandeld, en vaak ook voor het Tribunaal in Bern gebracht.

Toen realiseerde ik me dat een protest, dat een uitgebreidere vergadering van de Wachters nodig maakte, geen gewoon protest kon zijn.

'De kern van het protest...' De Chef kneedde zijn neuswortel. 'De kern van het protest is dit: vanochtend is in de buurt van de Stolesjnikowsteeg een Duistere vermoord. Ik geef nu een korte beschrijving van het gebeurde.'

Er vielen twee dossiers op mijn schoot, computeruitdraaien. Alle andere aanwezigen kregen ditzelfde geschenk. Ik las de tekst vluchtig door:

Galina Rogowa, vierentwintig jaar... Initiatie op haar zevende, het gezin hoort niet bij de Anderen. Opgevoed onder bescherming van de Duisteren... Mentrix Anna Tsjernogorowa, tovenares van de vierde graad... Toen ze acht jaar oud was, werd besloten dat Galina Rogowa pantervrouw zou worden. Middelmatige capaciteiten...

Ik bladerde met gefronst voorhoofd de paperassen door, hoewel er eigenlijk geen reden was om mijn voorhoofd te fronsen. Rogowa was een Duistere, maar werkte niet in de Dagwacht. Ze hield zich aan de regels van het Verdrag. Ze jaagde niet op mensen. Nooit. Ze had zelfs nog nooit gebruikgemaakt van de twee licenties die ze had gekregen toen ze meerderjarig was geworden en was getrouwd. Ze had zich met magie opgewerkt in het bouwbedrijf Warm Huis en was vervolgens met de onderdirecteur getrouwd. Ze had één kind, een jongen, bij wie geen capaciteiten van een Andere waren vastgesteld. Haar capaciteiten als Andere had ze een paar keer gebruikt, uit zelfverdediging, en één keer had ze haar belager gedood. Maar zelfs toen was ze geen menseneter geworden.

'Er moesten meer van dat soort diermensen zijn, vind je ook niet?' vroeg Semjon. Hij bladerde zijn paperassen door en klakte met zijn tong. Nieuwsgierig zocht ik het einde van het document op.

Aha. Het autopsieverslag. Een snee in haar blouse en in haar colbertje, waarschijnlijk van een dunne dolk. Een gemanipuleerde, want met een gewone ijzeren dolk kon je geen diermens doden... Waar verbaasde Semjon zich dan over?

Ha! Dat was het!

Op het lichaam waren geen verwondingen te zien. Niet één. Als doodsoorzaak werd het totale verlies van levensenergie genoemd.

'Knap hoor,' zei Semjon. 'Ik weet nog hoe ze me tijdens de burgeroorlog op pad hebben gestuurd om een tijgermens op non-actief te zetten. En deze klootzak zat bij de Tsjeka en was niet heel erg slim...'

'Hebben jullie de zaak allemaal doorgenomen?' vroeg de Chef.

'Mag ik iets vragen?' Aan de andere kant van de zaal ging een dun armpje de lucht in. Bijna iedereen schoot in de lach.

De Chef knikte. 'Toe maar, Joelja.'

De jongste medewerker van de Wacht ging staan en streek onzeker het haar uit haar gezicht. Een lieve meid, al was ze nog wel wat kinderlijk. Maar ze hadden haar niet zomaar op de analytische afdeling geplaatst.

'Boris Ignatjewitsj, volgens mij hebben we hier te maken met een magische invloed van de tweede graad. Of de eerste?'

'Waarschijnlijk tweede graad,' bevestigde de Chef.

'Dat betekent dat alleen u het kunt hebben gedaan...' Joelja zweeg even, verlegen. 'Of Semjon... Ilja... of Garik. Klopt dat?'

'Garik kan dit niet hebben gedaan,' antwoordde de Chef. 'Ilja en Semjon waarschijnlijk wel.'

Semjon gromde zoiets als dat hij niet op een dergelijk complimentje zat te wachten.

'Maar de moord kan ook zijn gepleegd door een Lichte die op doorreis in Moskou is,' dacht Joelja hardop. 'Aan de andere kant kan een tovenaar met zoveel kracht amper ongemerkt in de stad zijn aangekomen. Ze moeten zich immers allemaal bij de Dagwacht laten registreren. Dat houdt dus in dat we drie mensen moeten checken. En als die allemaal een alibi hebben, dan kunnen ze ons toch niets verwijten?'

'Joelenka,' zei de Chef knikkend, 'niemand verwijt ons zoiets. Wat er aan de hand is, is het volgende. In Moskou is een Lichte bezig die niet geregistreerd is en die het Verdrag niet kent.'

En dat moet je niet al te gemakkelijk opnemen...

'O, maar dan...' zei Joelja. 'Neem me niet kwalijk, Boris Ignatjewitsj.'

'Je hebt alles prachtig onder woorden gebracht,' zei de Chef knikkend. 'Daarmee zijn we meteen bij de kern van de zaak. We hebben iemand over het hoofd gezien, kinderen. We hebben iemand gemist, iemand door onze vingers laten glippen. Er dwaalt een tovenaar van het Licht door Moskou die grote capaciteiten bezit. Die niets weet... en Duisteren vermoordt.'

'Vermoordt?' vroeg iemand.

'Ja. Ik heb de archieven doorgenomen. Vergelijkbare zaken hebben vorig jaar plaatsgevonden, in de herfst en in de lente, en twee jaar geleden in de herfst. Elke keer waren er geen verwondingen op het lichaam te zien, terwijl er wel sneden in de kleding zaten. De Dagwacht heeft de zaak toen onderzocht, maar niets kunnen vinden. Kennelijk hebben ze de dood van hun mensen als toevallig beschouwd waarvoor nu iemand van de Duisteren moet boeten.'

'En van de Lichten?'

'Ook.'

Semjon schraapte zijn keel. 'Dit is een vreemd periodiek verschijnsel, Boris...' zei hij zachtjes.

'Waarschijnlijk kennen we niet alle gevallen, kinderen. Wie deze tovenaar ook is, hij heeft steeds Anderen met niet bijster sterke capaciteiten gedood, Anderen die wat slordig waren geworden met hun camouflage. Het is ook mogelijk dat hij nog meer, niet-geïnitieerde Anderen of Anderen die de Duisteren niet kennen, heeft vermoord. En daarom stel ik voor...' De Chef liet zijn blik door het vertrek dwalen. 'De analytische afdeling gaat criminele informatie verzamelen en zoekt naar vergelijkbare gevallen. Hou er wel rekening mee dat ze waarschijnlijk niet als moord te boek staan, maar als dood door onbekende oorzaken. Neem de autopsieverslagen door, ondervraag de medewerkers van de lijkenhuizen... Bedenk zelf maar hoe je aan nog meer informatie kunt komen. De wetenschappelijke groep stuurt twee of drie mensen naar de Dagwacht om de lijken te onderzoeken. Die moeten uitzoeken op welke manier hij de Duisteren vermoordt. Laten we hem voor het gemak de Wilde noemen. De buitendienst breidt de patrouilles op straat uit. Zoek hem, kinderen.'

'We doen de hele tijd niets anders dan *iemand* zoeken,' morde Igor ontevreden. 'We zouden een sterke tovenaar wel hebben ontdekt, Boris Ignatjewitsj! Zeker weten!'

'Het kan ook zijn dat hij niet geïnitieerd is,' antwoordde de Chef. 'Zijn capaciteiten komen alleen maar periodiek naar boven...'

'In de lente en in de herfst, net als bij gekken...'

'Ja, Igor, je hebt helemaal gelijk. In de lente en in de herfst. En nu, vlak na de moord, moet de magie op de een of andere manier een afdruk op hem hebben achtergelaten. Dat is een kans, weliswaar een kleintje, maar toch. Aan het werk.'

'Met welk doel, Boris?'

Een paar mensen waren al opgestaan, maar bleven toen nog even staan.

'Het doel is de Wilde te vinden voor de Duisteren hem vinden. Hem te verdedigen, op te leiden en aan onze kant te krijgen. Net als altijd.'

'Duidelijk.' Semjon stond op.

'Anton en Olga, blijven jullie nog even?' zei de Chef kortaf en liep naar het raam.

Alle anderen keken me nieuwsgierig aan toen ze het vertrek verlieten. En ook een beetje jaloers: een speciale opdracht is altijd interessant. Ik keek het vertrek rond, zag Olga en glimlachte naar haar. Ze glimlachte terug.

Niets aan haar deed nog denken aan die vervuilde vrouw op blote voeten die midden in de winter bij mij in de keuken cognac had zitten drinken. Een leuk kapsel, een gezonde huidskleur en in haar ogen... nee, toen keek ze ook al zelfverzekerd rond, maar niet zo koket en zo trots als nu.

Men had haar straf beëindigd, hoewel slechts gedeeltelijk.

'Het bevalt me niets wat hier gebeurt, Anton,' zei de Chef zonder zich om te draaien.

Olga haalde haar schouders op en knikte ten teken dat ik maar antwoord moest geven.

'Hoe bedoelt u dat, Boris Ignatjewitsj?'

'Mij bevalt het niet dat de Dagwacht een protest heeft ingediend.'

'Mij ook niet.'

'Je begrijpt het niet. Net zomin als alle anderen, ben ik bang... Olga, snap jij dan tenminste waar het om gaat?'

'Het is vreemd dat de Dagwacht in een paar jaar tijd niet in staat is geweest een moordenaar te vinden.'

'Ja toch? Kun jij je Kraków nog herinneren?'

'Helaas wel. Denk je dat ze een val voor ons opzetten?'

'Dat is niet uitgesloten...' Boris Ignatjewitsj liep bij het raam vandaan. 'Anton, denk jij dat dit mogelijk is?'

'Ik begrijp het nog niet helemaal,' mompelde ik.

'Anton, laten we eens aannemen dat er inderdaad een moordende eenling ronddoolt, onze Wilde. Hij is niet geïnitieerd. Af en toe komen zijn capaciteiten bovendrijven... dan zoekt hij een Duistere uit en vernietigt hem. Kan de Dagwacht hem dan vinden? O ja, die kan dat wel, dat mag je wel aannemen. Dan kun je je afvragen waarom ze hem nog niet hebben gevonden en uit de roulatie hebben genomen. Hier sterven per slot van rekening Duisteren!'

'Er sterft slechts voetvolk,' zei ik.

'Klopt. Het hoort bij de traditie om pionnen op te offeren...' De Chef zweeg toen hij mijn blik opving. 'Bij de traditie van de Wacht.'

'Van de Wachten,' zei ik wraakzuchtig.

'De Wachten,' herhaalde de Chef vermoeid. 'Dat ben ik niet vergeten... Laten we eens nagaan wat we tot dusver hebben ontdekt. Zou de totale Nachtwacht moeten worden beschuldigd van nalatigheid? Dat zou onzinnig zijn. Wij moeten het gedrag van de Duisteren controleren en erop toezien dat de ons bekende Lichten het Verdrag naleven. Het is echter niet onze taak om de een of andere geheimzinnige gek op te sporen. Hier heeft alleen de Dagwacht schuld aan...'

'De provocatie heeft dus betrekking op één bepaalde persoon?'

'Heel goed, Anton. Weet je nog wat Joelja zei? Je kunt onze mensen die hiertoe in staat zijn op de vingers van één hand tellen. Dat is bewezen. Laten we aannemen dat de Dagwacht iemand beschuldigt van het overtreden van het Verdrag. Beweert dat een van onze vaste medewerkers, die het Verdrag goed kent, eigen rechter speelt en op eigen initiatief met de Duisteren afrekent...'

'Maar dat kunnen we toch gemakkelijk van de hand wijzen. We hoeven alleen maar die Wilde te vinden...'

'En wat als de Duisteren hem eerder vinden dan wij? Maar dat aan niemand vertellen?'

'Hoe zit het met een alibi?'

'En hoe zit het als die moorden steeds zijn gepleegd op een tijdstip waarvoor er geen alibi is?'

'Dan komt het voor het Tribunaal, met onbeperkte ondervraging,' zei ik somber. Het is geen pretje als in je onderbewustzijn alles ondersteboven wordt gehaald.

'Een sterke tovenaar, en deze moorden zijn door een sterke tovenaar gepleegd, kan zich zelfs voor het Tribunaal afsluiten. Hij kan het niet om de tuin leiden, maar zich wel afsluiten. Sterker nog, Anton, bij een Tribunaal waar ook Duisteren aan deelnemen, moet hij dat zelfs doen. Anders krijgt de vijand veel te veel informatie. Maar een tovenaar die zich tijdens een onderzoek afsluit, wordt automatisch schuldig bevonden. Met alle consequenties van dien... voor hem en voor de Wachten.'

'Een somber beeld, Boris Ignatjewitsj,' zei ik. 'Een zeer somber beeld. Bijna net zo somber als u deze winter voor mij hebt geschetst, toen in mijn droom. Die kleine Andere met die ongelooflijke krachten, een doorbraak van het inferno die heel Moskou in de as zou leggen...'

'Al goed, maar ik lieg niet tegen je, Anton.'

'Wat wilt u dat ik doe?' vroeg ik hem op de man af. 'Dit is toch helemaal niets voor mij. Moet ik de analisten helpen? We analyseren toch alles wat men ons voorlegt.'

'Ik zou willen dat je probeert uit te vinden wie van ons gevaar loopt, Anton. Wie een alibi heeft voor alle bekende gevallen en wie niet.'

De Chef stak zijn hand in een zak en haalde er een cd-rom uit. 'Hier... Dit zijn de complete dossiers van de afgelopen drie jaar. Van vier personen, inclusief mijzelf.'

Ik slikte eens en nam het schijfje aan.

'De wachtwoorden zijn gewist. Je begrijpt natuurlijk wel dat niemand anders deze informatie mag inzien. Je mag deze informatie niet kopiëren. Codeer je berichten en grafieken... en wees niet zuinig met de lengte van de sleutels.'

'Ik heb een assistent nodig,' zei ik onzeker. Ik keek naar Olga. Maar hoe zou zij me kunnen helpen? Haar computerkennis beperkte zich tot het spelen van spelletjes, zoals *Heksen* en *Heretic*.

'Jij moet zelf mijn gegevens controleren,' zei de Chef aarzelend. 'Voor de anderen kun je Anatoli inschakelen. Afgesproken?'

'Maar wat moet ik dan doen?' vroeg Olga.

'Jij gaat hetzelfde doen, met dat verschil dat jij de mensen persoonlijk ondervraagt. Hen verhoort, om precies te zijn. Je begint met mij en daarna doe je de drie anderen.'

'Goed, Boris.'

'Aan het werk, Anton.' De Chef knikte. 'Begin meteen. Laat je andere opdrachten maar aan je meisjes over, die kunnen dat wel aan.'

'Moet ik de gegevens ook veranderen?' vroeg ik. 'Voor het geval iemand geen alibi heeft, moet ik hem er dan een geven?'

De Chef schudde zijn hoofd. 'Nee, dat is niet de bedoeling. Ik wil niet dat er iets wordt vervalst. Ik wil mezelf ervan overtuigen dat niemand van ons iets met deze moorden te maken heeft.'

'Meent u dat nou?'

'Ja, want niets in deze wereld is onmogelijk. Het verschil is, Anton, dat ik weet dat ik je deze opdracht kan toevertrouwen. En dat je die gedegen zult uitvoeren. Ongeacht om wie het dan gaat.'

Hoewel iets me ongerust maakte, knikte ik en liep naar de deur met het waardevolle schijfje stevig in mijn hand. Pas op het allerlaatste moment durfde ik mijn vraag te stellen en draaide me nog één keer om. 'Boris Ignatjewitsj...'

De Chef en Olga weken onmiddellijk uit elkaar.

'Boris Ignatjewitsj, u hebt me de gegevens van vier mensen gegeven.'

'Ja.'

'Van uzelf, Ilja, Semjon...'

'En van jezelf, Anton.'

'Waarom?' vroeg ik verbijsterd.

'Tijdens die confrontatie op het dak ben je drie minuten in de tweede laag van de Schemer doorgedrongen. Anton... dat is het derde krachtniveau.'

'Dat kan niet,' antwoordde ik slechts.

'Toch wel.'

'Boris Ignatjewitsj, u zegt altijd zelf dat ik maar een middelmatige tovenaar ben!'

'Misschien wel omdat ik veel meer behoefte heb aan een fantastische programmeur dan aan nog een goede man voor de buitendienst.'

In een andere situatie zou ik trots zijn geweest. Ook beledigd, maar toch trots. Ik had altijd gedacht dat de vierde graad mijn maximale bereik in de magie was, en dat ik zelfs dat niveau niet zo snel zou bereiken. Maar nu overstemde de angst alles, die onaangename, kleverige, weerzinwekkende angst. Gedurende de vijf jaar dat ik werkzaam was op een rustige plek bij de staf had ik het afgeleerd om nog ergens bang voor te zijn: niet voor autoriteiten, niet voor criminelen en niet voor ziektes...

'Dat was een interventie van de tweede graad...'

'De scheidslijn is hier erg smal, Anton. Misschien ben je nog wel tot meer in staat.'

'Maar we hebben meer dan tien tovenaars van de derde graad. Waarom ben ik dan juist verdacht?'

'Omdat je Seboelon persoonlijk hebt uitgedaagd. Het Hoofd van de Dagwacht van Moskou te lijf bent gegaan. En hij is zeer wel in staat om een val op te zetten die is toegesneden op Anton Gorodetski. Om preciezer te zijn: een oude val, die hij nog in petto had, adequaat aan te passen.'

Ik slikte eens en verliet het vertrek, zonder nog meer vragen te stellen.

Ons laboratorium bevindt zich ook op de derde verdieping, maar wel in een andere vleugel. Ik liep er snel door de gang naartoe, knikte iedereen die ik tegenkwam toe, maar bleef met niemand staan praten. Ik hield het schijfje steviger vast dan een verliefde puber de hand van zijn aanbedene.

De Chef had toch niet tegen me gelogen?

Kon dit hele gedoe om mij draaien?

Hij had vast niet gelogen. Ik had hem een ondubbelzinnige vraag gesteld en een ondubbelzinnig antwoord gekregen. Natuurlijk, in de loop van de jaren werden ook de Lichtste tovenaars een beetje cynisch en leerden met woorden spelen. Maar de gevolgen van een echte leugen waren zelfs voor Boris Ignatjewitsj te erg.

In de hal bevond zich een elektronisch bewakingssysteem. Ik weet wel dat alle tovenaars techniek belachelijk vinden, en Semjon heeft me zelfs een keer laten zien hoe gemakkelijk een stemanalyseapparaat en een netvliesscanner om de tuin te leiden zijn. Toch had ik aangedrongen op de aanschaf van deze dure speeltjes, zelfs al beschermde dit ons niet tegen een Andere. Maar ik sloot absoluut niet uit dat de jongens van de Federatieve Veiligheidsdienst of van de maffia ooit nog eens op onderzoek zouden uitgaan.

'Eén, twee, drie, vier, vijf...' mompelde ik in de microfoon en keek tegelijkertijd in het objectief van de camera. De elektronische apparatuur had een paar seconden nodig, maar toen begon het groene toegangslampje boven de deur te branden.

Het eerste vertrek was helemaal leeg. De ventilatoren van de servers bromden, de in de muren geplaatste airconditioners bliezen, maar toch was het er warm. En de lente was nog maar net begonnen.

Zonder in het laboratorium van de Synops te kijken, liep ik meteen door naar mijn eigen kantoor. Nou ja, niet helemaal mijn eigen: mijn plaatsvervanger, Tolik, was daar ook gehuisvest. Soms zelfs letterlijk, want hij overnachtte regelmatig op de oude, leren bank.

Op dit moment zat hij achter zijn bureau en keek peinzend naar een oud moederbord.

'Hallo,' zei ik en liet me op de bank vallen. Het schijfje brandde in mijn hand.

'Deze heeft zijn beste tijd gehad.'

'Gooi hem dan weg.'

'Dat doe ik nog wel, maar eerst haal ik de processors eruit...' Tijdens de lange jaren die Tolik bij de door karige overheidsgelden gefinancierde instellingen had doorgebracht, was hij een ijverig voorvechter van voorraadvorming geworden. En hoewel wij geen financieringsproblemen hadden, verzamelde hij zorgvuldig oude computeronderdelen, ook die waar niemand iets aan had. 'Kun jij je dat voorstellen, ik ben al een halfuur met dit ding bezig en resultaat ho maar...'

'Hij is stokoud, wat wil je dan? De apparatuur op de boekhoudafdeling is zelfs nog nieuwer.'

'Je zou dit aan iemand kunnen geven... Misschien kan ik de cache eruit halen...'

'Tolik, we hebben een spoedopdracht,' zei ik.

'O ja?'

'Ja, dus...' Ik hield het schijfje omhoog. 'Hierop staan de dossiers... de complete dossiers van vier medewerkers van de Wacht. Inclusief dat van de Chef.'

Tolik trok de la van zijn bureau open, stopte het moederbord erin en keek naar de cd-rom.

'Ja, dus... Ik zal er drie controleren en jij doet de vierde... die van mij.'

'En wat moet ik controleren?'

'Dit.' Ik liet hem de print zien. 'Het is niet uit te sluiten dat een van de verdachten steeds weer Duisteren vermoord heeft. Niet-gesanctioneerde moorden. Hier staan alle zaken die we kennen. We moeten deze mogelijkheden uitsluiten, anders...'

'En heb jij ze soms vermoord?' wilde Tolik weten. 'Sorry dat ik het vraag.'

'Nee, maar je moet mij niet geloven. Aan het werk dan maar.'

Ik keek zelf niet eerst naar de informatie over mijzelf. Ik kopieerde alle achthonderd megabytes naar Toliks computer en pakte het schijfje weer terug.

'Als ik iets interessants ontdek, moet ik je dit dan laten weten?' vroeg Tolik. Ik keek naar hem terwijl hij de teksten bekeek, aan zijn linkeroor plukte en de muis met regelmatige bewegingen heen en weer schoof. 'Moet je zelf weten.'

'Goed.'

Ik begon met het dossier met de informatie over de Chef. Waarin het materiaal over de Chef was verzameld. Als eerste verscheen het formulier met algemene informatie. Met elke volgende zin stroomde er meer zweet uit mijn poriën.

Natuurlijk gaf het dossier de echte naam en de afkomst van de Chef niet prijs. Voor Anderen met zijn rang werden dit soort zaken in principe niet gedocumenteerd. Toch ontdekte ik elk moment weer iets nieuws. Om te beginnen, was de Chef veel ouder dan ik had gedacht. Zeker honderdvijftig jaar ouder. Dat betekende dat hij erbij was toen het Verdrag tussen de Lichten en de Duisteren werd gesloten. Merkwaardig: alle tovenaars van toen die nog in leven zijn, hebben tegenwoordig een functie bij de hoofddirectie in plaats van een saai baantje als regiodirecteur.

Verder ontdekte ik een aantal namen waaronder de Chef in de geschiedenis van de Wacht had gefunctioneerd, net als zijn geboorteplaats. Daar gisten we steeds naar, sloten weddenschappen af, overlegden 'onweerlegbare' bewijzen. Maar niemand had gedacht dat Boris Ignatjewitsj uit Tibet afkomstig was.

En voor wie hij al eens al mentor heeft gefunctioneerd, dat had ik in mijn stoutste dromen niet kunnen bedenken!

De Chef werkte al vanaf de vijftiende eeuw in Europa. Op grond van indirecte aanwijzingen concludeerde ik dat de reden voor deze radicale woonplaats-verandering een vrouw was. En ik had zelfs een idee welke...

Nadat ik het scherm met de algemene informatie had afgesloten, keek ik naar Tolik. Die zat op dat moment naar een fragment van een video te kijken – natuurlijk was mijn biografie bij lange na niet zo spannend als die van de Chef. Ik keek eens beter naar de bewegende beelden... en werd knalrood.

'Voor de eerste zaak heb je een degelijk alibi,' zei Tolik zonder zich om te draaien.

'Luister even...' begon ik hulpeloos.

'Het is al goed, hoor. Het gaat mij immers niets aan. Ik spoel even vooruit om de hele nacht te controleren...'

Ik stelde me voor hoe de film er versneld afgedraaid zou uitzien en draaide me weer om. Ik had immers altijd al wel gedacht dat de Leiding de medewer-kers controleert, vooral de jongere. Maar toch niet op een dergelijke cynische manier!

'Mijn alibi is niet waterdicht,' zei ik. 'Zo meteen kleed ik me aan en vertrek.'

'Ik zie het al,' bevestigde Tolik.

'Anderhalf uur lang ben ik niet te zien. Ik probeerde toen om ergens cham-pagne te krijgen... en toen ik die had gevonden, ben ik nog even buiten gebleven om wat nuchterder te worden. En heb me afgevraagd of het nog wel de moeite loonde om weer terug te gaan.'

'Maak je niet dik,' zei Tolik. 'Ga jij het liefdesleven van de Chef maar bekij-ken.'

Een halfuur later merkte ik dat Tolik gelijk had. Misschien vond ik deze genadeloze observatie walgelijk, maar Boris Ignatjewitsj had evenveel reden tot klagen.

'De Chef heeft een alibi,' zei ik. 'Een sluitend alibi. In twee gevallen zijn er vier mensen die dat kunnen bevestigen. In een ander geval bijna de complete Wacht.'

'Gaat het hier om de jacht naar die doorgedraaide Duistere?'

'Ja.'

'Zelfs voor die zaak heb je geen alibi. Daar ben je pas de volgende ochtend bijgehaald; de tijdsaanduiding daar is heel onduidelijk. Er is wel een foto van jou op het moment waarop je het kantoor verlaat, maar daarmee houdt het dan ook op.'

'Dat betekent...'

'In theorie zou je die Duisteren vermoord kunnen hebben. Absoluut. En ver-der, sorry hoor Anton, is elke moord gepleegd in een periode waarin je emo-tioneel een beetje labiel was. Waarin je jezelf kennelijk niet meer in de hand had.'

'Ik heb het niet gedaan.'

'Dat weet ik wel. Maar wat moet ik met die gegevens doen?'
'Wis ze maar.'
Tolik dacht even na. 'Er staat niets bijzonders op de harde schijf. Ik zal een *low-level* formattering uitvoeren... Ik had die harde schijf toch allang moeten opschonen.'
'Dank je wel.' Ik sloot het dossier van de Chef af. 'Oké, de anderen kan ik zelf wel doen.'
'Akkoord.' Tolik kreeg zijn tegenstribbelende computer aan de praat en die begon vervolgens aan de formattering.
'Ga maar naar de meisjes,' stelde ik voor. 'Kijk maar somber. Die zijn toch alleen maar aan het patiencen, dat weet ik zeker.'
'Prima,' zei Tolik opgewekt. 'Wanneer ben jij klaar?'
'Over een uur of twee.'
'Dan kom ik weer even binnen.'
Hij liep naar onze 'meisjes', twee jonge programmeurs die grotendeels waren belast met in feite de officiële taak van de Wacht. Ik ging weer aan het werk.
De volgende die aan de beurt was, was Semjon.

Tweeënhalf uur later rukte ik me los van de computer, masseerde mijn nek – die wordt altijd stijf als ik in elkaar gedoken naar het beeldscherm zit te staren – en zette het koffiezetapparaat aan.
Noch de Chef, noch Ilja of Semjon kwamen in aanmerking voor de rol van waanzinnige moordenaar. Ze hadden allemaal een alibi en in enkele gevallen zelfs een waterdicht alibi. Semjon had bijvoorbeeld tijdens een van de moordnachten een vergadering bijgewoond van de Leiding van de Dagwacht. Ilja was toen op dienstreis naar Sachalin. Een paar collega's daar waren in de problemen gekomen en dat was slechts met hulp uit Moskou op te lossen geweest.
Ik was de enige die nog steeds werd verdacht.
Niet dat ik Tolik niet vertrouwde, maar toch bekeek ik mijn gegevens zelf nog een keer. Alles klopte: ik had voor geen enkele zaak een alibi.
De koffie smaakte nergens naar, was bitter. Kennelijk hadden ze de filter al heel lang niet meer ververst. Ik slikte de warme vloeistof door, staarde naar het beeldscherm, haalde mijn mobieltje tevoorschijn en toetste het nummer van de Chef in.
'Zeg het maar, Anton.'
Hij wist altijd wie hem belde.
'Er blijft slechts één verdachte over, Boris Ignatjewitsj.'
'En wie dan wel?'
Zijn stem klonk streng en onpersoonlijk. Toch had ik het idee dat de Chef naakt op zijn leren bank zat – een glas champagne in de ene hand en de ande-

re verstrengeld met die van Olga – en dat hij de telefoon met zijn schouder tegen zijn oor drukte of hem liet zweven.

'Toe maar...' drong de Chef aan. 'Je bent een helderziende van niets. Wie is die verdachte?'

'Ik.'

'Goed.'

'U wist het,' zei ik.

'Waarom denk je dat?'

'Er was geen enkele reden dat juist ik die dossiers moest controleren. Dat had u ook zelf kunnen doen. Dus wilde u dat ik mezelf van het gevaar zou overtuigen.'

'Misschien.' De Chef zuchtte. 'Wat ga je nu doen, Anton?'

'Me voorbereiden op water en brood.'

'Kom naar mijn kantoor. Over, eh, tien minuten.'

'Goed.' Ik verbrak de verbinding.

Eerst ging ik even bij de meisjes langs. Tolik was nog steeds bij hen en ze waren druk aan het werk.

In feite had de Wacht deze verschrikkelijk slechte programmeurs helemaal niet nodig. Ze hadden toegang tot slechts enkele geheimen; het grootste deel van het werk moesten wij doen. Maar waar kon je anders twee heel, heel erg zwakke tovenaressen onderbrengen? Als ze maar bereid waren geweest een normaal leven te leiden – maar nee, ze verlangden naar romantiek, wilden hoe dan ook bij de Wacht werken... En dus had men een taak voor hen verzonnen.

Meestal doodden ze de tijd, surften op internet, speelden een computerspelletje – hun absolute favoriet was patience.

Tolik zat achter een van de computers; wij hadden geen problemen met de apparatuur. Op zijn schoot zat Lena die druk met de muis in de weer was.

'Is dat wat je noemt computeronderwijs?' vroeg ik en keek naar de monsters die over het beeldscherm bewogen.

'Er is geen betere manier om te leren hoe je de muis moet hanteren dan met een computerspel,' zei Tolik met een onschuldig gezicht.

'Tja...' Ik kon geen zinnig antwoord bedenken.

Zelf speelde ik dit soort spelletjes al heel lang niet meer. Net als de meeste medewerkers van de Wacht. Het doden van een monster op het beeldscherm is interessant, tot je er één in het echt ziet. Of als je er al honderd of tweehonderd jaar op hebt zitten en ondertussen wat cynisch bent geworden, zoals Olga...

'Tolik, ik denk niet dat ik vandaag nog terugkom,' zei ik.

'Oké.' Hij knikte alsof hij niets anders had verwacht. De mogelijkheid om in de toekomst te kijken, is bij ons allemaal niet bijzonder sterk ontwikkeld, maar dit soort details weten we meteen.

Ik knikte naar de beide meisjes en zei: 'Goed dan. Dag Galja, dag Lena!' Galja piepte iets vriendelijks terug en liet duidelijk blijken dat het werk haar eigenlijk helemaal in beslag nam.

'Mag ik vandaag iets eerder weg?' vroeg Lena.

'Natuurlijk.'

We liegen niet tegen elkaar. Als Lena vraagt of ze eerder weg mag, dan betekent dit dat het echt nodig is. Wij liegen niet. We verkondigen alleen maar regelmatig spitsvondigheden en halve waarheden...

Op de tafel van de Chef was het een ongelooflijke chaos. Vulpennen, balpennen, losse vellen papier, enveloppen met verbroken zegels en doffe, verbruikte magische kristallen lagen kriskras door elkaar.

Maar de bekroning van de chaos was een spiritusbrander, waarboven in een pannetje een wit poeder pruttelde. De Chef stond er peinzend in te roeren met de punt van zijn dure Parker en wachtte kennelijk op een bepaald resultaat. Het poeder trok zich niets aan van de hitte en ook niet van het roeren.

'Alstublieft.' Ik legde de cd-rom voor de Chef neer.

'Wat doen we nu?' vroeg Boris Ignatjewitsj zonder op te kijken. Hij had zijn colbert uitgetrokken, zijn overhemd was verkreukeld en zijn stropdas opzij getrokken.

Ik keek stiekem even naar de bank. Olga was weliswaar niet meer in de werkkamer, maar op de grond stonden een lege champagnefles en twee glazen.

'Geen idee. Ik heb geen Duistere vermoord – deze in elk geval niet. Dat weet u toch.'

'Ja.'

'Maar ik kan het niet bewijzen.'

'Als ik me niet vergis, hebben we nog een dag of twee, drie,' zei de Chef. 'Dan zal de Dagwacht de aanklacht tegen je indienen.'

'Het is vast niet moeilijk om een vals alibi voor mij te regelen.'

'Zou je daar dan mee akkoord gaan?' wilde Boris Ignatjewitsj weten.

'Natuurlijk niet. Mag ik u iets vragen?'

'Natuurlijk.'

'Waar komt al die informatie vandaan? Waar komen die foto's vandaan en die video-opnamen?'

De Chef zweeg even.

'Dat dacht ik al.'

'Je hebt mijn dossier toch ook bekeken, Anton. Is dat misschien discreter?'

'Nee, waarschijnlijk niet. Daarom vraag ik het immers ook. Waarom gaat u ermee akkoord dat dit soort informatie wordt verzameld?'

'Ik kan dat niet verbieden. De controle is een taak van de Inquisitie.'

De belachelijke vraag 'Maar bestaat die dan echt?' kon ik op het laatste moment inslikken. Maar mijn gezicht sprak waarschijnlijk boekdelen.

De Chef bleef me strak aankijken, alsof hij nog meer vragen verwachtte. Toen zei hij: 'Pas op, Anton. Vanaf nu mag je niet meer alleen zijn. Misschien nog wel in je eentje naar het toilet, maar verder moet je in gezelschap blijven van één of twee getuigen. De kans bestaat dat er nog een moord plaatsvindt.'

'Als het ze echt om mij te doen is, zal er niet nog een moord plaatsvinden zolang ik een alibi heb.'

'En daarom zul je dus ook geen alibi hebben.' De Chef grijnsde. 'Je denkt toch niet dat ik gek ben?'

Ik knikte, onzeker, want ik begreep nog steeds niet waar hij naartoe wilde.

'Olga...'

Er ging een deur open waarvan ik steeds had aangenomen dat het een kastdeur was. Olga liep het vertrek binnen, streek over haar haren en glimlachte. Ze had waarschijnlijk net gedoucht, te zien aan haar spijkerbroek en blouse die aan haar lichaam kleefden. Achter haar zag ik een gigantische jacuzzi en een panoramaraam dat de hele wand in beslag nam, en waarschijnlijk een spiegelraam was.

'Kun jij dat doen, Olga?' vroeg de Chef aan haar. Kennelijk verwees hij naar iets waarover ze eerder hadden gesproken.

'Alleen? Nee.'

'Ik bedoel dat andere.'

'O dat. Ja natuurlijk.'

'Ga met je rug tegen elkaar aan staan,' zei de Chef.

Ik wilde er niet tegenin gaan, maar kreeg wel een onbehaaglijk gevoel. Maar ik vermoedde dat er iets zeer belangrijks stond te gebeuren.

'En stel je open,' eiste Boris Ignatjewitsj.

Ik deed mijn ogen bijna helemaal dicht en ontspande me. Olga's rug was warm en vochtig, zelfs door haar blouse heen. Wat een vreemd gevoel: daar stond ik dan en raakte een vrouw aan die zojuist de liefde had bedreven – maar niet met mij.

Nee, ik was helemaal niet verliefd op haar. Misschien omdat ik nog wist hoe ze er in haar vogellichaam uitzag, of misschien omdat we heel snel vrienden en partners waren geworden. Misschien vanwege de eeuwen die ons van elkaar scheidden: wat betekent een jong lichaam als je het stof van eeuwen in de ogen van de ander kunt zien. We bleven vrienden, meer niet.

Maar tegen een vrouw aan staan wier lichaam zich de liefkozingen van een andere man kan herinneren en je tegen haar aan te vleien, dat is een bijzonder gevoel...

'Laten we beginnen...' zei de Chef, op iets te scherpe toon. Toen sprak hij een paar woorden uit waarvan ik de betekenis niet begreep, woorden in een oude taal die al duizenden jaren op aarde te horen is.

Een vloek.

En dan ook nog eens een echte: alsof de aarde onder onze voeten verdween, alsof ons lichaam zijn gewicht kwijtraakte. Een orgasme in de gewichtloosheid, een dosis LSD rechtstreeks in de bloedbaan, elektroden aan de lustcentra in de hersenschors...

Ik werd overspoeld door zo'n golf van waanzinnige en pure, door niets gerechtvaardigde vreugde, dat de wereld zijn belang voor mij verloor. Ik zou zijn gevallen, maar de kracht die uit de opgeheven armen van de Chef stroomde, hield Olga en mij met onzichtbare draden vast, dwong ons in rare bochten, drukte ons tegen elkaar aan.

En toen raakten de draden verward.

'Neem het ons maar niet kwalijk, Anton,' zei Boris Ignatjewitsj. 'Maar er was geen tijd meer om te wachten of om uitleg te geven.'

Ik zweeg. Ik zat stil en verdoofd op de grond, keek naar mijn handen, naar de slanke vingers met de beide zilveren ringen, naar mijn benen, deze lange, welgevormde benen die nog vochtig waren van het bad en waar een te krappe spijkerbroek omheen knelde, en naar mijn kleine voeten met de glanzende wit met lichtblauwe gympies.

'Dit zal niet voor lang zijn,' verzekerde de Chef mij.

'Wat is dat voor...' Ik wilde gaan schelden – en kromp in elkaar, sprong op en zweeg toen ik mijn eigen stem hoorde. Een diepe, zachte vrouwenstem.

'Anton, kalmeer.' De jongeman die naast me stond, strekte zijn arm uit en hielp me op te staan.

Zonder deze steun was ik vermoedelijk gevallen. Het centrum van mijn gewicht was verschoven. Ik was nu kleiner en zag de wereld vanuit een totaal andere gezichtshoek...

'Olga?' vroeg ik, terwijl ik naar mijn vroegere gezicht keek. Mijn partner en nu ook bewoner van mijn lichaam knikte. Ik keek haar vertwijfeld aan en zag dat ik me die ochtend slecht had geschoren. Bovendien zat er een rood pukkeltje op mijn voorhoofd waar een jongen in de puberteit trots op had kunnen zijn.

'Anton, kalmeer. Voor mij is het ook de eerste keer dat ik van geslacht verander.'

Om de een of andere reden geloofde ik haar. Ongeacht haar leeftijd was het heel goed mogelijk dat Olga zich nog niet eerder in een dergelijke delicate situatie had bevonden.

'Heb je je ingeleefd?' vroeg de Chef.

Ik keek nog steeds naar mijn eigen lichaam, voelde aan mijn gezicht, ving mijn spiegelbeeld op in de glazen deuren van de vitrines.

'Kom mee!' Olga pakte me bij de arm. 'Boris, we zijn zo weer terug...' Haar bewegingen waren even onzeker als de mijne. Misschien nog wel onzekerder. 'Bij het Licht en bij het Duister, hoe lopen jullie mannen in vredesnaam?' riep ze opeens.

Toen proestte ik het uit, zag de ironie van de hele situatie in. Men verborg mij, degene die de Duisteren wilden provoceren, en nog wel in een vrouwenlichaam! In het lichaam van de geliefde van de Chef, die zo oud was als de Notre Dame in Parijs.

Olga duwde me letterlijk de badkamer in – onwillekeurig was ik blij met mijn eigen kracht – en drukte mij boven het bad. Toen spoot ze een straal koud water uit de douchekop in mijn gezicht die ze met vooruitziende blik op de zachtroze tegels had gelegd.

Snuivend maakte ik me los uit haar handen. Ik kon me amper inhouden om haar – of was ik het toch – een klap te geven. Kennelijk werden de motorieke routines van dit vreemde lichaam langzaam wakker.

'Ik heb geen hysterische aanval,' zei ik geïrriteerd. 'Dit is echt belachelijk.'

'Zeker weten?' Olga kneep haar ogen halfdicht en keek me aan. Is dat misschien de manier waarop ik kijk als ik probeer welwillendheid uit te stralen, vermengd met een beetje twijfel?

'Zeer zeker niet.'

'Kijk dan naar jezelf.'

Ik liep naar de spiegel, die net zo groot en schitterend was als alles in deze geheime badkamer, en keek naar mezelf.

Het resultaat was heel bijzonder. Terwijl ik naar mijn nieuwe uiterlijk keek, werd ik rustiger. Waarschijnlijk zou ik nog veel geschokter zijn geweest als ik in het lichaam van een andere man was terechtgekomen. Maar nu bleef alleen nog het gevoel over van een nog maar net begonnen maskerade.

'Je gaat me toch niet manipuleren?' vroeg ik. 'Jij of de Chef?'

'Nee.'

'Dan heb ik sterke zenuwen.'

'Je lippenstift is vervaagd,' constateerde Olga. Ze giechelde: 'Kun jij je eigen lippen stiften?'

'Ben je gek! Natuurlijk niet.'

'Ik leer het je wel. Het is niet moeilijk. Je hebt echt geluk gehad, Anton.'

'Hoezo?'

'Een weekje later – en dan had je moeten leren hoe je maandverband moet gebruiken.'

'Dat weet ik heus wel, net als iedere normale man die regelmatig televisie kijkt. Je giet een helderblauwe vloeistof op een maandverbandje en drukt die er dan met een vuist weer uit.'

2

Ik verliet de werkkamer en bleef even staan; ik moest me inhouden om niet weer naar binnen te lopen.

Ik had op elk moment op de rem kunnen trappen en stoppen met het plannetje van de Chef. Had alleen maar rechtsomkeert hoeven maken, een paar woorden hoeven zeggen, en Olga en ik zouden weer in onze eigen lichamen zijn teruggekeerd. Alleen, ik had het laatste halfuur voldoende argumenten gehoord om in te zien dat die lichaamsruil het enige praktisch uitvoerbare antwoord was op de provocatie van de Duisteren.

Het zou immers dom zijn om van een levensreddende behandeling af te zien alleen maar omdat een prikje met een naald pijn doet.

In mijn handtas zaten de sleutels van Olga's huis. Verder nog geld en een creditcard in een minuscuul portemonneetje, een make-uptasje, een zakdoekje, maandverband – waarom wist ik niet; die had ik immers niet nodig – een geopend doosje TicTac, een kam, kleingeld onder in de tas, een spiegeltje, een mobieltje...

Maar mijn lege broekzakken gaven me steeds het gevoel dat ik iets verloren had. Ik voelde er even in, in de hoop dat ik ten minste een armzalig muntstukje zou vinden, maar werd slechts bevestigd in mijn overtuiging dat Olga net als de meeste vrouwen alles in haar handtasje had.

De lege broekzakken waren zeker niet het ergste verlies van deze dag. Toch irriteerde me dit. Ik deed een paar munten van de handtas in mijn broekzakken en voelde me meteen een stuk zekerder.

Jammer alleen dat Olga geen cd-speler bezat...

'Hallo.' Garik liep op me af. 'Is de Chef alleen?'

'Hij heeft... heeft bezoek... Anton,' antwoordde ik.

'Is er iets, Olga?' Garik keek me oplettend aan. Ik weet niet of hij iets doorhad: de vreemde intonatie misschien, de onzekere bewegingen of de nieuwe aura. Maar als zelfs een speurder die maar weinig met Olga en mij te maken had de verwisseling opmerkte, dan kon ik het helemaal wel vergeten.

Maar nu glimlachte Garik onzeker en verlegen. Dat kwam totaal onverwachts: het was me nog niet eerder opgevallen dat Garik probeerde met medewerksters van de Wacht te flirten. Hij leerde zelfs amper mensenvrouwen kennen; in de liefde was hij een ongelooflijke pechvogel.

'Nee, we hebben even gekibbeld.' Ik draaide me om en liep naar de trap zonder afscheid van hem te nemen.

Dat was het verhaal voor de Nachtwacht, voor het onwaarschijnlijke geval dat een agent onze gelederen was binnengedrongen. Voorzover ik wist, was dat nog maar één of twee keer in de geschiedenis van de Wacht voorgekomen, maar wie weet... Iedereen mocht rustig denken dat Boris Ignatjewitsj ruzie heeft gemaakt met de vriendin met wie hij al jarenlang een relatie heeft. Daarvoor waren redenen genoeg. Ze had honderd jaar lang opgesloten gezeten in zijn werkkamer, zonder een mensengedaante aan te kunnen nemen. Inmiddels was ze weliswaar gedeeltelijk gerehabiliteerd, maar was het grootste deel van haar magische capaciteiten kwijtgeraakt. Dat waren voldoende redenen om boos op hem te zijn... In elk geval hoefde ik nu niet net te doen alsof ik de vriendin van de Chef was; dat zou ook wel een beetje te veel van het goede zijn geweest.

Aan dergelijke dingen denkend, ging ik naar de tweede verdieping. Ik moest toegeven dat Olga al het mogelijke had gedaan om mij het leven gemakkelijker te maken. Vandaag had ze een spijkerbroek aangetrokken en niet, zoals anders, een pakje of een jurk. En verder gympen in plaats van schoenen met hoge hakken. Zelfs de lichte parfumgeur was niet al te bedwelmend.

Lang leve de uniseksmode, ook al was die dan uitgevonden door homoseksuelen...

Ik wist wat ik nu moest gaan doen, wist hoe ik me moest gedragen. Maar toch ging het me niet gemakkelijk af. Niet naar de uitgang te lopen, maar een rustige hal in te slaan.

En om in het verleden onder te duiken.

Ze zeggen dat ziekenhuizen een heel eigen geur hebben. Natuurlijk, het zou ook wel vreemd zijn als de chloorluchtjes en de pijn, de sterilisators en de wonden, het ziekenhuiswasgoed en het naar niets smakende eten geen eigen geur zouden hebben.

Maar waarom hebben scholen en andere opleidingsinstituten ook een eigen geur?

In het gebouw van de Wacht wordt maar een deel van de vakken gedoceerd. Andere lessen kunnen beter 's nachts in het lijkenhuis worden gevolgd waar onze eigen mensen werken. Veel dingen leren we ter plekke en andere in het buitenland, tijdens vakantiereizen die door de Wacht worden betaald. Tijdens mijn opleiding ben ik op Haïti, in Angola, in de Verenigde Staten en in Spanje geweest.

Desondanks zijn er nog enkele bijeenkomsten die alleen maar op het terrein van de Wacht kunnen worden georganiseerd, in het gebouw dat van het fundament tot en met het dak door magie en beveiligingsspreuken is verzegeld. Toen de Wacht dit pand dertig jaar geleden betrok, zijn er drie collegezalen ingericht, elk voor vijftien personen. Ik heb geen idee wat destijds zwaarder woog: het optimisme van de medewerkers of het overschot aan ruimte. Zelfs tijdens mijn opleiding – en dat was een bijzonder goed jaar voor de Wacht – hadden we voldoende aan één collegezaal en zelfs die bleef nog halfleeg.

Op dat moment werden er vier Anderen opgeleid voor de Wacht. En alleen in het geval van Swetlana ging men ervan uit dat ze bij ons zou blijven; dat ze er niet de voorkeur aan zou geven een gewoon mensenleven te leiden.

Leeg was het hier; leeg en stil. Ik liep langzaam door de gang, keek even bij de collegezalen naar binnen waar een uitstekend geoutilleerde en succesvolle universiteit jaloers op was geweest. Bij elke tafel hoorde een notebook, in elk vertrek stond een televisie met een gigantisch beeldscherm en de kasten stonden boordevol boeken. Een gewone historicus had deze boeken eens moeten zien, een heel gewone historicus en geen geschiedenisvervalser...

Maar zo iemand zou ze nooit onder ogen krijgen.

In enkele van deze boeken stonden te veel waarheden. In andere te weinig leugens. Mensen moeten dit soort dingen niet lezen, voor hun eigen gemoedsrust niet. Ze kunnen maar beter verder leven met de geschiedenis zoals zij die kennen.

Aan het einde van de gang hing een bovendimensionale spiegel die de hele voorzijde in beslag nam. Ik keek er vanuit mijn ooghoeken naar: hier liep een jonge, aantrekkelijke vrouw.

Ik struikelde en viel bijna. Olga had weliswaar alles gedaan om me het leven te veraangenamen, maar het zwaartepunt van haar lichaam had ze niet kunnen verschuiven. Zolang ik erin slaagde om niet aan mijn uiterlijk te denken, lukte het allemaal redelijk en werkte mijn motoriek goed. Maar zodra ik mezelf zag, ging alles mis. Ik ademde zelfs op een andere manier; op de een of andere manier kwam de lucht niet in mijn longen terecht.

Ik liep op de laatste deur af waar een raam in zat.

De les was bijna afgelopen.

Vandaag hadden ze Gewone Magie. Dat zag ik zodra ik Polina Wassiljewna naast het bord zag staan. Qua uiterlijk is ze een van de oudste medewerkers van de Wacht, maar qua eigenlijke leeftijd niet. Maar ze hebben haar pas ontdekt en geïnitieerd toen ze 360 jaar oud was. Wie had immers kunnen vermoeden dat het oudje dat in de jaren na de oorlog een beetje bijverdiende met het leggen van kaarten, over bepaalde capaciteiten beschikte? En dan ook nog eens opmerkelijke, zelfs zeer speciale?

'En dus, als jullie je kleding eens een keer heel vlug in orde moeten maken,' doceerde Polina Wassiljewna, 'dan kunnen jullie dat binnen een paar minuten doen. Maar vergeet niet om van tevoren te controleren hoeveel krachten je nog hebt, anders maak je jezelf misschien wel belachelijk.'

'En als de klok dan middernacht slaat, verandert je koets in een pompoen,' zei een jongeman die naast Swetlana zat hardop. Ik kende hem niet, het was pas zijn tweede of derde dag hier, maar ik vond hem meteen al niet sympathiek.

'Heel goed!' zei Polina enthousiast, die in elke nieuwe klas met dergelijke invallen werd geconfronteerd. 'De sprookjes liegen niet meer dan de statistieken! Desondanks bevatten ze vaak een sprankje waarheid.'

Ze pakte een keurig gestreken, elegante maar toch enigszins ouderwetse smoking van de tafel. In iets dergelijks had James Bond zich misschien wel onder de mensen begeven.

'Wanneer veranderen die weer in lompen?' vroeg Swetlana zakelijk.

'Over twee uur,' was het al even beknopte antwoord van Polina. Ze hing de smoking op een knaapje en keek weer naar het bord. 'Ik heb niet zoveel moeite gedaan.'

'En hoe lang kunt u hem in deze representatieve vorm houden? Maximaal?'

'Ongeveer vierentwintig uur.'

Swetlana knikte en keek opeens mijn kant op. Ze had iets gevoeld. Met een glimlach wenkte ze me. Nu zag iedereen mij.

'Kom binnen, dame.' Polina boog haar hoofd. 'Dat is een grote eer voor ons.' Wij kenden slechts een deel van de waarheid over haar; de Chef wist waarschijnlijk alles.

Ik betrad het vertrek en probeerde wanhopig om niet al te bevallig te lopen. Maar dat hielp niets. Swetlana's buurman, een vijftienjarige knaap die al een halfjaar meedeed aan de beginnerscursus Magie, en de lange dunne Koreaan van een jaar of dertig, veertig, staarden naar me.

Overduidelijk geïnteresseerd. De geheimzinnigheid die Olga omhulde, de geruchten en gissingen, en niet te vergeten het feit dat ze de geliefde van de Chef was – dat alles wekte bij het mannelijke deel van de Wacht een bepaalde reactie op.

'Goedemiddag,' zei ik. 'Ik kom hier niet als lerares, maar ik stoor toch niet, hoop ik?'

Omdat ik me vooral op mijn sekse concentreerde, vergat ik op mijn intonatie te letten. Het gevolg daarvan was dat deze banale woorden een donkere, geheimzinnige lading kregen en tot iedere persoon in het vertrek gericht leken te zijn. De pukkelige knaap verslond me met zijn blik, die vent naast Swetlana slikte en alleen de Koreaan bleef min of meer rustig.

'Olga, wil je onze studenten iets vertellen?' vroeg Polina.

'Ik wilde graag even met Sweta praten.'

'De lessen van vandaag zijn afgelopen,' verklaarde de oude vrouw. 'Olga, wil je niet een keer tijdens een les van mij langskomen? Mijn colleges kunnen niet op tegen jouw ervaringen.'

'Graag, over een dag of drie misschien.'

Ik hoopte dat Olga mijn belofte zou moeten inlossen. Per slot van rekening moest ik het uithouden met de sex-appeal die zij tentoonspreidde.

Sweta en ik liepen samen naar de uitgang. Drie paar begerige ogen boorden zich in mijn rug. Nou ja, niet echt in mijn rug...

Ik wist dat tussen Olga en Swetlana een innige vriendschap was ontstaan. En wel na die nacht waarin wij haar de waarheid over de wereld, de Anderen, de Lichten en de Duisteren, de Wachten en de Schemer hadden verteld, sinds die ochtend waarin ze hand in hand met ons door een gesloten deur het vertrek van de staf had betreden. Natuurlijk, Swetlana en ik waren met een mystieke draad met elkaar verbonden, ons lot was met elkaar vervlochten. Maar ik wist, en dat wist ik maar al te goed, dat dit niet van lange duur zou zijn. Swetlana zou mij ver achter zich laten, ze zou daarheen gaan waar ik niet kon komen, zelfs niet als ik een tovenaar van de eerste graad zou worden. Het lot hield ons bij elkaar, stevig bij elkaar, maar slechts tijdelijk. Maar met Olga was Swetlana gewoon bevriend geraakt, hoe sceptisch ik ook tegenover een vriendschap tussen twee vrouwen stond. Ze waren niet door het lot tot elkaar gekomen; ze waren vrij.

'Olga, ik moet nog op Anton wachten.' Swetlana greep mijn hand. Dat was niet het gebaar van het kleine zusje dat bij haar grote zus steun en zelfbevestiging zocht. Het was het gebaar van een gelijkwaardige vrouw. En als Olga Swetlana een gelijkwaardige positie gunde, dan moest deze jonge vrouw wel een grootse toekomst wachten.

'Dat is niet nodig,' zei ik. 'Echt niet, Sweta.'

Alweer klopte er iets niet aan mijn zinsbouw of intonatie. Deze keer was het Swetlana die me geïrriteerd aankeek – maar wel met dezelfde blik als Garik.

'Ik zal je alles uitleggen,' verzekerde ik haar. 'Maar niet hier en nu. Bij jou thuis.'

De beveiliging van haar huis liet niets te wensen over; zoveel had de Wacht al in zijn medewerkster geïnvesteerd. De Chef was niet eens met me in discussie gegaan over de vraag of ik Swetlana wel in vertrouwen mocht nemen. Hij had maar één ding geëist: het moest bij haar thuis gebeuren.

'Goed.' Ze knikte instemmend, maar bleef verbaasd kijken. 'Weet je zeker dat ik niet op Anton hoef te wachten?'

'Heel zeker,' antwoordde ik met volle overtuiging. 'Zullen we met de auto gaan?'

'Ben je vandaag dan lopend gekomen?'

Domkop!

Ik was helemaal vergeten dat Olga de sportwagen die ze van de Chef had gekregen, verkoos boven alle andere vervoermiddelen.

'Daarom vraag ik het immers: zullen we met de auto gaan?' legde ik uit en zag wel in dat ik er als een gek bij stond. Nee, nog erger: als een gekkin.

Swetlana knikte. De irritatie in haar blik werd steeds groter.

Gelukkig maar dat ik kon autorijden. Ik had nooit de behoefte gevoeld om in deze miljoenenstad met zijn superslechte wegen een auto te bezitten, maar er stonden veel vakken op ons lesrooster. Veel leren we op de gebruikelijke manier, maar er zijn ook veel dingen die door magie in ons bewustzijn worden geprent. Ik had net als iedere andere gewone man leren autorijden. Maar als ik per ongeluk eens in de cockpit van een helikopter of een vliegtuig terecht zou komen, dan zouden er vaardigheden boven komen drijven waarvan ik onder normale omstandigheden geen weet had. Moesten boven komen drijven – in theorie in elk geval.

De autosleutels zaten in de handtas. De oranje auto stond op de parkeerplaats voor het gebouw op ons te wachten, onder de argusogen van de bewakers. De deuren zaten op slot, wat absurd was omdat het dak helemaal was opengeklapt.

'Rij jij?' vroeg Swetlana.

Ik knikte zwijgend. Ik ging achter het stuur zitten en startte de motor. Het schoot me te binnen dat Olga er altijd als een kanonskogel vandoor ging, maar dat zou mij niet lukken.

'Olga, er klopt iets niet,' zei Swetlana eindelijk hardop. We reden over de Leningrader Prospekt en ik knikte.

'Sweta, we zullen alles bespreken als we bij je thuis zijn.'

Ze zei niets meer.

Ik ben een chauffeur van niets. We waren lang onderweg, veel langer dan nodig was. Toch vroeg Swetlana niets meer, maar zat met haar hoofd naar achteren geleund naast me en staarde voor zich uit. Het leek wel alsof ze aan het mediteren was of probeerde in de Schemer te kijken. Toen we in de file stonden, probeerden verschillende mannen die in andere auto's zaten me aan te spreken – en altijd waren dat de mannen in de duurste auto's. Kennelijk wierpen zowel ons uiterlijk als onze auto een hindernis op die niet iedereen durfde te nemen. Ze lieten hun raampje zakken, kortgeknipte hoofden bogen naar buiten en heel vaak verscheen er zelfs, als een soort verplicht attribuut, een arm met een mobiele telefoon eraan. In het begin vond ik het gewoon onplezierig. Na een tijdje vond ik het grappig. Ten slotte reageerde ik er helemaal niet meer op, net zomin als Swetlana.

Zou Olga die pogingen om haar te leren kennen ook grappig vinden?

Waarschijnlijk wel. Na tientallen jaren in een niet-menselijk lichaam, na die gevangenschap in een glazen vitrine.

'Olga, waarom heb je me opgehaald? En waarom hoefde ik niet op Anton te wachten?'

Ik haalde mijn schouders op. De neiging om te antwoorden: 'Omdat hij hier

is, naast je,' was groot. De kans dat iemand ons in de gaten hield, was misschien heel klein. De auto werd ook afgeschermd door beveiligingsspreuken; gedeeltelijk kon ik ze zien, maar een deel ervan lag buiten mijn bereik.
Maar ik beheerste me.
Swetlana had de cursus Informatieveiligheid nog niet gevolgd; daar begon je pas mee als je drie maanden met je opleiding bezig was. Volgens mij was het beter als hij eerder op het rooster stond, maar voor iedere Andere moet een eigen programma worden samengesteld en dat kost tijd.
Na die pijnlijke ervaring zou Swetlana weten wanneer ze moest zwijgen en wanneer ze iets mocht zeggen. Dat was de gemakkelijkste en tegelijkertijd de meest inspannende cursus van de hele opleiding. Je krijgt dan strikt gedoseerde informatie, in een bepaalde volgorde. Een deel van wat je hoort, is waar, een ander deel gelogen. Enkele zaken worden je vrijelijk en openlijk verteld, andere worden je toevertrouwd als een verschrikkelijk geheim, en weer andere krijg je 'toevallig' te horen, luister je af, zie je, stiekem.
En alles, alles wat je te weten komt, zal je louteren, je pijn doen en je laten schrikken, uit je barsten, je hart verscheuren, je naar spontane reacties doen verlangen. Tijdens de colleges zullen ze je allemaal onzin vertellen die over het algemeen voor het leven van een Andere totaal oninteressant is. Want de belangrijkste tests en lessen vinden in je ziel plaats.
Het komt bijna niet voor dat iemand daar echt aan onderdoor gaat. Het is immers maar een onderdeel van je opleiding, geen examen. En bij iedereen wordt de lat precies zo hoog gelegd dat hij hem kan nemen – met inzet van alle krachten, zodat er talg en bloed achterblijft op deze horde van prikkeldraad.
Maar als iemand die je aardig vindt of die je alleen maar sympathiek vindt deze cursus volgt, dan kwelt het je, verscheurt het je. Je vangt dan een vreemde blik op en vraagt je af wat je vriend in het kader van die cursus heeft gehoord. Welke waarheid? Welke leugen? En wat heeft de student over zichzelf geleerd, over de wereld om hem heen, over zijn ouders en vrienden?
Dan welt er een behoefte in je op, een verschrikkelijke, onverdraaglijke behoefte. De behoefte om te helpen, uit te leggen, te verklaren, voor te zeggen.
Maar niemand die deze cursus heeft gevolgd, zal toegeven aan deze behoefte. Want dat is precies wat je met veel pijn leert: wat je zeggen kunt en moet.
In principe kan en moet je alles zeggen. Alleen wel op het juiste moment, want anders is de waarheid erger dan de leugen.
'Olga?'
'Je gaat het wel begrijpen,' zei ik. 'Je moet nog even geduld hebben.'
Nadat ik door de Schemer had gekeken, scheurde ik verder, perste me tussen een gigantische Jeep en een militaire vrachtwagen door. Daardoor klapte de spiegel dicht, doordat hij de vrachtwagen schampte, maar het kon me alle-

maal niets schelen. Ik schoot als eerste over de kruising, reed met gierende banden de bocht om en reed over de Chaussee van de Enthousiastelingen.

'Houdt hij van mij?' vroeg Swetlana opeens. 'Zeg op, ja of nee? Jij weet dat toch, hè?'

Ik kromp in elkaar, de auto begon te slingeren, maar Swetlana lette er niet op. Ze stelde deze vraag niet voor het eerst, dat merkte ik wel. Olga en zij hadden het daar al vaker over gehad, maar dat precaire onderwerp was nog niet afgehandeld.

'Of hij van jou houdt?'

Dat was het! Nu moest ik wel iets zeggen.

'Anton heeft een goede verstandhouding met Olga.' Ik sprak zowel over mezelf als over de eigenares van mijn lichaam in de derde persoon. Dat is helder, maar komt ook over als koele, afstandelijke vriendelijkheid. 'Een vriendschap tussen kameraden. Meer niet.'

Als ze Olga zou vragen hoe zij tegenover mij stond, zou het lastiger worden om niet te liegen.

Maar Swetlana zweeg. Een minuut later raakte ze even mijn hand aan, alsof ze haar excuses aanbood.

Nu was ik het die zijn nieuwsgierigheid niet kon bedwingen. 'Waarom wil je dat weten?'

'Ik begrijp hem niet,' zei ze meteen, zonder er lang over na te denken. 'Anton gedraagt zich heel vreemd. Vaak krijg ik de indruk dat hij gek op me is. En vaak denk ik dat ik voor hem gewoon een van zijn vele kennissen ben. Een kameraad.'

'De intriges van het lot,' zei ik kortaf.

'Wat?'

'Dat is nog niet behandeld, Sweta.'

'Leg het me dan uit!'

'Je weet,' en ik trapte het gaspedaal steeds dieper in, waarschijnlijk begonnen de motorieke reflexen van dit vreemde lichaam zich eindelijk te roeren, 'je weet, toen hij de eerste keer bij je langs is geweest...'

'Ik weet dat hij me toen iets heeft ingefluisterd. Dat heeft hij me verteld,' viel Swetlana me in de rede.

'Dat bedoel ik niet. Die suggestie werd opgeheven toen je de waarheid hoorde. Maar als je leert het lot te zien – en dat zul je al snel leren en veel beter kunnen dan ik – dan zul je het begrijpen.'

'Ze hebben ons verteld dat het lot veranderlijk is.'

'Het lot is polyvariabel. Toen Anton naar je toe kwam, wist hij dat hij verliefd op je zou worden, als alles goed zou gaan.'

Swetlana zweeg. Ik meende te zien dat haar wangen een beetje rood werden, maar misschien kwam dat door de wind in de open cabriolet.

176

'En verder?'

'Weet je wat dat betekent? Veroordeeld te zijn om verliefd te worden?'

'Maar is dat niet altijd zo?' Swetlana was zo verontwaardigd dat ze zelfs recht-op ging zitten. 'Als twee mensen verliefd op elkaar worden, als ze zich te mid-den van duizenden of miljoenen mensen bevinden, dan is dat altijd het lot!'

En weer bespeurde ik dat ze een ongelooflijk naïeve vrouw was die eigenlijk al aan het verdwijnen was – en die zichzelf alleen maar zou haten.

'Nee, Sweta. Heb je deze analogie al eens gehoord: liefde is als een bloem?'

'Ja.'

'Bloemen kun je kweken, Sweta. Je kunt ze kopen. Of cadeau geven.'

'Heeft Anton mij gekocht?'

'Nee,' zei ik, misschien wel op iets te scherpe toon. 'Hij heeft een cadeau gekregen. Van het lot.'

'En wat betekent dat? Als dat liefde is?'

'Sweta, snijbloemen zijn mooi, maar blijven niet lang goed. Zelfs niet als je ze in een kristallen vaas met schoon water zet.'

'Hij is bang om van me te houden,' zei Swetlana peinzend. 'Klopt dat? Ik was niet bang, omdat ik dat niet wist.'

Ik kwam bij haar huis aan en reed tussen de geparkeerd staande auto's door; vooral de merken Zjiguli en Moskwitsj. Geen goede buurt.

'Waarom vertel ik je dat eigenlijk allemaal?' vroeg Swetlana. 'Waarom wil ik een antwoord hebben? En hoe komt het dat jij die antwoorden kent, Olga? Komt dat alleen maar doordat je 443 jaar oud bent?'

Toen ik dat getal hoorde, kromp ik in elkaar. Dat was inderdaad een behoor-lijke dosis levenservaring. Een ongelooflijke dosis.

Volgend jaar zou Olga een bijzondere verjaardag vieren.

Ik wilde maar al te graag geloven dat mijn eigen lichaam in eenzelfde perfecte staat zou zijn als ik ook maar een kwart van deze leeftijd had bereikt.

'Kom.'

Ik liet de auto onbewaakt achter. Een menselijk wezen zou sowieso niet op het idee komen hem te stelen; de beveiligingsspreuken zijn veel betrouwbaar-der dan welke alarminstallatie dan ook. Zwijgend liepen Swetlana en ik het halve trapje op en gingen haar huis binnen.

Hier was natuurlijk het een en ander veranderd. Swetlana had haar baan opgezegd, maar de studiebeurs en het 'zakgeld' dat iedere Andere bij zijn ini-tiatie kreeg, stelden het bescheiden loontje als arts in de schaduw. Ze had nu een andere televisie, ook al had ik geen idee wanneer ze de tijd zou hebben om ernaar te kijken. Het nieuwe toestel was een luxe breedbeeldtelevisie die in feite te groot was voor haar huis. Het was grappig om te zien dat ze een onverwachte behoefte had een mooi leven te leiden. In het begin overkomt dat iedereen, misschien wel als afweerreactie. Als de wereld om je heen in elkaar stort, als je oude angsten en zorgen verdwijnen, maar er nieuwe voor in de plaats komen – nog onbegrepen en vaag – dan begint iedereen een paar dromen uit zijn oude leven waar te maken. Dromen die hij kort daarvoor nog irreëel had gevonden. De een gaat zich te buiten in een restaurant, een ander koopt een dure auto en weer een ander gaat haute couture dragen. Deze fase duurt niet lang, vooral niet omdat je in de Wacht geen miljonair wordt. De behoeften die gisteren nog zo belangrijk leken, vervagen, verdwijnen langzaam maar zeker in de vergetelheid. Voor altijd.

'Olga?'

Swetlana keek me aan.

Ik zuchtte en verzamelde moed. 'Ik ben Olga niet.'

Stilte.

'Als ik je dit eerder had verteld, had ik, idioot die ik ben, misschien iets vreselijks veroorzaakt. Ik moest wachten tot we hier waren. Jouw huis is beveiligd tegen elke observatie door de Duisteren.'

'Idioot die ik ben?'

Het belangrijkste had ze meteen begrepen.

'Idioot die ik ben,' herhaalde ik. 'Dit is slechts het lichaam van Olga.'

'Anton?'

Ik knikte.

Wat een belachelijke situatie!

Het was maar goed dat Swetlana inmiddels gewend was geraakt aan belachelijke situaties.

Ze geloofde me meteen. 'Schoft!'

Ze sprak dat woord uit op een manier die beter bij een aristocrate als Olga had gepast. Net als de oorvijg die ik kreeg.

Die geen pijn deed, maar vernederend was.

'Waarom doe je dat?' vroeg ik.

'Omdat je een gesprek hebt afgeluisterd!'

Niet bepaald een juiste formulering, maar ik begreep wel wat ze bedoelde. Ondertussen had Swetlana ook haar andere hand opgeheven, maar in tegenstelling tot het christelijke gebod ontweek ik de tweede klap.

'Sweta, ik heb beloofd goed op dit lichaam te passen!'

'Ik niet!'

Swetlana haalde eens diep adem en beet op haar lip. Haar ogen waren rood. Ik had haar nog nooit zo boos gezien en ook niet verwacht dat ze zo boos kon worden. Waarom was ze eigenlijk zo boos?

'Jij vindt het dus eng om van snijbloemen te houden?' Swetlana liep langzaam naar me toe. 'Dat is het, hè?'

Toen begreep ik het, hoewel niet meteen.

'Verdwijn! Verdwijn uit mijn huis!'

Ik deed een stap achteruit en stond met mijn rug tegen de deur. Waardoor ik niet verder kon, en waardoor ook Swetlana stil moest staan. Ze schudde haar hoofd en brieste: 'Je zou in dit lichaam moeten blijven! Dat past beter bij je, want je bent helemaal geen man, slappeling!'

Ik zweeg. Zweeg, omdat ik al kon zien hoe het verder zou gaan. Zag hoe een spotziek lot onze wegen met elkaar vervlocht.

Toen Swetlana begon te huilen en daardoor meteen al haar vechtlust verloor, haar gezicht met haar handen bedekte toen ik haar in mijn armen nam en zij gewillig op mijn schouder uithuilde, werd ik bevangen door een leeg en koud gevoel. Een snijdende kou, alsof ik weer in de striemende wind op dat besneeuwde dak stond.

Swetlana was nog een mens. Er was nog te weinig van een Andere in haar. Zij begreep niet, zag niet welke weg we nog moesten afleggen. En wat ze zeker niet inzag, was dat deze weg zich splitste.

Liefde is geluk, maar alleen als je gelooft dat ze eeuwig duurt. En zelfs als het steeds weer een leugen blijkt te zijn, verleent immers alleen deze leugen de liefde haar kracht en haar vreugde.

Maar Swetlana stond tegen mijn schouder geleund te snikken.

Veel weten, betekent veel lijden. Ik wilde zo graag niets van de onvermijdelijke toekomst weten! Niets weten – en liefhebben, zonder voorbehoud, zoals een gewone sterfelijke mens.

En toch, wat jammer dat ik nu niet in mijn eigen lichaam zat.

Een buitenstaander zou denken dat twee goede vriendinnen hadden besloten om een rustige avond voor de televisie door te brengen. Met thee en jam, een flesje droge wijn en dan kletsen over de drie eeuwige thema's: alle mannen zijn klootzakken, ik heb niets om aan te trekken en – misschien wel het belangrijkste – hoe val ik af.

'Je vindt broodjes dus echt lekker?' vroeg Swetlana verbaasd.

'Ja, met boter en jam,' mompelde ik.

'Als ik me niet vergis, heeft iemand beloofd om goed voor dit lichaam te zorgen.'

'En wat voor slechts doe ik dan? Je kunt me rustig geloven als ik zeg dat dit organisme helemaal enthousiast is.'

'Nou ja,' zei Swetlana onzeker. 'Je moet Olga maar vragen hoe ze op haar lijn let.'

Ik aarzelde even, maar sneed toen toch nog een broodje open en besmeerde hem rijkelijk met jam.

'En wie is op dat geniale idee gekomen om jou in een vrouwenlichaam te verstoppen?'

'De Chef waarschijnlijk.'

'Dat dacht ik al.'

'Olga vindt het ook goed.'

'Wat dacht je dan? Boris Ignatjewitsj is haar heer en meester.'

Daar was ik nog niet zo zeker van, maar zei niets. Swetlana stond op en liep naar haar kledingkast. Ze deed hem open en keek peinzend naar de hangertjes.

'Wil je een kamerjas?'

'Wat?' Ik verslikte me in het broodje.

'Wil je hier dan zo blijven rondlopen? Je spijkerbroek scheurt straks nog, dat is toch ongemakkelijk?'

'Heb je misschien een trainingspak?' vroeg ik op klagende toon.

Swetlana keek me geamuseerd aan, maar draaide toen bij.

'We vinden wel iets.'

Eerlijk gezegd had ik liever iemand anders in dergelijke kleren gezien. Swetlana bijvoorbeeld. Een korte, witte broek en een blouse... perfect om in te tennissen of hard te lopen.

'Kleed je om.'

'Swetlana, ik denk niet dat we hier de hele avond blijven.'

'En wat dan nog? Het kan geen kwaad en dan weten we meteen of het de goede maat is. Kleed je om, dan zet ik intussen thee.'

Toen Swetlana de kamer had verlaten, trok ik snel mijn spijkerbroek uit. Toen ik de blouse wilde losknopen, kwam ik in de problemen met alle kleine knoopjes. Vol afschuw bekeek ik mezelf daarna in de spiegel.

Een aantrekkelijke vrouw, zonder twijfel. Geschapen om voor een erotisch tijdschrift te worden gefotografeerd.

Snel trok ik de andere kleren aan en ging op de bank zitten. Op televisie was een soapserie te zien; ik had nooit verwacht dat Sweta juist deze serie zou volgen. Maar eerlijk gezegd was de kans groot dat er op de andere zenders niet veel beters te zien was.

'Wat zie je er goed uit.'

'Sweta, moet dat nou?' vroeg ik. 'Ik voel me al ellendig genoeg.'

'Goed,' gaf ze zonder aarzelen toe en ging naast me zitten. 'Wat zullen we doen?'

'Wíj?' vroeg ik.

'Ja, Anton, je bent toch niet zomaar naar me toe gekomen.'

'Ik moest je gewoon vertellen waar ik ingerold was.'

'Dat is misschien wel zo, maar omdat de Chef...' – het woord 'Chef' liet ze met veel gemak van haar tong rollen, maar er klonk ook respect en ironie in door – '... je toestemming heeft gegeven om mij in te lichten, is het kennelijk de bedoeling dat ik je help.' Ze kon niet nalaten eraan toe te voegen: 'Ook al is het in opdracht van het lot.'

Ik gaf me over.

'Ik mag niet alleen zijn. Nog geen minuut. Dit hele plan gaat ervan uit dat de Duisteren die pionnen bewust opofferen, door ze te vermoorden of door ze gewoon dood te laten gaan.'

'Net als toen?'

'Ja, precies. En als ze het op mij hebben gemunt, dan zal er weer een moord plaatsvinden. En dan precies op dat moment waarop ik – volgens hen dan – geen alibi heb.'

Swetlana keek me aan en steunde met haar kin op haar handen. Ze schudde langzaam haar hoofd. 'En dan, Anton, spring jij als een duveltje uit een doosje uit dit lichaam. En dan kun jij die seriemoorden dus niet hebben gepleegd. En dan is dat een blamage voor de vijand.'

'Hm.'

'Neem me niet kwalijk, ik ben nog niet zo lang bij de Wacht, maar misschien begrijp ik gewoon iets niet.'

Ik luisterde, maar Swetlana zweeg even.

'Toen mij dat allemaal overkwam...' ging ze verder. 'Hoe zat het toen? De Duisteren probeerden toen om mij te initiëren. Ze wisten dat de Nachtwacht dat zou merken en hadden zelfs ontdekt dat jij je ermee zou bemoeien en me kon helpen.'

'Ja.'

'Daarom werd er een combinatiezet gedaan, waarbij meerdere stukken werden opgeofferd en een paar verkeerde krachtcentra werden gecreëerd. Vervolgens heeft de Nachtwacht de Duisteren in de val laten lopen. Als de Chef op zijn beurt zijn spelletje niet had doorgezet en jij er niet zonder nadenken op was afgestoven...'

'Dan zou je nu mijn vijand zijn,' zei ik. 'En werd je door de Dagwacht opgeleid.'

'Dat bedoel ik niet, Anton. Ik ben je dankbaar. Ik ben de hele Nachtwacht dankbaar, maar jou vooral. Maar daar gaat het niet om. Je moet toch ook vinden dat wat je me zojuist hebt verteld net zo geloofwaardig is als mijn verhaal? Hadden we andersom ook niet bij elkaar gepast? Het wilde vampierenpaartje. De jongen met de duidelijke capaciteiten van een Andere. De vrouw met de sterke vloek. Het algemene gevaar voor de stad.'

Ik wist niet wat ik haar moest antwoorden. Terwijl ik naar haar keek, voelde ik dat ik rood werd. Een jonge vrouw, die nog niet eens een derde van alle cursussen had gevolgd, een beginneling in ons werk, legde mij de situatie zo uit als ik haar had moeten doen.

'Wat gaat er nu gebeuren?' Swetlana merkte niet dat ik het liefst door de grond was gezakt van schaamte. 'Een seriemoordenaar die Duisteren vernietigt. Jij staat op de lijst met verdachten. De Chef heeft meteen een geraffineerde schaakzet klaar: jij en Olga ruilen van lichaam. Maar hoe geraffineerd is deze zet nu echt? Voorzover ik weet, wordt lichaamsruil vaak toegepast. Boris Ignatjewitsj heeft dat nog niet zo lang geleden gedaan, ja toch? Heeft hij al eens eerder geprobeerd om hetzelfde trucje twee keer achter elkaar te doen? Tegen dezelfde tegenstander?'

'Dat weet ik niet, Sweta. Ik ben niet op de hoogte van deze details.'

'Gebruik dan je eigen verstand! En dan nog wat: is Seboelon echt zo'n kleinzielige, wraakzuchtige hystericus? Hij is toch al honderden jaren oud? En het is niet zo dat hij pas sinds kort de leiding heeft over de Dagwacht. Als deze gek...'

'De Wilde.'

'Als deze Wilde ongehinderd door de straten van Moskou mag razen om een intrige op touw te zetten, waarom zou het Hoofd van de Dagwacht hem dan voor zo'n onbelangrijke zaak verspillen? Sorry hoor Anton, maar zo'n belangrijk doelwit ben je nu ook weer niet.'

'Dat weet ik wel. Officieel ben ik een tovenaar van de vijfde graad. Maar de Chef heeft gezegd dat ik eigenlijk bevorderd zou kunnen worden tot de derde graad.'

'Zelfs dan nog niet.'

We keken elkaar aan en ik spreidde mijn armen uit. 'Ik geef het op. Waarschijnlijk heb je gelijk, Swetlana. Maar ik heb je alleen maar verteld wat ik weet. En andere mogelijkheden kan ik niet bedenken.'

'Dat betekent dus dat jij je aan de opdracht houdt? Een rok dragen en geen minuut alleen zijn?'

'Toen ik bij de Wacht kwam, wist ik dat ik een deel van mijn vrijheid zou inleveren.'

'Een deel.' Swetlana snoof. 'Goed geformuleerd. Maar laat maar, jij kunt dat beter beoordelen. We blijven vannacht dus bij elkaar?'

Ik knikte. 'Ja, maar niet hier. Het is beter als we de hele tijd onder de mensen zijn.'

'En wanneer wil je dan slapen?'

'Het is niet zo moeilijk om een paar dagen niet te slapen.' Ik haalde mijn schouders op. 'Volgens mij is Olga's lichaam net zo goed in vorm als het mijne. De afgelopen maanden heeft ze zich continu in het nachtleven gestort.'

'Maar ik ken dat kunstje nog niet, Anton. Wanneer moet ik dan slapen?'

'Overdag, tijdens de lessen.'

Ze vertrok haar gezicht. Ik wist dat ze zou toegeven; ze had geen keus. Het lag niet eens in haar karakter om een toevallige kennis geen hulp te verlenen, en ik was nu niet bepaald een toevallige kennis.

'Zullen we naar de Maharadja gaan?' stelde ik voor.

'Wat is dat?'

'Een Indiaas restaurant, heel goed.'

'Is dat de hele nacht open?'

'Nee, helaas niet. We bedenken later nog wel waar we daarna naartoe kunnen gaan.'

Swetlana bleef me zo lang aankijken dat zelfs mijn dikke huid niet dik genoeg was. Wat had ik nu weer verkeerd gedaan?

'Dank je wel, Anton,' zei Swetlana geëmotioneerd. 'Heel erg bedankt. Je vraagt me mee uit eten; daar zit ik al twee maanden op te wachten.'

Ze stond op, liep naar de kast, deed hem open en keek peinzend naar de kleren die erin hingen. 'Ik heb geen nette kleren in jouw maat,' zei ze. 'Je moet je spijkerbroek weer aantrekken. Zouden ze je zo binnenlaten?'

'Zeker weten,' zei ik niet helemaal overtuigd. In het ergste geval kon ik het personeel nog een beetje manipuleren.

'Als ze lastig worden, dan zal ik de suggestie oefenen,' zei Swetlana alsof ze mijn gedachten had gelezen. 'Ik zal hen dwingen ons binnen te laten. Het is toch voor een goede zaak, of niet?'

'Natuurlijk.'

'Weet je, Anton.' Swetlana haalde een jurk van een hangertje, hield hem voor zich en schudde haar hoofd. Daarna haalde ze een beige mantelpakje uit de kast. 'Ik verbaas me over de manier waarop de Wachten van de Nacht elke manipulatie van de werkelijkheid met het belang van het goede en het Licht kunnen verantwoorden.'

'Niet elke!' zei ik verontwaardigd.

'Elke, zeker weten. In noodgevallen is zelfs diefstal een goede zaak. En moord.'

'Nee.'

'Weet je dat wel zeker? Hoe vaak heb jij al het bewustzijn van andere mensen moeten binnendringen? Zelfs toen wij elkaar voor het eerst ontmoetten, heb je me gedwongen te geloven dat we oude bekenden waren. Maak je vaak gebruik van je capaciteiten als Andere?'

'Ja, maar...'

'Stel dat je op straat loopt en ziet dat een volwassene een kind slaat. Wat doe je dan?'

'Als mijn limiet voor interventies nog niet op is,' – ik haalde mijn schouders op – 'voer ik een remoralisatie uit. Wat moet ik anders doen?'

'En weet je dan zeker dat je het juiste doet? Zou je er niet langer over nadenken, je er niet meer in verdiepen? Hoe zit het dan als dat kind ergens voor wordt gestraft? Als deze straf voorkomt dat het kind later nog meer last veroorzaakt en nu als moordenaar of dief opgroeit? Maar jij begint gewoon meteen met een remoralisatie!'

'Sweta, je vergist je.'

'Hoezo?'

'Zelfs als ik geen limiet zou hebben voor parapsychologische manipulaties, dan zou ik niet zomaar doorlopen.'

Swetlana snoof. 'Maar je zou zeker weten dat je iets goeds deed? Waar ligt dan de grens?'

'Die grens bepaalt iedereen voor zichzelf. Zo is dat nu eenmaal.'

Ze keek me nadenkend aan. 'Anton, dit soort vragen stelt iedere beginneling toch?'

Ik glimlachte. 'Ja.'

'En jij bent eraan gewend geraakt om ze te beantwoorden. Je hebt een paar antwoorden, drogredenen, voorbeelden uit het verleden en analogieën bij de hand.'

'Nee, Sweta, zo zit het niet. De Duisteren stellen dit soort vragen nooit.'

'Hoe weet jij dat?'

'Een tovenaar van het Duister kan genezen, een tovenaar van het Licht kan doden,' zei ik. 'Dat klopt. Weet je wat het verschil is tussen het Licht en het Duister?'

'Nee, om de een of andere reden vertellen ze ons dat niet. Is het misschien moeilijk om dat uit te leggen?'

'Nee hoor, helemaal niet. Als je in eerste instantie aan jezelf denkt, aan je eigen belangen, dan leidt de weg naar het Duister. Als je aan anderen denkt, naar het Licht.'

'En duurt het lang voordat je er bent? Bij het Licht?'

'Eeuwig.'

'Dat zijn toch alleen maar woorden, Anton. Alleen maar een spel met woorden. Wat zegt een ervaren Duistere tegen een beginneling? Misschien ook wel zulke mooie en treffende woorden?'

'Ja. Over de vrijheid. Over dat iedereen in het leven de plaats inneemt die hij verdient. Over dat elke vorm van medelijden vernederend is en echte liefde blind, over dat echte goedheid hulpeloos maakt en echte vrijheid betekent dat je vrij bent van ieder ander.'

'En klopt dat dan niet?'

'Jawel.' Ik knikte. 'Dat is ook een deel van de waarheid. Sweta, we kunnen niet kiezen voor de absolute waarheid. Want die heeft altijd twee kanten. Alles wat we bezitten, is het recht om díe leugen te uiten die minder onplezierig is. Weet je wat ik de beginnelingen vertel over de Schemer? Dat we er intreden om kracht te krijgen. En dat de prijs die we daarvoor betalen, is dat we afstand doen van dat deel van de waarheid dat we niet willen accepteren. Mensen hebben het gemakkelijker. Wel een miljoen keer beter, met al hun noden, problemen en zorgen die voor ons, de Anderen, niet eens bestaan. Mensen staan niet voor die keuze. Zij kunnen goed én slecht zijn, dat hangt af van het moment, van de omgeving, van een boek dat ze de vorige avond hebben gelezen of van een biefstuk die ze de vorige avond hebben gegeten. Daarom kun je hen ook zo gemakkelijk manipuleren, kan zelfs de ergste schoft naar het Licht worden gebracht en de sulligste en dankbaarste mens naar het Duister worden geduwd. Wij zijn het die moeten kiezen.'

'Dat heb ik toch al gedaan, Anton. Ik ben per slot van rekening al in de Schemer getreden.'

'Klopt.'

'Waarom begrijp ik dan niet wat het verschil is tussen mij en een heks die zwarte missen bijwoont? Waarom stel ik deze vragen?'

'Die zul je altijd stellen. In het begin hardop, later alleen in gedachten. Dat gaat niet over, nooit. Als je dit soort kwellende vragen had willen ontlopen, had je de andere kant moeten kiezen.'

'Ik heb gekozen voor de kant die ik wilde.'

'Dat weet ik. Daarom zul je het moeten verdragen.'

'Mijn hele leven lang?'

'Ja. En ook al zul je heel lang leven, je zult er nooit aan wennen. Je zult je altijd blijven afvragen hoe gerechtvaardigd elke stap is die je hebt gezet.'

3

Maxim hield niet van restaurants. Dat had met zijn aard te maken. Hij voelde zich veel meer op zijn gemak in bars en clubs, zelfs in de duurdere waar immers geen waarde werd gehecht aan overdreven nette manieren. Veel gasten gedroegen zich in chique restaurants sowieso als een bevelhebber uit het Rode Leger tijdens een onderhoud met een arbeider: ongemanierd, zonder de geringste behoefte dit te veranderen. Maar waarom zou hij die nieuwe rijken uit de grapjes nadoen?

Maar hij had iets goed te maken voor de afgelopen nacht. Of zijn vrouw geloofde echt dat hij een 'belangrijke zakelijke bijeenkomst' had gehad of ze deed alsof. Toch had hij last van vage schuldgevoelens. Als ze de waarheid eens wist! Als ze ook maar enig idee had wie hij eigenlijk was en wat hij deed! Maxim kon haar niets vertellen. En moest zijn onverklaarbare nachtelijke afwezigheid op dezelfde manieren goedmaken als een willekeurige echtgenoot die de nacht bij zijn minnares heeft doorgebracht: met cadeautjes, aandacht, uitgaan. Naar een goed, gerenommeerd restaurant bijvoorbeeld, met een uitstekende exotische kaart, buitenlands personeel, een fraaie inrichting en een uitgebreide wijnkaart.

Zou Jelena echt denken dat hij haar de vorige nacht had bedrogen? Die vraag hield Maxim weliswaar bezig, maar ook weer niet zo dat hij hem hardop zou hebben gesteld. Je moet altijd iets ongezegd laten. Misschien zou ze de waarheid nog eens te horen krijgen. En trots op hem zijn.

Maar waarschijnlijk koesterde hij valse hoop. Hij maakte zichzelf niets wijs. In een wereld waarin de uitwassen van het boze en het Duister huisden, was hij de enige ridder van het Licht. Ongelooflijk eenzaam, zonder enige mogelijkheid om de waarheid met iemand te delen, de waarheid die zich af en toe aan hem openbaarde. In het begin had Maxim nog gehoopt dat hij iemand zou ontmoeten die net zo was als hijzelf: een ziende in het land der blinden, een waakhond, in staat te midden van de argeloze kudde de wolf in schaapskleren te ontdekken.

Nee, zo iemand was er niet. Er was niemand die zich bij hem had kunnen aansluiten.

En toch ging hij niet bij de pakken neerzitten.

'Wat denk je, zal ik dit nemen?'

Maxim keek naar de menukaart. Hij wist ook niet wat een *Malai Kofta* was.

Maar zoiets was voor hem nooit een reden om het niet te bestellen. Per slot van rekening stonden de ingrediënten er wel bij.

'Neem dat maar. Het is vlees met slagroomsaus.'

'Rundvlees?'

In eerste instantie had hij niet door dat Jelena maar een grapje maakte. Toen reageerde hij op haar grijns. 'Vast en zeker.'

'En als ik eens een gerecht met rundvlees bestel?'

Dan zullen ze je fijntjes vertellen dat ze dat niet hebben, dacht Maxim. De plicht zich met zijn vrouw te onderhouden, kostte hem niet veel moeite. Hij vond dat best wel prettig. En toch had hij dit restaurant net zo lief alleen maar geobserveerd. Hier klopte iets niet. Iets glom in het schemerdonker, joeg een koude rilling over zijn rug, dwong hem te knipperen en te observeren, eindeloos te observeren...

Dat kon toch niet?

Normaal gesproken duurde het een paar maanden tot een halfjaar voor hij een nieuwe opdracht kreeg. Maar dezelfde dag nog...

Toch kende hij deze symptomen maar al te goed.

Maxim stak zijn hand in de binnenzak van zijn colbertje, alsof hij zijn portefeuille zocht. Eigenlijk werd hij opgejaagd door iets heel anders: een kleine houten dolk, ijverig, maar zonder talent gesneden. Hij had dit wapen eigenhandig glad geschuurd toen hij nog een kind was, zonder het te begrijpen, maar wel wetend dat het geen gewoon stukje speelgoed was.

De dolk wachtte.

Wie was het?

'Max?' Jelena's stem klonk een beetje verwijtend. 'Zit je te dromen?'

Ze proostten. Een slecht voorteken: als een man en een vrouw met elkaar proosten, dan raakt het geld van hun familie op. Maar Maxim had geen last van bijgeloof.

Wie?

In het begin verdacht hij twee vrouwen. Heel aantrekkelijk allebei, knap zelfs, maar allebei op een andere manier. De kleinste had zwart haar en een sterk lichaam en ze bewoog zich op een robuuste, bijna mannelijke manier – alsof ze barstte van de energie. Er ging ook een seksuele uitstraling van haar uit. De grotere was heel blond, rustiger, terughoudender. En zij was op een andere, geruststellende manier bijna, heel knap.

Maxim ving de alerte blik van zijn vrouw op en keek naar iets anders.

'Lesbo's,' zei zijn vrouw vol verachting.

'Wat?'

'Kijk hen nou toch eens! Die met dat donkere haar, die met die spijkerbroek, is toch een halve kerel.'

Inderdaad. Maxim knikte en trok een passend gezicht.

Die niet, die dus niet. Maar wie dan? Wie?

In een hoekje van de eetzaal begon een mobieltje te piepen, waarna onmiddellijk een man of tien gedachteloos naar hun mobiele telefoon grepen. Maxim keek wie werd gebeld en de adem stokte hem in de keel.

De man die de oproep kortaf en zachtjes beantwoordde, was niet gewoon een slechte man... hij was van top tot teen omhuld in een zwarte waas. Andere mensen konden dat niet zien, maar Maxim wel.

Hij straalde gevaar uit, een dreigend, afschuwelijk gevaar.

Er ging een pijnscheut door Maxims borst.

'Weet je, Lena, ik zou dolgraag op een onbewoond eiland willen wonen,' zei hij opeens tot zijn eigen verrassing.

'Alleen?'

'Met jou en met de kinderen. Maar verder niemand. Niemand anders.'

Hij dronk zijn glas wijn in één teug leeg; de kelner vulde het onmiddellijk bij.

'Dat trekt me nou niet,' zei zijn vrouw.

'Dat weet ik.'

De dolk in zijn zak voelde nu zwaar en warm aan. Er ging een golf van opwinding door hem heen, een heftige, bijna seksuele opwinding. Die ontladen wilde worden.

'Ken je Edgar Allan Poe?' vroeg Swetlana.

Ze hadden ons zonder meer binnengelaten. Daar had ik niet op gerekend. Misschien waren de regels in dit restaurant inmiddels wat minder streng dan ik me herinnerde, maar misschien hadden ze ook gewoon te weinig gasten.

'Nee, die is al heel lang dood. Maar Semjon heeft een keer gezegd...'

'Ik bedoel ook niet de persoon Poe, maar zijn verhalen.'

'*De man in de menigte*,' raadde ik.

Swetlana lachte zacht. 'Ja. Jij zit nu in dezelfde positie als hij. Je bent gedwongen rond te dolen op plaatsen waar veel mensen zijn.'

'Ik ben nog niet uitgekeken op dit soort plaatsen, hoor.'

We bestelden een Bailey's en iets te eten. Waarschijnlijk bracht dit de ober op bepaalde gedachten over de aanleiding voor ons bezoek: twee onervaren prostituees op zoek naar werk, maar daar trok ik me niets van aan.

'Was hij een Andere?'

'Poe? Misschien eentje die niet geïnitieerd is.'

> *Het woont in vele lichaamloze dingen*
> *een dubbel leven: dubbel en toch één –*
> *een afdruk van een wezen, daarbinnen*
> *materie en licht van de kern van het zijn*

citeerde Sweta zachtjes.

Ik keek haar verbaasd aan. 'Ken jij dat?'

'Wat moet ik daar nu op zeggen?'

Ik keek op en reciteerde plechtig:

> *Hij is het belichaamde zwijgen – maar hij dreigt*
> *met geen macht jou, die men slecht noemt;*
> *Slechts als de druk van het lot (ontijdige nood!)*
> *zijn schaduw over je heen werpt (grote geest,*
> *die in regionen huist, en daar een schande*
> *van de menselijke macht) – ah, prijs dan de Heer!*

Heel even keken we elkaar aan en schoten tegelijk in de lach.

'Een klein literair duel,' zei Swetlana vinnig. 'De stand is een-een. Jammer dat we geen publiek hebben. En waarom is Poe niet geïnitieerd?'

'Onder dichters bevinden zich veel potentiële Anderen, maar men laat veel gegadigden liever als mens leven. Poe had een te labiele geest. Als ze hem onze capaciteiten hadden gegeven, dan hadden ze net zo goed een jerrycan met napalm aan een pyromaan kunnen geven. Ik zou niet eens durven raden aan welke kant hij zich zou hebben geschaard. Hij zou waarschijnlijk al heel snel in de Schemer zijn getreden, en dan ook heel snel.'

'Hoe leven ze daar dan? Degenen die daarnaartoe zijn gegaan?'

'Dat weet ik niet, Swetlana. Dat weet niemand waarschijnlijk. Je komt ze in de Schemerwereld vaak tegen, maar tot een echt gesprek komt het niet.'

'Dat zou ik graag ontdekken.' Peinzend keek Swetlana de eetzaal rond. 'Heb je hier een Andere gezien?'

'Die oude achter mij, met dat mobieltje.'

'Die is toch niet oud.'

'Hij is heel oud. Maar ik heb hem niet met mijn ogen gezien.'

Swetlana beet op haar lip en kneep haar ogen tot spleetjes. Zo langzamerhand begon ze ambitieus te worden.

'Dat lukt me nog niet,' bekende ze. 'Ik kan nog niet eens ontdekken of hij een Lichte of een Duistere is.'

'Een Duistere. Niet van de Dagwacht, maar een Duistere. Een tovenaar met gemiddelde kracht. Hij heeft ons trouwens ook opgemerkt.'

'En wat doen we nu?'

'Wij? Niets.'

'Maar hij is toch een Duistere!'

'Ja, en wij zijn Lichten. Nou en? Als medewerkers van de Wacht hebben we het recht zijn papieren te controleren, maar die zullen wel in orde zijn.'

'En wanneer hebben we dan het recht om iets te doen?'

189

'Nou ja, als hij nu opstaat, met zijn armen gaat zwaaien, in een duivel verandert en ieders hoofd eraf gaat bijten...'

'Anton!'

'Ik ben heel serieus. We hebben niet het recht om een tovenaar van het Duister tegen te houden als hij zich een beetje wil amuseren.'

De kelner bracht ons eten en we zwegen. Swetlana at zonder enige eetlust.

'En hoe lang zal de Wacht zo voor hen kruipen?' vroeg ze na een tijdje, brutaal als een verwend kind.

'Voor de Duisteren?'

'Ja.'

'Totdat we een beslissende voorsprong hebben. Totdat de mensen die Anderen worden ook maar een fractie van een seconde twijfelen over wat ze zullen kiezen: het Licht of het Duister. Totdat de Duisteren niet vanwege ouderdom achter elkaar doodgaan. Totdat ze de mensen niet meer zo gemakkelijk naar de kant van het slechte kunnen drijven als nu.'

'Maar dat lijkt wel een capitulatie, Anton!'

'Dat betekent neutraliteit. Een status-quo. Beide kanten staan onder tijdsdruk, daarover hoeven we onszelf niets wijs te maken.'

'Weet je, ik vind deze Wilde die in zijn eentje die paniek bij de Duisteren veroorzaakt veel sympathieker. Dan handelt hij maar in strijd met het Verdrag, dan compromitteert hij ons maar zonder dat we het willen! Maar in elk geval strijdt hij tegen het Duister, begrijp je, hij vecht ertegen! Eén tegen allen!'

'Heb jij je nog nooit afgevraagd waarom hij Duisteren vermoordt, maar toch geen contact met ons opneemt?'

'Nee.'

'Hij ziet ons niet, Swetlana. Voor hem zijn we lucht.'

'Dan is hij dus een autodidact.'

'Klopt. Een begaafde autodidact. In staat het slechte te zien, maar niet in staat om het goede te herkennen. Vind je dat niet gek?'

'Nee,' zei Swetlana ontstemd. 'Het spijt me wel, maar ik heb geen idee waar je naartoe wilt, Olga. Sorry, Anton. Je praat al net zoals zij.'

'Geeft niets.'

'De Duistere is verdwenen, ik weet niet waar naartoe,' zei Swetlana en keek over mijn schouder. 'Om vreemde krachten op te zuigen, om slechte magie uit te voeren. En wij doen niets.'

Ik draaide mijn hoofd een beetje en keek achterom. Zag de Duistere – die inderdaad nog geen dertig jaar oud leek. Hij was smaakvol gekleed, aantrekkelijk. Aan zijn tafel zaten nog een jonge vrouw en twee kinderen, een jongen van een jaar of zeven en een iets jonger meisje.

'Hij is even naar het toilet gegaan, Sweta. Even plassen. Zijn gezin is trouwens absoluut normaal. Heeft geen capaciteiten. Wil je die misschien ook liquideren?'

'De appel valt niet ver van de boom...'

'Zeg dat maar eens tegen Garik. Zijn vader is een tovenaar van het Duister. En leeft nog steeds.'

'Er zijn uitzonderingen.'

'Het hele leven bestaat uit uitzonderingen.'

Swetlana zweeg.

'Ik ken deze behoefte, Sweta. Het goede te doen en het slechte te verdrijven. Voor eens en voor altijd. Ik ben net zo. Maar als je niet gaat inzien dat dit een doodlopende weg is, dan eindig je nog in de Schemer. En dan zal een van ons gedwongen zijn een einde te maken aan je aardse bestaan.'

'Maar dan doe ik in elk geval iets.'

'Weet je waar je dan op zou lijken? Op een psychopaat die in blinde woede keurige mensen vermoordt. In alle kranten verschijnen dan bloedstollende artikelen. Je krijgt dan welluidende bijnamen, zoals de *Borgia van Moskou.* Je zult in de harten van de mensen zoveel woede opwekken als een brigade van tovenaars van het Duister in een heel jaar niet voor elkaar krijgt.'

'Waarom hebben jullie altijd overal een antwoord op?' vroeg Swetlana bitter.

'Omdat we onze leerjaren achter de rug hebben. En we hebben nagedacht. De meesten in elk geval!'

Ik riep de kelner en vroeg de menukaart.

'Wil je een cocktail?' vroeg ik. 'En zullen we dan gaan? Zoek maar iets uit.'

Swetlana knikte en bestudeerde de menukaart. De kelner, een grote buitenlander met een donkere huidskleur, wachtte. Hij had al veel gezien, en twee vrouwen van wie de een zich als een man gedroeg, brachten hem echt niet uit zijn doen.

'Alter ego,' zei Swetlana.

Twijfelend schudde ik mijn hoofd; dat was een van de sterkste cocktails. Maar ik wilde geen ruzie maken. 'Twee cocktails en de rekening.'

Terwijl de barkeeper onze cocktails mengde en de kelner zich met de rekening bezighield, zaten we bedrukt te zwijgen.

'Goed, die dichters hebben we afgehandeld,' zei Swetlana ten slotte. 'Dat zijn potentiële Anderen. Maar hoe zit het met de criminelen? Met Caligula, Hitler en waanzinnige moordenaars?'

'Dat zijn mensen.'

'Allemaal?'

'De meesten wel, ja. Wij hebben onze eigen misdadigers. Hun namen zeggen de mensen niets, maar voor hen begint de geschiedenisles al heel snel.'

De Alter ego deed zijn naam eer aan. Twee dikke, niet-vermengde lagen drank wiebelden in het glas, een witte en een zwarte, zoete slagroomlikeur en bitter donker bier.

Ik betaalde cash – ik laat graag zo weinig mogelijk elektronische sporen na – en hief mijn glas. 'Op de Wacht.'

'Op de Wacht,' beaamde Swetlana. 'En op jouw geluk, dat je hier heelhuids weer uitkomt.'

Ik had haar het liefst gevraagd om dit af te kloppen, maar zweeg. Dronk de cocktail in twee teugen op, eerst de zachte zoete en daarna een licht bittere smaak.

'Niet slecht,' zei Swetlana. 'Weet je, ik vind het hier prettig. Zullen we nog even blijven?'

'Er zijn veel prettige bars in Moskou. Laten we ergens naartoe gaan waar geen tovenaar van het Duister is.'

Sweta knikte. 'Hij is trouwens nog steeds niet terug,' zei ze.

Ik keek op de klok. Hm, in die tijd had hij wel een paar emmers kunnen vullen.

Het vreemdste was echter dat zijn gezin nog steeds aan tafel zat. En dat zijn vrouw steeds zenuwachtiger werd.

'Sweta, ik ga even naar het toilet.'

'Vergeet niet wie je bent,' fluisterde ze me achterna.

Helemaal juist. Het zou wel vreemd zijn als ik de tovenaar van het Duister het toilet in zou volgen.

Toch liep ik het restaurant door en keek ondertussen de Schemer in. Nu had ik eigenlijk de aura van de tovenaar moeten zien, maar ik zag alleen maar een grijze leegte om me heen. Een leegte vol spikkeltjes van gewone aura's... van tevreden, bezorgde, sensuele, dronken, vrolijke aura's.

Hij zal toch niet door het riool zijn gespoeld!

Alleen aan de andere kant van de muur van het gebouw, vlak bij de ambassade van Wit-Rusland, lichtte een zwak vuurtje op, de aura van een Andere. Niet die van de tovenaar van het Duister, maar een veel zwakkere met een heel andere inkleuring.

Waar was hij gebleven?

In de smalle gang die naar twee deuren leidde, was niemand. Heel even aarzelde ik – ach, wat kon er immers aan de hand zijn, misschien hebben we hem gewoon niet gezien, misschien is de tovenaar door de Schemer verdwenen, misschien beschikt hij over een dusdanige kracht dat hij tot teleportatie in staat is. Toen deed ik de deur naar het herentoilet open.

Het was hier heel schoon, heel licht, een beetje klein en er hing een sterke bloemengeur van toiletspray.

De tovenaar van het Duister lag met gespreide armen vlak achter de deur die ik daardoor niet helemaal kon openen. Zijn gezicht had een ontstelde, nietbegrijpende uitdrukking. In zijn geopende hand zag ik de glans van een dunne kristallen buis. Hij had geprobeerd zijn wapen te grijpen, maar te laat.

Ik zag nergens bloed. Er was helemaal niets te zien, zelfs toen ik nog een keer door de Schemer keek, zag ik geen spoortje magie.

Het leek alsof de tovenaar van het Duister was gestorven aan een gewone hartaanval of een beroerte, alsof hij zo had kunnen sterven.

Maar er was één detail dat deze mogelijkheid absoluut uitsloot.

Een klein sneetje in de kraag van zijn overhemd. Een heel dun sneetje, als van een scheermesje. Alsof iemand hem het mes op de keel had gezet en toen achter de stof was blijven haken. Maar op zijn huid was geen spoor van een dergelijke aanval te zien.

'Klootzakken!' fluisterde ik, zonder dat ik wist tegen wie ik het had. 'Klootzakken!'

Je kon je bijna geen stommere situatie indenken als die waarin ik was beland. Van lichaam ruilen, met een 'getuige' naar een drukbezocht restaurant gaan – om dan in mijn eentje voor het lijk van een tovenaar van het Duister te staan die door de Wilde was vermoord.

Achter me zei iemand: 'Kom mee, Pawlik.'

Ik draaide me om: de vrouw die bij de tovenaar van het Duister aan tafel had gezeten, liep de gang in, hand in hand met haar zoon.

'Ik wil niet, mama!' jengelde de jongen chagrijnig.

'Je gaat naar binnen en zegt tegen papa dat we op hem wachten,' zei de vrouw geduldig. Toen keek ze op en zag mij staan.

'Haal hulp!' riep ik vertwijfeld uit. 'Schiet op! Deze man voelt zich niet goed! Haal dat kind hier weg en roep om hulp!'

Kennelijk kon iedereen mij horen, want Olga had een harde stem. Meteen was het stil. Nou ja, de monotone folkloristische muziek jammerde weliswaar door, maar het geroezemoes van stemmen verstomde.

Natuurlijk deed de vrouw niet wat ik vroeg. Ze schoot op me af, duwde me bij de deur vandaan, zakte voor het lichaam van haar man in elkaar en begon te jammeren – ja, te jammeren – met een stem die al wist wat er was gebeurd. Haar handen bleven in beweging, knoopten het gescheurde overhemd open en schudden het onbeweeglijke lichaam door elkaar. Daarna gaf de vrouw de tovenaar een klap in het gezicht, alsof ze hoopte dat hij haar voor de gek hield of dat hij alleen maar was flauwgevallen.

De jongen riep met een ijl stemmetje: 'Mama, waarom sla je papa?' Hij was niet geschrokken, maar verbaasd. Kennelijk had hij zoiets nog nooit meegemaakt. Een liefhebbend gezin.

Ik pakte de jongen bij de schouder en leidde hem zachtjes weg. In de gang dromden al mensen samen. Ik zag Sweta, met grote ogen; ze had alles onmiddellijk begrepen.

'Haal dat kind hier weg,' zei ik tegen de kelner. 'Hier is kennelijk iemand overleden.'

'Wie heeft het lijk gevonden?' vroeg de kelner kalm, zonder het accentje dat hij gebruikte als hij de gasten bediende.

'Ik.'

De kelner knikte en gaf de jongen – die nu huilde, zou hij nu hebben begrepen dat er iets ergs was gebeurd in zijn kleine perfecte leventje – snel aan een van de medewerksters.

'En wat moest u in het herentoilet?'

'De deur stond open en toen zag ik hem liggen,' loog ik zonder hierover na te denken.

De kelner knikte en gaf daarmee aan dat dit een plausibele verklaring was. Tegelijkertijd echter pakte hij mij stevig bij mijn elleboog.

'U moet op de politie wachten, jongedame.'

Intussen had Swetlana ons door het gedrang heen bereikt en kneep haar ogen tot spleetjes toen zij die laatste woorden opving. Dat ontbrak er nog aan: dat ze de herinneringen van de omstanders wiste!

'Natuurlijk, uiteraard.' Ik zette een stap, waardoor de kelner me onwillekeurig losliet en achter me aanliep. 'Sweta, er is iets vreselijks gebeurd. Een dode.'

'Olga.' Swetlana reageerde correct. Ze omarmde mij, keek boos naar de kelner en wilde me meetrekken naar de tafels.

Op dat ogenblik stoof de jongen langs ons heen, nadat hij zich een weg had gebaand tussen de kijklustige, nieuwsgierige menigte. Hij stortte zich huilend op zijn moeder die men net van het lijk aftrok. De vrouw had van de algemene opwinding gebruikgemaakt, zich naast haar man op de grond laten vallen en was hem door elkaar aan het schudden.

'Sta op! Gena, sta op! Sta onmiddellijk op!'

Ik zag dat Swetlana in elkaar kromp toen ze dit zag.

'En?' fluisterde ik. 'Moeten we de Duisteren te vuur en te zwaard uitroeien?'

'Waarom heb je het gedaan? Ik had het ook zo wel begrepen,' siste Swetlana boos terug.

'Wat?!'

We keken elkaar aan.

'Heb jij het niet gedaan?' vroeg Swetlana onzeker. 'Sorry hoor, maar dat dacht ik.'

Op dat moment begreep ik dat ik echt in de problemen zat.

De rechercheur interesseerde zich niet bijzonder voor mij. Ik zag dat hij zich al een mening had gevormd: natuurlijke dood. Een zwak hart, een overdosis; hetzelfde als altijd. Hij voelde geen medelijden met een man die zich in dure restaurants ophield, en hoefde dat ook niet te hebben.

'Lag het lijk zo?'

'Ja, zo,' bevestigde ik moe. 'Afschuwelijk!'

De rechercheur haalde zijn schouders op. Hij zag niets afschuwelijks aan dit lijk; het lag niet eens in een plas bloed.

Desondanks zei hij grootmoedig: 'Ja, een afschuwelijk gezicht. Was er iemand in de buurt?'

'Nee. Later kwam er een vrouw aan, de echtgenote van de dode, met haar zoon.'

Hij beloonde me met een glimlachje voor mijn opzettelijk verwarde uitspraak.

'Ontzettend bedankt, Olga. Misschien nemen we nog een keer contact met je op. Je bent toch niet van plan de stad te verlaten?'

Ik schudde heftig met mijn hoofd. De politie joeg me geen angst aan.

Maar de Chef, die rustig aan een hoektafeltje zat, des te meer.

De rechercheur liet me met rust en wendde zich tot de 'echtgenote van de dode'. Boris Ignatjewitsj liep langzaam naar ons tafeltje. Kennelijk werd hij door een lichte afleidingsspreuk afgeschermd, want niemand lette op hem. Hij vroeg alleen maar: 'Zijn jullie erin getuind?'

'Wij?' preciseerde ik uit voorzorg.

'Ja, jullie. Of liever gezegd: jij.'

'Ik heb me precies aan de instructies gehouden die mij zijn gegeven,' fluisterde ik driftig. 'En heb deze tovenaar met geen vinger aangeraakt!'

De Chef zuchtte. 'Daar twijfel ik geen seconde aan. Maar hoe haal je het in je hoofd, jij, een ervaren medewerker van de Wacht, om die Duistere helemaal in je eentje achterna te stormen? En dat, terwijl iedereen je kon zien?'

'Wie had zoiets nu kunnen voorzien?' zei ik boos. 'Wie?'

'Jij. Waarom treffen we dit soort maatregelen, vermommen je op een nog niet eerder vertoonde manier? Hoe luidden je instructies? Je zou geen minuut alleen zijn! Geen minuut! Eten, slapen, dat alles zou je samen met Swetlana doen. Jullie zouden samen douchen! Samen naar het toilet gaan! Zodat je voor elke seconde, voor elke seconde...' De Chef zuchtte en zweeg.

Verrassend genoeg bemoeide Swetlana zich met ons gesprek: 'Boris Ignatjewitsj, dat is nu niet meer van belang. Laten we nu alstublieft bespreken wat we kunnen doen.'

De Chef keek haar enigszins verbaasd aan. Toen knikte hij. 'Het meisje heeft gelijk. Laten we overleggen. Laten we beginnen met te constateren dat de situatie dramatisch is verslechterd. Anton was tot nu toe alleen maar informeel verdacht. Nu is hij in feite op heterdaad betrapt. Je hoeft je hoofd niet te schudden, men heeft gezien hoe je boven een lijk stond dat nog niet eens koud was. Het lijk van een tovenaar van het Duister die op dezelfde manier is vermoord als de vorige slachtoffers. Het ligt niet in ons vermogen je tegen een aanklacht te beschermen. De Dagwacht zal zich tot het Tribunaal wenden en eisen dat je geheugen wordt gelezen.'

'Dat is toch heel gevaarlijk?' vroeg Swetlana. 'Ja toch? Maar dan zullen ze wel ontdekken dat Anton onschuldig is.'

'Klopt. En tegelijkertijd krijgen de Duisteren alle informatie in handen waar hij toegang tot heeft gehad. Swetlana, heb je enig idee hoeveel een leidinggevende programmeur weet? Veel dingen weet hij niet bewust, omdat hij maar heel even naar de gegevens heeft gekeken, ze heeft bewerkt en ze toen weer is vergeten. Maar de Duisteren beschikken over specialisten. En als Anton de rechtszaal volledig gerehabiliteerd verlaat – als hij tenminste de inversie van zijn geheugen overleeft – is de Dagwacht op de hoogte van al onze operaties. Weet je wel wat er dan gebeurt? De methodes voor de opsporing en opleiding van nieuwe Anderen, de analyse van de inzet van troepen, het netwerk van menselijke informanten, het aantal doden aan onze kant, de personalia van onze medewerkers, de budgetten...'

Terwijl ze het over mij hadden, zat ik erbij alsof het mij allemaal niets aanging. En dat lag niet aan de cynische openlijke manier waarop ze het deden, maar aan het feit op zich: de Chef overlegde met Swetlana, een tovenares in de leer, en niet met mij, een tovenaar van de derde graad.

Als je het gebeuren met een partijtje schaak vergeleek, was dit een belediging. Ik was een loper, normaal gesproken een goede loper van de Wacht. En Swetlana een pion. Maar een pion die op het punt stond koningin te worden. En wat mij ook boven het hoofd hing, was voor de Chef minder belangrijk dan Swetlana een praktijkles te geven.

'Boris Ignatjewitsj, u weet toch wel dat ik niet zal toestaan dat ze een kijkje in mijn herinnering nemen,' zei ik.

'Dan zullen ze je veroordelen.'

'Dat weet ik. Maar ik kan zweren dat ik niets te maken heb met de dood van deze Duistere. Zelfs al kan ik dat niet bewijzen.'

'Boris Ignatjewitsj, en als we nu eens voorstellen dat alleen Antons herinneringen aan vandaag worden gecontroleerd?' riep Swetlana enthousiast uit. 'Dat is het! Dan zullen ze zien...'

'Je kunt het geheugen niet in porties opdelen, Sweta. Ze zullen het helemaal binnenstebuiten keren en beginnen met het begin van zijn leven. Met de geur van de moedermelk, de smaak van het vruchtwater.' De Chef sprak nu op scherpe toon. 'Dat is immers het erge, ook al zou Anton helemaal geen geheimen kennen... Probeer je eens voor te stellen hoe het is om je alles nog een keer te herinneren, alles opnieuw mee te maken! Het geschommel in die donkere, taaie vloeistof, de wanden die zich samentrekken, het licht dat voor je ogen schemert, de pijn, de ademnood, de noodzaak om je eigen geboorte te overleven. En dan verder, ogenblik na ogenblik... Heb je wel eens gehoord dat vlak voordat je doodgaat, je hele leven nog één keer razendsnel aan je voorbijgaat? Bij een geheugeninversie gaat dat precies zo. En diep vanbinnen weet je dat je dat allemaal al eens hebt meegemaakt. Begrijp je dat? Het is heel moeilijk om dan niet gek te worden.'

'U vertelt dat...' zei Swetlana onzeker, 'alsof...'

'Ik heb dat ook meegemaakt. Niet tijdens een verhoor, maar meer dan honderd jaar geleden. Toen de Wacht voor het eerst begon met het onderzoek naar geheugeninversie hadden ze een vrijwilliger nodig. Het heeft toen meer dan een jaar geduurd voor ik mijn oude ik weer was.'

'En hoe bent u daarin geslaagd?' vroeg Swetlana nieuwsgierig.

'Door nieuwe ervaringen. Met dingen die ik nog niet eerder had meegemaakt. Andere landen, onbekend eten, onverwachte ontmoetingen, nieuwe problemen. En ondanks dat...' zei hij met een scheef lachje, 'betrap ik me er vaak op dat ik om me heen kijk en me afvraag: wat is dat allemaal om me heen? Is dat de realiteit of een herinnering? Leef ik of lig ik op de kristallen plaat in het kantoor van de Dagwacht die bezig is mijn geheugen af te spoelen als een klosje garen?'

Hij zweeg.

Om ons heen zaten de mensen aan tafeltjes en renden de kelners heen en weer. Het onderzoeksteam was verdwenen, het lijk van de tovenaar van het Duister was weggehaald en een man, kennelijk een familielid, had de weduwe en haar kinderen opgehaald. Niemand trok zich nog iets aan van wat er was gebeurd. Integendeel: de eetlust van de gasten was nog groter geworden, evenals hun begeerte om te leven. En er was ook niemand die op ons lette. De Chef had er met zijn magie voor gezorgd dat niemand naar ons keek.

En als dit allemaal veel eerder was gebeurd?

Als ik, Anton Gorodetski, systeembeheerder bij de firma Niks, en daarnaast tovenaar bij de Nachtwacht, nu gewoon op een kristallen plaat lag die vol stond met oude runentekens? En mijn geheugen nu werd afgespoeld, geïnspecteerd en geprepareerd? Door wie dan ook? Door tovenaars van het Duister of door een Tribunaal uit beide Wachten?

Nee!

Dat kon niet waar zijn! Ik voelde niets van waar de Chef het over had. Geen déjà vu. Ik had nog nooit eerder in het lichaam van een vrouw gezeten, nooit eerder een lijk in een openbaar toilet gevonden.

'Maar ik zit jullie te vermoeien,' zei de Chef. Hij haalde een lange cigarillo uit zijn zak. 'Is de situatie tot zover duidelijk? Wat doen we nu?'

'Ik ben bereid mijn plicht te vervullen,' zei ik.

'Rustig aan, Anton. Je hoeft niet de held uit te hangen.'

'Dat doe ik ook niet. Ik ben echt niet van plan de geheimen van de Wacht te verdedigen. Ik zou zo'n verhoor gewoon niet volhouden, dan ga ik liever dood.'

'Maar wij sterven niet zoals een mens.'

'Ja, voor ons is het moeilijker, maar ik ben daar wel toe bereid.'

De Chef zuchtte. 'Sorry, meisjes. Anton, laten we nu niet nadenken over de gevolgen van deze gebeurtenissen, maar over de oorzaken ervan. Vaak is het heel nuttig om terug te kijken naar het verleden.'

'Goed dan,' zei ik zonder veel hoop.

'De Wilde is al een hele tijd in Moskou bezig met zijn misdadige praktijken. Volgens de meest recente gegevens van de analytische afdeling zijn deze vreemde moorden al sinds drieënhalf jaar aan de gang. Bij een deel van de slachtoffers gaat het heel duidelijk om Duisteren, bij een ander deel waarschijnlijk om potentiëlen. Alle slachtoffers hadden hooguit de vierde graad bereikt. Niemand werkte bij de Dagwacht. Het is heel grappig, voorzover je dat in deze situatie zo kunt noemen, dat al die Duisteren zich heel erg inhielden. Ze doodden en manipuleerden mensen wel, maar in veel mindere mate dan ze hadden gekund.'

'Ze zijn opgeofferd,' zei Swetlana. 'Ja toch?'

'Waarschijnlijk wel, ja. De Dagwacht is van deze psychopaat afgebleven en heeft hem zelfs eigen mensen aangereikt. Mensen die niet zouden worden gemist. Waarom? Dat is de vraag waar het om gaat: waarom?'

'Om ons van nalatigheid te kunnen beschuldigen,' giste ik.

'Het doel zou die middelen niet heiligen.'

'Om een van ons van iets te kunnen beschuldigen.'

'Jij bent de enige medewerker van de Wacht die voor dat tijdstip geen alibi heeft, Anton. Waarom zou de Dagwacht het op jou gemunt hebben?'

Ik haalde mijn schouders op.

'Wraak van Seboelon?' De Chef schudde aarzelend zijn hoofd. 'Nee, je hebt hem pas kort geleden ontmoet. Dit is al drieënhalf jaar geleden gepland. De vraag blijft: waarom?'

'Kan het zijn dat Anton in potentie een heel sterke tovenaar is?' vroeg Swetlana zacht. 'En dat de Duisteren dat hebben onderkend? En omdat ze hem niet meer aan hun kant konden krijgen, besloten hebben hem te vernietigen?'

'Anton is sterker dan hij denkt,' zei de Chef op scherpe toon, 'maar verder dan de tweede graad komt hij nooit.'

'En stel dat onze vijanden de verschillende realiteitsvarianten verder kunnen voorzien dan wij?' Ik keek de Chef recht aan.

'Ja? Wat dan?'

'Misschien ben ik dan wel een zwakke tovenaar, een middelmatige of een sterke... maar stel nu eens dat ik maar heel weinig zou hoeven doen om het evenwicht tussen de krachten te verstoren? Iets simpels, iets wat niets met magie te maken heeft? Boris Ignatjewitsj, de Duisteren hebben toch geprobeerd me bij Swetlana vandaan te houden? Ze hebben dus een realiteitslijn gezien die mij de mogelijkheid bood haar te helpen! En als ze nog iets zien? In de toekomst? Als ze ver in de toekomst kunnen kijken en zich er al heel lang op voorbereiden om mij te neutraliseren? Waardoor zelfs de strijd om Sweta onbelangrijk zou lijken?'

Eerst zat de Chef nog aandachtig naar mij te luisteren, maar toen fronste hij zijn voorhoofd en schudde zijn hoofd.

'Je lijdt aan grootheidswaanzin, Anton. Sorry hoor,' zei hij. 'Ik heb de lijnen van alle medewerkers van de Wacht bekeken. Vanaf degenen met een sleutelpositie tot en met onze loodgieter, oom Sjoera. Nee, het spijt me, maar zulke belangrijke daden liggen er niet voor je in het verschiet. In geen enkele realiteitslijn.'

'Weet u heel zeker dat u zich niet vergist, Boris Ignatjewitsj?'

Ondanks alles nam ik het hem kwalijk.

'Nee, natuurlijk niet. Ik ben nooit ergens helemaal zeker van. Maar de kans dat je gelijk hebt, is ontzettend klein, geloof me.'

En dat deed ik.

Vergeleken met de Chef had ik helemaal geen capaciteiten.

'Goed dan, de aanval is op jou gericht, daarover bestaat geen enkele twijfel. De Wilde wordt op een heel subtiele en behendige manier gestuurd. Hij is ervan overtuigd dat hij tegen het kwaad strijdt, maar hangt al een hele tijd als een marionet aan hun touwtjes. De Duisteren hebben hem vandaag naar het restaurant gestuurd waar jij ook was, hem een slachtoffer aangeboden. En jij bent erin getrapt.'

'En, wat doen we nu?'

'Die Wilde zoeken. Dat is onze laatste kans, Anton.'

'We moeten hem dus vermoorden.'

'Wij niet. Wij hoeven hem alleen maar te vinden.'

'Goed dan. Hoe slecht hij ook is, hoe hij ook is misleid, hij is een van ons! Hij vecht zo goed als hij kan tegen het kwaad; we hoeven hem alleen maar alles uit te leggen.'

'Daar is het nu te laat voor, Anton. Veel te laat. Wij hebben eerst niet gemerkt dat hij in actie kwam, maar nu trekt hij een dusdanig spoor achter zich aan... Kun jij je nog herinneren hoe de vampierin aan haar einde is gekomen?'

Ik knikte. 'Uitwissing.'

'En zij had veel minder op haar geweten. Tenminste, volgens de Duisteren. En zij had niet eens door wat er speelde, maar toch heeft de Dagwacht haar veroordeeld.'

'Zou dat toevallig zijn geweest?' vroeg Swetlana. 'Of wilden ze een precedent scheppen?'

'Wie weet? Anton, je moet die Wilde vinden.'

Ik keek hem aan.

'Hem vinden en overdragen aan de Duisteren,' zei de Chef streng.

'Waarom ik?'

'Omdat jij de enige bent die hier moreel gezien toe in staat is. Jij bent in gevaar en dus verdedig jij jezelf alleen maar. Voor ieder ander van ons zou het een te grote schok zijn om een Lichte uit te leveren, zelfs als het een spontane, misleide autodidact is. Maar jij zult dat wel kunnen.'

'Dat weet ik nog niet zo zeker.'

'Toch wel. En onthou één ding, Anton: je hebt alleen vannacht. De Dagwacht zal niet langer wachten; morgen word je officieel aangeklaagd.'

'Boris Ignatjewitsj!'

'Probeer je alles te herinneren! Weet je nog wie er in het restaurant waren? Wie is de tovenaar van het Duister naar het toilet gevolgd?'

'Niemand, dat weet ik zeker. Ik heb de hele tijd zitten kijken of hij er weer uit kwam,' mengde Swetlana zich in het gesprek.

'Dan heeft de Wilde dus in het toilet op de tovenaar staan wachten. Maar hij moet er dan wel uit zijn gekomen. Kunnen jullie je dat wel herinneren? Sweta? Anton?'

We zwegen. Ik kon me niets herinneren, want ik had geprobeerd de tovenaar van het Duister niet aan te kijken.

'Er kwam wel een man naar buiten,' zei Swetlana. 'Een eh...' Ze dacht na. 'Een niemand, een absoluut niemand. Een heel gewone man, alsof duizenden gezichten door elkaar gemengd en tot één gekneed zijn. Ik heb hem maar heel even aangekeken en ben hem meteen weer vergeten.'

'Probeer je zijn gezicht weer te herinneren,' drong de Chef aan.

'Het lukt me niet, Boris Ignatjewitsj. Het was gewoon een mens. Een man. Van middelbare leeftijd. Ik heb niet eens gemerkt dat hij een Andere was.'

'Hij is een spontane Andere. Hij treedt nog niet eens de Schemer in, maar balanceert op het randje. Probeer je hem weer te herinneren, Sweta! Zijn gezicht of iets wat bijzonder aan hem was.'

Swetlana streek met haar vingers over haar voorhoofd. 'Toen hij er weer uit was gekomen, ging hij bij een vrouw aan het tafeltje zitten. Een knappe vrouw met lichtbruin haar. Ze droeg make-up. Het viel me op dat ze producten van het merk Lumenet had gebruikt die ik ook af en toe gebruik. Die zijn niet al te duur, maar wel goed.'

Ondanks alles schoot ik in de lach.

'En ze zag er ontevreden uit,' voegde Sweta er nog aan toe. 'Ze lachte wel, maar niet van harte. Alsof ze hier nog wel wat langer had willen blijven, maar weg moest.'

Ze dacht nog even na.

'De aura van die vrouw!' zei de Chef scherp. 'Die weet je nog. Gooi de print naar me toe!'

Hij begon harder te praten en op een andere toon. Natuurlijk kon niemand in het restaurant hem horen, maar de gezichten van de gasten vertrokken tot een grimas, een kelner met een dienblad struikelde en liet een fles wijn en twee kristallen glazen op de grond vallen.

Swetlana bewoog haar hoofd heen en weer; de Chef bracht haar zo gemakkelijk in trance alsof ze maar een gewoon mens was. Ik zag dat haar pupillen groter werden en hoe er een regenboogkleurige draad tussen haar gezicht en dat van de Chef verscheen.

'Hartelijk bedankt, Sweta,' zei Boris Ignatjewitsj.

'Is het gelukt?' vroeg ze verbaasd.

'Ja. Je mag je nu als tovenares van de zevende graad beschouwen. Ik zal doorgeven dat ik de test zelf heb afgenomen. Anton!'

Nu keek ik de Chef aan.

Een impuls.

Het wegstromen van een energie zoals de mensen dat niet kennen.

Een beeltenis.

Nee, ik zag niet het gezicht van de vriendin van onze Wilde, maar haar aura en dat is veel belangrijker. In elkaar overlopende groene en blauwe flitsen, zoals bij een ijsbeker, een bruin vlekje, een witte streep. Een heel ingewikkelde aura die je meteen opviel en die in zijn geheel sympathieke gevoelens opriep. Ik begreep er niets van.

Zij hield van hem.

Ze hield van hem en was om de een of andere reden boos op hem. Ze dacht dat hij niet meer van haar hield, maar verdroeg dat. Ze was zelfs bereid om dat in de toekomst te verdragen.

Als ik het spoor van deze vrouw zou volgen, zou ik de Wilde vinden. En hem aan het Tribunaal kunnen overdragen – en daardoor zou hij zeker sterven.

'N-nee...' zei ik.

De Chef keek me begrijpend aan.

'Die vrouw kan er toch niets aan doen! Zij houdt van hem, dat ziet u toch!'

Ik hoorde trieste muziek. Niemand reageerde op mijn uitroep. Ik zou hier kunnen gaan dansen of onder iemands tafel kruipen – ze zouden hun benen intrekken en hun Indiase eten verder opeten.

Swetlana keek naar ons. Ze had zich die aura kunnen herinneren, maar kon hem niet ontcijferen. Daarvoor moest je de zesde graad hebben behaald.

'Dan zul je sterven,' zei de Chef.

'Ik weet waarvoor.'

'Maar denk je dan niet aan hen die van jou houden, Anton?'

'Dat recht heb ik niet.'

Boris Ignatjewitsj liet een scheef lachje zien.

'Een held! Ach, we zijn immers allemaal helden! We hebben geen vieze handen, een hart van goud en onze voeten hebben nog nooit door stront gelopen. Ben je die vrouw al vergeten die door een familielid is opgehaald? En die huilende kinderen? Dat zijn toch geen Duisteren, maar eenvoudige mensen die wij volgens onze belofte moeten beschermen. Hoe goed wegen we elke geplande operatie af? Waarom krijgen alle analisten, die ik weliswaar voortdurend vervloek, al grijze haren als ze vijftig zijn?'

Precies zoals ik Swetlana nog maar pas onder handen had genomen, haar beslist en stevig de les had gelezen, zo pakte de Chef mij nu aan.

'De Wacht heeft je nodig, Anton! En Sweta! Maar niemand heeft een psychopaat nodig, ook al is het een goede! Het is heel gemakkelijk om met een kleine dolk in je hand onder een poortje of in een toilet een Duistere op te wachten. Hij denkt niet aan de gevolgen, hij onderkent zijn schuld niet. Waar bevindt zich onze gevechtslinie, Anton?'

'Midden tussen de mensen.' Ik sloeg mijn blik neer.

'Wie beschermen wij?'

'De mensen.'

'Het kwaad op zich bestaat niet, dat zul je inmiddels al wel hebben begrepen! Onze wortels liggen hier, om ons heen, in deze kudde die zich een uur na die moord zit vol te vreten en zich vermaakt! Voor hen moet jij strijden. Voor de mensen. Het Duister is een hydra, en hoe meer koppen je eraf snijdt, hoe meer er weer aangroeien! Je moet een hydra uithongeren, ja toch? Vermoord honderd Duisteren en voor hen in de plaats komen er duizend weer terug. Daaruit bestaat de schuld van die Wilde! Daarom moet jij en niemand anders hem vinden, Anton. En hem dwingen terecht te staan. Al dan niet vrijwillig.'

De Chef zweeg opeens en stond abrupt op. 'Kom meisjes, we gaan.'

Het viel me niet eens meer op dat hij me als vrouw aansprak. Opstaan en mijn tasje pakken, dat was een onwillekeurige handeling.

De Chef zou niet doordrammen als daar geen reden voor was.

'Schiet op!'

Opeens begreep ik dat ik naar de plek moest waar de ongelukkige tovenaar van het Duister de dood had gevonden. Maar ik durfde daar niet eens op te zinspelen. We liepen zo snel naar de uitgang dat de bewakers ons zeker tegen hadden gehouden, als ze ons hadden kunnen zien.

'Te laat,' zei de Chef zachtjes, vlak bij de deur. 'We hebben te lang zitten praten.'

Drie mensen betraden het restaurant, sijpelden naar binnen: twee sterke mannen en een jonge vrouw.

Ik kende die vrouw. Alissa Donnikowa. De kleine heks van de Dagwacht. Haar ogen werden groot toen ze de Chef zag.

Achter haar gleden twee diffuse, onzichtbare silhouetten door de Schemer.

'Wilt u alstublieft nog even blijven?' vroeg Alissa schor, alsof ze opeens een droge keel had.

'Aan de kant!' De Chef zwaaide even met zijn handen, waarop de Duisteren uit elkaar weken en zich tegen de muren drukten. Alissa draaide zich om, alsof ze zich schrap zette tegen een elastische muur, maar de krachten waren ongelijk verdeeld.

Ze jammerde: 'Seboelon, ik roep je!'

O, jee. Als de kleine heks het recht had hem erbij te roepen, dan was ze de geliefde van het Hoofd van de Dagwacht.

Uit de Schemer doken twee andere Duisteren op. Ze leken op vechttovenaars van de derde of vierde graad. Ze waren natuurlijk geen partij voor de Chef en bovendien kon ik hem ook nog helpen, maar het zou ons kostbare tijd kosten.

Dat vond de Chef ook. 'Wat willen jullie?' vroeg hij bazig. 'Dit is de tijd van de Nachtwacht.'

'Er is een misdaad gepleegd.' Alissa's ogen gloeiden. 'Hier, nog maar kort geleden. Een van ons is vermoord, vermoord door een...' Ze keek de Chef en mij doordringend aan.

'Door wie?' vroeg de Chef hoopvol. De heks liet zich niet provoceren. Met haar status en in deze tijd die niet van haar was, had ze het niet hoeven wagen om Boris Ignatjewitsj een dergelijke aanklacht naar zijn hoofd te slingeren. Hij zou haar tegen de muur hebben platgedrukt, zonder zich ook maar even af te vragen of dat wel gerechtvaardigd was.

'Door een Lichte!'

'De Nachtwacht kent de dader niet!'

'Wij verzoeken officieel om bijstand.'

Zo. Nu was er geen ontkomen meer aan. Weigeren om de andere Wacht bijstand te verlenen, stond gelijk aan een oorlogsverklaring.

'Seboelon, ik roep je!' riep de heks nog een keer. Ik begon vaag te hopen dat het Hoofd van de Duisteren haar niet hoorde of elders bezig was.

'Wij verklaren ons bereid mee te werken,' zei de Chef. Met ijskoude stem.

Ik liet mijn blik door het restaurant dwalen, over de brede schouder van de tovenaar heen. De Duisteren hadden ons inmiddels omsingeld en waren duidelijk van plan ons bij de deur tegen te houden. Ja, in het restaurant gebeurden schandalige dingen.

En het volk bleef doorvreten: een gesmak, zo luid alsof er varkens aan de tafels zaten. Doffe, glazige blikken, de vingers om het bestek geklemd, maar toch schoof de massa het eten met de handen naar binnen, slikte, hijgde, spuugde. Een gedistingeerde oudere heer, die vredig te midden van drie bodyguards en een jonge schoonheid zat te eten, slurpte de wijn rechtstreeks uit de fles. Een sympathieke, jonge vent, zonder twijfel een yuppie, en zijn lieftallige vriendin zaten over één bord gebogen en besmeurden zichzelf met een oranje saus. De kelners snelden van de ene tafel naar de andere, keilden etensborden voor de mensen neer, kopjes, flessen, warmhoudplaten, schalen...

De Duisteren hebben hun eigen manieren om buitenstaanders af te leiden.

'Wie van u was ten tijde van het misdrijf in het restaurant?' vroeg de heks ernstig. De Chef zweeg.

'Hm.'

'Wie?'

'Deze beide dames.'

'Olga en Swetlana.' De heks wierp ons een vernietigende blik toe. 'En die Andere, die medewerker van de Nachtwacht wiens menselijke naam Anton Gorodetski is, was die niet aanwezig?'

'Behalve wij waren hier geen andere medewerkers van de Wacht,' zei Swetlana snel. Goed, maar misschien een beetje te snel. Alissa fronste haar voorhoofd en realiseerde zich toen dat ze haar vraag iets te vrijblijvend had geformuleerd.

'Een rustige nacht, nietwaar?' zei iemand die bij de deur stond.

Seboelon was gearriveerd.

Ik keek hem aan en begreep met hopeloze zekerheid dat mijn vermomming een hogere tovenaar niet voor de gek zou houden. Misschien had hij toen in Ilja de Chef niet herkend, maar de oude vos zou zich zeker niet twee keer achter elkaar door hetzelfde trucje voor de gek laten houden.

'Maar niet té rustig, Seboelon,' zei de Chef rustig. 'Jaag je ondergeschikten hiervandaan, anders doe ik dat voor je.'

De tovenaar van het Duister zag eruit alsof de tijd stil was blijven staan, alsof de ijzige winter niet door de weliswaar vertraagde lente was verjaagd. Pak, stropdas, grijs overhemd, ouderwetse, smalle schoenen. Ingevallen wangen, een sombere blik, kortgeknipt haar.

'Ik wist dat we elkaar zouden ontmoeten,' zei Seboelon.

Hij keek me aan. Alleen mij.

'Nou, nou, nou...' Seboelon schudde zijn hoofd. 'Waar was dat nu voor nodig, hm?'

Hij deed een pas naar voren, terwijl Alissa snel een stap opzij zette.

'Een goede baan, welvarend, bevredigde ambities en alle geneugten van de wereld die tot je beschikking staan. Je hoeft alleen maar tijdig te bepalen wat deze keer het goede is. En ondanks dat kun je niet genoeg krijgen. Ik begrijp je niet, Anton.'

'En ik begrijp jou niet, Seboelon,' zei de Chef en ging tussen ons in staan.

De tovenaar van het Duister keek hem onwillig aan. 'Je wordt oud. In het lichaam van je geliefde,' Seboelon grinnikte, 'Anton Gorodetski. De man van wie wij denken dat hij verantwoordelijk is voor deze seriemoorden. Verstopt hij zich al lang in dat lichaam, Boris? Heb je die verwisseling misschien hele-maal niet gemerkt?'

Weer grinnikte hij.

Ik liet mijn blik over de Duisteren dwalen. Ze hadden het nog niet begrepen, hadden nog een seconde nodig, een halve.

Toen zag ik dat Swetlana haar armen hief en het magische, gele vuur op haar handpalmen pulseerde.

De test voor het vijfde krachtniveau had ze al afgelegd, maar deze strijd zou-den we verliezen. We waren met ons drieën en zij met hun zessen. Als Swetla-na toesloeg om niet zichzelf maar mij te redden – ik die toch al tot aan mijn nek in de problemen zat – zou er een slachtpartij volgen.

Ik sprong naar voren.

Het was maar goed dat Olga een goed getraind, sterk lichaam had. Het was maar goed dat wij allemaal, Lichten en Duisteren, er niet meer aan gewend waren om tijdens een gewone vechtpartij op de kracht van onze armen en benen te vertrouwen. Wat handig dat Olga, die van vrijwel al haar magische capaciteiten was beroofd, deze vaardigheid niet had veronachtzaamd.

Seboelon kromp ineen en uitte een kreet toen ik hem met mijn – of Olga's – vuist in zijn buik stompte. Met één schop trapte ik zijn benen onder hem vandaan en stormde het restaurant uit.

'Stop!' gilde Alissa. Vol vuur, haat en liefde.

'Grijp hem! Grijp hem!'

Toen ik over de Pokrowka rende, naar de Semljanoi Wal, stuiterde mijn handtasje op mijn rug. Ik had gelukkig geen schoenen met hoge hakken aan. Me losrukken, ontsnappen; ik had de cursus 'Overleven in de stad' indertijd heel leuk gevonden, maar hij was te kort geweest... veel te kort. Maar wie ver-wachtte nu dat een medewerker van de Wacht moest vluchten en onderdui-ken in plaats van zelf vluchtelingen en onderduikers te vangen?

Achter me hoorde ik hijgend geschreeuw.

Mijn ontsnapping was puur een reflex geweest; ik begreep de situatie name-lijk nog steeds niet helemaal. Een bloedrode vuurstraal slingerde zich door de straat, probeerde te stoppen en terug te rollen, maar de inertie bleek te groot te zijn: de lading sloeg in in een huismuur en brandde in een mum dwars door de steen heen.

Die troffen ook geen halve maatregelen!

Ik struikelde, viel en keek achterom. Seboelon richtte zijn vechtstaf weer, maar zo langzaam alsof hij geboeid was, afgeremd werd.

Hij was van plan me te doden!

Er zou zelfs geen handjevol as van me overblijven als hij me te pakken kreeg.

De Chef had zich dus toch vergist. Het was de Dagwacht niet te doen om dat wat er in mijn hoofd zat, maar ze wilden me vernietigen!

De Duisteren renden achter me aan. Seboelon richtte zijn wapen op mij, de Chef hield Swetlana tegen die probeerde zich los te rukken. Ik sprong op en rende door, hoewel ik al dacht dat ik het niet zou redden. Maar gelukkig was de straat helemaal leeg; een instinctieve, onbewuste angst had de voorbijgangers weggejaagd op het moment waarop dit akkefietje was begonnen. Niemand zou gewond raken.

Gierende remmen. Ik draaide me om en zag dat de Wachters alle kanten op sprongen toen een auto in een razend tempo op ons afkwam. De chauffeur, die kennelijk begreep dat hij midden in een bendeoorlog was terechtgekomen, minderde even snelheid en gaf vervolgens weer gas.

Zou ik hem aanhouden? Nee, onmogelijk.

Ik sprong de straat op, verstopte me voor Seboelon achter een oude geparkeerd staande Wolga en liet deze toevallige getuige doorrijden. De zilverkleurige Toyota reed snel door en stopte toen met een doordringend gegier van doorbrandende remschijven.

De deur aan de kant van de bestuurder ging open en iemand wenkte me.

Dat kon toch niet waar zijn!

Alleen in een goedkope actiefilm werd de vluchtende held door een toevallig passerende auto gered.

Terwijl ik daar nog aan dacht, trok ik een achterportier open en dook de auto in.

'Snel, schiet op!' riep de vrouw naast wie ik was terechtgekomen. Maar de chauffeur hoefde niet opgejaagd te worden, want we gingen er alweer vandoor. Achter ons laaide weer iets op; er werd een nieuwe lading op ons afgevuurd. De chauffeur trok aan het stuur om de vuurstraal te ontwijken. De vrouw jammerde.

Wat zagen zij eigenlijk? Machinegeweervuur? Een raketinslag? Een beschieting met een vlammenwerper?

'Waarom, waarom moest je zo nodig terugrijden?' De vrouw probeerde naar voren te leunen, zeer waarschijnlijk wilde ze de chauffeur op zijn rug slaan. Ik was al van plan haar hand tegen te houden, maar een onverwachte beweging van de auto wierp de vrouw weer achteruit.

'Doe maar niet,' zei ik zacht, waarna ze me verontwaardigd aankeek.

Logisch. Welke vrouw zou het leuk vinden dat bij haar in de auto opeens een sympathieke, maar volledig verfomfaaide vrouw opduikt, die achterna wordt gezeten door een bende gewapende bandieten, waardoor haar man opeens onder vuur ligt?

Er dreigde nu geen onmiddellijk gevaar meer. We waren bij de Semljanoi Wal aangekomen en hadden ons in de rij auto's gevoegd. We hadden vriend en vijand van ons afgeschud.

'Dank u wel,' zei ik tegen het kortgeknipte achterhoofd van de chauffeur.

'Hebben ze u geraakt?' Hij draaide zich niet eens om.

'Nee. Dank u wel. Waarom bent u eigenlijk gestopt?'

'Omdat hij gek is!' jammerde de vrouw. Ze was helemaal aan de andere kant gaan zitten, zo ver mogelijk bij me vandaan alsof ik een besmettelijke ziekte had.

'Omdat ik geen klootzak ben,' antwoordde de man gelaten. 'Waarom zitten ze achter u aan? Nou ja, dat gaat me niets aan.'

'Ze wilden me vermoorden,' zei ik snel. Wat een prachtig verhaal: midden in een restaurant, aan een tafeltje, alsof we niet in Moskou waren, met alle genoegens voor bandieten, maar in een saloon in het Wilde Westen.

'Waar kan ik u afzetten?'

'Hier.' Ik zag de M oplichten boven de ingang van de metro. 'Dan lukt het verder wel.'

'We kunnen u ook thuisbrengen.'

'Dat is niet nodig. Hartelijk bedankt, maar u hebt al meer dan genoeg voor me gedaan.'

'Zoals u wilt.'

Hij ging niet met me in discussie en probeerde me ook niet om te praten. De wagen stopte en ik stapte uit.

'Heel hartelijk bedankt,' zei ik met een blik naar de vrouw.

Ze snoof, schoof mijn kant op en knalde het portier dicht.

Ook goed.

Toch kun je hieraan zien dat ons werk wel nut heeft.

Gedachteloos streek ik mijn haar glad en klopte het stof van mijn spijkerbroek. Voorbijgangers keken me argwanend aan, maar deinsden niet terug. Zo vreselijk zag ik er dus niet uit.

Hoeveel tijd had ik nog voordat mijn achtervolgers mijn spoor zouden vinden? Vijf minuten? Tien? Of zou de Chef erin slagen hen op te houden?

Dat was wel wenselijk. Want eindelijk begreep ik wat er aan de hand was.

En ik had een kans, een heel klein kansje maar, maar een kans.

Terwijl ik naar de metro liep, haalde ik Olga's mobieltje uit haar handtas. Ik wilde haar nummer al intoetsen, maar schold mezelf uit en toetste mijn eigen nummer in.

De telefoon ging vijf keer over, zes, zeven.

Ik gaf het op en probeerde het nummer van mijn mobieltje. Nu nam Olga meteen op.

'Hallo?' hoorde ik een onbekende, ietwat hese stem kortaf zeggen. Mijn stem.

'Ik ben het, Anton,' riep ik. Een jongeman die me net passeerde, keek me verbaasd aan.

'Idioot!'

Een andere reactie had ik niet van haar verwacht.

'Waar ben je, Anton?'

'Ik wil zo dadelijk onderduiken.'

'Dat lukt je wel. Hoe kan ik je helpen?'

'Ben je al op de hoogte?'

'Ja, ik heb op dit moment ook nog contact met Boris.'

'Ik moet weer in mijn eigen lichaam.'

'Waar zullen we elkaar ontmoeten?'

Ik dacht even na. 'Toen ik probeerde de Zwarte Wervel van Swetlana uit te bannen, ben ik bij een station uitgestapt.'

'Duidelijk. Dat heeft Boris me verteld. Dit gaan we doen: drie stations verder naar omhoog en naar links, op de Cirkellijn.'

Prima, ze kende de route.

'Begrepen.'

'Midden in de zaal. Ik ben er over twintig minuten.'

'Goed.'

'Moet ik iets voor je meenemen?'

'Ja, mij. De rest laat ik aan jou over.'

Ik verbrak de verbinding, keek nog een keer om me heen en liep snel door naar het metrostation.

4

Ik stond midden in het station Nowoslobodskaja. Het gebruikelijke beeld op dit nog niet zo heel late uur: een jonge vrouw staat te wachten, misschien op haar vriend, misschien op een vriendin.

In dit geval was zowel het een als het ander waar.

Onder de grond was ik minder gemakkelijk te vinden dan boven, op straat. Zelfs de beste tovenaars van het Duister kunnen mijn aura niet lokaliseren: niet door de lagen grond heen en niet door de oude graven heen waar Moskou op gebouwd is, te midden van de menigte, te midden van een dikke stroom mensen. Natuurlijk zouden ze elk station kunnen uitkammen. Het enige wat ze hoefden te doen, was op alle stations één Andere stationeren met mijn foto, en klaar was Kees.

Maar ik hoopte dat ik nog een half of een heel uur had voordat de Dagwacht hiertoe zou overgaan.

Wat was het toch eenvoudig allemaal. Wat vielen de puzzelstukjes simpel in elkaar. Ik schudde mijn hoofd, glimlachte en ving de blik op van een jonge punker. Ach nee, ventje, dan begrijp je me verkeerd. Dit erotische lichaam grijnst alleen maar om haar eigen gedachten.

In feite had ik het meteen moeten snappen, zodra alle lijnen van deze intrige naar mij leidden. Zoals altijd had de Chef het bij het rechte eind gehad. Ik ben veel te onbelangrijk; niemand zou om mij een gevaarlijk en vernietigend meerjarenplan smeden. Het ging om iets anders, om iets heel anders.

Ze proberen ons bij onze achilleshiel te pakken te krijgen.

En daar slagen ze in. Tenminste, bijna.

Opeens wilde ik een sigaret opsteken, nu meteen; het water liep me al in de mond. Dat was heel bijzonder, want ik had maar heel zelden behoefte aan nicotine. Waarschijnlijk een reactie van Olga's lichaam. Ik stelde me voor hoe zij, een elegante dame, honderd jaar geleden met een dunne sigaret in een pijpje in een literaire salon zat, in het gezelschap van schrijvers en dichters. Hoe ze met een glimlachje op haar lippen over vrijmetselaars stond te discussiëren of over de democratie en het streven naar geestelijke perfectie.

Ach wat!

'Hebt u misschien een sigaret voor me?' vroeg ik aan een jongeman die me passeerde en er zo verzorgd uitzag dat ik mocht aannemen dat hij geen *zolotaja jawa* zou roken.

Hij keek verbaasd op en hield me een pakje Parlament voor.

Ik pakte een sigaret, glimlachte hem dankbaar toe en hulde me in een lichte magie. De blikken van de mensen gleden langs me heen.

Prima.

Ik concentreerde me, liet de temperatuur van het ene uiteinde van de sigaret tot tweehonderd graden oplopen en nam een trekje. Nu moest ik wachten. Een paar ijzeren regeltjes overtreden.

De mensen dromden langs me heen en hielden een meter afstand. Ze snoven verbaasd, omdat ze niet begrepen waar die tabakslucht vandaan kwam. Ik rookte, liet de as op de grond vallen, keek naar een politieagent die vijf passen van me af stond en berekende mijn kansen.

Die helemaal niet zo slecht waren. Integendeel. En dat ergerde me.

Als ze deze tactiek al drie jaar geleden hadden voorbereid, moesten ze ook hebben ingecalculeerd dat ik hun spelletje zou doorzien. En een antwoord klaar zou hebben. Maar welk antwoord?

Ik zag de verbaasde blik niet meteen. Maar toen ik zag wie er naar me keek, huiverde ik.

Jegor.

De kleine jongen, die zwakke Andere die drie maanden geleden in een gevecht tussen de Wachten was terechtgekomen. Door beide zijden als speelbal ingezet. Een open kaart, die geen van de spelers tot nu toe had gekregen. Maar om dat soort kaarten ging je nu ook niet bepaald een gevecht aan.

Zijn capaciteiten waren voldoende om mijn onzorgvuldige vermomming te doorzien. Het verbaasde me niet eens dat we elkaar tegenkwamen. Het leven zit vol toeval en daar komt dan ook nog eens het lot bovenop.

'Hallo, Jegor,' zei ik, zonder erbij na te denken. Ik maakte de magie groter, zodat de jongen ook in de kring paste waar niemand hem kon zien.

Hij kromp in elkaar, keek om zich heen en staarde me aan. Hij had Olga nog nooit in mensengedaante gezien. Alleen maar als een witte uil.

'Wie bent u en hoe komt het dat u me kent?'

Ja zeker, hij was rijper geworden... niet uiterlijk, maar innerlijk. Ik begreep niet hoe hij erin was geslaagd om nog steeds geen definitieve beslissing te nemen. Hij had zich nog steeds niet aan de kant van de Lichten of aan de kant van de Duisteren geschaard. Hij was immers al in de Schemer geweest, en dan ook nog eens onder omstandigheden waardoor hij wie weet wat allemaal had kunnen worden. Maar zijn aura glansde nog altijd zuiver en neutraal.

Het eigen lot. Wat zou het prachtig zijn om een eigen lot te hebben.

'Ik ben het, Anton Gorodetski van de Nachtwacht,' zei ik alleen maar. 'Weet je nog?'

Wat een vraag!

'Maar...'

'Laat je niet voor de gek houden. Dit is een vermomming. Wij kunnen van lichaam ruilen.'

Ik overwoog even of ik de kennis die ik tijdens de Illusiecursus had opgedaan zou benutten en heel even in mijn oude lichaam zou terugkeren. Maar dat was helemaal niet nodig. De jongen geloofde me. Misschien wel omdat hij zich de transformaties van de Chef nog kon herinneren.

'Wat wil je van mij?'

'Niets. Ik sta hier op een collega te wachten, de vrouw van wie dit lichaam is. Jij en ik zijn elkaar gewoon toevallig tegengekomen.'

'Ik haat jullie, de Wachten!' riep Jegor.

'Je moet zelf weten wat je denkt; ik heb je echt niet achtervolgd. Ga maar, als je wilt.'

Hij vond het veel moeilijker om dat te geloven dan het feit dat we van lichaam konden ruilen. De jongen keek wantrouwig om zich heen en fronste. Natuurlijk kon hij niet zonder meer vertrekken. Hij had een geheim ontdekt, krachten gevoeld die bovenmenselijk waren. En had van deze krachten afgezien, hoewel slechts tijdelijk.

Maar ik merkte wel hoe graag hij dat allemaal had willen leren. In elk geval een paar kleine trucjes, zoals pyrokinese en telekinese, suggestie, genezen, vloeken. Hij had geen idee wat precies, maar dat was waarschijnlijk precies wat hij wilde. Er niet alleen van afweten, maar het kunnen.

'Heb je me echt niet achtervolgd?' vroeg hij ten slotte.

'Echt niet. Wij kunnen niet liegen, zeker niet zonder te blikken of te blozen.' De jongen wendde zijn blik af en bromde: 'En hoe moet ik weten dat ook dat geen leugen is?' Ja, logisch.

'Dat kun je niet weten,' erkende ik. 'Zie maar wat je gelooft.'

'Dat zou ik graag doen,' zei hij, zijn ogen nog steeds naar de grond gericht. 'Maar ik weet nog wat er gebeurd is, daar op dat dak. Daar droom ik van.'

'Je hoeft niet meer bang te zijn voor die vampierin,' stelde ik hem gerust. 'Ze is uitgewist. Als gevolg van een vonnis van de rechtbank.'

'Dat weet ik.'

'Hoe dan?' vroeg ik verbaasd.

'Je baas heeft me opgebeld. Die man die ook van lichaam heeft geruild.'

'Dat wist ik niet.'

'Hij heeft me een keer gebeld toen ik alleen thuis was. Hij vertelde me dat de vampierin haar straf had gekregen. Toen vertelde hij dat ik niet meer op de lijst van mensen sta, omdat ik een potentiële Andere ben. Ook al is nog niet bekend wat voor een. En dat het lot nooit weer op mij zou vallen, zodat ik dus niet meer bang hoefde te zijn.'

'Natuurlijk niet,' bevestigde ik.

'Ik heb hem gevraagd of mijn ouders nog wel op die lijst staan.'

Ik wist niet wat ik moest zeggen. Ik wist wel wat de Chef had geantwoord.

'Goed dan, ik ga.' Jegor stapte opzij. 'Je sigaret is uitgegaan.'

Ik gooide het peukje weg. 'Waar kom je vandaan?' vroeg ik. 'Het is al laat.'

'Ik heb getraind, zwemmen. Maar vertel eens, ben je het echt?'

'Weet je nog, die truc met dat gebroken kopje?'

Jegor lachte gedwongen. De simpelste trucjes imponeren mensen het meest.

'Ja. Maar...' Hij zweeg en keek langs me heen.

Ik draaide me om.

Het is heel vreemd om jezelf vanbuiten te zien. Een vent met mijn gezicht, mijn manier van lopen, in mijn spijkerbroek en mijn trui liep op ons af, met de minidiscspeler aan zijn riem, een tasje in de hand. Een vaag, amper zichtbaar glimlachje, dat ook bij mij hoorde. Zelfs de ogen, die valse spiegel, waren van mij.

'Hallo, Anton,' zei Olga ter begroeting. 'Goedenavond, Jegor.'

Ze was helemaal niet verbaasd om de jongen hier te zien. Ze kwam sowieso heel rustig over.

'Goedenavond.' Jegor keek van haar naar mij en weer terug. 'Zit Anton nu in uw lichaam?'

'Ja, dat klopt.'

'U bent mooi. Waar kent u me van?'

'Ik heb jou gezien toen ik in een veel minder mooi lichaam zat. Maar nu moet je ons verontschuldigen. Anton zit in grote problemen en daar moeten we ons nu mee bezighouden.'

'Moet ik weggaan?' Jegor was helemaal vergeten dat hij zojuist nog uit zichzelf had willen vertrekken.

'Ja. Word maar niet boos op ons, maar het wordt hier strakjes heet, heel heet.'

De jongen keek me aan.

'De Dagwacht zit achter me aan,' legde ik uit. 'Alle Duisteren uit Moskou.'

'Waarom?'

'Dat is een lang verhaal. Ga nu maar gewoon naar huis.'

Dat klonk onaardig. Jegor knikte met gefronste wenkbrauwen. Hij keek naar het andere spoor, waar net een trein aankwam.

'Maar je mensen verdedigen je toch wel?' Ondanks alles vond hij het moeilijk om te begrijpen wie van ons in welk lichaam zat. 'De mensen van je eigen Wacht?'

'Dat proberen ze wel,' zei Olga zacht. 'Maar ga nu alsjeblieft. We hebben maar heel weinig tijd en die glijdt ons nu door de vingers.'

'Tot ziens.' Jegor draaide zich om en rende naar de trein. Toen hij drie stappen had gedaan, verliet hij de kring die hem aan het oog van de mensen had onttrokken. Ze hadden hem bijna omver gelopen.

Olga keek hem na en zei: 'Als die jongen was gebleven, zou ik hebben gedacht dat hij onze kant had gekozen. Ik zou dolgraag willen weten hoe groot de kans was dat je hem hier in het metrostation tegen bent gekomen.'

'Dat was toevallig.'

'Toeval bestaat niet. Ach, Anton, een tijdlang heb ik de realiteitslijnen net zo goed kunnen lezen als een gewoon boek.'

'Ik zou geen enkel bezwaar hebben tegen een goede voorspelling.'

'Een echte voorspelling krijg je niet op bestelling. Goed dan, laten we aan het werk gaan. Jij wilt je eigen lichaam dus terug?'

'Ja. Nu meteen.'

'Zoals je wilt.' Olga strekte haar armen – mijn armen – uit en greep me bij de schouder. Wat me een idioot, ambivalent gevoel gaf. Kennelijk was dat bij haar ook het geval. 'Waarom moest je ook zo snel in de problemen komen, Anton?' zei ze vrolijk. 'Ik had voor vanavond allerlei wilde plannen gemaakt.'

'Moet ik die Wilde dankbaar zijn dat hij je plannen heeft verijdeld?'

Olga concentreerde zich, haar glimlachje verdween. 'Goed, laten we beginnen.'

We gingen met onze rug tegen elkaar aan staan en strekten onze armen uit waardoor we een kruis vormden. Ik raakte Olga's vingers aan, mijn vingers.

'Geef mij het mijne,' zei Olga.

'Geef mij het mijne,' herhaalde ik.

'Geser, we geven je geschenk weer terug.'

Ik huiverde toen ik begreep dat ze de echte naam van de Chef had genoemd! De naam uit die Tibetaanse sage!

'Geser, we geven je geschenk weer terug!' herhaalde Olga op scherpe toon.

'Geser, we geven je geschenk weer terug!'

Olga zei iets in een oude taal, een zacht deuntje. Het klonk alsof het haar moedertaal was. Maar tot mijn spijt merkte ik hoeveel moeite deze magische handeling haar kostte. En dit was niet eens zo'n ingewikkelde... hiervoor hoefde je alleen maar een tovenaar van de tweede graad te zijn.

Bij een lichaamsruil spring je omhoog als een springveer. Ons bewustzijn bleef alleen maar dankzij de energie die Boris Ignatjewitsj Geser ons had gegeven in het vreemde lichaam. We hoefden alleen maar afstand te doen van zijn kracht en kregen ons eigen lichaam weer terug. Als een van ons een tovenaar van de eerste graad was geweest, dan hadden onze lichamen elkaar niet eens hoeven aan te raken. Dan had deze ruil ook op afstand kunnen plaatsvinden.

Olga's stem klonk hoger: ze sprak de sleutelformule uit voor het afstand doen. Heel even gebeurde er helemaal niets. Daarna verkrampte ik, draaide me om, en voor mijn ogen vervaagde alles, werd grijs alsof ik in de Schemer was getreden. Heel even zag ik het metrostation, alle stoffige, kleurrijke mozaïeken, de smerige vloer, de langzame bewegingen van de mensen, de regenboogkleurige aura's en twee lichamen die tegen elkaar aanstonden alsof ze elkaar wilden kruisigen.

Toen drukte er iets tegen me aan, duwde me, dwong me in de lichaamsholte. 'Au, au, au,' siste ik. Ik viel bijna, maar kon me op het laatste moment nog met mijn handen opvangen. Mijn spieren verkrampten en ik hoorde gesuis. Het terugwisselen was een stuk onplezieriger; misschien omdat dat niet door de Chef was gedaan.

'Gaat het wel?' vroeg Olga zacht. 'Gadver, wat ben je toch een varken!'

'Wat?' Ik keek de jonge vrouw aan.

Fronsend stond Olga op. 'Sorry hoor, maar had je niet even naar het toilet kunnen gaan?'

'Alleen met toestemming van Seboelon.'

'Ja natuurlijk, het is al goed. We hebben nog een kwartier, Anton. Vertel op!'

'Wat precies?'

'Dat wat je nu hebt begrepen. Toe nou. Je wilde niet voor niets in je eigen lichaam terug; je hebt een plan.'

Ik knikte, rekte me uit en wreef mijn vieze handen tegen elkaar. Sloeg tegen mijn billen, klopte de spijkerbroek af. Het te vast aangesnoerde holster drukte tegen mijn schouder; dat moest ik losser maken. Er waren niet meer zoveel mensen in de metro, de grote massa was verdwenen. Daardoor hadden de mensen nu, nu ze zich niet meer door de mensenmenigte hoeven te dringen, tijd om na te denken. De regenbogen van hun aura's vlamden op, de echo's van vreemde emoties waaide naar ons toe.

Ze hadden Olga's capaciteiten dus danig ondersteund! Toen ik nog in haar lichaam zat, had het me moeite gekost om de geheime wereld van de mensen te kunnen zien. Terwijl dat zo gemakkelijk is, iets gemakkelijkers is er in feite niet. Niet eens iets om trots op te zijn.

'De Dagwacht heeft me niet nodig, Olga. Helemaal niet. Ik ben niet meer dan een heel gewone tovenaar met middelmatige capaciteiten.'

Ze knikte.

'Maar ze zitten me achterna. Daar is geen twijfel aan. En dus ben ik niet de prooi, maar het lokaas. Net zoals toen Jegor het lokaas was toen Sweta de prooi was.'

'Begrijp je dat nu pas?' Olga schudde haar hoofd. 'Natuurlijk ben je het lokaas.'

'Voor Swetlana?'

De tovenares knikte.

'Dat heb ik vandaag pas begrepen,' bekende ik. 'Een uur geleden. Sweta wilde tegenstand bieden aan de Dagwacht en is toen tot het vijfde niveau opgeklommen. Onmiddellijk. Als het op een vechtpartij was uitgelopen, dan zou-

214

den ze haar hebben vermoord. Wij zijn immers ook heel gemakkelijk af te leiden, Olga. Men kan de mensen verschillende kanten op drijven, naar de goede of de slechte kant; de Duisteren te pakken krijgen tijdens hun slechte daden, hun eigenliefde en hun honger naar macht en roem. En ons tijdens onze liefde. Daardoor zijn we onbeschermd, als kinderen.'

'Klopt.'

'Weet de Chef dit allemaal?' vroeg ik. 'Olga?'

'Ja.'

Ze perste het woord naar buiten, alsof haar keel dichtgesnoerd was. Onbegrijpelijk! Tovenaars van het Licht, die al meer dan duizend jaar leven, schamen zich nergens voor. Ze hebben de wereld al zo vaak gered dat ze alle ethische smoesjes te uit en te na kennen. Een Grote Tovenares kent geen schaamte, ook vroeger niet. Ze is al te vaak zelf verraden.

Ik begon te lachen. 'Hadden jullie dat meteen al door, Olga? Meteen al, toen de Duisteren begonnen te protesteren? Dat ze mij achterna zitten, zodat Swetlana zich in de strijd zal storten?'

'Ja.'

'Ja, ja, ja! En toch hebben jullie noch mij, noch haar gewaarschuwd?'

'Swetlana moet volwassen worden. Ze moet een paar niveaus overslaan.' In Olga's ogen flikkerde een vlammetje op. 'Anton, jij bent mijn vriend. Ik praat nu heel open met je. Je moet begrijpen dat ons de tijd ontbreekt om een Grote op de gebruikelijke manier op te voeden. We hebben haar nodig, dringender dan jij je kunt voorstellen. Ze heeft genoeg kracht. Ze zal zich harden, ze zal leren haar kracht te verzamelen en in te zetten, en vooral zal ze leren om haar kracht te matigen.'

'En als ik sterf... zou dat dan haar wil versterken, haar haat voor de Duisteren vergroten?'

'Ja. Maar je zult niet sterven, dat weet ik zeker. De Wacht is op zoek naar de Wilde; iedereen is al gemobiliseerd. Wij zullen die Duistere aan hen overleveren en de aanklacht tegen jou zal worden ingetrokken.'

'Daar moet een tovenaar van het Licht, die niet tijdig is geïnitieerd, voor sterven. Een ongelukkige, eenzame, ontzettend opgehitste Lichte die ervan overtuigd is dat hij in zijn eentje tegen het Duister moet strijden.'

'Ja.'

'Je spreekt me vandaag niet eens tegen.' Er klonk geen boosheid door in mijn stem. 'Olga, is dat wat jullie van plan zijn niet gemeen?'

'Nee.' Er klonk geen twijfel door in haar stem. Er stond dus heel veel op het spel.

'Hoe lang moet ik het volhouden, Lichte?'

Ze kromp in elkaar.

Heel, heel lang geleden was dit de gebruikelijke manier om elkaar bij de

Wacht aan te spreken. Lichte. Waarom zouden deze oude woorden hun oude betekenis verloren zijn, waarom klonken ze tegenwoordig zo misplaatst, alsof vervuilde zwervers elkaar voor een kroeg met 'geachte heer' aanspraken?

'In elk geval tot morgenochtend.'

'De nacht, dat is onze tijd niet meer. Vandaag bevinden alle Duisteren zich in de straten van Moskou. En ze staan in hun recht.'

'Alleen maar tot wij de Wilde hebben gevonden. Hou vol.'

'Olga.' Ik ging vlak bij haar staan, raakte haar wang even aan en was heel even helemaal ons enorme leeftijdsverschil vergeten – wat betekenen duizend jaren ook vergeleken met een eindeloze nacht – vergat ons verschil in kracht, in rang. 'Olga, denk je dan dat ik morgen nog leef?'

De tovenares zweeg.

Ik knikte. Er viel niets meer te zeggen.

> *Daarom dus, het heeft wel wat:*
> *zich in de dageraad verliezen,*
> *en kloppen aan de glazen,*
> *altijd maar afgesloten deuren.*

Ik drukte op het knopje waarmee ik koos voor een willekeurig nummer. Niet omdat dit nummer niet bij mijn stemming paste. Integendeel.

Ik vind het heerlijk om 's nachts in de metro te zitten. Waarom weet ik niet. Er is niets anders te zien dan de ontzettend lelijke reclameposters en de vermoeide, gelijkvormige aura's van de mensen. Het enige wat je hoort, zijn gierende motoren, de lucht die door de niet helemaal gesloten ramen naar binnen dringt, het gedaver over het spoor. Het geestdodende wachten op je station.

Toch hou ik ervan.

We zijn zo gemakkelijk te grijpen bij onze liefde!

Ik rilde, stond op en liep naar de deur. Eigenlijk had ik tot het eindpunt willen blijven zitten.

'Rizjskaja. Het volgende station is Alexejewskaja.'

> *Iedereen zwijgt over hetzelfde*
> *zeer vermoeid en overal,*
> *en de club voor pest en lepra*
> *viert het seizoensopeningsbal.*

Zo is het.

Toen ik op de roltrap ging staan, voelde ik een vleugje kracht. Ik keek omhoog naar de mij tegemoetkomende roltrap, en zag de Duistere meteen.

In elk geval was het geen hoge Wachter van de Dag; die hebben heel andere allures. Een kleine tovenaar, van de vierde of de vijfde graad. Maar waarschijnlijk van de vijfde graad: hij moest zich heel erg inspannen om zijn omgeving te scannen. Nog heel jong, begin twintig, met lang blond haar, een verkreukelde jas, los, en een vriendelijk, maar wel geconcentreerd gezicht.

Hoe ben je eigenlijk in het Duister terechtgekomen? Wat is er gebeurd voordat je de eerste keer de Schemer ingetreden bent? Had je het soms uitgemaakt met je vriendin? Ruziegemaakt met je ouders? Je universiteitstentamens verknald of een vijf gekregen op school? Zijn ze in de trolleybus op je tenen gaan staan?

Het ergste is nog dat je uiterlijk niet veranderd bent. Hooguit in je voordeel. Je vrienden zullen verbaasd hebben gemerkt hoeveel plezier ze nu met je hebben, dat alles wat ze samen met je doen ook lukt. Je vriendin zal diverse tot nu toe ongekende kwaliteiten in je hebben ontdekt. Je ouders kunnen niet blij genoeg zijn dat hun zoon zo volwassen en slim is geworden. Je docenten zijn enthousiast over jou, de getalenteerde student.

En niemand weet welke prijs je van je omgeving verlangt. Waarmee ze jouw goedheid, je grapjes en je medelijden betalen.

Ik kneep mijn ogen een beetje dicht en steunde met mijn ellebogen op de leuning. Een vermoeide, een beetje aangeschoten man die nergens op lette en naar muziek luisterde. De blik van de Duistere gleed over me heen, dwaalde weer naar beneden, trilde, stopte.

Tijd om me voor te bereiden, om mijn uiterlijk te veranderen, maar er was niet meer genoeg tijd om mijn aura aan te passen. Ondanks alles had ik niet verwacht dat de Duisteren de metro nu al zouden doorzoeken.

Een koud gevoel, doordringend als een rukwind. De jongen vergeleek mij met mijn foto die waarschijnlijk aan alle Duisteren in Moskou was uitgedeeld. Hij deed dat onhandig, vergat zijn dekking en merkte niet dat mijn bewustzijn snel een door de Schemer ingeslagen weg volgde en zijn gedachten aanraakte.

Vreugde. Enthousiasme. Gejuich. Gevonden. De prooi. Ik mag een deel van de kracht van de prooi hebben. Ze zullen me complimenten geven. Bevorderen. Roem. Zullen het waarderen. Dat hadden ze niet van me verwacht! Nu zien ze wat ik kan. Ze zullen het honoreren.

Toch verwachtte ik dat in elk geval in een hoekje van zijn bewustzijn nog andere gedachten zouden opduiken. Dat ik een vijand ben die de Duisteren in de weg staat. Dat ik zijn gelijke had gedood.

Maar nee hoor, niets. Hij dacht alleen maar aan zichzelf.

Voordat de jonge tovenaar zijn lompe klauwen uitstak, stak ik de mijne uit. Gewoon. Hij beschikte niet over bijzondere capaciteiten; in de metro kon hij geen contact opnemen met de Dagwacht. Maar dat wilde hij ook helemaal

niet. Voor hem was ik een opgejaagd dier, en dan ook nog eens een ongevaar-
lijk dier, een konijntje, geen wolf.

Goed dan, vriendje.

Ik liep het station uit, gleed bij de deur vandaan en zocht mijn schaduw. Het
vage silhouet ervan wolkte op. Ik stapte erin.

De Schemer.

De voetgangers werden een spookachtige nevel, de auto's kropen er sloom als
schildpadden in, het licht van de lantaarnpalen werd minder fel, verpletterde
alles, drukte zwaar. Stilte; de geluiden werden een dof, amper hoorbaar
gebrom.

Ik haastte me, maar de tovenaar had mijn spoor nog niet gevonden. Ik voelde
dat ik tot aan mijn kruin vol zat met een kracht; het werk van Olga waarschijnlijk. Zij had haar oude capaciteiten in mijn lichaam teruggekregen en
mijn lichaam opgelaten met energie waarvan ze nog geen spatje had verbruikt.
Ze was niet eens op dat idee gekomen, hoe uitnodigend dat idee ook was.

'Je zult ooit zelf weten waar de grens ligt,' had ik Swetlana verteld. Olga wist
al heel lang waar die grens lag. En nog wel iets beter dan ik.

Ik liep langs de muur, tuurde door het beton heen naar de tunnel in de diepte, naar de roltrappen. De donkere vlek kwam naar boven. Tamelijk snel
zelfs: de tovenaar rende, flitste over de traptreden, maar had de mensenwereld
nog niet verlaten. Was zuinig met zijn krachten. Nou, kom dan, kijk dan.

Ik verstarde.

Over de grond rolde een wolk naar me toe die zich samenbalde, een klomp
nevel die de vormen van een menselijk lichaam aannam.

Een Andere. Een voormalige Andere.

Misschien heeft hij ooit bij ons gehoord. Maar misschien ook niet. Hoe dan
ook, de Duisteren gaan na hun dood ergens heen. Tot nu toe was het alleen
maar een nevelige, diffuse wolk. Een eeuwige pelgrim van de Schemer.

'Vrede zij met je, gevallene,' zei ik tegen hem. 'Wie je ook bent geweest.'

Het opwolkende silhouet bleef voor me staan. Er kronkelde een tong van
nevel uit het lichaam, die naar mij werd uitgestoken.

Wat wilde hij? Het aantal gevallen waarin de bewoners van de Schemer probeerden contact op te nemen met levende Anderen, is op de vingers van één
hand te tellen.

De hand – als je dat een hand kon noemen – trilde. Grauwe nevelsluiers
scheurden zich los, losten op in de Schemer en dwarrelden naar de grond.

'Ik heb maar weinig tijd,' zei ik. 'Gevallene, wie je ook bent geweest in het
leven, een Duistere of een Lichte, vrede zij met je. Wat wil je van mij?'

Een windvlaag leek de witte nevelslierten uit elkaar te scheuren. De geest
draaide zich om en wees met uitgestrekte hand – nu twijfelde ik er niet meer
aan dat hij zijn hand naar me uitstrekte – door de Schemer heen naar het

noordoosten. Ik keek die kant uit: de gevallene wees naar een dun, naaldvormig silhouet dat aan de hemel glansde.

'De toren, ja, dat begrijp ik! Wat betekent dat?'

Langzaam vervaagde de nevel. Nog heel even, en toen was de Schemer weer net zo leeg als altijd.

Ik begon te rillen. De dode wilde met me communiceren. Was hij een vriend of een vijand? Gaf hij me een raad of wilde hij me ergens voor waarschuwen? Dat was niet duidelijk.

Ik keek door de muren van het metrostation heen, door de aarde heen; de Duistere was nu bijna boven, maar stond nog steeds op de roltrap. Goed, dan zal ik proberen te begrijpen wat de geest me wilde vertellen. Ik zou niet naar de toren gaan, want ik had een andere, riskante, maar verrassende route bedacht. Daarom was er geen enkele reden om me te waarschuwen voor de televisietoren in Ostankino.

Was het dan een aanwijzing? Maar van wie dan? Van een vriend of een vijand, dat was de beslissende vraag. Je mocht er niet op hopen dat die verschillen achter de grenzen van het leven waren verdwenen. Onze doden laten ons in deze strijd niet in de steek.

Ik moest een beslissing nemen. Maar niet nu.

Ik rende naar de uitgang van het metrostation en trok ondertussen mijn pistool uit de schouderholster.

Nog maar net op tijd: de tovenaar van het Duister kwam de deur uit en kroop zonder aarzelen de Schemer in. Het zou heel gemakkelijk worden, nu, nu ik deze kans kreeg. Onbekende aura's laaiden op, donkere vonken, die alle kanten op vlogen.

Als ik me in de mensenwereld had bevonden, dan had ik kunnen zien hoe de gezichten van de mensen verstarden: door een plotselinge pijn in het hart of door een dreigend hartinfarct wat veel erger is.

De tovenaar van het Duister keek om zich heen, zocht mijn spoor. Hij kon dan misschien wel krachten aan zijn omgeving onttrekken, maar technisch gezien was hij niet op de hoogte.

'Heel rustig blijven,' zei ik en drukte de loop van het pistool in zijn rug. 'Heel rustig, je hebt me al gevonden. Maar of je daar nu zo blij om moet zijn?'

Met mijn andere hand greep ik hem bij zijn pols, waardoor ik voorkwam dat hij mij kon aanvallen. Al die jonge tovenaars vallen terug op de standaard toverkrachten, die het gemakkelijkst en het effectiefst zijn. En waarvoor het onberispelijke werk van twee handen nodig is.

De hand van de tovenaar werd klam.

'Kom, we gaan,' zei ik. 'We gaan een beetje met elkaar babbelen.'

'Jij, jij...' Hij kon nog steeds niet geloven wat hem nu overkwam. 'Jij! Anton! Bent een wetteloze!'

'Misschien. Schiet je daar nu veel mee op?'

Hij draaide zijn hoofd om – zijn gezicht was in de Schemer veranderd, was zijn aantrekkelijkheid en goedmoedigheid kwijt. Nee, hij had zijn definitieve Schemergedaante nog niet aangenomen, zoals dat bij Seboelon wel het geval was. Toch had het gezicht niets menselijks meer. Een kaak die veel te veel naar beneden hing, een brede kikkermond, smalle, troebele oogjes.

'Wat een monster ben jij, vriendje.' Ik duwde het pistool nog een keer in zijn rug. 'Dit is een pistool. Geladen met zilveren kogels, ook als dat niet nodig zou zijn. In de Schemerwereld werkt hij niet veel slechter dan in de mensenwereld, weliswaar een beetje langzamer, maar dat zal je niet redden. Integendeel; je voelt precies hoe de kogel je huid openscheurt, zich langzaam een weg baant door je spierweefsel, je botten verbrijzelt, je zenuwen uit elkaar rijt.'

'Dat durf je niet!'

'Waarom niet?'

'Dan is er geen enkele uitweg meer voor je!'

'O? Dus ik heb nu nog wel een kans? Weet je wat? Ik krijg steeds meer zin om de trekker over te halen. Kom, we gaan, smeerlap!'

Ik gaf hem een schop en duwde hem zo beetje bij beetje vooruit, dreef de tovenaar door een smalle brandgang tussen twee barakken. De wanden waren grotendeels overwoekerd met blauw mos en begonnen nu te trillen. De Schemerflora wilde dolgraag onze gevoelens proeven: mijn woede, zijn angst. Tegelijkertijd bezitten zelfs deze hersenloze planten voldoende instinct tot zelfbehoud.

En de tovenaar van het Duister niet minder.

'Wat wil je eigenlijk van mij?' gilde hij. 'Wij hebben een opdracht gekregen, we moesten je vinden! Ik heb alleen maar gedaan wat me is opgedragen! Ik hou me aan het Verdrag, Wachter!'

'Ik ben geen Wachter meer.' Met één stoot klapte ik hem tegen de muur, in de tere omarming van het mos. Dat mocht best een beetje van zijn angst uit hem zuigen, anders doet hij zijn mond nooit open. 'Wie heeft opdracht gegeven voor de jacht?'

'De Dagwacht.'

'Wie precies?'

'Onze superieur, ik weet niet hoe hij heet.'

Dat kon wel eens dicht bij de waarheid zijn. Ik wist trouwens wie het was.

'Heeft men je naar dit bepaalde station gestuurd?'

Hij aarzelde.

'Vertel op!' Ik richtte het pistool op zijn buik.

'Ja.'

'In je eentje?'

'Ja.'

'Je liegt. Maar dat maakt niets uit. Wat moest je doen als je me had ontdekt?'

'Je observeren.'

'Je liegt. En nu maakt het wel iets uit. Denk na en geef dan nog een keer antwoord.'

De tovenaar zweeg, kennelijk had het blauwe mos een beetje overdreven.

Ik vuurde een schot af, en de kogel overbrugde met een vrolijk geluid de meter die ons scheidde. De tovenaar zag hem zelfs – zijn ogen werden groot, namen een meer menselijke vorm aan, en hij kromp in elkaar, maar het was al te laat.

'Op dit moment is het alleen maar een wond,' zei ik. 'Die zelfs niet eens dodelijk is.'

Hij rolde van de pijn op de grond en drukte met zijn handen op de schotwond in zijn buik. Zijn bloed leek wel doorzichtig in de Schemer. Misschien was dat een illusie, maar misschien was het ook wel iets speciaals voor deze tovenaar.

'Geef antwoord!'

Door mijn arm te bewegen, stak ik het blauwe mos in brand. Ik was er flauw van, nu zouden we een spelletje spelen met de angst, de pijn en de vertwijfeling. Afgelopen was het met het mededogen, de consideratie, het praten.

Dat is het Duister.

'Wij hebben de opdracht dit door te geven en je zo mogelijk te liquideren.'

'Niet arresteren, maar liquideren?'

'Ja.'

'Ik accepteer je antwoord. Met welk communicatiemiddel?'

'Per mobiele telefoon, gewoon met een mobiele telefoon.'

'Geef die aan mij.'

'Die zit in mijn zak.'

'Gooi hem naar me toe.'

Hij graaide onhandig in zijn zak; de wond was niet dodelijk en het weerstandsvermogen van de tovenaar was nog groot, maar hij leed ondraaglijk veel pijn.

En dat had hij verdiend.

'Het nummer?' vroeg ik, terwijl ik de telefoon opving.

'De alarmknop.'

Ik keek op de display.

Aan de eerste cijfers te zien, kon die telefoon zich op elke plek bevinden. En zelfs wel een mobieltje zijn.

'Is dat de commandopost? Waar zit die?'

'Ik weet het niet...' Hij zweeg en staarde naar het pistool.

'Doe een beetje meer je best,' eiste ik.

'Ze hebben gezegd dat ze binnen vijf minuten hier konden zijn.'

Dat was het dan!

Ik keek achterom en keek naar de in de lucht brandende naald. Het klopte, het klopte als een bus. De tovenaar bewoog.

Nee, het was niet mijn bedoeling geweest hem uit te dagen, toen ik mijn blik van hem afwendde. Maar toen hij de staaf uit zijn zak trok – die dikke, korte staaf, heel duidelijk niet zijn werk, maar goedkoop ingekocht – werd ik doorstroomd door een gevoel van opluchting.

'Dus?' vroeg ik hem, toen hij zich inhield, niet kon besluiten of hij zijn wapen zou opheffen. 'Zeg op!'

De kerel zweeg, verroerde zich niet.

Viel hij me nu maar aan, dan zou ik alle kogels op hem afvuren. Dat zou dan wel dodelijk zijn. Maar waarschijnlijk leren ze hoe ze zich tijdens een conflict met een Lichte moeten gedragen. Hij wist heel zeker dat ik hem zeer waarschijnlijk niet zou doden zolang hij ongewapend en onbeschermd op de grond lag.

'Verdedig je,' zei ik. 'Vecht! Klootzak, het kan je anders toch ook niets schelen of je het lot van anderen verstoort, als je hulpeloze mensen overvalt. Nou, hoe zit het? Kom op!'

De tovenaar likte langs zijn lippen – hij had een lange en enigszins gespleten tong. Opeens begreep ik welke gedaante hij in de Schemer zou aannemen en begon me beroerd te voelen.

'Ik lever me over aan jouw genade, Wachter. Ik eis welwillendheid en een proces.'

'Ik hoef alleen maar weg te gaan en dan neem je contact op met jouw mensen,' zei ik. 'Of je probeert uit de mensen om ons heen voldoende kracht te trekken om aan te sterken en je naar een telefoon te slepen, ja toch? Daar zijn we het toch wel over eens?'

De Duistere glimlachte. 'Ik eis welwillendheid en een proces, Wachter,' herhaalde hij.

Ik zwaaide een beetje met het pistool, keek in zijn grijnzende gezicht. Eisen konden ze altijd wel, maar geven nooit.

'Ik heb het altijd moeilijk gevonden om onze eigen dubbele moraal te begrijpen,' zei ik. 'Dat is moeilijk en onplezierig. Dat kost wel wat tijd en die heb ik niet meer. Als je een rechtvaardiging moet verzinnen. Als je niet iedereen kunt verdedigen. Als je weet dat de speciale afdeling elke dag weer licenties uitschrijft, waarmee mensen aan het Duister worden uitgeleverd. Dat is niet zo best, vind je wel?'

Nu glimlachte hij niet meer. 'Ik eis welwillendheid en een proces, Wachter.' Hij herhaalde de woorden alsof ze een bezweringsformule waren.

'Ik ben nu geen Wachter,' antwoordde ik.

Het pistool bewoog, knalde, en de munitie rolde er langzaam uit, de hulzen vlogen eruit. De kogels vlogen door de lucht als kleine, vinnige horzels.

Hij gilde slechts één keer, toen scheurden twee kogels zijn schedel open. Toen het pistool klikte en zweeg, verwisselde ik automatisch met bedachtzame bewegingen het magazijn.

Het gebroken, verdraaide lichaam lag voor me. Hij begon al uit de Schemer te treden, en de schmink van het Duister liep al uit op het jonge gezicht.

Ik tilde mijn hand op, trok een vaag iets uit de lucht, drukte dit ding dat door de lucht zweefde in elkaar. De kopie van de gedaante van de tovenaar van het Duister.

Morgen zouden ze hem vinden. Een goede, prachtige knaap die iedereen aardig had gevonden. Op beestachtige wijze vermoord. Hoeveel kwaad had ik in de wereld gebracht? Hoeveel tranen, verbittering en blinde haat? Welke ketting zou vanaf hier naar de toekomst lopen?

En hoeveel slechts had ik vermoord? Hoeveel mensen zouden langer en beter leven? Hoeveel tranen zouden niet vloeien, hoeveel slechtheid zou niet plaatsvinden, hoeveel haat niet ontstaan?

Misschien had ik nu wel de grens overschreden die ik nooit had mogen overschrijden.

Ik stopte het pistool in de holster en trad uit de Schemer.

De televisietoren in Ostankino boorde zich als een naald de lucht in.

'Laten we het spel nu maar zonder regels spelen,' zei ik. 'Zonder welke regel dan ook.'

Het lukte me meteen om een auto aan te houden, zelfs zonder bij de chauffeur een aanval van vriendelijke menselijkheid te hoeven oproepen. Zou dat komen doordat ik het gezicht van de dode tovenaar van het Duister droeg – dit zeer innemende gezicht?

'Naar de televisietoren,' vroeg ik, terwijl ik in de gedeukte zescilinder stapte. 'En zo snel mogelijk, zodat ik nog naar binnen kan.'

'Je wilt zeker nog een beetje plezier maken,' vroeg de man achter het stuur lachend. Het was een breekbare man met een bril op.

'Nou en of,' antwoordde ik. 'Nou en of.'

5

De televisietoren was nog niet dicht. Ik kocht een toegangskaartje, betaalde een toeslag zodat ik ook het restaurant in mocht en stak de groene vlakte over die om de toren heen lag. De laatste vijftig meter liep ik onder een luifel door. Waar zou die voor zijn? Zouden er af en toe brokken beton van het oude gebouw afbreken?

Aan het einde van de luifel was een controlepost. Ik liet mijn legitimatiebewijs zien, liep door het poortje met de metaaldetector, die trouwens niet werkte. Het waren allemaal formaliteiten. Zo werd dit strategische object dus bewaakt!

Nu begon ik te twijfelen. Het bleef een raar idee om hiernaartoe te gaan. Ik voelde niet dat Duisteren zich hier in de omgeving hadden verzameld. En als dat wel zo was, dan waren ze goed vermomd, en dat zou betekenen dat me een ontmoeting met tovenaars van de tweede of derde graad te wachten stond. Een duidelijke zelfmoordactie dus.

De staf. De commandopost van de Dagwacht, toegerust om de jacht te coördineren, de jacht op mij. Tot wie had een onervaren tovenaar van het Duister zich anders kunnen wenden om te vertellen dat hij de prooi te pakken had gekregen?

Moest ik me bij de staf melden, die uit ten minste tien Duisteren bestond, onder wie ook ervaren Wachters? Het is dom, niet moedig, om je hoofd vrijwillig in de strop te steken zolang er nog een kans is dat je er heelhuids van afkomt. En ik hoopte van harte dat ik die kans nog had.

Van onderaf, bij de betonnen voeten van de pijlers, zag de televisietoren er veel indrukwekkender uit dan vanuit de verte. Veel Moskovieten hadden de toren waarschijnlijk nog nooit beklommen. Zij zagen de toren alleen maar als een onvermijdelijk silhouet aan de hemel, weliswaar nuttig en symbolisch, maar zeker geen plek waar je je vrije tijd door zou brengen. Net als in een aërodynamische buis met een uitgekiende constructie waaide het hier. De wind was nauwelijks te horen, maar maakte een langgerekt geluid – de stem van de toren.

Ik bleef even staan en keek naar boven. Ik keek naar de hekken en de openingen in de muren, naar de gietgallen en naar het verrassend sierlijke, flexibele silhouet. Hij was inderdaad flexibel, met die betonringen aan gespannen kabels. Want in die flexibiliteit zit zijn kracht... alleen daarin.

Toen liep ik via de glazen deur naar binnen.

Grappig, ik had verwacht dat veel meer mensen vanaf een hoogte van 337 meter naar Moskou bij nacht zouden willen kijken. Niet dus. Ik was de enige die met de lift naar boven ging, nou ja, samen met de vrouwelijke liftbediende. 'Ik had verwacht dat het drukker zou zijn,' zei ik met een vriendelijke glimlach. 'Is het 's avonds altijd zo leeg?'

'Nee, normaal gesproken is het altijd druk.' De vrouw gaf me weliswaar antwoord zonder zich over mijn vraag te verbazen, maar ik hoorde wel een beetje irritatie in haar stem doorklinken. Ze drukte op het knopje en de dubbele deuren gingen dicht. Het volgende moment deden mijn oren pijn en werd ik naar beneden geduwd, terwijl de lift in razend tempo en toch heel stil naar boven schoot. 'Twee uur geleden is het hier heel stil geworden.'

Twee uur geleden.

Kort nadat ik uit het restaurant ontsnapt was.

Als de commandopost zich hier rond die tijd had gevestigd, verbaasde het me helemaal niet dat honderden Moskovieten die op deze heldere, warme voorjaarsavond in het restaurant in de wolken een hapje hadden willen eten, zich van het ene op het andere moment hadden bedacht. Ook al zien de mensen ons niet, ze voelen ons wel.

En hoewel ze er niets mee te maken hadden, waren ze slim genoeg om de Duisteren niet voor de voeten te lopen. Ik zag er nu immers uit als de tovenaar van het Duister. Het bleef natuurlijk de vraag of deze vermomming voldoende was. De bewaker zou mijn uiterlijk vergelijken met de lijst die aan zijn geheugen was doorgegeven, en alles zou kloppen. En verder zou hij de kracht voelen.

Zou hij dan nog dieper graven? Zou hij het krachtprofiel controleren, uitzoeken of ik een Duistere of een Lichte was en welke rang ik had?

Een kans van fiftyfifty. Aan de ene kant moet hij dat doen. Aan de andere kant veronachtzamen bewakers deze plicht altijd en overal. Misschien zit hij zich stierlijk te vervelen, misschien is zijn dienst nog maar net begonnen en is hij ontzettend ijverig.

Maar op zich was een kans van fiftyfifty heel behoorlijk, vergeleken met de kans die ik had om me in de straten van Moskou voor de Dagwacht te verstoppen.

De lift stopte. Ik had nog niet eens een plan bedacht, want alles bij elkaar had het ritje met de lift nog geen twintig seconden in beslag genomen. Waren liften in gewone flats maar zo snel!

'We zijn er,' zei de vrouw bijna opgewekt. Kennelijk was ik een van de laatste bezoekers van de televisietoren in Ostankino.

Ik liep het platform op.

Gewoonlijk wemelt het hier van de mensen. Mensen die er nog maar net zijn, zijn onmiddellijk te onderscheiden van degenen die er al wat langer zijn.

Door hun onzekere bewegingen, de grappige voorzichtigheid waarmee ze naar het ronde raam lopen, de schichtigheid waarmee ze naar de in de vloer verzonken ramen van pantserglas sluipen en angstig met hun tenen testen of die wel goed vastzitten.

Ik schatte dat er nog een man of twintig aanwezig was. Er waren geen kinderen. Om de een of andere reden stelde ik me voor hoe die opeens een hysterische aanval hadden gekregen toen ze in de buurt van de toren waren gekomen, en hoe verbaasd en boos hun ouders daarop hadden gereageerd. Kinderen voelen de aanwezigheid van Duisteren veel en veel beter.

Ook de mensen die zich op het platform bevonden, vond ik er van streek, neerslachtig uitzien. Ze waren niet onder de indruk van het Moskou dat zich onder hen uitstrekte, met gekleurde lichtjes, van deze helder verlichte, doorgaans zo feestelijke stad – weliswaar een poel van verderf, maar toch een heel mooie poel. Nu genoot niemand van deze aanblik. De adem van het Duister was duidelijk merkbaar, zelfs voor mij onzichtbaar, maar merkbaar, verstikkend als mijngas dat je niet kunt proeven, zien of ruiken.

Ik keek naar de vloer, ontdekte mijn schaduw en stapte erin. Vlak bij me stond een bewaker, slechts twee stappen van me af, naast een in de vloer verzonken raam. Hij keek me vriendelijk, maar enigszins geïrriteerd aan. In de Schemer waren zijn bewegingen onzeker. Daaruit leidde ik af dat zeker niet de beste krachten waren ingezet om de veiligheid van de commandopost te garanderen. Een sterke, jonge man in een goed zittend pak en een wit overhemd, met een stropdas in een gedekte kleur: een bankbediende, maar geen dienaar van het Duister.

'Hallo, Anton,' zei de bewaker.

Even stokte de adem me in de keel.

Zo dom was ik toch niet, wel? Zo gruwelijk, zo verschrikkelijk naïef?

Ze hadden me opgewacht, me voor de gek gehouden, nog een pion opgeofferd en er zelfs – zoals altijd – iemand bijgehaald die al in de oudheid de Schemer was ingetreden.

'Wat doe jij hier?'

Mijn hart begon weer te kloppen en hervond zijn ritme. Alles was zo eenvoudig, zo ongelooflijk eenvoudig.

De tovenaar van het Duister die ik vermoord had, was een naamgenoot van me.

'Ik heb iets ontdekt en nu heb ik nieuwe instructies nodig.'

De bewaker fronste zijn voorhoofd. Waarschijnlijk sprak ik niet op de juiste toon. Ondanks dat had hij nog steeds niets in de gaten.

'Je legitimatie, Anton. Anders mag ik je niet doorlaten, dat weet je best.'

'Je bent verplicht me door te laten,' zei ik op goed geluk. Bij ons in de Wacht kan iedereen die zijn plaats kent tot de commandopost doordringen.

'Waarom dan wel?' zei hij glimlachend, maar zijn hand dwaalde langzaam naar beneden.

De staaf die aan zijn riem hing, was helemaal opgeladen. Het was een ivoren staaf, kunstig uit een bot van het onderbeen gesneden, met een kleine robijnrode kristal aan de punt. Ik hoefde er alleen maar omheen te draaien, mijn ogen ervoor te sluiten en dan zou een gigantische krachtexplosie paniek veroorzaken onder alle Anderen om ons heen.

Ik haalde mijn schaduw van de vloer en stapte in de tweede laag van de Schemer.

Kou.

Er steeg nevel op. Nou ja, niet precies nevel, maar wolken. Vochtige, zware wolken die boven de aarde hingen. De televisietoren van Ostankino was hier niet meer; deze wereld had zijn laatste gelijkenis met de gewone wereld verloren. Ik liep door, over watachtige wolken, over opgezwollen druppels, langs een onzichtbare weg. De tijd strekte zich uit – eigenlijk viel ik namelijk naar beneden, maar zo langzaam dat ik het niet voelde. Hoog in de lucht zag ik drie manen oplichten die als vage vlekken door de wolkenflarden braken; een witte, een gele en een bloedrode. Voor me zag ik een bliksemflits die aanzwol, met een scherpe punt, die zich door de wolken boorde en daar een vertakte geul inbrandde.

Ik liep naar een vage schaduw die tergend langzaam naar zijn gordel greep en zijn staaf wilde pakken. Kreeg zijn hand te pakken, een zware, onverbiddelijke hand, ijskoud. Die zich niet liet tegenhouden. Ik moest me losrukken, weer naar boven naar de eerste laag van de Schemer en een vechtpartij beginnen. En had een kans om te winnen.

Licht en Duister, ik ben toch maar een gewone programmeur! Ik heb er nooit om gevraagd om in de frontlinie te vechten! Laat mij het werk doen dat ik kan en waar ik van houd!

Maar zowel het Licht als het Duister zwegen, zoals altijd als je ze aanroept. En slechts een geamuseerde stem die af en toe in ieders ziel weerklinkt, fluisterde: 'Niemand heeft gezegd dat je werk leuk zou zijn!'

Ik keek naar de grond. Mijn voeten stonden tien centimeter lager dan die van de tovenaar van het Duister. Ik viel, was elke greep op deze realiteit kwijtgeraakt; hier was geen televisietoren en geen analogie ervoor – dergelijke ijle rotsen en dergelijke hoge bomen bestaan niet.

En ik had zo graag schone handen gehouden, een warm hart en een koel hoofd. Maar om de een of andere reden passen deze drie zaken niet bij elkaar. Nooit. De wolf, het geitje en de kool – waar is die gekke veerman die ze allemaal meeneemt in zijn boot?

En waar is de wolf die, nadat hij het geitje heeft opgeslokt, ervan afziet om de veerman op te eten?

'Joost mag het weten,' zei ik. Mijn stem vervaagde in de wolken. Ik liet de hand los, greep naar de schaduw van de tovenaar van het Duister, naar die vochtige flard die oploste in de ruimte. Trok hem omhoog, gooide hem op het lichaam en stootte de Duistere in de tweede laag van de Schemer.

Hij gilde toen de wereld om ons heen niet meer realistisch leek. Waarschijnlijk was hij nog nooit in de gelegenheid geweest om verder dan in de eerste laag van de Schemer te duiken. Ik was weliswaar degene die de energie voor dit uitstapje leverde, maar deze ervaring was helemaal nieuw voor hem.

Toen ik me tegen de rug van de Duistere afzette, drukte ik hem naar beneden. En klom zelf naar boven, terwijl ik genadeloos op zijn gekromde rug ging staan.

De weg omhoog van de Grote Tovenaar leidt altijd over de rug van iemand anders.

'Klootzak! Anton, wat ben jij een klootzak!'

Zelfs nu wist de Duistere niet wie ik was. Dat gebeurde pas toen hij zijn hoofd omdraaide – hij die al plat op de grond lag en voor mij als opstapje diende – toen hij zijn hoofd omdraaide en me aankeek. Want hier, in de tweede laag van de Schemer, was die vage vermomming natuurlijk helemaal verdwenen. Zijn ogen werden groot, hij rochelde even, jammerde en klemde zich aan mijn benen vast.

Maar hij begreep nog steeds niet wat ik aan het doen was en waarom. Ik sloeg een paar keer naar hem en toen ik me afzette, ging ik op zijn vingers en zijn gezicht staan. Dat is niet zo erg voor een Andere, maar het ging me er ook niet om hem fysiek iets aan te doen. Naar beneden, hup, naar beneden jij! Val, stort door alle realiteitslagen heen, door de mensenwereld en de Schemer, door het soepele weefsel van de ruimte. Ik heb noch de tijd, noch de capaciteiten om een echt gevecht met je aan te gaan volgens alle wetten van de Wachten – volgens alle regels die zijn opgesteld voor jonge Lichten en hun geloof in het goede en het kwade, in de onaantastbaarheid van de dogma's, in de noodzaak voor vergelding...

Zodra ik dacht dat ik de Duistere ver genoeg naar beneden had gestampt, sprong ik van het platgetrapte lichaam af, de koude, sliertige nevel in en trok me terug uit de Schemer.

Direct de mensenwereld in. Direct het platform op.

Ik vond mezelf weer terug op een glazen plaat, op mijn hurken, hijgend. Ik kreeg opeens een hoestaanval en was drijfnat, van top tot teen. De regen van de andere wereld rook naar salmiak en as.

Ik hoorde een licht zuchten om me heen – de mensen ontweken me, liepen om me heen.

'Er is niets,' hoestte ik. 'Echt waar.'

Zo zag ik er niet uit, vonden ze. Er stond een geüniformeerde bewaker bij de muur, een rechtschapen medewerker van de televisietoren die nu met een verstarde blik zijn pistool uit het holster trok.

'Het is voor uw eigen bestwil,' zei ik, terwijl ik weer een hoestaanval kreeg. 'Hebt u me gehoord?'

Ik stelde de kracht in de gelegenheid zich los te rukken en het verstand van de aanwezigen aan te raken. Langzaam maar zeker kregen de gezichten om me heen een ontspannen, ongedwongen uitdrukking. Langzaam keerden de mensen zich van me af en drukten hun neus weer tegen het glas. De bewaker stopte midden in zijn beweging, met zijn hand op het geopende holster.

Nu pas permitteerde ik mezelf een blik naar de grond. En verstijfde.

De Duistere was er nog steeds, hij gilde. Zijn ogen waren pikzwart, wijdopen van pijn en ontzetting. Hij hing onder de glazen plaat, hing aan zijn vinger-toppen die in het glas staken, zijn lichaam werd door de windstoten heen en weer gezwaaid, de mouwen van zijn witte overhemd waren doordrenkt met bloed. De staaf hing nog steeds aan zijn gordel: de tovenaar was hem hele-maal vergeten. Nu was ik nog de enige, aan de andere kant van het gepantser-de glas, in de droge, warme en helder verlichte ombouw van het platform, aan de andere kant van goed en kwaad. Ik, een tovenaar van het Licht, die boven hem zat en in zijn door pijn en angst gek geworden ogen keek.

'Had je soms verwacht dat we altijd eerlijk vechten?' vroeg ik. Om de een of andere reden had ik het idee dat hij me kon horen, zelfs door het glas heen en boven de gierende wind uit. Ik stond op en trapte met mijn hak op de glazen plaat. Eén keer, twee keer, drie keer – ook al kwamen mijn hakken niet tot aan de in het glas vastzittende vingers.

De tovenaar van het Duister kromp in elkaar, trok zijn handen weg, bracht ze voor de dichterbij komende hak in veiligheid, in een reflex, vertrouwend op zijn instinct en niet op zijn verstand.

En dat hield zijn lichaam niet uit.

Het glas werd heel even rood, maar het volgende moment had de wind het bloed al weggevaagd. Het enige wat overbleef, was het silhouet van de tove-naar van het Duister dat kleiner en kleiner werd en in de lucht over de kop sloeg. Hij viel naar beneden, naar de Drie Kleine Varkentjes, een bar aan de voet van de toren.

Een onzichtbare klok die in mijn bewustzijn tikte, liet de wijzer bewegen en verkortte de nog resterende tijd in één klap tot de helft.

Ik ging bij de glazen plaat vandaan, liep een rondje over het platform, lette ondertussen niet op de mensen die me automatisch ontweken, maar keek de Schemer in. Niet nog meer bewakers. Waar had de staf zich dan verschanst? Boven, waar de bezoekers niet mochten komen? Tussen de apparatuur? Dat geloofde ik niet. Die hadden wel iets comfortabelers uitgezocht.

Bij de trap die naar beneden, naar het restaurant leidde, stond een andere bewaker. Eén blik op hem was voldoende om te zien dat iemand hem al had beïnvloed en wel kortgeleden. Gelukkig maar heel oppervlakkig.

En wat een mazzel dat ze dachten dat deze manipulatie noodzakelijk was. Dat betekende dat de kogel nog niet door de kerk was.

De bewaker deed zijn mond open en wilde gaan schreeuwen.

'Zwijg! Laten we gaan!' zei ik alleen maar.

Hij liep zonder iets te zeggen achter me aan.

We liepen naar het toilet – een kleine gratis attractie van de toren. Het hoogste urinoir en de hoogste toiletpot van Moskou, voor het geval iemand zijn sporen hoog in de wolken wilde achterlaten. Ik gebaarde met mijn hand, waarop een puistige tiener snel zijn toilethokje verliet terwijl hij zijn broek dichtknoopte, en een man voor een urinoir gromde, maar toen toch stopte met plassen en zich met een glazige blik uit de voeten maakte.

'Kleed je uit,' zei ik tegen de bewaker en trok mijn vochtige sweatshirt over mijn hoofd.

Mijn holsterkap wilde niet dicht; mijn Desert Eagle was iets groter dan zijn goede oude Makarow. Ik maakte me er niet druk over. Het belangrijkste was dat het uniform me redelijk paste.

'Als je hoort schieten,' zei ik tegen de bewaker, 'dan ga je naar beneden en doe je je plicht. Begrepen?' Hij knikte.

'Ik bekeer je tot het Licht,' zei ik. Dat was de formule als je iemand aannam. 'Verloochen het Duister, verdedig het Licht. Ik schenk je de blik om het goede van het kwaad te kunnen onderscheiden. Ik schenk je het geloof om het Licht te volgen. Ik schenk je de moed om tegen het Duister te vechten.'

Vroeger dacht ik altijd dat ik nooit gebruik zou kunnen maken van het recht om vrijwilligers in dienst te nemen. Hoe onafhankelijk was hun beslissing als ze zich in het diepste Duister bevonden? Waarom zou je een mens voor ons spel mogen winnen als de Wachten zelf als tegenwicht voor deze praktijken waren opgericht?

Nu handelde ik zonder te aarzelen. Maakte gebruik van de mogelijkheid die de Duisteren hadden opengelaten toen ze de bewaker de bescherming van hun staf hadden toevertrouwd – voor het geval dat. Net zoals mensen een kleine hond nemen die dan wel niet kan bijten, maar wel kan blaffen. Daardoor had ik het recht om de man naar de andere kant te sleuren, hem achter me aan te trekken. Hij was namelijk goed noch slecht, maar een heel gewoon mens, met een redelijk geliefde vrouw, oude ouders die hij regelmatig bezocht, een dochtertje en een bijna volwassen zoon uit een vorig huwelijk, een vaag geloof in God, allerlei morele overtuigingen en een paar standaard dromen – een heel gewoon mens dus.

Kanonnenvlees voor de legers van de Lichten en de Duisteren.

'Het Licht zij met je,' zei ik. En dat deerniswekkende mensje knikte en zijn hele gezicht straalde. In zijn ogen wakkerde aanbidding op. Op precies dezelfde manier had hij een paar uur geleden naar de tovenaar van het Duister gekeken die hem een onduidelijke opdracht had gegeven en hem mijn foto had laten zien.

Binnen een minuut zou de bewaker, gekleed in mijn klamme en stinkende kleren, bij de trap staan. Ik zou naar beneden gaan en proberen me erop voor te bereiden hoe ik zou reageren als Seboelon de leiding had van de commandopost. Of een andere tovenaar met dezelfde rang.

Mijn vermomming zou ik, met mijn capaciteiten, nog geen seconde kunnen volhouden.

De Bronzen zaal. Ik liep door de deur naar buiten en keek naar het belachelijke, ronde restaurant. De ring waar de tafels op stonden, draaide langzaam rond.

Om de een of andere reden was ik ervan uitgegaan dat de Duisteren hun commandopost in de Gouden of Zilveren zaal hadden ondergebracht. Ik was zelfs een beetje verbaasd toen ik de zaal in keek.

De kelners liepen onzeker rond, als vissen in de winter, en brachten alcoholhoudende drankjes, die hier eigenlijk verboden waren, naar de tafels. Op twee tafels vlak voor me stonden twee computers waarop een mobiele telefoon was aangesloten. Ze hadden niet eens kabels getrokken naar de talloze aansluitingen in de toren; de staf was dus niet van plan lang te blijven. Drie jonge kerels met lang haar waren geconcentreerd aan het werk; hun vingers huppelden over de toetsen, op de beeldschermen schoven de regels omhoog en in de asbakken lagen sigaretten te smeulen. Hoewel ik de programmeurs van de Duisteren nog nooit had gezien, wist ik dat het eenvoudige operators waren en geen systeembeheerders. Ze verschilden op geen enkele manier van een van onze tovenaars die bij de staf op een op het internet aangesloten laptop werkt. Misschien zagen ze er zelfs wel beter uit dan een van onze mensen. 'Sokolniki is helemaal afgedekt,' zei een van hen drieën. Niet erg luid, maar zijn stem dreunde door het hele panoramarestaurant. De kelners krompen in elkaar en struikelden.

'De lijn Taganskaja-Krasnopresnenskaja hebben we onder controle,' zei een van de anderen. De jongens keken elkaar aan en begonnen te lachen. Waarschijnlijk hadden ze gewed wie van hen als eerste zijn sector had afgewerkt. Pak me dan, pak me toch!

Ik liep het restaurant door naar de bar. Let niet op mij! Ik ben maar een hulpeloze man, een van degenen die nog maar kort geleden als waakhond is ingeschakeld. Een bewaker die een biertje wilde drinken – ja, was hij dan alle gevoel voor verantwoordelijkheid kwijtgeraakt? Of wilde hij zich verzekeren van de veiligheid van zijn nieuwe bazen? Iemand die in dienst van Zijne

Majesteit de Wacht 's nachts op patrouille gaat. Trala, lala, tralalala...

Aan de bar stond een oudere vrouw met mechanische bewegingen glazen op te wrijven. Toen ik voor haar ging staan, tapte ze zwijgend een glas bier voor me. Het was leeg en donker in haar ogen; ze was veranderd in een marionet. Met veel moeite onderdrukte ik een korte, heftige woede-uitbarsting. Dat kon niet: gevoelens waren niet toegestaan. Ik ben ook een automaat. Poppen hebben geen emoties.

Toen zag ik de jonge vrouw die op een draaikruk aan de bar zat en weer zonk me de moed in de schoenen.

Hoe had ik dat kunnen vergeten?

Elke commandogroep moet zijn tegenstander op de hoogte brengen. In elke commandogroep zit een waarnemer. Dat is onderdeel van het Verdrag, een van de spelregels die voordelen heeft voor elke kant – of voordelen lijkt te hebben. Elke keer als onze commandogroep wordt ingezet, is er in elk geval een Duistere bij aanwezig.

Hier zat Tijgerjong.

Toen dwaalde de blik van de vrouw ongeïnteresseerd langs me heen en ik hoopte al dat alles goed zou gaan.

Toen dwaalden haar ogen weer naar mij.

Ze zag de bewaker wiens personage ik had overgenomen. En iets stemde niet overeen met de in haar herinnering opgeslagen gelaatstrekken. Maakte haar ongerust. Nog even, en toen keek ze me door de Schemer aan.

Ik stond daar maar, zonder me te bewegen, probeerde me niet te verstoppen. De vrouw wendde haar blik van me af en richtte haar blik op de tovenaar die tegenover haar zat. Geen zwakke tovenaar; ik schatte hem op een jaar of honderd, zijn kracht ten minste op het derde niveau. Geen zwakke tovenaar, maar een zelfgenoegzame.

'Jullie actie is hoe dan ook een provocatie,' zei ze kalm. 'De Dagwacht weet toch dat Anton de Wilde niet is.'

'Wie dan wel?'

'Een ons niet-bekende, niet-geïnitieerde tovenaar van het Licht. Een Lichte die door de Duisteren wordt geleid.'

'Waarom dan, meisje?' vroeg de tovenaar zich serieus af. 'Leg me dat alsjeblieft eens uit. Waarom zouden we onze eigen mensen vermoorden, ook al gaat het hier niet om de meest belangrijke?'

'"Niet de meest belangrijke" is de sleutel tot alles,' zei Tijgerjong melancholiek.

'Ja, als we de mogelijkheid zouden hebben om het Opperhoofd van de Moskovieten te vernietigen. Maar we krijgen hem, zoals gebruikelijk, niet te pakken. Maar twintig mensen opofferen, in ruil voor één enkele middelmatige Lichte? Dat meen je toch niet! Of denk je soms dat we allemaal gek zijn?'

'Nee, ik denk dat jullie slimmeriken zijn. Waarschijnlijk zelfs grotere slimmeriken dan ikzelf.' Tijgerjong glimlachte vals. 'Maar ik ben slechts een speurder. De conclusies worden door anderen getrokken. En dat ze dat zúllen doen, staat buiten kijf.'

'We eisen immers niet dat hij onmiddellijk wordt bestraft!' De Duistere glimlachte. 'Zelfs nu nog sluiten we de mogelijkheid van een vergissing niet uit. Het Tribunaal, een gekwalificeerd en onbevooroordeeld onderzoek, gerechtigheid; dat is alles wat we willen!'

'Maar het is wel bijzonder vreemd dat jullie chef Anton met zijn zweep niet te pakken kon krijgen.' De vrouw tikte met haar vingers tegen haar halflege bierglas. 'Echt zeer vreemd. Zijn meest geliefde wapen, dat hij al eeuwenlang perfect beheerst. Alsof de Dagwacht er niet echt in geïnteresseerd is om Anton te pakken te krijgen.'

'Lieve meid,' de Duistere boog zich over de tafel heen, 'dat is toch inconsequent! Jullie mogen ons niet verwijten dat we aan de ene kant een onschuldige, een gezagsgetrouwe Lichte achtervolgen, maar dat we aan de andere kant helemaal niet ons best doen hem te arresteren.'

'Waarom niet?'

'Dat is een vorm van sadisme.' De tovenaar grinnikte. 'Ik vind dit een buitengewoon plezierig gesprek. Jullie denken toch niet dat we een bende doorgedraaide, bloeddorstige psychopaten zijn?'

'Nee, we denken dat jullie een bende doorgedraaide schurken zijn.'

'Dan moeten we onze methoden maar eens met elkaar vergelijken.' Zo te zien, bereed de Duistere zijn stokpaardje. 'Laten we de schade vergelijken die de Wachten aanrichten onder gewone mensen, ons basisvoedsel.'

'Dat geldt alleen voor jullie, dat mensen voedsel zijn.'

'Voor jullie niet dan? Komen de Lichten tegenwoordig uit de Lichten en niet langer uit de massa?'

'Voor ons zijn de mensen de wortels. Onze wortels.'

'Wortels, ook goed. Waarom zouden we discussiëren over een woord? Maar dan zijn het ook onze wortels, meisje. En ze leveren ons steeds meer energie, dat zal ik niet ontkennen, dat is geen geheim.'

'Wij worden ook niet minder in aantal. Ook dat is geen geheim.'

'Ja zeker. We leven in hectische tijden, vol stress en spanning. De mensen zoeken continu hun grenzen op, en van daaruit naar ons, de Anderen, is maar een klein stapje. Daar kunnen we het toch over eens zijn?' De stem van de tovenaar sloeg over.

'Goed dan,' zei Tijgerjong instemmend. Ze keek niet meer naar mij. Het gesprek ging over het eeuwige, onuitputtelijke onderwerp waarover men altijd discussieerde, waarover de filosofen van beide kanten elkaar de hersens insloegen. En niet alleen twee tovenaars, een Duistere en een Lichte, die zich

233

verveelden. Ik begreep wel dat Tijgerjong inmiddels alles al had gezegd wat ik moest weten.

Of alles wat ze dacht te kunnen zeggen.

Ik pakte het glas bier dat voor me op de bar stond. Nam een paar grote slokken. Ik had echt dorst.

Was de jacht maar gesimuleerd?

Ja, dat had ik ook al begrepen. Het belangrijkste wat ik nu te weten moest komen, was of mijn mensen dat ook vonden.

Ze hadden die Wilde dus nog niet te pakken gekregen?

Natuurlijk niet. Anders hadden ze al wel contact met me opgenomen. Telefonisch of mentaal, dat is geen probleem voor de Chef. De moordenaar zou aan het Tribunaal worden uitgeleverd, Swetlana zou niet langer worden verscheurd door het verlangen mij te helpen en de noodzaak zich buiten de strijd te houden, en ik zou Seboelon uitlachen.

Maar hoe, hoe moest je in een miljoenenstad een mens vinden wiens capaciteiten slechts af en toe naar buiten kwamen, opvlamden en uitdoofden? Van de ene moord naar de andere, van de ene nutteloze zege over het kwaad naar de andere? Als de Duisteren echt wisten wie hij was, zou alleen de hoogste leiding van zijn geheim op de hoogte zijn.

Maar zeer zeker niet deze Duisteren die hier hun tijd zaten te verdoen.

Vol walging keek ik om me heen.

Er klopte toch niets van!

De bewaker die ik zomaar even had vermoord. Een tovenaar van de derde graad die vol enthousiasme spitsvondigheden met onze waarneemster zat uit te wisselen en alles om zich heen vergat. Deze jonge kerels achter hun beeldschermen die luidkeels riepen: 'Tsvetnoj Boulevard gecontroleerd!'

'Polezjajewskaja onder controle!'

Dit is dus de commandopost. Net zo belachelijk en ongekwalificeerd als de Duisteren die me in de stad achterna zitten. Het klopt, het net is uitgeworpen, maar het interesseert niemand hoeveel gaten erin zitten. Hoe wilder mijn schijnbewegingen en hoe meer ik me in bochten wring, des te beter het is voor de Duisteren. In het algemeen, natuurlijk. Swetlana zal het niet kunnen uithouden en zich in de strijd storten. Zal proberen te helpen, zal voelen hoe echte kracht in haar opbloeit. Niemand van ons zal haar kunnen tegenhouden. En dan is het afgelopen met haar.

'Wolgograder Prospekt.'

Ik zou hen nu met z'n allen kunnen afslachten en doodschieten! Allemaal, tot op de laatste man! Dit uitschot van de Duisteren, deze schoften, deze sukkels, die óf helemaal geen vooruitzichten óf te veel mankementen hebben. Niet alleen omdat de Duisteren het niet eens jammer zouden vinden – ze storen alleen maar, lopen hen voor de voeten. De Dagwacht is geen armenhuis zoals wij soms. De Dagwacht ontdoet zich van zijn overtollige medewerkers en laat het werk graag aan ons over. En krijgt daarmee troeven in handen, het recht op tegenzetten en een verandering van het evenwicht.

En die Schemerfiguur die mij de televisietoren in Ostankino heeft aangewezen, was een product van de Duisteren. Een herverzekering, voor het geval ik niet zou raden waar de strijd zich zou voltrekken.

Terwijl de feitelijke resultaten door één enkele Andere werden gecoördineerd. Seboelon.

Hij had natuurlijk niets tegen mij persoonlijk. Waarom dan dus deze gecompliceerde en schadelijke emoties in een spel dat zo serieus was? Hij verorbert stapels mannen zoals ik als ontbijt, haalt ze van het bord en ruilt ze in tegen zijn pionnen.

Wanneer gelooft hij dat hij de schaakpartij heeft verloren, dat hij het eindspel moet ensceneren?

'Hebt u een vuurtje?' vroeg ik. Ik zette mijn glas neer en pakte een sigaret uit het pakje sigaretten dat op de bar lag. Iemand was vergeten ze mee te nemen, misschien een gast van het restaurant die buiten zichzelf van angst naar buiten was gestormd, misschien een Duistere.

Er vlamde boosheid op in de ogen van Tijgerjong. Ze hield zich in. Nog heel even en dan zou de tovenares haar gevechtshouding aannemen. Waarschijnlijk had ook zij de krachten van haar tegenstander ingeschat en ging ook zij ervan uit dat ze kon winnen.

Maar dat was niet nodig.

De tovenaar van het Duister, deze oude tovenaar van de derde graad, hield me achteloos zijn aansteker voor. De Ronson siste melodieus en er spoot een vlammetje uit.

'Jullie blijven de Duisteren er maar van beschuldigen,' zei de tovenaar, 'dat we een smerig spelletje spelen, dat we achterbaks zijn, dat we provoceren. En dat allemaal met één doel: jullie eigen onvermogen om te leven te verbergen. Jullie eigen onvermogen om de wereld en zijn wetten te begrijpen. En daarmee dus ook de mensen. Jullie zullen moeten toegeven dat de vooruitzichten voor de Duisteren verreweg de beste zijn. Als we de natuurlijke behoeften van de menselijke ziel naar waarde schatten, halen we hen naar onze kant. En wat kopen jullie met jullie moraal? Jullie levensfilosofie? Hm?'

Ik nam het eerste trekje, knikte vriendelijk en liep naar de trap. Tijgerjong keek me geïrriteerd na. Begrijp dan, bedenk dan zelf waarom ik nu vertrek. Alles wat ik hier te weten had kunnen komen, was ik te weten gekomen.

Nou ja, bijna alles.

Ik boog me over iemand heen met een bril op en kort haar die in zijn laptop kroop.

'Welke wijken sluiten we het laatst af?' vroeg ik kortaf.

'De Botanische Tuin en de "Verworvenheden",' antwoordde hij zonder me aan te kijken. De cursor schoot over het beeldscherm. De Duistere gaf opdrachten, genoot van zijn macht en verplaatste rode punten op de kaart van Moskou. Het zou lastiger zijn hem van zijn taak los te scheuren dan om hem bij zijn vriendin vandaan te houden.

Ze kunnen namelijk ook van iemand houden.

'Bedankt,' zei ik en duwde de brandende sigaret in de volle asbak. 'Je bent erg behulpzaam geweest.'

'*No problem*,' zei hij met zijn blik aan zijn beeldscherm gekluisterd. Zijn tong werkte mee toen hij weer een punt op de kaart aanklikte: een heel gewone Duistere op drijfjacht. Wat vind je nu zo leuk, mannetje? Degenen die aan de touwtjes trekken, zullen nooit tevoorschijn komen op jouw kaart. Je kunt beter met tinnen soldaatjes gaan spelen, dat zou je hetzelfde gevoel van macht geven.

Ik rende de wenteltrap af. De drift die ik had gevoeld toen ik hiernaartoe kwam – om te doden, maar nog meer om gedood te worden – was vervlogen. Waarschijnlijk werd iedere soldaat op het slagveld altijd wel een keer dood-kalm. Net zoals de handen van een chirurg ophouden met trillen zodra zijn patiënt op de operatietafel dood dreigt te gaan.

Welke mogelijkheden heb je voorzien, Seboelon?

Dat ik in het net van de drijfjacht ga liggen spartelen, waardoor ik zowel Lichten als Duisteren aantrek, maar vooral Swetlana?

Nooit.

Dat ik me zal overgeven of gevangen laat nemen, waarna voor het Tribunaal een lastig, langdradig, slopend proces begint dat met een waanzinnige emotionele uitbarsting van Swetlana zal eindigen?

Nooit.

Dat ik de strijd aanga met de complete operatieve afdeling die bestaat uit een stelletje bedriegende tovenaars, hen allemaal doodt en tegelijkertijd in de val zit, drie kilometer boven de aardbodem, en dat Swetlana zich naar de toren spoedt?

Nooit.

Dat ik de commandopost binnensluip, mijn oren openhoud, hoor dat niemand van de aanwezigen iets over die Wilde weet en probeer tijd te winnen? Mogelijk.

Het net wordt dichtgetrokken, zoveel is me wel duidelijk. Het net is rondom de stad gesloten, langs de ringweg, en vervolgens is de stad onderverdeeld in sectoren en afgesneden van de hoofdwegen. Er is nog tijd genoeg om naar de nabije, nog niet doorzochte omgeving te vluchten, een onderkomen te zoeken en onder te duiken. De Chef heeft me één advies gegeven: volhouden en tijd winnen, terwijl de Nachtwacht alles op alles zet om de Wilde te vinden.

Je lokt me toch niet juist naar die wijk waar wij afgelopen winter tot een handgemeen zijn gekomen, wel? Ik kan het niet vergeten, zal dus op de een of andere manier wel onder invloed van mijn herinneringen handelen.

Het platform was inmiddels verlaten. Helemaal. De laatste bezoekers waren snel verdwenen, personeel was er ook niet. Alleen de man die ik had gerekruteerd stond bij de trap. Hij hield zijn pistool vast en keek met een vurige blik naar beneden.

'Kom, we kleden ons weer om,' zei ik. 'Accepteer de dankbaarheid van het Licht. Daarna zul je alles wat we besproken hebben, vergeten zijn. Je gaat naar huis. Dan kun jij je alleen nog herinneren dat dit een gewone dag is geweest, net als gisteren. Zonder bijzondere gebeurtenissen.'

'Zonder bijzondere gebeurtenissen,' herhaalde de man meteen, terwijl hij uit mijn kleren glipte. De mensen zijn gemakkelijk naar het Licht of naar het Duister te halen, maar ze zijn het gelukkigst als je hen gewoon zichzelf laat zijn.

6

Zodra ik de televisietoren verliet, bleef ik even staan en stak mijn handen in mijn zakken. Terwijl ik daar stond, keek ik naar de op de hemel gerichte schijnwerpers en naar de verlichte controlepost bij de ingang.

Er waren slechts twee elementen in dit spel dat de Wachten speelden – of liever gezegd de leiding van de Wachten – die ik niet begreep.

Degene die in de Schemer was verdwenen – wie was hij en aan welke kant stond hij? Wilde hij me waarschuwen of me misleiden?

En Jegor? Waren we elkaar nu wel of niet toevallig tegen het lijf gelopen? En zo niet, wat was het dan, een speling van het lot of gewoon een zet van Seboelon?

Over de inwoners van de Schemer wist ik zo goed als niets. Misschien wist zelfs Geser niets over hen.

Maar over Jegor, daar kon ik over nadenken.

Hij was een kaart die nog niet was uitgedeeld. Ook al was hij niet veel waard, toch was hij een troef, net als wij allemaal. En je kunt het niet zonder meer zonder die kleine troeven doen. Jegor was al eens de Schemer ingetreden. De eerste keer toen hij had geprobeerd mij te zien. De tweede keer om de vampierin te ontvluchten. Geen geweldige uitgangspositie, om eerlijk te zijn. Beide keren had hij het uit angst gedaan en dat betekende dat zijn toekomst nu al bijna vastlag. Hij zou zich nog een paar jaar op de grens tussen een mens en een Andere kunnen ophouden, maar zijn weg zou naar de Duisteren leiden.

Je kunt de waarheid maar beter onder ogen zien.

Waarschijnlijk zou hij een Duistere worden. En het is van geen enkel belang dat Jegor tot nu toe een heel gewone, aardige jongen is geweest. Als ik dit hier overleef, dan moet ik als we elkaar treffen ooit nog eens naar zijn papieren vragen of die van mij laten zien.

Seboelon kan hem waarschijnlijk wel manipuleren. Hem naar de plek manoeuvreren waar ik me bevind. Wat het waarschijnlijk maakt dat hij degene is die mij het beste kan lokaliseren. Maar daar hou ik toch al rekening mee.

Maar had onze 'toevallige' ontmoeting een bepaald nut?

Ja, als ik denk aan de uitspraak van de operator: de omgeving rondom het metrostation 'Tentoonstelling van de Verworvenheden van de Democratie' was nog niet uitgekamd. Zou ik dan niet op het gekke idee kunnen komen om de jongen te gebruiken, me in zijn huis te verstoppen of hem om hulp te vragen? Zou ik hem daar niet kunnen opzoeken?

Nee, te ingewikkeld. Veel te ingewikkeld. Ze hadden me sowieso gemakkelijk te pakken kunnen krijgen. Ik had iets over het hoofd gezien, iets wat uitermate belangrijk was.

Ik liep naar de straat zonder nog een keer naar de televisietoren te kijken die momenteel de zogenaamde leiding van de Duisteren huisvestte. Ik vergat bijna het verminkte lichaam van de tovenaar die op wacht had gestaan en nu ergens onder aan de toren lag. Wat wilden ze van mij? Wat? Laat ik eens met die vraag beginnen.

Ik moest het lokaas afgeven. In handen van de Dagwacht vallen. En dan ook nog eens op een manier die geen twijfel over mijn schuld liet bestaan; wat in feite al bijna was gebeurd.

Dat zou Swetlana niet kunnen verdragen. We zijn wel in staat om haar en haar familie te verdedigen, maar kunnen geen invloed uitoefenen op de beslissingen die ze neemt. En als ze me zou redden, me uit de handen van de Dagwacht zou bevrijden en mij bij het Tribunaal zou vrijpleiten, dan zouden ze haar zonder met de ogen te knipperen, vernietigen. Het hele spel is erop gericht haar een verkeerde zet te laten maken. Dat is al lang geleden op touw gezet, toen Seboelon voorzag dat er een Grote Tovenares zou opduiken en begreep welke rol ik daarbij zou spelen. Daarna zijn de vallen uitgezet. De eerste had niet gewerkt. De tweede had zijn gulzige muil al geopend. Waarschijnlijk wacht er nog een derde op mij.

Maar wat had die jongen, wiens magische capaciteiten nog niet aan de oppervlakte konden komen, daarmee te maken?

Ik bleef staan.

Hij was toch een Duistere? Ja toch?

Wie van ons vermoordt die Duisteren dan? De zwakke, onervaren Duisteren die zich niet verder willen ontwikkelen?

Nog een lijk dat mij in de schoenen geschoven moest worden? Maar waarom dan?

Ik had geen idee. Maar dat de jongen ten dode was opgeschreven en dat onze ontmoeting in de metro niet toevallig was geweest, stond voor mij onomstotelijk vast. Misschien omdat me nog een blik in de toekomst werd vergund, misschien omdat er weer een stukje van de puzzel op zijn plaats was gevallen. Jegor zou doodgaan.

Ik herinnerde me weer hoe hij me op het perron had aangekeken, met gefronste wenkbrauwen. Aan de ene kant had hij me dolgraag iets willen vragen en aan de andere kant had hij me belachelijk willen maken, me de waarheid over de Wachten naar het hoofd willen slingeren die hij veel te vroeg had ontdekt. Hoe hij zich had omgedraaid en naar de metro was gerend.

'Maar je mensen verdedigen je toch wel? De mensen van je eigen Wacht?'
'Dat proberen ze wel.'

Natuurlijk proberen ze dat. Tot het bittere einde zullen ze de Wilde zoeken. En hij is de sleutel tot alles!

Ik bleef staan en drukte met mijn handen tegen mijn hoofd. Bij het Licht en bij het Duister, wat ben ik een sukkel! Wat ongelooflijk naïef!

Zolang de Wilde nog leefde, zou de val niet dichtklappen. Het was niet voldoende om net te doen alsof ik een psychopathische jager was, een Wilde van de Lichten. Ze moesten de echte Wilde hoe dan ook vermoorden.

De Duisteren – of in elk geval Seboelon – weten wie hij is. Sterker nog, ze kunnen hem aansturen. Gooien een prooi voor hem neer, mensen met wie ze niet veel kunnen beginnen. Dan gaat de Wilde niet alleen op pad om nog weer een heldhaftige strijd aan te gaan, nee, hij wijdt zich met hart en ziel aan die strijd. Overal komt hij Duisteren tegen: eerst die diervrouw, daarna die tovenaar van het Duister in het restaurant en nu die jongen. Waarschijnlijk is hij ervan overtuigd dat de wereld gek is geworden, de apocalyps nabij en dat de krachten van de Duisteren de wereld verscheuren. Ik zou niet in zijn schoenen willen staan.

De diervrouw was nodig om protest op te wekken en ons duidelijk te maken wie in gevaar verkeert.

De tovenaar van het Duister was nodig om mij op heterdaad te betrappen en daarmee het recht te hebben mij officieel aan te klagen en te arresteren.

De jongen was nodig om de Wilde te vernietigen die zijn plicht had gedaan. Om op het laatste moment in te grijpen, hem te grijpen terwijl hij over het lijk gebogen staat, hem te doden, zijn vlucht te verhinderen en zijn weerstand te breken.

Want hij zal niet begrijpen dat we de strijd volgens de spelregels voeren, zich nooit overgeven, niet reageren op het bevel van de een of andere 'Wachter van de Dag' van wie hij nog nooit heeft gehoord.

Na de dood van de Wilde kan ik niet meer ontsnappen. Of ik ga akkoord met een geheugeninversie of ik treed de Schemer in. In beide gevallen zal Swetlana woedend worden.

Ik begon te rillen.

Het was koud. Ondanks alles. Ik had al gedacht dat de winter echt voorbij was, maar had me vergist.

Ik strekte mijn arm uit en hield de eerste de beste auto aan. Keek de chauffeur recht aan en zei: 'Rijden.'

De impuls was vrij sterk; hij vroeg niet eens waar naartoe.

De wereld stevende op zijn einde af.

Iets bewoog, schoof opzij, de oude schaduwen kwamen in beweging, de vage woorden van lang vergeten talen weerklonken, een trilling doorvoer de aarde.

De duisternis viel.

Maxim stond op het balkon te roken en luisterde met een half oor naar het gemopper van Lena. Dat ging al een paar uur zo, al vanaf het moment waarop de jonge vrouw die ze hadden gered, bij het metrostation uit de auto was gesprongen. Maxim luisterde naar al die dingen over hemzelf die hij wel had verwacht, en ook naar een paar dingen waar hij nooit van zijn leven rekening mee had gehouden.

Dat hij een idioot en een rokkenjager was die zich om een leuk gezichtje en een paar lange benen in een kogelregen stortte, liet Maxim gelaten over zich heen gaan. Dat hij een schoft en een klootzak was die waar zijn vrouw bij was met een afgetuigde, spuuglelijke hoer zat te flirten, was amper origineel te noemen. Vooral omdat hij slechts een paar woorden met de onbekende vrouw had gewisseld.

Wat nu volgde, was pure waanzin. De onverwachte zakenreizen werden weer eens te berde gebracht, de beide keren dat hij dronken was thuisgekomen, heel erg dronken. Ze giste naar het aantal minnaressen dat hij had en vertelde hem dat zijn ongelooflijke domheid en zijn zwakke karakter zijn carrière plus een ook maar enigszins mooi leven in de weg zaten.

Maxim keek haar over zijn schouder aan.

Vreemd, Lena stoof niet eens op. Zat alleen maar op de leren bank voor het grote raam, een panoramavenster, en praatte; ze geloofde bijna zelf wat ze allemaal zei.

Geloofde ze het echt?

Dat hij ontelbare minnaressen had? Dat hij een onbekende jonge vrouw alleen maar om haar mooie figuur had gered, maar niet omdat de kogels door de lucht vlogen? Dat het slecht met hen ging, dat ze een afschuwelijk leven leidden? Zij beiden, die drie jaar geleden een mooi huis hadden gekocht dat ze als een poppenhuis hadden ingericht en de kerst in Frankrijk hadden doorgebracht?

De stem van zijn vrouw klonk flink. Verwijtend. Smachtend.

Maxim knipte zijn peuk over het balkon. Keek de donkere nacht in.

Het duister, het duister trok op.

Hij had gemoord, daar, in het toilet, de tovenaar van het Duister. Een van de meest weerzinwekkende gedrochten in het universum van het kwaad. Een mens die het kwaad en die angst veroorzaakt. Energie opslokt vanuit zijn omgeving, wit in zwart verandert, liefde in haat. En zoals altijd had hij, Maxim, het in zijn eentje tegen de wereld moeten opnemen.

Maar zoiets was hem nog nooit overkomen. Dat hij op een en dezelfde dag vaker dan één keer dat gespuis was tegengekomen. Of ze kwamen nu allemaal uit hun stinkende holen gekropen, of zijn blik werd beter.

Net als nu.

Maxim keek vanaf de negende verdieping naar beneden, maar zag niet de nachtelijke stad met zijn zee van licht. Die interesseerde hem niet. Die was voor de blinde en hulpeloze mensen. Het enige wat hij zag, was de donkere massa die over de aarde hing. Niet bijzonder hoog, zo ongeveer tussen de negende en de elfde verdieping.

Maxim zag nu een andere uitwas van het Duister.

Net als altijd. Zoals gewoonlijk. Maar waarom zo vaak, waarom na elkaar? Al voor de derde keer! Voor de derde keer binnen vierentwintig uur!

De duisternis golfde, deinde, bewoog. De duisternis leefde.

Achter hem zat Lena met een vermoeide, ongelukkige en gekwetste stem zijn zonden op te sommen. Ze stond op en liep naar de balkondeur alsof ze eraan twijfelde of Maxim haar wel hoorde. Goed, misschien was het zo wel beter. Dan maakte ze de kinderen niet wakker, als ze al sliepen. Wat Maxim om de een of andere reden betwijfelde.

Kon hij maar in God geloven. Oprecht. Maar van elk zwak spoortje geloof dat Maxim na elke opruimactie verwarmde, was al bijna niets meer over. Het kon niet dat er een God bestond in een wereld waarin het kwaad groeide en gedijde.

Als hij nu maar wel bestond, of als Maxim tenminste maar oprecht geloofde. Dan zou hij nu, hier op dit vieze balkonnetje op zijn knieën vallen, zijn handen naar de bedekte nachtelijke hemel uitstrekken, naar deze hemel waaraan de sterren zelfs nu rustig en treurig schitterden, en roepen: 'Waarom? Waarom, Heer? Dit gaat mijn krachten te boven, is te veel voor me! Neem deze last van mijn schouders, neem die van me af! Ik ben niet degene die U nodig hebt! Ik ben zwak.'

Maar dan zou hij lang kunnen blijven roepen! Hij had deze drukkende last niet zelf op zich genomen. Hij zou zich er niet van kunnen bevrijden. Voor hem laaide traag een zwart vuur op. Nog een voelspriet van het Duister.

'Neem me niet kwalijk, Lena.' Hij schoof zijn vrouw opzij en liep de kamer in. 'Ik moet nog even weg.'

Ze zweeg midden in een zin en in haar ogen, die zojuist nog geïrriteerd en beledigd hadden gefonkeld, was angst te zien.

'Ik kom toch weer terug.' Om vragen te voorkomen, liep hij snel naar de deur.

'Maxim! Maxim, wacht!'

Lena liet haar donderpreek naadloos overgaan in een krachtige smeekbede. Ze stormde achter hem aan, greep zijn hand, keek hem aan... een beklagenswaardige, onderdanige vrouw.

'Vergeef me, vergeef me toch! Dit heeft me allemaal zo bang gemaakt! Vergeef me, Maxim, ik heb alleen maar domme dingen gezegd!'

Hij keek naar zijn vrouw die opeens niet meer agressief was, die capituleerde.

Die alles wilde doen als hij – deze stomme, afschuwelijke rokkenjager – het huis maar niet verliet. Misschien zag Lena in zijn blik iets wat haar veel meer angst aanjoeg dan de bendeoorlog waarin ze terecht waren gekomen.

'Ik laat je niet gaan! Nergens heen! Niet zo laat op de avond...'

'Er gebeurt me niets,' zei Maxim kalm. 'Schreeuw niet zo hard, straks maak je de kinderen wakker. Ik ben immers zo weer terug.'

'Ook al denk je niet aan jezelf, denk dan in elk geval aan de kinderen! Aan mij!' Lena veranderde van het ene moment op het andere van tactiek. 'En als ze het kenteken nu eens hebben genoteerd? Als ze hiernaartoe komen, om dat hoertje te zoeken? Wat moet ik dan doen?'

'Niemand komt hiernaartoe.' Om de een of andere reden wist Maxim dat dit zo was. 'En ook al is dat wel zo, deze deur is veilig. Je weet wie je dan moet bellen, Lena. Lena, laat me erdoor.'

Zijn vrouw ging breeduit voor de deur staan, strekte haar armen, legde haar hoofd in haar nek en kneep haar ogen dicht, alsof ze dacht dat hij haar een klap zou geven.

Maxim gaf haar zachtjes een kusje op haar wang en schoof haar opzij. Ze keek heel boos, maar hij liep de hal in. Uit de slaapkamer van zijn dochter kwam onaangename, dreunende muziek; ze sliep niet en had haar cassetterecorder aan om hun boze stemmen te overstemmen. Lena's stem.

'Ga niet weg!' fluisterde zijn vrouw op smekende toon.

Hij sloeg zijn jas om en controleerde nog even of alle benodigdheden wel in zijn binnenzak zaten.

'Aan ons denk je niet eens!' zei Lena ingehouden, eigenlijk al zonder hoop. De muziek in de slaapkamer van zijn dochter werd harder gedraaid.

'Dat is niet zo,' antwoordde Maxim kalm. 'Ik denk alleen maar aan jullie, pas goed op jullie.'

Hij was al een verdieping naar beneden gerend – hij had niet op de lift willen wachten – toen hij zijn vrouw hoorde krijsen. Dat verraste hem: ze zette een discussie niet graag buiten de eigen vier muren voort en had nog nooit eerder een scène in de portiek gemaakt.

'Je zou van ons moeten houden in plaats van op ons te passen!'

Maxim haalde zijn schouders op en ging nog sneller lopen.

Hier had ik gestaan, deze winter.

Alles zag er nog net zo uit als toen: de donkere poort, het zwakke licht van de lantaarnpalen. Het was toen alleen veel kouder. En alles had er zo simpel en duidelijk uitgezien, als voor een jonge Amerikaanse politieagent die voor het eerst op surveillance is.

De wet handhaven. Het kwaad vervolgen. De onschuldigen beschermen.

Wat zou het fijn zijn als alles zo duidelijk en simpel zou zijn als toen je twaalf was, of twintig. Als er echt maar twee kleuren bestonden: zwart en wit. Maar zelfs de meest fatsoenlijke en trouwhartige agent, opgegroeid met alle idealen van de *Stars and Stripes*, kwam vroeg of laat tot de volgende ontdekking: op straat is er niet alleen sprake van zwart of wit. Er bestaan afspraken, compromissen, schikkingen. Informanten, vallen, provocaties. Vroeg of laat moet je je eigen mensen uitleveren, pakjes heroïne in vreemde tassen verstoppen, iemand een klap op zijn nieren geven, maar wel goed opletten dat er geen sporen van te zien zijn.

En dat allemaal ter wille van één enkele, eenvoudige regel.

Om de wet te handhaven. Het kwaad te vervolgen. De onschuldigen te beschermen.

Deze les heb ik ook moeten leren.

Ik liep de smalle brandgang door, tilde met mijn voet een stuk krant op dat tegen een van de muren aan lag. Hier was de ongelukkige vampier tot stof vergaan. Hij was echt ongelukkig, want het enige waar hij schuldig aan was, was dat hij verliefd was geworden. Niet op een vampierin, niet op een vrouw, maar op zijn slachtoffer, zijn prooi.

Hier had ik de vampierin met wodka besproeid, waardoor haar gezicht was verbrand. De wodka die wij, de Wachters van de Nacht, de vampiers als voedsel hadden gegeven.

Hoe graag nemen de Duisteren het woord 'vrijheid' in de mond! Hoe vaak overtuigen we onszelf ervan dat de vrijheid zijn grenzen heeft.

Dat is waarschijnlijk allemaal waar. Zowel voor de Duisteren als voor de Lichten die gewoon tussen de mensen leven en weliswaar meer kunnen dan zij, maar die zich qua behoeften niet van de mensen onderscheiden. Voor diegenen die zich aan de regels houden, die de confrontatie niet zoeken.

Maar als je bij de grens komt, die onzichtbare grens waar wij, de Wachters staan en die het Duister en het Licht van elkaar scheidt...

Daar is oorlog. En oorlog is altijd een misdrijf. Altijd, op elk moment, is er in een oorlog niet alleen sprake van moed en zelfopoffering, maar ook van verraad, laagheid en aanvallen in de rug. Anders kun je niet strijden. Anders zou je het spel al bij voorbaat hebben verloren.

Maar wat een bekokstoofd spel! Waarom is het de moeite waard om te strijden, waarom zou ik vechten als ik bij de grens sta, precies midden tussen het Licht en het Donker? Mijn buren zijn vampiers! Ze hebben nog nooit – dat geldt in elk geval voor Kostja – nog nooit iemand vermoord. Vanuit menselijk oogpunt gezien, zijn het nette mensen. Als men hen naar hun daden beoordeelt, zijn ze veel en veel eerlijker dan de Chef of Olga.

Waar ligt de scheidslijn? Waar de rechtvaardiging? De vergeving? Daar heb ik geen antwoord op. Kan dat niet geven, zelfs niet aan mezelf. Ik laat me alleen nog maar langzaam meedrijven met de stroom van oude dogma's en overtuigingen. Hoe krijgen ze het voor elkaar, mijn kameraden, de speurders van de Wacht, om permanent strijd te voeren? Hoe verantwoorden ze hun daden? Ook dat weet ik niet. Maar hun keuzes helpen mij niet. Hier is iedereen op zichzelf aangewezen – net zoals in de opschepperige leuze van de Duisteren.

Maar ik heb vooral last van iets anders: ik heb gemerkt dat ik, als ik het spelletje niet doorzie, niet aanvoel waar de grenzen liggen en verloren ben. En niet alleen ik. Ook Swetlana zou dan sterven. De Chef zou dan zijn uiterste best doen om haar met intriges te redden. De complete structuur van de Moskouse Wachten zou in elkaar storten.

For the want of a nail, a shoe was lost...

Ik bleef nog even staan en steunde met mijn hand tegen de smerige stenen muur. Ik herinnerde het me weer, beet op mijn lip en zocht naar een antwoord. Dat was er niet. Dus was dit het lot.

Nadat ik de uitnodigend stille binnentuin was overgestoken, kwam ik bij het 'huis op poten'. Deze sovjetwolkenkrabber wekte weemoedige gevoelens in me op; een totaal ongepaste, allang vergeten weemoed. Vergelijkbaar met het gevoel dat me af en toe bekroop als ik in de trein zat en langs een verlaten dorp of een half verwoeste graansilo reed. Totaal ongepast, veel te sterk voor een slag in de lucht.

'Seboelon,' zei ik, 'als je me hoort...'

Stilte, de gebruikelijke stilte laat op de avond in Moskou – het geluid van auto's, uit een raam kwam muziek, geen mensen.

'Je kunt toch niet alles hebben ingecalculeerd,' zei ik in deze verlatenheid. 'Onmogelijk. Er is altijd nog zoiets als een realiteitsvertakking. De toekomst is niet voorbestemd. Dat weet je net zo goed als ik.'

Ik stak de straat over, zonder naar links of naar rechts te kijken, zonder op de auto's te letten. Ik had immers een opdracht, ja toch?

De beveiligingsbol!

Met veel kabaal kwam de tram op de rails tot stilstand. De auto's remden af, reden om een leegte heen waar ik middenin stond. Alles hield op te bestaan – behalve het gebouw waar op het dak drie maanden geleden dat gevecht had plaatsgevonden, behalve de duisternis, het oplichten van een energie die het menselijk oog niet kon zien.

En deze oerkracht, die maar weinigen kunnen zien, werd groter.

Hier bevond zich het centrum van de tyfoon; dat wist ik zeker. Hadden ze me bevolen hiernaartoe te gaan? Uitstekend. Hier ben ik dan. Want dan kun jij je die kleine, pijnlijke nederlaag nog herinneren, Seboelon. En kun je maar niet vergeten dat je in aanwezigheid van je onderdanen een nederlaag hebt geleden.

Onafhankelijk van alle hogere doelen – en ik bestrijd niet dat het voor hen hogere doelen zijn – borrelt er in hem nog slechts één wens die vroeger een kleine menselijke zwakheid was, maar tegenwoordig door de Schemer oneindig is versterkt.

Om wraak te nemen. Het me betaald te zetten. De strijd opnieuw aan te gaan. Na de veldslag nog een beetje met de vuisten te schermen.

Jullie allemaal, jullie Grote Tovenaars – de Lichte net zo goed als de Duistere – wijzen een eenvoudig gevecht af, willen op een 'elegante' manier de overwinning behalen. De tegenstander vernederen. Eenvoudige overwinningen vinden jullie maar saai, zijn achterhaald. De grote confrontatie is een belangrijke schaakwedstrijd geworden. Dit geldt ook voor Geser, de Grote Tovenaar van het Licht die Seboelon met ongelooflijk veel plezier belachelijk maakt nadat hij een ander uiterlijk heeft aangenomen.

Ik ervaar die confrontatie nog niet als een spel.

Misschien heb ik daardoor nog een kans.

Ik haalde het pistool uit de holster en zette hem op scherp. Ik haalde adem, diep, heel diep, alsof ik een geur wilde opsnuiven. Het was de hoogste tijd.

Maxim had het gevoel dat het deze keer allemaal heel snel zou gaan.

Zonder dat hij een hele nacht op de loer zou moeten liggen. Ook zonder een lange achtervolging. Daarvoor was de openbaring deze keer veel te duidelijk geweest. En hij had niet alleen maar die vreemde, vijandige aanwezigheid waargenomen, maar ook een duidelijke verwijzing naar het doel.

Hij was naar de kruising Galusjkinstraat-Jaroslawskaja gereden en had zijn auto op de parkeerplaats van een flatgebouw geparkeerd. En had naar het smeulende, zwarte vuurtje zitten kijken dat langzaam door het gebouw heen bewoog.

Daar woonde de tovenaar van het Duister. Maxim nam hem nu al in de realiteit waar, kon hem al bijna onderscheiden. Een man. Met zwakke capaciteiten. Geen diermens, geen vampier, geen incubus. Maar een tovenaar van het Duister. Zijn geringe capaciteiten in aanmerking genomen, hoefde hij geen problemen te verwachten. Hier in elk geval niet...

Maxim kon alleen maar hopen dat hem dit niet te vaak zou overkomen. Elke dag weer de uitwassen van het Duister vernietigen, putte hem niet alleen fysiek uit. Wat er nog bij kwam, was dat gruwelijke ogenblik waarop de dolk het hart van de vijand doorboorde. Dat moment waarop alles om hem heen begon te trillen, in evenwicht probeerde te blijven, terwijl de kleuren vervaagden, de geluiden wegebden en alles vertraagde. Wat moest hij doen als hij zich een keer zou vergissen? Als hij niet een vijand van de mensheid, maar een gewoon mens liquideerde? Hij wist het niet.

Maar er was geen andere oplossing, want hij was de enige op de hele wereld die het verschil tussen Duisteren en gewone mensen kon zien. Alleen hem was – door God, het lot of het toeval – het wapen in handen gegeven.

Maxim greep de houten dolk. Bekeek het stuk speelgoed met een vleugje verlangen en paniek. Hij was het niet die deze dolk indertijd had gemaakt, hij was het niet die deze dolk de hoogdravende naam 'misericorde' had gegeven. Twaalf waren ze toen, hij en Petka, zijn beste en waarschijnlijk enige vriend in zijn jeugd of – waarom zou hij eromheen draaien – in zijn hele leven. Ze hadden riddertje gespeeld, niet heel lang want in hun jeugd waren er meer dan genoeg dingen die ze leuk vonden om te doen, ook zonder computers en discotheken. Alle jongens uit de flat hadden met elkaar gespeeld, één korte zomer lang, hadden van hout zwaarden en dolken gemaakt, en fanatiek met elkaar geduelleerd, maar wel voorzichtig. Want ze wisten heel goed dat je elkaar met een stuk hout een oog kon uitsteken of tot bloedens toe kon verwonden. Grappig genoeg waren hij en Petka altijd in verschillende kampen terechtgekomen. Misschien omdat Petka wat jonger was en Maxim zich een beetje schaamde voor zijn vriend die hem met een enthousiaste blik aankeek en hem stilletjes overal achternaliep. Hoe vaak had Maxim tijdens die gevechten niet het houten zwaard uit handen van Petka geslagen, die zich immers amper tegen zijn grotere vriend kon verdedigen, en geroepen: 'Jij bent mijn gevangene!'

Tot er een keer iets vreemds gebeurde. Petka overhandigde hem zwijgend zijn dolk en zei toen dat de nobele ridder met deze misericorde zijn leven moest beëindigen in plaats van hem als gevangene te vernederen. Het was een spel, natuurlijk, slechts een spel, maar iets in Maxim kromp ineen toen hij toesloeg en net deed alsof. En toen was er dat onverdraaglijke ogenblik waarop Petka de speelgoeddolk tegen zijn besmeurde witte T-shirt drukte en hem aankeek. Toen zei hij opeens, als terloops: 'Hou die maar. Dat is je trofee.'

Maxim wilde die houten dolk graag houden, daar hoefde hij niet over na te denken. Als trofee, maar ook als cadeau. Alleen, hij nam hem nooit mee als ze gingen spelen. Hij bewaarde hem thuis, probeerde hem te vergeten, alsof hij zich geneerde voor dat onverwachte geschenk en voor zijn eigen zwakte. Maar hij dacht weer aan de dolk. Altijd weer. Zelfs toen hij volwassen werd, trouwde, zijn eigen kinderen zag opgroeien, vergat hij hem niet. De speelgoeddolk lag tussen de albums met de foto's van zijn kinderen, de enveloppen met haarlokjes en andere sentimentele spulletjes. Tot aan die ene dag waarop Maxim voor het eerst de aanwezigheid van het Duister op de wereld voelde.

Toen leek het wel alsof de houten dolk hem riep. En een echt wapen werd, een meedogenloos, onbarmhartig, onoverwinnelijk wapen.

Toen leefde Petka al niet meer. Eerst had hun jeugd hen van elkaar gescheiden. Een leeftijdsverschil van één jaar is voor een kind al veel, maar voor een tiener is het een onoverbrugbare kloof. Toen had het leven hen van elkaar gescheiden. Als ze elkaar tegenkwamen, glimlachten ze naar elkaar, gaven elkaar een hand, dronken er eentje op de goede oude tijd en haalden jeugdherinneringen op. Nadat Maxim was getrouwd en verhuisd, zagen ze elkaar vrijwel nooit meer. Maar deze winter had hij toevallig iets gehoord. Zijn moeder die hij, zoals een fatsoenlijke zoon betaamt, elke avond opbelde, had het hem verteld. 'Kun jij je Petka nog herinneren? Als kind waren jullie dikke vrienden; jullie waren onafscheidelijk.'

Dat wist hij nog. En hij wist meteen waar deze inleiding op zou uitdraaien.

Petka was dood: hij was van het dak van een flatgebouw gevallen. Waarom was hij daar eigenlijk, midden in de nacht? Misschien wilde hij zelfmoord plegen, misschien was hij dronken, ook al zeiden de artsen dat hij nuchter was geweest. Maar misschien heeft iemand hem wel vermoord. Hij werkte bij het een of andere commerciële bedrijf, verdiende niet slecht, ondersteunde zijn ouders financieel en reed in een goede auto.

'Hij had drugs gebruikt,' had Maxim toen op scherpe toon gezegd. Zo scherp dat zijn moeder er niet tegenin ging. 'Geblowd, maar hij gedroeg zich altijd al een beetje vreemd.'

En zijn hart ging niet tekeer, kromp niet in elkaar. Maar die avond werd hij om de een of andere reden dronken. Toen ging hij weg en doodde een vrouw die met haar duistere krachten de mensen om haar heen dwong om hun min-naressen te verlaten en naar hun echtgenotes terug te keren. Daarna doodde hij een jonge, vrouwelijke heks, een koppelaarster die tegelijkertijd paartjes uit elkaar dreef, die hij al twee weken lang tevergeefs had achtervolgd.

Petka was er niet meer. De jongen met wie hij lang geleden bevriend was geweest, was er al heel lang niet meer. En al drie maanden was Pjotr Nesterow er niet meer die hij hooguit een keer per jaar had getroffen. Maar de dolk die hij van hem had gekregen, bezat hij nog.

Hun onbeholpen vriendschap in hun vroege jeugd was dus waarschijnlijk niet tevergeefs geweest.

Maxim speelde een beetje met de houten dolk. Maar waarom, waarom was hij alleen? Waarom had hij geen vriend die in elk geval een deel van de last die op zijn schouders drukte van hem kon overnemen? Er was zoveel Duister om hem heen en zo weinig Licht.

Waarom dacht hij nu aan de laatste zin die Lena hem achterna had geroepen: 'Je zou van ons moeten houden, in plaats van op ons te passen!'

Is dat dan niet hetzelfde, antwoordde Maxim haar in gedachten.

Nee, waarschijnlijk niet. Maar wat moet een man doen voor wie de liefde een strijd is, een man die ergens tégen ten strijde trekt, maar niet ergens vóór? Tegen het Duister, niet voor het Licht.

'Ik ben een hoeder,' zei Maxim. Tegen zichzelf, met ingehouden stem, alsof hij zich schaamde zijn gedachten hardop uit te spreken. Schizofrenen praat-ten tegen zichzelf. En dat was hij niet, hij was normaal. Hij was meer dan normaal, want hij kon het oeroude Duister zien dat de wereld in kroop.

248

Erin kroop of er al heel lang in huisde?

Dit was belachelijk: hij mocht niet twijfelen, nooit! Als hij ook maar een heel klein beetje van zijn overtuiging kwijtraakte, zich ontspande of op zoek ging naar niet-bestaande wezens, dan zou dit voor hem het einde betekenen. De houten dolk zou niet veranderen in een lichtbrengende sabel waarmee hij het Duister zou kunnen verdrijven. Een gewone tovenaar zou hem met een magisch vuur verbranden, een vrouwelijke heks zou hem bezweren, een dier-mens zou hem verscheuren.

Een hoeder en een rechtheer!

Hij mocht niet aarzelen.

Het vormeloze Duister dat op de achtste verdieping hing, zakte opeens naar beneden. Maxims hart ging tekeer: de tovenaar van het Duister kwam zijn noodlot tegemoet. Maxim sprong zijn auto uit en keek vlug om zich heen. Niemand te zien. Zoals altijd joeg iets wat in hem zat iedere toevallige getuige weg, veegde het slagveld leeg.

Het slagveld? Of het schavot?

Hoeder en rechter?

Of beul?

Alsof dat iets anders was! Hij diende het Licht!

Het vertrouwde gevoel van kracht stroomde door zijn lichaam, greep hem aan. Maxim liep naar de entree met zijn hand op de revers van zijn colbertje. Hij liep naar de tovenaar van het Duister toe die met de lift naar beneden kwam.

Snel nu, het moest allemaal snel gaan. De nacht was immers nog niet hele-maal gevallen. Iemand zou hem kunnen zien. En niemand zou zijn verhaal geloven. Ze zouden hem in het beste geval in een gekkenhuis opsluiten.

Hem aanspreken. Zijn naam noemen. Het wapen trekken.

De misericorde. Barmhartigheid. Hij was een hoeder en rechtheer. Een rid-der van het Licht. Geen beul!

Deze tuin was een slagveld, geen schavot.

Maxim bleef voor de portiekdeur staan. Hoorde de voetstappen. Er was beweging in de burcht.

En hij wilde jammeren, jammeren van smaad en ontzetting, huilen, en de hemel, zijn lot en zijn unieke gave vervloeken.

De tovenaar van het Duister was een kind.

Een magere jongen met donker haar. Uiterlijk helemaal normaal. Maxim was de enige die de om hem heen bewegende aura van het Duister kon zien.

Waarom overkwam hem dit? Zoiets was nog nooit gebeurd. Hij had vrouwen en mannen gedood, jonge en oude, maar hij had nog nooit met een kind te maken gehad dat zijn ziel aan het Duister had verkocht. Maxim wist niet eens dat zoiets bestond. Misschien omdat hij niet wilde dat het kon, maar misschien ook omdat hij weigerde hier van tevoren al een beslissing over te nemen. Misschien was hij wel thuisgebleven als hij had geweten dat zijn volgende slachtoffer een twaalfjarig kind was.

De jongen stond in de deuropening en keek Maxim niet-begrijpend aan. Heel even dacht Maxim dat de jongen zich zou omdraaien en zou weglopen, en de zware deur met het codeslot achter zich zou vergrendelen. Ren toch weg, ren toch weg!

De jongen zette een stap in zijn richting, maar hield de deur nog vast zodat deze niet dreunend in het slot zou vallen. Hij keek Maxim een beetje fronsend aan, maar zonder angst. Dat was onbegrijpelijk. Hij wist dat Maxim geen toevallige voorbijganger was, maar op hem had gewacht. Liep zelfs naar hem toe. Is hij dan niet bang? Was hij zo zeker van zijn duistere krachten?

'U bent een Lichte, dat kan ik zien,' zei de jongen. Niet heel luid, maar met een vaste stem.

'Ja.' Dat woord perste hij er met veel moeite uit, met tegenzin, zweeg toen en sloeg zijn blik neer. Maxim vervloekte zichzelf omdat hij zo zwak was. Hij strekte zijn hand uit en greep de jongen bij de schouders. 'Ik ben je rechtheer!'

Nog steeds schrok de jongen niet.

'Ik heb Anton vandaag gezien.'

Welke Anton? Maxim zweeg en keek de jongen vol onbegrip aan.

'Bent u niet om hem naar me toe gekomen?'

'Nee, ik ben voor jou gekomen.'

'Waarom?'

De jongen had iets uitdagends, alsof hij vroeger al eens een lange strijd met Maxim had gevoerd, alsof Maxim zich ergens schuldig aan had gemaakt en zich nu kwam verontschuldigen.

'Ik ben je rechtheer,' herhaalde Maxim. Het liefst had hij zich omgedraaid en was weggerend. Niets ging zoals moest! Een tovenaar van het Duister mocht geen kind blijken te zijn, een leeftijdgenootje van zijn eigen dochter. Een tovenaar van het Duister moest zichzelf verdedigen, hem aanvallen, vluchten, maar hem niet met een beledigd gezicht staan aankijken alsof hij in zijn recht stond.

Alsof iets hem zou kunnen redden.

'Hoe heet je?' vroeg Maxim.

'Jegor.'

'Ik vind het heel erg dat het allemaal zo is gelopen.' Maxim sprak de waarheid. Hij moordde niet met sadistisch genoegen. 'Verduiveld! Ik heb een dochter die net zo oud is als jij!' Om de een of andere manier vond hij dat het ergste. 'Maar wie moet het doen als ik het niet doe?'

'Waar hebt u het over?' De jongen probeerde Maxims hand van zich af te schudden. Dat vergrootte Maxims vastbeslotenheid.

Een jongen, een meisje, een volwassene, een kind. Wat maakte het ook uit! Duister en Licht – dat is het enige verschil.

'Ik moet je redden,' zei Maxim. Met zijn vrije hand trok hij de dolk uit zijn zak. 'Ik moet het doen, en ik zal je redden.'

7

Eerst herkende ik de auto.

Toen de Wilde die uitstapte.

Er bekroop me een melancholisch gevoel, een hevige, sombere melancholie. Daar stond de man die mij had gered toen ik in Olga's lichaam uit de Maharadja was gevlucht.

Had ik dat kunnen weten? Misschien wel, als ik meer ervaring en meer tijd zou hebben gehad, als ik kalmer zou zijn geweest. Die vrouw die bij hem in de auto zat... ik had toch in elk geval haar aura moeten bekijken. Swetlana had per slot van rekening een duidelijke omschrijving gegeven. Ik had die vrouw kunnen herkennen, en dus ook de Wilde. In de auto had ik de zaak al kunnen afhandelen.

Maar hoe dan?

Ik dook de Schemer in toen de Wilde mijn kant op keek. Kennelijk slaagde ik daarin, want hij liep door, naar de portiek waar ik eens naast de stortkoker een somber gesprek met een witte uil had gevoerd.

De Wilde ging Jegor vermoorden. Precies zoals ik al had verwacht. Precies zoals Seboelon het had gepland. De val stond voor me, de strak gespannen veer trok zich langzaam samen. Nog één stap, en de Dagwacht zou zich kunnen verheugen op een met succes afgeronde operatie.

Waar ben je, Seboelon?

De Schemer gaf me tijd. De Wilde bleef doorlopen, zette nadenkend de ene voet voor de andere, terwijl ik op de uitkijk stond, de omgeving afzocht naar het Duister. Op zijn minst een spoortje ervan, op zijn minst een vleugje, een schaduw...

Er was een aanzienlijke concentratie magie om me heen. Hier kwamen de realiteitsdraden die naar de toekomst leidden bij elkaar. Een kruising van honderd wegen, een punt waarop de wereld besluit welke kant ze op wil gaan. Onafhankelijk van mij, de Wilde of de jongen. Wij zijn allemaal slechts een onderdeel van de val. Statistieken. De een moest zeggen: 'Het is zover!', een tweede moest doen alsof hij viel, een derde met trots opgeheven hoofd het schavot bestijgen. Deze plek in Moskou zou voor de tweede keer de arena worden voor een onzichtbare slachtpartij. Maar ik zag geen Anderen, geen Lichten en ook geen Duisteren. Alleen maar de Wilde die nu echter ook niet herkenbaar was als Andere; alleen op zijn borst glom een vormeloze kracht.

252

Eerst dacht ik dat het zijn hart was. Toen begreep ik dat dat het wapen was, het wapen waarmee hij de Duisteren vermoordde.

Wat ben je van plan, Seboelon? Ik werd woedend, ontzettend woedend. Ik ben hier! Ben in je val getrapt, kijk dan, mijn voet hangt er al boven. Nu gaat alles zoals gepland. Waar ben je?

Of de tovenaar van het Duister had zich zo goed verstopt dat het mijn krachten te boven ging om hem te vinden, of er was echt helemaal niemand!

Ik had verloren. Nog voor de aftrap had ik verloren, omdat ik het plan van mijn tegenstander niet kon doorzien. Het was toch een hinderlaag, de Duisteren moesten de Wilde toch vermoorden zodra hij Jegor had vermoord?

Wie zou dat dan doen?

Maar ik was er ook nog. Ik zou het hem allemaal uitleggen, hem over de Wachten vertellen die elkaar in de gaten hielden, over het Verdrag dat ons dwingt de neutraliteit te bewaren, over de mensen en de Anderen, over de wereld en de Schemer. Ik zou hem alles vertellen wat ik ook aan Swetlana had verteld en hij zou het begrijpen.

Ja toch?

Als hij dan het Licht niet ziet!

Hij ziet de wereld als een grijze, hersenloze kudde schapen. De Duisteren zijn de wolven die eromheen sluipen en de vetste lammeren grijpen. En hij is de herdershond. Niet in staat om de schapen te zien, verblind van angst en woede, rent hij heen en weer, vecht in zijn eentje tegen alles.

Hij zal me niet geloven, zichzelf niet toestaan me te geloven.

Ik snelde naar de Wilde toe. De deur stond open, de Wilde stond al met Jegor te praten. Waarom gaat die stomme knul 's avonds laat nog weg, midden in de nacht? Hoewel hij heel goed weet welke krachten onze wereld beheersen? Of zou de Wilde zijn slachtoffer naar zich toe kunnen lokken?

Praten zou geen oplossing zijn. Ik moest vanuit de Schemer ingrijpen. Hem overmeesteren. En hem dan alles uitleggen!

De Schemer begon met duizend gekwetste stemmen te jammeren toen ik tegen de onzichtbare barrière opliep. Drie passen van de Wilde vandaan – hij had zijn hand al geheven voor de slag – knalde ik tegen een ondoorzichtige muur op, gleed erlangs naar beneden, zakte langzaam naar de grond. Schudde mijn dreunende hoofd.

Dat is niet best! Helemaal niet best zelfs! Hij weet niet hoe het zit met de kracht. Hij is een autodidact, een psychopaat in dienst van het Goede. Maar als hij aan het werk gaat, beschermt hij zich met een magische barrière. Onbewust, maar dat maakt het er voor mij niet gemakkelijker op.

De Wilde zei iets tegen Jegor. En haalde zijn hand uit zijn zak.

Een houten dolk. Ik wist wel iets van deze vorm van magie die tegelijkertijd naïef en machtig is, maar nu ontbrak me de tijd om daarover na te denken.

Ik sloop uit mijn schaduw vandaan, stapte de mensenwereld binnen en viel de Wilde in de rug aan.

Op het moment waarop Maxim zijn wapen ophief, viel hij op de grond. De wereld om hem heen was al grijs geworden, de bewegingen van de jongen waren vertraagd, Maxim had gezien hoe de jongen zijn wimpers de laatste keer neersloeg voordat hij zijn ogen van pijn wijd open zou sperren. De nacht was geweken voor het Schemertoneel waarop hij gewoonlijk rechtsprak en het vonnis uitsprak. Het vonnis dat zou worden voltrokken; niets kon dat verhinderen.

Nu had iemand hem tegengehouden. Hem neergeslagen en op het asfalt gesleurd. Op het laatste moment had Maxim zich met zijn handen kunnen opvangen, had hij opzij kunnen rollen en opspringen.

Er was een derde acteur op het toneel verschenen. Hoe was het mogelijk dat Maxim daar niets van had gemerkt? Hoe had die naar hem toe kunnen sluipen, terwijl Maxim tijdens de uitvoering van zijn belangrijke werk altijd door de lichtste kracht van de wereld werd afgeschermd tegen getuigen en inmenging, de kracht die hem naar de strijd leidde?

Het was een jonge man, waarschijnlijk iets jonger dan Maxim. Droeg een spijkerbroek, een sweatshirt en een schoudertas die hij nu achteloos op de grond liet vallen. En hij had een pistool vast!

Wat vervelend nou.

'Stop!' zei de man, alsof Maxim wilde vluchten. 'Luister naar me.'

Wat dat een toevallige voorbijganger die dacht dat hij een domme gek was? Maar waarom dan een pistool? Waarom was hij dan zo voorzichtig naar hen toe geslopen? Zou hij bij de een of andere bijzondere afdeling werken en nu toevallig geen uniform aanhebben? Maar zo iemand zou meteen hebben geschoten of hem zijn aangevallen, zonder hem de kans te geven op te staan.

Maxim keek de onbekende aan. Er schoot hem iets afschuwelijks te binnen en verstijfde van top tot teen. Wat moest hij doen als dit een tweede Duistere was? Hij had nog niet eerder twee tegelijkertijd moeten doden.

Maar er was helemaal niets Duisters aan deze man. Niets, helemaal niets, zelfs geen klein beetje!

'Wie ben je?' vroeg Maxim. Hij was de jongen bijna vergeten. Deze liep langzaam naar zijn onverwachts opgedoken redder toe.

'Een Wachter. Anton Gorodetski, Nachtwacht. Luister naar me.'

Anton greep de jongen met zijn vrije hand en schoof hem achter zijn rug. Een duidelijk teken.

'Nachtwacht?' Maxim probeerde nog steeds om in de onbekende iets van een Duistere te ontdekken. Maar hij ontdekte niets – en dat verontrustte hem nog meer. 'Ben je van het Duister?'

Hij snapte er niets van. Probeerde me in te schatten. Ik voelde hoe hij mij doorzocht, me op een afschuwelijke, compromisloze en tegelijkertijd onhandige manier doorzocht. Ik wist niet zeker of ik me überhaupt had kunnen afsluiten. In deze mens of Andere – hier waren beide woorden toepasselijk – manifesteerde zich een bepaalde primitieve kracht, een waanzinnige, fanatieke drift. Ik probeerde niet eens me af te schermen.

'Nachtwacht? Ben je van het Duister?'

'Nee. Hoe heet je?'

'Maxim.' De Wilde kwam langzaam op me af. Keek me aan, alsof hij voelde dat we elkaar al eens hadden ontmoet, maar dat ik er toen anders had uitgezien. 'Wie ben jij?'

'Een medewerker van de Nachtwacht. Ik zal je alles uitleggen. Luister. Jij bent een tovenaar van het Licht.'

Maxims gezicht vertrok, verstijfde.

'Jij vermoordt Duisteren. Dat weet ik. Vanochtend heb je een diervrouw vermoord. En vanavond een tovenaar van het Duister, in dat restaurant.'

'Jij ook?'

Misschien leek het alleen maar zo. Misschien hoorde ik in zijn stem inderdaad een spoortje hoop. Demonstratief stopte ik mijn pistool in de holster.

'Ik ben ook een tovenaar van het Licht. Maar niet een bijzonder sterke. Een van de honderden die er in Moskou rondlopen. Wij zijn met velen, Maxim.'

Toen hij dat had gehoord en zijn ogen groter werden, wist ik dat ik op de goede weg was. Hij was geen gek die dacht dat hij Superman was en ook nog eens trots is op wat hij heeft gedaan. Waarschijnlijk had hij nog nooit in zijn leven zo naar iets verlangd als naar een wapenbroeder.

'Maxim, we hebben je niet op tijd ontdekt,' ging ik verder. Misschien zou het toch nog allemaal vredig kunnen worden opgelost, zonder bloedvergieten, zonder een zinloos gevecht tussen twee tovenaars van het Licht. 'Dat is onze schuld. Jij begon in je eentje te vechten, erop los te slaan. Maar dat is allemaal wel op te lossen, Maxim. Je was immers niet op de hoogte van het Grote Verdrag, of wel?'

Hij luisterde niet; een Verdrag waar hij nog nooit iets over had gehoord, interesseerde hem helemaal niets. Het enige wat hij belangrijk vond, was dat hij er niet meer alleen voor stond.

'Strijden jullie tegen het Duister?'

'Ja.'

'Zijn er veel van jullie?'

'Ja.'

Maxim keek me weer aan en weer vonkte in zijn ogen de doordringende adem van de Schemer. Hij probeerde de leugen te ontmaskeren, het Duister te ontdekken, het kwaad en de haat te plaatsen – alles, wat hij ook maar kon ontdekken.

'Jij bent geen Duistere,' zei hij bijna medelijdend. 'Dat zie ik. En ik vergis me niet, nooit!'

'Ik ben een Wachter,' herhaalde ik. Ik keek om me heen – niemand. Iets had de mensen afgeschrikt. Waarschijnlijk was dat ook een van de capaciteiten van de Wilde.

'Deze jongen...'

'Is ook een Andere,' viel ik hem snel in de rede. 'Hij heeft nog niet besloten of hij een Lichte of...'

Maxim schudde zijn hoofd. 'Hij is een Duistere.'

Ik keek naar Jegor. Langzaam hief hij zijn hoofd.

'Nee,' zei ik.

Zijn aura was duidelijk herkenbaar, een lichtende, zuivere regenboog, irise-rend. Een aura zoals normaal gesproken alleen kleine kinderen hebben; jongeren niet. Het eigen lot, een toekomst die nog open lag.

'Een Duistere.' Maxim schudde zijn hoofd. 'Zie je het dan niet? Ik vergis me niet, nooit. Jij hebt me belet om deze afgezant van het Duister te vernietigen.'

Waarschijnlijk loog hij niet. Hij kon niet zoveel, maar wat hij kon, kon hij goed. Maxim was in staat het Duister te zien; hij was in staat het kleinste vlekje in de ziel van een ander te zien. Sterker nog, vooral dit ontluikende Duister kon hij blijkbaar goed zien.

'Wij vermoorden niet gewoon maar alle Duisteren.'

'Waarom niet?'

'Wij hebben een wapenstilstand gesloten, Maxim.'

'Hoe kun je nu een wapenstilstand sluiten met de Duisteren?'

Er voer een huivering door me heen: in zijn stem klonk niet de minste twijfel door.

'Elke oorlog is slechter dan de vrede.'

'Deze niet.' Maxim hief zijn hand met de dolk op. 'Zie je wel? Dit is een cadeau van een vriend van me. Hij is overleden en daar zijn vermoedelijk lui als deze jongen schuldig aan. Het Duister is achterbaks!'

'En dat zeg jij tegen mij?'

'Ja natuurlijk. Misschien ben jij inderdaad een Lichte.' Zijn gezicht vertrok tot een bittere grijns. 'Maar jullie Licht is dan al behoorlijk lang geleden een beetje grauw geworden. Je mag het kwaad niet vergeven. En geen wapenstil-stand sluiten met de Duisteren.'

'Mag je het kwaad niet vergeven?' Nu begon ik ook boos te worden. 'Toen jij in dat toilet die tovenaar van het Duister hebt doodgeslagen, waarom ben je toen niet nog tien minuutjes gebleven? Waarom heb je niet gewacht tot je kon zien hoe zijn kinderen huilden, en zijn vrouw? Zij zijn geen Duisteren,

Maxim! Zij zijn heel gewone mensen die onze krachten niet bezitten! Jij hebt die jonge vrouw gered uit die kogelregen...'

Hij huiverde, maar zijn gezicht bleef net als eerst als uit steen gehouwen.

'Dat was geweldig! Maar dat ze ter wille van jou, vanwege jouw misdaad moest worden vermoord, dat wist je niet!'

'Zo gaat dat, in een oorlog!'

'En die ben jij begonnen,' siste ik. 'Je bent immers zelf nog maar een kind, met je speelgoeddolkje. Waar gehakt wordt, vallen spaanders? Zit het zo? Tijdens de grote strijd voor het Licht is alles toegestaan?'

'Ik strijd niet voor het Licht.' Ook hij liet zijn stem dalen. 'Niet voor het Licht, maar tegen het Duister. Dat is het enige wat ik kan. Begrijp je wel? Je moet niet denken dat die spaanders me niets kunnen schelen. Ik heb niet om deze capaciteiten gevraagd, niet gehoopt dat ik ze kreeg. Maar omdat ik ze nu eenmaal bezit, moet ik ze ook gebruiken.'

Wie heeft hem toch over het hoofd gezien?

Waarom hebben we Maxim niet ontdekt op het moment waarop hij een Andere werd?

Hij zou een geweldige speurder zijn geworden. Na langdurige discussies en uitgebreide uitleg. Na een opleiding van vele maanden, na jaren van praktijkervaring, na mislukkingen, fouten, zuippartijen en zelfmoordpogingen. Daarna, nadat hij de regels van de confrontatie niet met zijn hart – want dat is hem niet gegeven – maar met zijn kille, compromisloze verstand geaccepteerd zou hebben. De wetten waar de Lichten en de Duisteren zich tijdens hun strijd aan moeten houden, de wetten volgens welke wij ons moeten afwenden van een diermens die een slachtoffer achternazit en onze eigen mensen moeten doden als ze zich niet afwenden.

Nu stond hij voor me. De tovenaar van het Licht die binnen een paar jaar meer Duisteren heeft vermoord dan een speurder tijdens honderd dienstjaren. Een eenzaam, opgejaagd dier. Dat wel kan haten, maar niet kan liefhebben.

Ik draaide me om en legde mijn handen op Jegors schouders. Jegor, die nog steeds bij ons stond, rustig, zonder zich te bewegen en die geconcentreerd naar onze discussie luisterde. Ik dwong hem voor me te gaan staan.

'Dus hij is een tovenaar van het Duister?' vroeg ik.

'Waarschijnlijk wel. Maar ik ben bang dat je gelijk hebt. Nog een paar jaar en dan ziet deze jongen in welke mogelijkheden hij heeft. Zal zijn leven leiden, terwijl het Duister om hem heen in beweging komt. En zijn leven zal met elke stap die hij zet gemakkelijker worden. Voor elke stap die hij zet, moet iemand anders met zijn leed betalen. Ken je dat sprookje nog van die zeemeermin? De zeeheks had haar benen gegeven, zodat ze kon lopen, maar elke stap voelde aan alsof ze op scheermesjes liep. Zo is het ook met ons, Maxim!

We lopen continu over scheermesjes, zonder eraan te wennen. Alleen heeft Andersen niet alles verteld. De zeeheks had namelijk ook iets anders kunnen doen. De zeemeermin had kunnen lopen, terwijl iemand anders werd gekweld door de scheermesjes. Dat is de weg van het Duister.'

'Ik verdraag mijn eigen pijn,' zei Maxim. En weer welde er een waanzinnige hoop in me op dat hij alles toch kon begrijpen. 'Maar dat verandert niets aan de zaak.'

'Ben je bereid hem te doden?' Ik knikte met mijn hoofd naar Jegor. 'Maxim, ben je dat echt? Ik ben een medewerker van de Wacht; ik ken het verschil tussen goed en kwaad. Zelfs als je Duisteren vermoordt, kun je iets slechts veroorzaken. Dus, ben je bereid hem te doden?'

Hij aarzelde niet. Knikte. Keek me met een zachtmoedige en vreugdevolle blik aan. 'Ja, ik ben bereid, want ik zal de wangedrochten van het Duister nooit ontlopen. Ook nu niet.'

De onzichtbare val was dichtgeklapt.

Het zou me niet hebben verbaasd als Seboelon opeens naast ons had gestaan. Uit de Schemer opgedoken en Maxim lovend op zijn schouder had geklopt. Of mij geamuseerd had aangekeken.

Maar meteen daarna wist ik dat Seboelon niet zou komen. Nooit.

De klaarstaande val hoefde niet te worden geobserveerd. Die werkte helemaal vanzelf. Ik was erin getrapt, en iedere medewerker van de Dagwacht zou voor dit ogenblik een alibi hebben.

Of ik zou Maxim moeten toestaan om de jongen, die een tovenaar van het Duister zou worden, te vermoorden. Dan zou ik zijn handlanger worden – met alle gevolgen van dien.

Of ik zou me in de strijd moeten mengen. De Wilde vernietigen; per slot van rekening was ik veel sterker dan hij. Eigenhandig een getuige liquideren en – alsof dat nog niet genoeg was – een tovenaar van het Licht vermoorden.

Want Maxim zou niet toegeven. Dit was zijn oorlog, zijn kleine Golgotha: hij was al een paar jaar bezig deze heuvel te beklimmen. Voor hem was het: de overwinning of de dood.

En waarom zou Seboelon zichzelf in de strijd mengen?

Hij had alles goed gedaan. De gelederen van het Duister bevrijd van zijn ballast, mij gecompromitteerd, mij bang gemaakt en zelfs wat dramatiek in het spel gebracht toen hij op me schoot en miste. Had de Wilde in mijn armen gedreven. Seboelon was nu ver weg. Misschien zelfs niet eens in Moskou. Misschien keek hij naar wat er gebeurde: er zijn voldoende technische en magische middelen die dat mogelijk maken. Observeerde en grijnsde.

Ik was erin getrapt.

Wat ik nu ook zou doen, ik zou in de Schemer eindigen.

De enige kans die ik nog had, was ontzettend klein en bijzonder gemeen.

Het zou niet lukken.

Ik zou Maxim moeten toestaan om de jongen te doden, nou ja, niet toestaan, maar gewoon niet ingrijpen. Daarna zou hij kalmeren. Dan zou hij met me meegaan naar de staf van de Nachtwacht, naar alles luisteren, in discussie gaan en zijn mond houden, overtuigd door de keiharde argumenten en de ongenadige logica van de Chef. Hij zou inzien wat hij had gedaan, dat hij het broze evenwicht behoorlijk had verstoord. Hij zou zich ter beschikking stellen van het Tribunaal, waar hij een kleine, maar realistische kans had om gerehabiliteerd te worden.

Ik ben immers geen speurder. Ik heb gedaan wat ik kon. Ik heb zelfs ontdekt welk spelletje het Duister speelde: de combinatie van zetten die iemand die veel slimmer is dan ik had bedacht. Ik had gewoon te weinig tijd, kracht en reactiesnelheid.

Maxim zwaaide met zijn hand met de dolk.

De tijd strekte zich opeens uit, werd langer alsof ik in de Schemer was getreden. Het enige verschil was dat de kleuren niet vervaagden, maar zelfs helderder werden en ook ik in die trage, brijachtige stroom meebewoog. De houten dolk schoot op Jegors borst af, veranderde, glansde alsof hij van metaal was, werd al snel door een grijze vlam omhuld. Maxim keek zeer geconcentreerd en de jongen begreep niet eens wat er gebeurde en probeerde ook niet ervandoor te gaan. Toen ik Jegor opzijschoof, wilden mijn spieren me niet gehoorzamen, weigerden deze domme en naar zelfmoord neigende beweging te maken. Voor hem, deze kleine tovenaar van het Duister, zou deze dolkstoot de dood betekenen. Voor mij het leven. Zo was het altijd en zo zou het altijd zijn.

Wat voor een Duistere het leven betekent, is voor een Lichte de dood en omgekeerd. Dat zou niet veranderen.

Gelukt!

Jegor viel, stootte met zijn hoofd tegen de portiekdeur en zakte langzaam in elkaar – ik had te hard geduwd, had alleen maar aan zijn redding gedacht en me er niet om bekommerd of hij gewond zou kunnen raken.

Maxims blik fonkelde alsof hij een beledigd kind was. 'Hij is een vijand!' bracht hij toch nog uit.

'Hij heeft niets misdaan!'

'Je verdedigt een Duistere!'

Maxim kibbelde niet over de vraag of ik een Duistere of een Lichte was. Dat kon hij immers wel zien.

Maar hij was in en in bleek. Hij had nog niet eerder voor de keus gestaan of een Duistere zou leven of sterven.

De dolk wees nu niet meer naar de jongen, maar naar mij. Ik bukte me, zag mijn schaduw en rekte me uit, waarna deze gehoorzaam naar me toe sprong. De wereld werd grijs, de geluiden verstomden, de bewegingen werden langzamer. Jegor, die zich zojuist nog had omgedraaid, bewoog nu niet meer, de auto's kropen onzichtbaar over straat, de wielen draaiden schokkend in het rond, de boomstammen waren de wind vergeten. Alleen Maxim bewoog zich niet trager.

Hij kwam me achterna, zonder dat hij het zelf doorhad. Gleed met dezelfde naïviteit de Schemer in waarmee een mens vanaf de stoep de straat oploopt. Het kon hem allemaal niets meer schelen: hij putte kracht uit zijn overtuiging, zijn haat, deze pure haat, uit de woede van het witte Licht. En hij was niet eens een beul van de Duisteren. Maar een inquisiteur. Veel verschrikkelijker dan al onze inquisiteurs bij elkaar.

Ik hief mijn handen, spreidde mijn vingers en maakte het teken van de kracht. Die simpele en toch zo effectieve 'vingerwaaier'; de jonge Anderen voelden zich de eerste keer dat ze dit deden altijd belachelijk. Maxim stopte niet, week even opzij, maar deed zijn hoofd naar beneden en liep door, op mij af. Terwijl ik het begon te begrijpen, zette ik een stap naar achteren en probeerde me koortsachtig het magische repertoire te herinneren.

Agape: het teken van de liefde; maar hij gelooft niet in de liefde.

De drievoudige sleutel: brengt geloof en begrip; maar hij gelooft me niet.

Opium: het lichtblauw-paarse symbool, de droomweg; ik voelde mijn eigen ledematen al zwaar worden.

Zo verslaat hij de Duisteren dus. Zijn woeste overtuiging, verweven in zijn verborgen capaciteiten als Andere, is tegelijkertijd een spiegel. Gooit de toegebrachte klap weer terug. Brengt hem op het niveau van de tegenstander. In combinatie met zijn vaardigheid om het Duister te zien en die belachelijke magische dolk maakt dit hem bijna onaantastbaar.

Nee, hij mag alles niet zomaar weerkaatsen. De klappen worden niet onmiddellijk teruggegooid. Het teken van de Thanatos of het witte zwaard moet werken.

Maar als ik hem dood, maak ik mezelf ook van kant. Als ik de enige weg insla die ons allemaal te wachten staat, de Schemer in. De troebele dromen in, de kleurloze begoochelingen, deze eeuwige, vochtige kou. Mijn krachten zijn niet toereikend om in hem een vijand te zien, terwijl hij mij zonder aarzelen zijn vijand heeft genoemd.

We draaiden om elkaar heen en ondertussen deed Maxim een uitval, maar onhandig. Hij had immers nog nooit echt gevochten; hij was eraan gewend zijn slachtoffers snel en eenvoudig te vermoorden.

En ergens, heel ver bij ons vandaan, hoorde ik Seboelons spottende lachje. 'Jij wilde toch een spelletje tegen het Duister spelen?' zei hij met een zachte, flikflooiende stem. 'Ga je gang. Je hebt alles wat je nodig hebt. Vijanden, vrienden, liefde en haat. Kies je wapen uit. Welke je maar wilt. Zonder dat weet je immers al hoe het afloopt. Nu weet je het.'

Misschien had ik me deze stem ingebeeld. Maar misschien was hij er wel degelijk.

'Je maakt jezelf van kant!' riep ik. De holster sloeg tegen mijn lichaam, alsof het wilde dat ik het pistool eruit haalde en een zwerm zilveren kogeltjes op Maxim losliet. Net zo gemakkelijk als ik het eerder bij mijn naamgenoot had gedaan.

Hij hoorde me niet – dat kon hij niet.

Sweta, jij wilde per se weten waar de hindernissen voor ons zijn opgesteld, waar de grens ligt die we tijdens onze strijd met de Duisteren moeten respecteren. Waarom ben je nu niet hier? Dan zou je het zien en begrijpen.

Hier was trouwens sowieso niemand; geen Duistere om van harte van dit duel te genieten, maar ook geen Lichte om zich op Maxim te storten, hem vast te binden en onze dodelijke Schemerdans te beëindigen. Er was niemand, op de jongen na die onhandig opstond, de toekomstige tovenaar van het Duister, en de onvermurwbare beul met zijn ijzige gezichtsuitdrukking, deze vrijwillige hofdienaar van het Licht. Die evenveel kwaad had veroorzaakt als een tiental diermensen en vampiers.

Ik pakte de koude nevel die tussen mijn vingers doorstroomde bij elkaar. Liet hem aan mijn vingers sabbelen. En stuurde nog iets meer kracht naar mijn rechterhand.

Uit mijn handpalm spoot een witte vuurzee, de Schemer siste, vlamde op. Ik trok het witte zwaard, een eenvoudig, maar effectief wapen. Maxim verstijfde.

'Het goede, het kwade.' Een scheef grijnslachje verscheen op mijn gezicht. 'Kom maar hier. Als je bij me komt, dood ik je. Ook al ben je honderd keer een Lichte, daar gaat het helemaal niet om.'

Bij ieder ander had dit effect gehad. Zeker weten. Stel je voor dat je voor het eerst ziet dat een zwaard van vuur verschijnt. Maar Maxim kwam dichter naar me toe.

Overbrugde de vijf passen die ons nog van elkaar scheidden. Gelaten, met een glad voorhoofd, zonder op het witte zwaard te letten. Terwijl ik daar stond en steeds maar weer in gedachten herhaalde wat je zo gemakkelijk en overtuigend hardop kon zeggen.

Toen drong de houten dolk tussen mijn ribben door naar binnen.

Ver weg begon Seboelon, de Leider van de Dagwacht, in zijn hol te schaterlachen.

Eerst viel ik op mijn knieën, toen op mijn rug. Drukte mijn handen tegen mijn borstkas. Het deed pijn, tot nu toe deed het alleen maar pijn. De Schemer jammerde verontwaardigd toen het mijn levende bloed opmerkte, en week uiteen.

Wat beschamend!

Of was dat de enige uitweg die ik had? Sterven?

Swetlana zou niemand hoeven te redden. Ze kon haar eigen weg gaan, een lange en roemrijke weg, ook al zou ook zij op een dag de Schemer moeten ingaan.

Wist je dat, Geser? Heb je misschien zelfs gehoopt dat het zo zou eindigen?

De wereld kreeg haar kleuren weer terug. De donkere kleuren van de nacht. De Schemer spuwde me met tegenzin uit, versmaadde me. Half liggend, half zittend hield ik mijn handen op de bloedende wond.

'Waarom leef je nog?' vroeg Maxim.

Weer was in zijn stem een beledigde ondertoon te horen; het scheelde niet veel of hij had een pruillip getrokken. Ik was het liefst in lachen uitgebarsten, maar de pijn was te hevig. Hij keek naar de dolk en hief hem onzeker weer op. Meteen daarna stond Jegor naast me. Schermde me af van Maxim. Deze keer kon de pijn niet verhinderen dat ik lachte.

De toekomstige tovenaar van het Duister redde de ene Lichte van de andere!

'Ik leef nog, omdat je wapen alleen bestemd is voor Duisteren,' legde ik uit. Ik hoorde een verdacht geklots in mijn borst. De dolk had mijn hart niet geraakt, maar mijn longen opengescheurd. 'Ik weet niet van wie je hem hebt gekregen, maar dat is een wapen tegen de Duisteren. Tegen mij is het niet meer dan een splinter, die trouwens wel behoorlijk pijn doet.'

'Je bent een Lichte,' zei Maxim.

'Ja.'

'Hij is een Duistere.' De dolk werd langzaam op Jegor gericht.

Ik knikte. Probeerde de jongen aan de kant te trekken, maar die schudde koppig zijn hoofd en bleef staan.

'Waarom?' vroeg Maxim. 'Waarom dan? Jij bent een Lichte en hij is een Duistere...'

Hij glimlachte voor de allereerste keer, maar niet van plezier.

'En wat ben ik dan? Kun je me dat vertellen?'

'Ik denk dat je een inquisiteur wordt,' hoorde ik iemand achter me zeggen. 'Dat weet ik bijna zeker. Een getalenteerde, onbarmhartige, onomkoopbare inquisiteur.'

Ik keek naar waar de stem vandaan kwam. 'Goedenavond, Geser,' zei ik.

De Chef keek me vol medelijden aan. Swetlana stond achter hem met een krijtwit gezicht.

'Kun je het nog vijf minuten volhouden?' vroeg de Chef. 'Dan zal ik even naar je schram kijken.'

'Natuurlijk hou ik het nog wel vol,' verzekerde ik hem.

Maxim keek de Chef aan met een starre, half waanzinnige blik.

'Ik geloof dat je niet bang hoeft te zijn,' zei de Chef tegen hem. 'Natuurlijk, een gewone Wilde zou door het Tribunaal worden geëxecuteerd. Er kleeft te veel Duister bloed aan je handen, en het Tribunaal is verplicht het evenwicht in stand te houden. Maar jij bent speciaal, Maxim. Niemand zal iemand als jij gemakkelijk opgeven. Jij zult je boven ons verheffen, boven het Licht en het Duister, en daarbij speelt het geen enkele rol van welke kant je komt. Je moet jezelf echter niets wijsmaken – dat is geen macht. Dat is dwangarbeid. Gooi je dolk weg!'

Maxim smeet de dolk op de grond alsof hij zich eraan had gebrand. Dat kan alleen een echte tovenaar; voor mij zou dat te hoog gegrepen zijn.

'Swetlana, je hebt het overleefd.' De Chef keek de jonge vrouw aan. 'Wat levert dat op? Derde niveau in zelfcontrole en beheersing. Zonder enige twijfel.'

Ik steunde op Jegor en probeerde op te staan. Wilde de Chef per se een hand geven. Alweer had hij zijn eigen spel gespeeld. Had iedereen gebruikt die tot zijn beschikking stond. Had Seboelon verslagen. Jammer wel dat Seboelon hier niet was! Ik had dolgraag zijn gezicht willen zien, het gezicht van die duivel die mijn eerste lentedag in een eindeloze nachtmerrie had veranderd.

'Maar...' Maxim wilde iets zeggen, maar zweeg. Ook hij was door te veel dingen overrompeld. Ik begreep maar al te goed hoe hij zich voelde.

'Ik wist heel zeker, Anton, helemaal zeker dat jullie tweeën, jij en Swetlana, deze zaak zouden kunnen oplossen,' zei de Chef zacht. 'Voor een tovenares met haar kracht is het ergste de zelfcontrole te verliezen. De criteria in de strijd tegen het Duister te verliezen, overhaast te handelen of – precies het tegenovergestelde – te aarzelen. Deze fase van de opleiding moet je in geen geval op de lange baan schuiven.'

Swetlana zette eindelijk een stap naar mij toe. Ze ging voorzichtig naast me op haar hurken zitten. Ze keek Geser aan, en heel even vertrok haar gezicht van woede.

'Niet doen,' zei ik. 'Niet doen, Swetlana. Hij heeft immers gelijk. Dat heb ik vandaag pas begrepen, voor het eerst. Waar de grens ligt in onze strijd. Wees niet zo boos. En dat...' – ik pakte haar hand en legde hem op mijn borst – '...is maar een krasje. Wij zijn geen mensen, wij kunnen wel een stootje hebben.'

'Dank je wel, Anton,' zei de Chef. Daarna keek hij Jegor aan. 'En jij ook bedankt, mijn jongen. Heel erg bedankt. Echt heel jammer dat je aan de andere kant van de barricaden zult gaan staan. Desondanks was ik ervan overtuigd dat je Anton zou helpen.'

De jongen wilde naar de Chef toelopen, maar ik greep hem bij zijn schouder. Dat ontbrak er nog maar aan, dat hij nu iets onbezonnens zou zeggen. Hij begreep nog steeds niet hoe ingewikkeld dit spel was! Begreep niet dat Geser alleen maar een tegenzet had gedaan.

'Eén ding spijt me wel, Geser,' zei ik. 'Eén ding maar... dat Seboelon hier niet is. Dat ik zijn gezicht niet kon zien toen zijn hele opzet in duigen viel.'

De Chef antwoordde niet meteen.

Misschien omdat hij het liever niet uitlegde. Net zomin als ik die uitleg wilde horen.

'Seboelon heeft hier niets mee te maken, Anton. Het spijt me, maar hij heeft hier echt niets mee te maken. Deze hele operatie komt voor rekening van de Nachtwacht.'

Derde verhaal

In zijn eigen sop

Proloog

De man was klein, had een donkere huid en spleetogen. Een gewilde buit voor iedere agent in Moskou. Een schuldbewust, verward glimlachje. Een onnozele, ontwijkende blik. Ondanks de verzengende hitte droeg hij een ouderwets donker pak dat er toch bijna nieuw uitzag. De bekroning vormde een stropdas die nog uit de tijd van de Sovjet-Unie stamde. In zijn ene hand had hij een enorme versleten aktetas, waarmee in oude films landbouwingenieurs en voorzitters van modelkolchozen werden afgebeeld, en in zijn andere hand een net met een langwerpige honingmeloen.

De kleine man stapte de slaapwagon uit met op zijn gezicht die eeuwige glimlach... om de vrouwelijke treinbeambte, zijn reisgenoten, een kruier die hem aanklampte, een jonge knul die in zijn kraampje limonade en sigaretten verkocht. Het mannetje keek omhoog en keek enthousiast naar het dak van het station van Kasan. Drentelde over het perron en bleef steeds maar weer staan om het net met de meloen erin gemakkelijker vast te pakken. Hij zou dertig jaar oud kunnen zijn, maar ook vijftig. Dat is niet goed te zeggen, voor een Europeaan.

De jonge man die vlak na hem uit dezelfde tweedeklassewagon van de trein Tasjkent-Moskou stapte – misschien wel een van de smerigste en meest gehavende treinen ter wereld – was zijn tegenpool. Hij zag er ook oosters uit, misschien kwam hij wel uit Oezbekistan. Maar hij was meer gekleed zoals in Moskou gebruikelijk was: shorts en een T-shirt, een zonnebril en met aan zijn riem een leren tasje en een mobieltje. Geen bagage. Geen spoortje boersheid. Hij keek niet om zich heen, zocht niet naar de veelbelovende M. Een kort knikje naar de treinbeambte, een afwijzend hoofdschudden om de taxichauffeur af te wimpelen. Eén stap en nog één en toen was hij al in de massa opgegaan, opgeslokt door de hectiek van de pas gearriveerde passagiers, zijn gezicht enigszins vertrokken door tegenzin en afwijzing. In een mum van tijd ging hij organisch op in de menigte, was niet meer als eenling te onderscheiden. Werd een nieuwe, gezonde en levensvatbare cel die noch bij de op fagocyten lijkende agenten, noch bij de buurcellen irritatie opwekte.

De kleine man met de meloen en de aktetas baande zich een weg door de menigte, mompelde ontelbare excuses in niet zeer zuiver Russisch, trok zijn hoofd in en keek om zich heen. Hij liep een tunnel voorbij, keek naar links en naar rechts, en liep toen naar een andere tunnel toe. Hij bleef staan bij een reclamebord waar het minder druk was, klemde zijn spullen omslachtig tegen zich aan en trok een verkreukeld papiertje uit zijn zak dat hij zorgvuldig bestudeerde. Op het gezicht van de Aziaat was geen spoortje van een vermoeden te zien dat hij misschien werd gevolgd.

Dat kwam de drie mensen die tegen de muur van het stationsgebouw geleund stonden, goed uit. Een aantrekkelijke, opvallende vrouw met rood haar en een strakke zijden jurk aan, een punker met verrassend verveelde en oude ogen, en een oudere man met lang, vergeeld haar en de gebaartjes van een homo.

'Vast niet,' zei de punker met de oude ogen aarzelend. 'Denk niet dat hij het is. Het is weliswaar al een hele tijd geleden dat ik hem zag, en dan ook nog eens kort, maar...'

'Zullen we het anders aan Dtsjoru vragen?' vroeg de vrouw lachend. 'Ik zie toch zelf dat hij het is.'

'Neem jij de verantwoordelijkheid op je?' De punker was niet geïrriteerd door haar bedenkingen en wilde ook geen ruzie. Wilde alleen maar zekerheid.

'Ja.' De vrouw hield haar ogen onafgebroken op de Aziaat gericht. 'Laten we gaan. We nemen hem in de tunnel te grazen.'

Ze maakten zich met langzame, synchroon lopende stappen van de muur los. Toen gingen ze uit elkaar; de vrouw liep rechtdoor en de beide mannen naar links en naar rechts.

De kleine man vouwde het stuk papier weer op en liep aarzelend naar de tunnel.

Een Moskoviet of een regelmatige bezoeker van de hoofdstad zou zich hebben verbaasd over het plotselinge ontbreken van mensen. Dit is per slot van rekening de kortste en gemakkelijkste route tussen de metro en het station. Maar het mannetje lette daar niet op. Dat de mensen achter hem bleven staan alsof ze tegen een onzichtbare barrière waren opgebotst en naar andere tunnels liepen, merkte hij niet. En dat aan de andere kant van de tunnel, in het station, precies hetzelfde gebeurde, kon hij niet zien.

Een man liep hem glimlachend tegemoet en hij werd ingehaald door een sympathieke, jonge vrouw en een slordig geklede punker met een oorring en een versleten spijkerbroek.

De Aziaat liep door.

'Blijf toch staan, vadertje,' zei de man vriendelijk. Zijn stem paste bij zijn uiterlijk, klonk teder en aanstellerig. 'Loop toch niet zo snel.'

De Aziaat knikte glimlachend, maar bleef niet staan.

De man zwaaide met zijn arm alsof hij een streep zette tussen zichzelf en de kleine man. De lucht trilde en de adem van de kille wind waaide onder de tunnel door. Ergens op het station huilden kinderen, en jankte een hond.

De kleine man bleef staan en keek peinzend voor zich uit. Hij tuitte zijn lippen, blies de lucht uit zijn longen en wierp de man die voor hem stond een sluw glimlachje toe. Er was een zacht gerinkel te horen, als onzichtbaar glas dat brak. Het gezicht van de man vertrok van pijn en hij zette een stap naar achteren.

'Goed gedaan, Devona,' zei de vrouw die achter de Aziaat was blijven staan. 'Maar je moet nu echt niets overhaasten.'

'Ik heb haast, en hoe!' zei de Aziaat gejaagd. Hij keek over zijn schouder. 'Wil je een meloen, schoonheid?'

De vrouw glimlachte en keek de Aziaat aan. 'Ga je met ons mee, eerwaarde?' vroeg ze. 'Dan gaan we gezellig ergens zitten. Eten je meloen op, drinken thee. We hebben zo lang op je gewacht dat het niet aardig van je is om meteen weer weg te rennen.'

Op het gezicht van de kleine man was te zien dat hij diep nadacht. 'Ja, laten we gaan, laten we gaan,' zei hij toen.

Met zijn eerste stap gooide hij de dandy omver, alsof de Aziaat een onzichtbaar schild voor zich uit droeg. Een muur, geen materiële, maar een muur van een razende wind. De man werd over de grond meegesleurd, zijn lange haren wijd uitgespreid, zijn ogen vernauwden zich, uit zijn keel ontsnapte een geluidloze kreet.

De punker zwaaide met zijn hand en paarsrode lichtflitsen sloegen in op het mannetje. Verblindende lichtflitsen die slechts met moeite van zijn handpalmen loskwamen, halverwege verbleekten en amper nog op lichtflitsen leken toen ze op de rug van de Aziaat terechtkwamen.

'Ai-ai-ai,' zei de kleine man, zonder te blijven staan. Hij haalde zijn schouders een paar keer op alsof er een lastige vlieg op zijn rug was gaan zitten.

'Alissa!' riep de punker, zonder te stoppen met zijn nutteloze bezigheid. Zijn vingers bewogen, knepen de lucht samen, bevrijdden hun vormeloze massa van het paarsrode licht en gooiden ze tegen de Aziaat aan. 'Alissa!'

De vrouw boog haar hoofd en keek de voortsnellende Aziaat na. Zachtjes fluisterde ze iets, terwijl ze met haar hand over haar jurk streek – en in haar hand verscheen, wie weet waar vandaan, een dun doorschijnend prisma.

De kleine man begon sneller te lopen, snelde naar links en naar rechts met zijn gezicht op een grappige manier omlaag. De man voor hem rolde nog steeds over de grond, maar had elke poging om te schreeuwen opgegeven. Zijn gezicht zat onder het bloed, zijn armen en benen waren gebroken en willoos, alsof hij niet drie meter over de gladde grond was gerold, maar door een waanzinnige storm of een galopperend paard drie kilometer over een rotsige bodem was gesleept.

De vrouw keek door het prisma naar de kleine man.

Eerst ging de Aziaat alleen maar langzamer lopen. Toen slaakte hij een zucht en opende zijn handen – de meloen spatte uiteen op de marmeren vloer, zijn aktetas viel zwaar op de grond.

'Ach,' zei de Aziaat die door de vrouw Devona was genoemd. 'Ach, ach.'
De kleine man zonk in elkaar en ging zelfs al tijdens zijn val krom staan. Zijn wangen vielen in, zijn jukbeenderen werden puntig, de nu ouwelijke, magere handen omvatten een netwerk van aderen. Het zwarte haar verbleekte welis- waar niet, maar werd bedekt met een laag grijs stof en werd dunner. De lucht om hem heen begon te trillen, onzichtbare, hete luchtstromen vloeiden naar Alissa toe.
'Wat ik niet gegeven heb, zal voortaan van mij zijn,' fluisterde de vrouw. 'Alles wat van jou is, is van mij.'
Ze kreeg, in hetzelfde tempo als waarin de kleine man uitdroogde, een blos op haar gezicht. Met smakkende lippen fluisterde ze toonloze, vreemd klin- kende woorden. De punker vertrok zijn gezicht, liet zijn hand zakken – de laatste paarsrode straal sloeg in in de grond waardoor een steen begon te gloeien.
'Best wel gemakkelijk,' zei hij. 'Echt waar.'
'De Chef was helemaal niet tevreden,' zei de vrouw terwijl ze het prisma in de plooien van haar jurk wegborg. Glimlachte. Haar gezicht straalde van kracht en energie, zoals bij bepaalde vrouwen na een heftige vrijpartij. 'Gemakke- lijk, maar onze Kolja heeft pech gehad.'
De punker knikte en keek naar het bewegingloze lichaam van de man met het lange haar. Hij keek niet echt medelevend; ook niet erg vijandig trou- wens.
'Dat kun je wel zeggen,' zei hij. Zelfverzekerd liep hij naar het verdroogde lijk toe. Maakte met zijn hand een gebaar boven het lijk waarna het lichaam in stof uiteenviel. Met een ander gebaar veranderde de punker de uit elkaar gespatte meloen in een kleverige brij.
'De aktetas,' zei de vrouw. 'Controleer de tas.'
De punker zwaaide met zijn hand, en het versleten leer barstte, de aktetas sprong open als een oester onder het mes van een ervaren duiker. Maar uit de blik van de punker was op te maken dat de gewenste parel er niet in zat. Twee verbleekte onderbroeken, een goedkope, katoenen trainingsbroek, een wit overhemd, een plastic zak met plastic slippers, een plastic beker met Koreaan- se kant-en-klare soep en een brillenkoker.
De punker maakte de plastic beker open, scheurde de kleren langs de naden open en opende de brillenkoker. En vloekte.
'Hij is leeg, Alissa! Helemaal leeg!'
Op het gezicht van de heks tekende zich verbazing af. 'Maar dat is toch de Devona, Stassik. De koerier had het vrachtje aan niemand anders kunnen toevertrouwen.'
'Kennelijk heeft hij dat wel gedaan,' antwoordde de punker, terwijl hij met zijn voet in de as van de Aziaat wroette. 'Ik heb je toch gewaarschuwd, Alissa?

270

Bij de Lichten moet je overal rekening mee houden. Jij hebt de verantwoordelijkheid op je genomen. Ik ben misschien wel een zwakke tovenaar, maar ik heb een halve eeuw meer ervaring dan jij.'

Alissa knikte. Ze keek al niet meer zo verbaasd. Haar hand streek weer een keer over haar jurk, zocht het prisma. 'Ja,' erkende ze zacht, 'je hebt gelijk, Stassik. Maar over vijftig jaar heb ik net zoveel ervaring als jij.'

De punker schoot in de lach, hurkte naast het lijk van de man met het lange haar en doorzocht snel zijn zakken. 'Denk je dat?'

'Dat weet ik zeker. Je had niet op je standpunt moeten blijven staan, Stassik. Ik stelde immers voor om ook de andere reizigers te controleren.'

De jonge man draaide zich te laat om, toen het leven uit zijn lichaam week via tientallen onzichtbare hete draden.

1

De Oldsmobil was oud, maar daarom vond ik hem ook zo mooi. Maar zelfs de open ramen verdreven de hitte niet, deze waanzinnige hitte die zich de afgelopen dagen op straat had opgehoopt. Nu had je airco nodig.

Ilja vond dat kennelijk ook. Hij reed, stuurde met één hand, keek voortdurend om zich heen en kletste met deze en gene. Een tovenaar van zijn rang kon natuurlijk al zo'n tien minuten van tevoren alle mogelijke situaties zien aankomen, waardoor we geen ongeluk zouden krijgen. Toch voelde ik me niet op mijn gemak.

'Ik wilde een airco inbouwen,' zei hij schuldbewust tegen Joelja. Het meisje had meer last van de hitte dan de anderen; ze had lelijke rode vlekken op haar gezicht en betraande ogen. Alsof ze moest overgeven. 'Maar dat zou deze auto helemaal ontsieren. Die is daar gewoon niet voor gemaakt! Geen airco, geen mobieltjes, geen GPS!'

'Hm,' zei Joelja. Ze dwong zich te glimlachen. Gisteren hadden we overuren gedraaid; niemand had voor vijf uur zijn bed gezien en we hadden op kantoor geslapen. Het was natuurlijk schandalig om een dertienjarig meisje als een volwassene te behandelen, maar dat wilde ze zelf; niemand had haar ertoe gedwongen.

Swetlana, die voorin zat, keek bezorgd naar Joelja. Toen keek ze met een afkeurende blik naar Semjon. De onverstoorbare tovenaar verslikte zich daardoor bijna in zijn *jawa*. Hij inhaleerde, waardoor de walmende sigarettenrook in zijn longen verdween. Toen wipte hij het peukje het raam uit. Met de *jawa* maakte hij een goede beurt, want sinds kort had hij een voorkeur voor *poljot* en andere afschuwelijke tabakssoorten.

'Doe de ramen dicht,' zei Semjon.

Toen werd het al snel koeler in de auto en ik rook een vage zoute zeelucht. Ik voelde dat het een zee was, bij nacht, niet zo ver bij ons vandaan. Een oever, ergens in de Krim. Jodium, algen, een vleugje alsem. De Zwarte Zee. Koktebel.

'Koktebel?' vroeg ik.

'Jalta,' antwoordde Semjon laconiek. 'Tien september 1972, een uur of drie 's nachts. Na een lichte storm.'

Ilja klakte jaloers met zijn tong.

'Knap hoor,' zei hij. 'En dit aroma heb je tot nu toe niet verbruikt?'

Joelja keek Semjon schuldbewust aan. De airco leverde bij alle tovenaars problemen op en het zojuist door Semjon aangeboden aroma van waarnemingen zou elk gezellig samenzijn hebben verrijkt.

'Hartelijk bedankt, Semjon Pawlowitsj.' Om de een of andere reden intimideerde hij het meisje net zoals de Chef, waardoor ze hem met zijn voornaam en met zijn vaders naam aansprak.

'Ach, het stelde niets voor,' zei Semjon rustig. 'Ik heb ook nog een taigaregen uit 1913 in mijn verzameling en een tyfoon uit 1940, een voorjaarsochtend in Joermala uit 1956 en waarschijnlijk ook nog een winteravond in Gagry.'

Ilja begon te lachen. 'Een winteravond in Gagry, vergeet dat maar. Maar die taigaregen...'

'Die ruil ik niet,' stelde Semjon hem meteen teleur. 'Ik ken jouw verzameling. Jij hebt niets wat daaraan kan tippen.'

'Maar als ik je in ruil daarvoor twee, nee drie...'

'Ik geef hem je cadeau,' stelde Semjon voor.

'Komt niks van in,' zei Ilja gekwetst en trok aan het stuur. 'Wat zou ik je daarvoor dan terug kunnen geven?'

'Dan onconserveer ik hem.'

'Nou, wel bedankt hoor.'

Hij begon te mokken, natuurlijk. Volgens mij bezaten ze allebei ongeveer dezelfde capaciteiten. Misschien was Ilja zelfs een beetje sterker. Maar Semjon bezat een goede neus voor het moment dat het waard was om magisch te worden bewaard. En verder verspilde hij zijn verzameling niet onnodig. Natuurlijk, als je wilde, zou je dat wat hij net had gedaan verspilling kunnen noemen: het laatste halfuur van de rit in deze hitte draaglijker maken met een dergelijke waardevolle combinatie van gevoelens.

'Ja, een avond waarop je sjasliek grilt; die geur zou je moeten ruiken,' zei Ilja. Af en toe kan hij behoorlijk bot zijn. Joelja zette haar krachten aan het werk.

'Ik weet nog dat ik een keer in het Verre Oosten was,' zei Semjon opeens. 'Onze helikopter... Om een lang verhaal kort te maken, we liepen. De technische communicatiemiddelen hadden de geest gegeven. Als we toen magische communicatiemiddelen zouden hebben ingezet, zou dat vergelijkbaar zijn met in Harlem rondlopen met een spandoek met de woorden WEG MET DE NEGERS! Wij dus te voet door de woestijn van Hadramawt. Het was niet meer ver naar onze man ter plekke, een kilometer of honderd, honderdtwintig. Maar we waren aan het eind van onze krachten. Hadden geen water meer. Opeens zegt Aljosjka, een goede jongen die nu in de Baltikoem werkt: "Ik kan echt niet meer, Semjon Pawlowitsj, ik heb een vrouw en twee kinderen thuis. Ik wil terug." Toen ging hij in het zand liggen en onconserveerde zijn geheime voorraden. Hij had een stortregen; het plensde wel twintig minuten. We hebben ons vol gedronken, onze flessen gevuld en onszelf weer bij elkaar geraapt. Het liefst had ik hem op zijn smoel geslagen omdat hij dat niet eerder had gezegd, maar ik had medelijden met hem.'

Na dit lange verhaal was het een paar minuten stil in de auto. Het kwam maar zelden voor dat Semjon de gebeurtenissen in zijn bewogen leven zo welbespraakt verwoordde.

Ilja was de eerste die wat zei. 'En waarom heb jij je taigaregen toen niet gegeven?'

'Vergelijk ze dan eens met elkaar!' brieste Semjon. 'De regen uit mijn verzameling komt uit 1913: de voorjaarsregen van Moskou, dat is niets bijzonders en stinkt ook nog eens naar benzine. Begrijp je?'

'Ik begrijp het.'

'Juist. Alles heeft zijn eigen plaats en tijd. De avond waar ik aan dacht, was plezierig. Maar niet uitzonderlijk. Past wel bij je rammelkast.'

Swetlana lachte zachtjes. De lichte spanning die in de auto had gehangen, verdween.

De hele week was de Nachtwacht geprikkeld geweest. Om de een of andere reden gebeurde er niets bijzonders in Moskou; we deden alleen de gewone routineklusjes. Er lag een drukkende hitte over de stad. Het was nog nooit zo heet geweest in juni en er werden amper bijzondere voorvallen gemeld. Dat beviel noch de Lichten, noch de Duisteren.

Ongeveer vierentwintig uur lang waren onze analisten bezig geweest en volgens hen werd deze verrassende hitte veroorzaakt door een actie die de Duisteren aan het plannen waren. Zeer waarschijnlijk probeerde de Dagwacht tegelijkertijd uit te zoeken of de tovenaars van het Licht het weer hadden beïnvloed. Maar nadat beide kanten hadden moeten toegeven dat er natuurlijke redenen waren voor deze klimatologische escapades, hadden ze niets meer te doen.

De Duisteren hielden zich zo stil als vliegen tijdens een regenbui. Tegen alle voorspellingen van de artsen in daalde het aantal ongelukken en natuurlijke sterfgevallen in de stad. De Lichten hadden ook helemaal geen zin om te werken, de tovenaars maakten om het minste of geringste ruzie, op de eenvoudigste documenten uit het archief moest je een halve dag wachten en zodra je de analisten vroeg om een weersvoorspelling, briesten ze woedend: 'Is een periode van veertig dagen voldoende?' Boris Ignatjewitsj dwaalde opgefokt door het kantoor. Ondanks zijn oosterse verleden en zijn afkomst raakte zelfs hij uitgeput door deze Moskouse hitte. Toen had hij gisterochtend, donderdag, alle medewerkers bij elkaar geroepen, in opdracht van de Wacht twee vrijwilligers benoemd tot zijn assistenten en de anderen opdracht gegeven de stad te verlaten. Ze moesten maar zien waar ze naartoe gingen: naar de Malediven, naar Griekenland, een bezoekje brengen aan de duivel in de hel – zelfs daar kon het wel eens prettiger toeven zijn – of vluchten naar een datsja buiten de stad. Vóór maandagmiddag wilde hij niemand op kantoor zien.

De Chef bleef precies één minuut zwijgen, totdat op alle gezichten een gelukzalig glimlachje lag. Toen voegde hij eraan toe dat we wel iets moesten doen voor dit onverwachte meevallertje. Door een extra dienst te draaien. Opdat we ons achteraf niet hoefden te schamen voor de dagen die we werkeloos hadden doorgebracht. Opdat de Strugatski's niet voor niets hadden geschreven 'De maandag begint op zaterdag', moesten we om drie dagen vakantie te krijgen in de resterende tijd alle routineklusjes afronden die nog gedaan moesten worden.

Dat deden we. Enkelen van ons werkten bijna de hele nacht door. We controleerden de Duisteren die in de stad waren gebleven en onder speciaal toezicht stonden: vampiers, diermensen, incubi en succubi, actieve heksen en andere opgejaagde tijdgenoten met een lagere rang. Alles was in orde. De vampiers verlangden nu niet naar warm bloed, maar naar koud bier. De heksen sloofden zich nu niet uit om hun buren kwaad te berokkenen, maar probeerden een licht buitje over Moskou te toveren.

In ruil daarvoor konden we nu Moskou verlaten. Natuurlijk niet naar de Malediven, wat dat betreft had de Chef onze financiële afdeling een beetje overschat. Maar ook twee, drie dagen op het platteland hebben hun charme. Arme vrijwilligers die bij de Chef in de hoofdstad waren achtergebleven om hem te beschermen en te bewaken!

'Ik moet even naar huis bellen,' zei Joelja. Ze was veel opgewekter sinds Semjon de hitte in de auto had vervangen door een frisse zeelucht. 'Mag ik het mobieltje even, Sweta?'

Ook ik genoot van de koelte. Keek naar de auto's die we inhaalden: vaak waren de ramen open. Iedereen keek jaloers naar ons omdat ze geheel ten onrechte dachten dat onze oude auto een degelijke airco had.

'We moeten al snel afslaan,' zei ik tegen Ilja.

'Ik weet het. Ik weet de weg.'

'Sst!' siste Joelja angstig, en daarna met een lief stemmetje: 'Mamotsjka, ik ben het! Ja, we zijn er al. Natuurlijk is het mooi! Er is een meer, nee, ondiep. Mamotsjka, ik kan niet zo lang praten, want Sweta's vader heeft me zijn mobieltje geleend. Nee, verder niemand. Sweta? Komt ze.'

Sweta zuchtte eens en nam de telefoon aan. Ze keek me somber aan, terwijl ik mijn best deed om ernstig te blijven kijken.

'Hallo, tante Natasja,' zei Sweta met een lief kinderstemmetje. 'Ja, we zijn heel blij. Ja. Nee, met de volwassenen. Mama is er even niet, maar moet ik haar halen? Ja, dat zal ik tegen haar zeggen. Absoluut. Tot ziens.'

Ze verbrak de verbinding.

'En wat gebeurt er, mijn lieve kind, als je moeder aan de echte Sweta vraagt hoe het weekend was?' vroeg ze.

'Dan zal Sweta zeggen dat het leuk was.'
Swetlana ademde scherp uit en keek Semjon aan alsof ze hoopte dat hij haar zou helpen.
'Het gebruik van magische capaciteiten voor persoonlijke doeleinden kan onvoorspelbare gevolgen hebben,' doceerde Semjon op formele toon. 'Ik weet nog hoe...'
'Wat voor magische capaciteiten dan?' vroeg Joelja oprecht verbaasd. 'Ik heb haar verteld dat ik met vrienden de bloemetjes eens flink buiten zou zetten en heb haar gevraagd het spelletje mee te spelen. Eerst stribbelde Sweta wel tegen, maar ging toen natuurlijk wel akkoord.'
Ilja zat achter het stuur te grinniken.
'Dat moest ik wel zeggen,' zei Joelja verontwaardigd. Ze begreep niet wat daar zo grappig aan was. 'Zo doen de mensenkinderen dat per slot van rekening. Waarom lachen jullie allemaal? Nu?'

Het leven van alle Wachters bestaat voor een groot deel uit werk. Niet omdat we zulke workaholics zijn, want welk weldenkend mens vindt zijn werk belangrijker dan vrije tijd? Ook niet omdat ons werk bijzonder interessant is; het grootste deel van de tijd zitten we ons te vervelen of verslijten het zitvlak van onze broek op kantoor. Nee, we hebben domweg niet genoeg mensen. De Dagwacht vult de lacunes veel sneller op; iedere Duistere heeft de behoefte om macht uit te oefenen. Maar bij ons ligt het heel anders.
Desondanks leidt ieder van ons naast het werk zijn eigen leventje dat we met niemand delen: niet met het Licht en niet met het Duister. Dat is alleen van ons. Het kleine stukje leven, dat we weliswaar niet verbergen maar ook niet tentoonspreiden en dat we vanuit ons vroegere mensenleven hebben meegenomen.
De een gaat op reis zodra hij de kans krijgt. Ilja heeft bijvoorbeeld een voorkeur voor de normale manier van reizen, terwijl Semjon graag lift. Hij heeft een keer het hele stuk tussen Moskou en Vladivostok zonder een cent uit te geven in recordtijd afgelegd. Toch heeft hij zich daarna niet bij de Liftersbond laten registreren, omdat hij onderweg twee keer zijn magische capaciteiten had gebruikt.
Ignat – en hij is niet de enige – verstaat onder ontspanning niets anders dan een seksueel avontuurtje. Die fase maken we allemaal door, want het leven heeft een Andere veel meer te bieden dan een mens. Het is bekend dat de mensen zich onbewust sterk tot Anderen aangetrokken voelen, ook al stellen deze dat niet op prijs.
Velen van ons verzamelen iets. In het begin vaak onschuldige dingen, zoals zakmessen, sleutelhangers, postzegels en aanstekers, maar later ook verschillende soorten weer, geuren, aura's en toverspreuken. Van alles. Zelf heb ik een

tijdje modelauto's verzameld, een smak geld uitgegeven aan zeldzame exemplaren die alleen maar voor een paar duizend gekken waarde hebben. Nu probeert de hele collectie te overleven in twee kartonnen dozen. Ik zou eigenlijk een keer naar een speeltuin moeten gaan en ze daar boven de zandbak leegschudden. Dan hebben die kleintjes er nog iets aan.

Ook zijn er veel jagers en vissers onder ons. Igor en Garik doen aan extreem parachutespringen. Galja, een heel lief meisje en onze overbodige programmeur, kweekt bonsaiboompjes. Kortom, we vallen dus terug op het complete aanbod van pleziertjes dat de mensheid heeft ontwikkeld.

Maar ik had geen flauw idee welke hobby Tijgerjong, naar wie we nu op weg waren, erop nahield. Dat zou ik graag willen weten. Net zo graag wilde ik uit de oven ontsnappen waarin de stad was veranderd. Meestal weet je meteen welke gewoontes iemand heeft zodra je bij hem of haar thuis bent geweest.

'Zijn we er al?' vroeg Joelja een beetje zeurderig. We hadden de hoofdweg al verlaten en sukkelden nu al een kilometer of vijf over een landweg langs een groepje datsja's en een riviertje.

'We zijn er bijna,' zei ik nadat ik op de routebeschrijving had gekeken die Tijgerjong ons had gegeven.

'Om precies te zijn, we zijn er,' zei Ilja, gooide het stuur om en reed recht op een paar bomen af. Joelja begon te gillen en sloeg haar handen voor haar gezicht. Swetlana reageerde iets rustiger, maar strekte haar handen wel naar voren, omdat ze dacht dat we er tegenaan zouden botsen.

De auto denderde door dicht struikgewas en ondoordringbaar kreupelhout, recht op een muur van bomen af. We botsten er natuurlijk niet bovenop. We sprongen door het droombeeld en zagen dat we op een perfect geasfalteerde straat reden. Voor ons uit schitterde een meertje. Aan de oever ervan stond een stenen huis van één verdieping, met een hoog hek eromheen.

'Wat me altijd verbaast van Tijgermensen,' zei Swetlana, 'is hun behoefte zich af te schermen. Ze verstoppen zich niet alleen achter een droombeeld, maar doen er ook nog eens een hek omheen!'

'Tijgerjong is geen diervrouw!' zei Joelja. 'Ze is een transformatietovenares!'

'Dat is hetzelfde,' zei Swetlana zachtjes.

Joelja keek Semjon aan. Kennelijk hoopte ze dat hij haar te hulp zou schieten.

'Feitelijk heeft Sweta gelijk,' zei de tovenaar met een zucht. 'De zeer gespecialiseerde vechttovenaars zijn eigenlijk diermensen. Alleen met een ander omen. Als Tijgerjong in een andere toestand was geweest toen ze voor het eerst de Schemer in ging, was ze een Duistere geweest, een diervrouw. Dat ligt maar bij heel weinig mensen van tevoren al vast. Meestal vindt er dan een gevecht plaats. Als voorbereiding op de initiatie.'

'Hoe ging het dan bij mij?' vroeg Joelja.

'Dat heb ik je toch al eens verteld,' bromde Semjon. 'Vrij eenvoudig.'

'Een lichte remoralisatie van je docenten en je ouders,' zei Ilja opgewekt en parkeerde de auto bij de ingang. 'En toen bekeek het kleine meisje haar omgeving met liefde en goedheid.'

'Ilja!' berispte Semjon hem. Hij was Joelja's mentor die zich als zodanig behoorlijk op de achtergrond hield en zich amper bemoeide met de ontwikkeling van de jonge tovenares. Maar deze overbodige opmerkingen van Ilja irriteerden hem wel.

Joelja was een begaafd meisje. De Wacht verwachtte veel van haar. Maar dat betekende bij lange na niet dat ze haar in hetzelfde tempo door het labyrint van lastige morele kwesties joegen als Swetlana, de toekomstige Grote Tovenares.

Waarschijnlijk dachten Sweta en ik dat tegelijkertijd – we keken elkaar aan. Keken elkaar aan en keken meteen weer ergens anders naar.

Er drukte een onzichtbare muur op ons die ons verschillende kanten op dreef. Ik zou voor altijd een tovenaar van de derde graad zijn. Swetlana zou me overtreffen en binnenkort – en volgens het plan van de Wacht zéér binnenkort – een tovenares worden die buiten elke categorie viel.

Het enige wat ons dan nog restte, waren een vriendschappelijke handdruk als we elkaar tegenkwamen en ansichtkaarten voor onze verjaardag en kerst.

'Liggen ze daar te slapen of zo?' schreeuwde Ilja die zich niet zo lang bezighield met dat soort problemen. Hij leunde uit het raampje, en meteen waaide er hete, maar wel schone lucht de auto in. Hij zwaaide, keek in de camera die boven de poort hing en toeterde.

Langzaam ging het hek open.

'Dat is beter,' snoof de tovenaar en reed de binnenplaats op.

Het terrein was groot en dichtbegroeid met bomen. Verbazingwekkend dat ze de villa hadden kunnen bouwen zonder de dennen en de sparren te beschadigen. Op een paar bloemen om een fontein heen na, waren er natuurlijk geen bloemperken. Op een verharde parkeerplaats voor het huis stonden vijf auto's. Ik herkende de oude Niwa waar Danila uit vaderlandsliefde in reed, en Olga's sportwagen – hoe had ze die daar gekregen, over de akker? Tussen die twee auto's in stond een sjofele bestelwagen die Tolik in gebruik had, plus nog twee auto's die ik wel eens voor het kantoor had zien staan, maar waarvan ik niet wist van wie ze waren.

'Ze hebben niet op ons gewacht,' brieste Ilja. 'Het gaat er hier al heet aan toe, terwijl de beste mensen van de Wacht zich nog afbeulen over de dorpsstraten.'

Hij schakelde de motor uit en op hetzelfde moment riep Joelja enthousiast: 'Tijgerjong!'

Terwijl ze zonder meer over me heen sprong, opende ze de deur en hupte de auto uit.

Semjon vloekte even en voordat ik wist wat er gebeurde, stond hij naast haar. Net op tijd.

Waar de honden zich hadden verstopt, was me een raadsel. Ze hadden zich in elk geval niet laten zien voordat Joelja de auto uitstapte. Zodra haar voeten de grond raakten, stormden er echter van alle kanten stille, strogele schaduwen op haar af.

Het meisje gilde. Met haar capaciteiten zou ze een roedel wolven hebben aangekund en zeker wel een stuk of vijf of zes honden. Maar tot nu toe had ze zich nog nooit in het echt hoeven te bewijzen en daarom raakte ze nu de kluts kwijt. Eerlijk gezegd had ook ik deze overval niet verwacht. Niet hier. En al helemaal niet op deze manier. Honden vallen gewoonlijk geen Anderen aan; ze zijn bang voor Duisteren en houden van Lichten. Je moet dieren heel goed africhten om in hun de aangeboren angst voor de bron van magie op twee benen te smoren.

Swetlana, Ilja en ik stoven de auto uit. Maar Semjon was ons voor. Met één hand greep hij het meisje en met de andere trok hij een streep in de lucht. Ik dacht dat hij intimidatiemagie zou gebruiken, in de Schemer zou treden of de honden tot as verbranden. Meestal grijp je in een reflex terug op de allereenvoudigste magie.

Maar Semjon koos voor de 'freeze', het invriezen in de tijd. Twee honden werden midden in de lucht getroffen: hun met een blauw licht omgeven lichamen bleven boven de grond hangen, hun smalle kop met de ontblote tanden uitgestrekt. Druppels speeksel dropen als glanzende lichtblauwe ijsregen van hun snijtanden af.

De drie honden die op de grond waren ingevroren, zagen er niet minder indrukwekkend uit.

Tijgerjong kwam al naar ons toe gerend. Met een bleek gezicht en wijdopen ogen. Heel even keek ze naar Joelja: het meisje gilde nog steeds, maar wel wat zachter nu.

'Is er iemand gewond?' vroeg ze na een tijdje.

'Waar ben je nou mee bezig!' gromde Ilja en liet zijn toverstaf zakken. 'Waarom fok je deze beesten?'

'Ze zouden niemand iets hebben gedaan,' zei Tijgerjong schuldbewust.

'Niet?' Semjon zette Joelja, die hij nog steeds onder zijn arm hield, weer op de grond. Hij streek peinzend met zijn vingers over de witte tanden van de in de lucht hangende honden. De elastische band van de invriesmagie veerde onder zijn hand.

'Echt waar!' Tijgerjong drukte haar hand tegen haar borst. 'Jongens, Sweta, Joelenka, het spijt me echt. Ik kon ze niet meer tegenhouden. De honden zijn erop getraind om onbekenden te grijpen en vast te houden.'

'Zelfs Anderen?'

'Ja.'
'Zelfs Lichten?' Er klonk oprecht respect door in Semjons stem.
Tijgerjong sloeg haar blik neer en knikte.
Joelja liep naar haar toe en sloeg haar armen om haar heen. 'Ik was niet bang,'
zei ze relatief kalm. 'Ze hebben me alleen maar in de war gebracht.'
'Gelukkig maar dat ik dat ook zo heb ervaren,' zei Ilja somber. Hij borg zijn
wapen op. 'Gegrild hondenvlees is een beetje te exotisch. Tijger, die rothon-
den van jou zouden me toch moeten kennen!'
'Ze zouden jou ook niet hebben aangeraakt.'
Langzaam verminderde de spanning. Er was immers niets ergs gebeurd en we
kunnen elkaar genezen. Alleen was de picknick dan niet doorgegaan.
'Sorry,' zei Tijgerjong nog een keer. En keek ons allemaal smekend aan.
'Maar vertel eens, waar heb je ze eigenlijk voor nodig?' Sweta keek naar de
honden. 'Leg me dat eens uit. Met jouw capaciteiten kun je immers zelfs
een colonne Groene Baretten aan. Waar heb je deze rottweilers dan voor
nodig?'
'Dit zijn geen rottweilers, maar staffordshire terriërs.'
'Wat maakt dat nou uit!'
'Ze hebben al eens een keer inbrekers gepakt. Ik ben immers maar twee
dagen per week hier, want ik slaap vaak in de stad.'
Haar verklaring was niet erg overtuigend. Een simpele intimidatiemagie, en
geen mens zou zelfs maar in de buurt van het terrein kunnen komen. Maar
nog voor een van ons dit had kunnen zeggen, zei Tijgerjong ontwapenend:
'Dat heeft te maken met mijn geaardheid.'
'Blijven die honden nog lang zo hangen?' vroeg Joelja die nog steeds tegen de
jonge vrouw aanleunde. 'Ik wil vriendschap met ze sluiten. Anders hou ik
hier een trauma aan over dat onvermijdelijk zijn weerslag zal hebben op mijn
persoonlijkheid en mijn seksuele voorkeuren.'
Semjon snoof. Joelja had het conflict gesust met haar opmerking, hoewel je je
kon afvragen of die oprecht was of berekenend.
'Vanavond zijn ze weer wakker. Vraag je ons niet binnen, gastvrouw?'
We lieten de honden bij de auto staan en hangen, en liepen naar het huis.
'Wat mooi is het hier, Tijgerjong!' zei Joelja. Inmiddels negeerde ze ons en
klampte zich alleen nog maar aan de jonge vrouw vast. De tovenares scheen
haar grote idool te zijn die ze alles vergaf, zelfs de overijverige honden.
Waarom idealiseert men altijd de onbereikbare capaciteiten?
Joelja is een uitstekende analiste, die in staat is om de realiteitsdraden te ont-
warren die verborgen magische redenen voor op het oog heel alledaagse
gebeurtenissen onthullen. Ze is slim, haar afdeling is dol op haar; ze houden
niet alleen van het kleine meisje in haar, maar waarderen haar ook als strijd-
makker, als waardevolle en soms onvervangbare medewerkster. Maar haar

idool is Tijgerjong, de diervrouw, de vechttovenares.

Ze doet geen enkele poging de goede oude Polina Wassiljewna te evenaren die nog een halve baan heeft bij de analytische afdeling en wordt ook niet verliefd op de afdelingschef Edik, een imposante, oudere Don Juan. Nee, ze kiest Tijgerjong als idool.

Ik sloot de rijen en floot maar wat voor me heen. Ving Swetlana's blik op en schudde even met mijn hoofd. Alles was in orde. Ons stond een weekend luieren te wachten. Zonder Duisteren en Lichten, zonder intriges, zonder confrontaties. Alleen maar in het meer zwemmen, in de zon liggen, sjasliek eten, rode wijn drinken. En 's avonds een stoombad. Zo'n villa had vast wel een mooi stoombad. Daarna zouden Semjon en ik een fles wodka leegdrinken, met een potje paddenstoelen erbij, en ons een beetje van de anderen afzonderen, ons helemaal bezatten, naar de sterren kijken en filosofische gesprekken over verheven onderwerpen voeren.

Geweldig.

Ik zou wel een mens willen zijn. Al was het maar voor een dag.

Semjon bleef staan en knikte naar me. 'We moeten twee flessen hebben. Of drie, voor het geval er nog iemand komt.'

Dit verbaasde me niet, het irriteerde me niet eens. Hij had mijn gedachten niet gelezen, maar bezat gewoon meer levenservaring.

'Afgesproken,' zei ik. Swetlana keek nog een keer wantrouwig mijn kant op, maar zei niets.

'Voor jou is het gemakkelijker,' voegde Semjon eraan toe. 'Ik slaag er maar zelden in een mens te zijn.'

'Is dat dan nodig?' vroeg Tijgerjong die al bij de voordeur stond.

Semjon haalde zijn schouders op. 'Nee, natuurlijk niet. Maar ik zou het graag willen.'

We liepen de villa in.

Zelfs dit huis kon geen twintig gasten bergen. Als we mensen waren geweest, was het een ander verhaal geweest. Maar nu maakten we te veel lawaai. Neem een stuk of twintig kinderen die zich eerst een paar maanden lang als modelleerling hebben gedragen, geef ze dan een enorme hoeveelheid speelgoed en laat ze alles doen wat ze maar willen – kijk dan maar eens naar het resultaat. Waarschijnlijk hielden alleen Sweta en ik ons een beetje afzijdig van de lawaaierige vrolijkheid. We hadden van een buffet een glas wijn gepakt en waren op de kleine, leren bank in een hoekje van de woonkamer gaan zitten. Semjon en Ilja vochten al weer een magisch duel uit. Wat ze heel keurig, vredig en op een in eerste instantie voor het publiek heel prettige wijze deden. Kennelijk had Semjon in de auto op het eergevoel van zijn vriend gewerkt: nu veranderden ze om beurten het weer in de woonkamer. We hadden al een winter in een bos bij Moskou, een mistige herfstdag en de zomer in Spanje gehad. Tijgerjong had regen ten strengste verboden, maar ook zo waren de beide tovenaars niet van plan natuurgeweld te ontketenen. Kennelijk hadden ze zichzelf bij de klimaatverandering bepaalde beperkingen opgelegd: ze keken niet alleen wie van hen het meest bijzondere natuurmoment had bewaard, maar ook hoe goed het bij een bepaalde situatie paste.

Garik, Farid en Danila speelden een spelletje kaart. Met heel gewone, niet-gemanipuleerde kaarten; alleen de lucht boven de tafel vonkte als gevolg van de magie. Ze maakten gebruik van alle tot hun beschikking staande vormen van magisch vals spel en de bescherming daartegen. Daarom maakte het niet uit welke kaarten je kreeg en welke je er later nog bij mocht pakken.

Ignat stond in de deuropening, omringd door de meisjes van de wetenschappelijke afdeling. Ook onze slechte vrouwelijke programmeurs hadden zich bij hen aangesloten. Zo te zien had onze erotomaan op het liefdesfront een nederlaag moeten slikken en likte hij nu in kleine kring zijn wonden.

'Anton,' vroeg Swetlana zachtjes, 'wat denk jij, is dit allemaal echt?'

'Wat bedoel je?'

'Deze vrolijkheid. Je weet toch nog wel wat Semjon heeft gezegd?'

Ik haalde mijn schouders op. 'Dat we nog een keer over dit onderwerp zullen praten als we honderd jaar oud zijn? Het gaat goed met me. Gewoon goed. Omdat ik nergens achteraan hoef te lopen, me nergens zorgen over hoef te maken, terwijl de waakhonden met hun tong uit de bek in de schaduw zijn gaan liggen.'

'Met mij gaat het ook goed,' zei Swetlana instemmend. 'Maar we zijn maar met ons vieren, niet meer dan vier jonge of bijna jonge. Joelja, Tijgerjong, jij en ik. Hoe zal het over honderd jaar met ons gaan? Of over driehonderd?'

'Dat zien we dan wel.'

'Anton, je moet het begrijpen.' Sweta raakte zachtjes mijn hand aan. 'Ik ben er heel trots op dat ik nu bij de Wacht ben. Blij dat mijn moeder weer gezond is. Mijn leven is nu beter; het zou dom zijn dat te ontkennen. Ik begrijp zelfs waarom de Chef je dit heeft laten meemaken...'

'Niet doen, Sweta.' Ik pakte haar hand. 'Zelfs ik heb dat begrepen, ook al vond ik dat moeilijk. We moeten er niet meer over praten.'

'Dat wil ik ook helemaal niet.' Sweta dronk haar wijn op en zette haar lege glas neer. 'Anton, wat ik bedoel, is dat ik geen vreugde zie.'

'Waar?' Af en toe ben ik vrij traag van begrip.

'Hier. Bij de Nachtwacht. In onze vriendenkring. Elke dag weer leveren we de een of andere strijd. Soms een grote, soms een kleine. Met doorgedraaide diermensen, met tovenaars van het Duister, met alle krachten van het Duister tegelijk. We doen ons best, steken onze kin naar voren, sperren onze ogen open en zijn bereid ons halsoverkop in een vuurgevecht te storten of met onze blote kont op een egel te gaan zitten.'

Ik snoof vergenoegd. 'En wat is daar verkeerd aan, Sweta? Ja, wij zijn solda-ten. Stuk voor stuk, van Joelja tot Geser. Oorlog is geen pretje, zeker niet. Maar als we ons terugtrekken...'

'Ja, wat dan?' vroeg Sweta. 'Is dat dan het einde van de wereld? De krachten van het Duister en het Licht strijden al duizenden jaren tegen elkaar. Vliegen elkaar naar de strot, hitsen hun mensenlegers tegen elkaar op en dat alles voor dat grote doel. Zijn de mensen sinds die tijd echt niet beter geworden, Anton?'

'Ja, dat zijn ze wel.'

'Sinds het moment waarop de Wachten met hun werk zijn begonnen? Anton, lieveling, je hebt me veel verteld en je bent niet de enige geweest. Dat de beslissende strijd om de zielen van de mensen wordt gevoerd, dat we een gigantisch bloedbad voorkomen. Misschien doen we dat ook wel. De mensen vermoorden elkaar. Veel meer dan tweehonderd jaar geleden.'

'Wil je daarmee zeggen dat ons werk een slechte uitwerking heeft?'

'Nee.' Vermoeid schudde Sweta haar hoofd. 'Dat wil ik niet. Zo arrogant ben ik niet. Ik wil alleen maar zeggen dat we misschien inderdaad... het Licht zijn. Alleen... In de stad hebben ze nu nagemaakte kerstspullen. Ze lijken op de echte, maar niemand wordt er vrolijk van.'

Ze zei dit heel ernstig, zonder haar intonatie te veranderen. Ze keek me recht aan. 'Begrijp je wel?'

'Ja, ik begrijp het.'

'Natuurlijk, de Duisteren veroorzaken nu niet zoveel kwaad,' zei ze. 'Dat zijn onze compromissen, een goede daad voor een slechte daad, de licenties voor moord en voor genezing zijn te rechtvaardigen, dat geloof ik graag. De Duis-teren richten minder kwaad aan dan vroeger, en wij veroorzaken zelf ook geen kwaad. En de mensen?'

'Wat hebben de mensen daarmee te maken?'

'Maar het gaat toch zeker om hen! Wij verdedigen hen. Onbaatzuchtig en onvermoeibaar. Maar waarom gaat het dan niet beter met hen? Ze nemen uit zichzelf het werk van de Duisteren over. Waarom? Zijn we misschien iets kwijtgeraakt, Anton? De overtuiging waarmee de tovenaars van het Licht legers de dood in stuurden, maar ook zelf in de voorste linies meestreden? Het vermogen om niet alleen te verdedigen, maar ook vreugde te brengen? Wat is het nut van stevige muren als het de muren van een gevangenis zijn? De mensen zijn de echte magie vergeten, de mensen geloven niet in het Duis-ter, maar ook niet in het Licht! Anton, wij zijn soldaten. Dat klopt! Maar alleen als het oorlog is, houdt men van een leger.'

'Het is oorlog.'

'Wie weet dat dan?'

'Wij zijn vermoedelijk geen echte soldaten,' gaf ik toe. Het is altijd onplezie-

rig om een overtuiging die je allang hebt op te geven, maar ik had geen keus.
'We zijn eigenlijk huzaren. Taram, pam, pam...'
'De huzaren konden lachen. Wij zijn dat al bijna verleerd.'
'Zeg me dan wat we moeten doen.' Ik begreep opeens dat de dag die zo mooi
beloofde te worden, bij het vuilnis gezet kon worden, tussen stinkend en
smerig afval. 'Vertel op! Jij bent een Grote Tovenares, dat zul je tenminste al
snel zijn. De generaal in onze oorlog. Terwijl ik maar een eenvoudige luite-
nant ben. Geef mij een order, de juiste! Vertel me, wat moet ik doen?'
Toen pas viel het me op dat het stil was geworden in de woonkamer en dat ze
allemaal naar ons luisterden. Maar dat kon me helemaal niets schelen.
'Beveel je me om naar buiten te gaan en Duisteren te vermoorden? Dan ga ik.
Dat is niet mijn sterke punt, maar ik zal mijn uiterste best doen! Beveel je me
om te lachen en de mensen iets moois te geven? Dan doe ik dat. Maar wie zal
dan opdraaien voor het kwaad waarvoor ik het pad effen? Goed en kwaad,
Licht en Duister. Ja, deze woorden herhalen we steeds weer, ontdoen ze van
hun betekenis, dragen ze als vaandels voor ons uit en laten ze dan in weer en
wind vergaan. Geef me dan een nieuw woord! Geef me een nieuw vaandel!
Zeg me waar ik naartoe moet gaan en wat ik moet doen!'
Haar lippen trilden. Ik zweeg, maar het was al te laat.
Swetlana huilde, met haar handen voor haar gezicht.
Waarom had ik dat gedaan?
Of hadden we al verleerd om naar elkaar te glimlachen?
Ook al had ik honderd keer gelijk, dan nog...
Wat is mijn waarheid waard als ik wel bereid ben om de hele wereld te verde-
digen, maar niet degenen die me na staan? Als ik de haat bedwing, maar de
liefde niet meer kan toelaten?
Ik sprong op, sloeg mijn armen om Swetlana heen en trok haar de woonka-
mer uit. De tovenaars bleven staan, wendden hun blik af. Misschien hadden
ze een dergelijke scène al veel vaker gezien. Misschien begrepen ze alles wel.
'Anton.' Heel stilletjes was Tijgerjong aan komen lopen, duwde tegen een
deur, deed hem open. Keek me aan met een mengeling van verwijt en onverwacht begrip. En liet ons alleen.
Een tijdje stonden we daar, zonder ons te bewegen. Swetlana huilde zachtjes,
met haar hoofd tegen mijn schouder, en ik wachtte af. Er viel niets meer te
zeggen. Ik had alles er al uitgeflapt wat ik kon bedenken.
'Ik zal het proberen.'
Dat had ik niet verwacht. Van alles – beledigingen, een tegenaanval, verwijten – maar dit niet.
Swetlana haalde haar handen van haar betraande gezicht. Schudde glimlachend haar hoofd. 'Je hebt gelijk, Antosjka. Helemaal gelijk. Tot nu toe klaag
ik alleen maar. Zeur als een kind, begrijp niets. Terwijl ze me met mijn neus

in de griesmeel duwen, het goedvinden dat ik met vuur speel, en afwacht, wacht tot ik rijper ben. Dan zal het allemaal wel zo moeten zijn. Ik zal het proberen en geef je een nieuw vaandel.'

'Sweta...'

Ze viel me in de rede: 'Je hebt gelijk. Maar ik ook een beetje. In elk geval was het niet slim om me zo te laten gaan waar de anderen bij waren. Ze amuseren zich zo goed mogelijk, net zoals ze zo goed mogelijk met elkaar vechten. Wij hebben nu paar vrije dagen, die moeten we voor de anderen niet bederven. Afgesproken?'

Weer voelde ik die muur. Deze onzichtbare muur die altijd tussen mij en Geser in zal staan, tussen mij en de mensen van de hoogste leiding.

Die muur die de tijd tussen ons zal oprichten. Vandaag heb ik hem eigenhandig met een paar lagen koud kristalsteen opgehoogd.

'Vergeef me, Sweta,' fluisterde ik. 'Vergeef me.'

'Vergeet het nu maar,' zei ze vastbesloten. 'Laten we er maar niet meer aan denken. We kunnen het nu nog vergeten.'

Eindelijk keken we om ons heen.

'De werkkamer?' zei Sweta.

Boekenkasten van donker eiken en de boeken achter donker glas. Een indrukwekkend bureau met een computer erop.

'Ja.'

'Maar Tijgerjong woont toch alleen?'

'Ik weet het niet.' Ik schudde mijn hoofd. 'We horen elkaar niet uit.'

'Volgens mij woont ze wel alleen. Nu in elk geval wel.' Swetlana haalde een zakdoek tevoorschijn en depte voorzichtig een paar tranen weg. 'Ze heeft een mooi huis. Kom, we gaan, anders maken ze zich nog ongerust.'

Ik schudde mijn hoofd. 'Ze voelen heus wel dat we geen ruzie met elkaar maken.'

'Nee, dat kunnen ze niet. Alle kamers hier zijn afgeschermd, ze zullen niets voelen.'

Toen ik de Schemer in tuurde, zag ook ik verborgen glinsteringen. 'Nu zie ik het. Je wordt elke dag sterker.'

Swetlana glimlachte, nog wel een beetje gespannen, maar trots. 'Grappig,' zei ze. 'Waarom zou je barrières inbouwen als je alleen woont?'

'Maar waarom zou je ze inbouwen als je niet alleen woont?' vroeg ik. Zachtjes, omdat ik geen antwoord wilde. En Swetlana gaf ook geen antwoord.

We verlieten de werkkamer en liepen naar de woonkamer.

Daar heerste weliswaar niet bepaald een begrafenisstemming, maar dat scheelde niet veel.

Aan wie was dat te danken? Semjon of Ilja? Er hing een vochtige, venige geur in het vertrek.

Lena hing aan Ignats arm en hij keek verlangend naar de anderen. Hij was dol op vrolijkheid, op welke manier dan ook; elke ruzie en elke spanning dreven hem een mes in het hart. De kaartspelers staarden naar één enkele kaart die op tafel lag en die onder hun blik begon te trillen, kromtrok... de kleur en de waarde veranderde.

De snel gepikeerde Joelja vroeg zachtjes iets aan Olga.

'Schenken jullie iets voor ons in?' vroeg Sweta die mijn hand vasthield. 'Is er dan niemand die weet wat de beste medicijn is voor een hysterische vrouw? Vijftig cc cognac.'

Tijgerjong, die met een ongelukkig gezicht bij het raam stond, liep snel naar de bar. Dacht ze misschien dat onze ruzie haar schuld was?

Sweta en ik namen een glas cognac, proostten demonstratief met elkaar en gaven elkaar een kus. Ik ving Olga's blik op: ze keek niet verheugd, niet bedroefd, maar nieuwsgierig. En een beetje jaloers, en niet vanwege die kus. Opeens voelde ik me niet op mijn gemak.

Alsof ik uit een doolhof was gekomen, waar ik lange dagen en maanden had rondgedwaald, en de ingang van de volgende catacombe al zag.

2

Ik kon pas twee uur later onder vier ogen met Olga praten. De anderen, wier vrolijkheid volgens Swetlana zo gemaakt was, waren inmiddels naar buiten gegaan. Semjon speelde de baas bij de barbecue en deelde sjasliek uit dat hij in zo'n tempo klaarmaakte dat hij er kennelijk magie bij gebruikte. Naast hem, in de schaduw, stonden nog twee dozen droge wijn.

Olga stond opgewekt met Ilja te praten; beiden hadden een stokje sjasliek en een glas wijn in de hand. Ik vond het jammer om deze idylle te verstoren, maar...

Ik liep naar hen toe en zei: 'Olga, ik moet met je praten.' Swetlana was helemaal verdiept in een gesprek met Tijgerjong. Ze bespraken vol vuur het traditionele nieuwjaarscarnaval van de Wacht, waarbij ze met onnavolgbare vrouwenlogica van de huidige hitte overgingen op dit onderwerp. Een goed moment.

'Neem me niet kwalijk, Ilja.' De tovenares spreidde haar armen. 'We hebben het er nog over, goed? Ik wil heel graag horen welke oorzaken er volgens jou waren voor de ineenstorting van de Sovjet-Unie. Ook al heb je ongelijk.'

De tovenaar lachte triomfantelijk en liep weg.

'Vraag het maar, Anton,' zei Olga op dezelfde toon.

'Je weet wat ik wil?'

'Ik denk het.'

Ik keek om me heen. Niemand stond vlak bij ons.

'Wat staat Swetlana te wachten?'

'Het is moeilijk de toekomst te voorspellen. En zeker als het gaat om de toekomst van Grote Tovenaars en Tovenaressen...'

'Geen smoesjes, partner.' Ik keek haar aan. 'Dat is niet nodig. We hebben samen toch het een en ander meegemaakt? Als team? Nog helemaal niet zo lang geleden had je nog straf en was jou alles ontnomen, zelfs je lichaam. En het was een terechte straf.'

Olga trok bleek weg. 'Wat weet jij van mijn schuld?'

'Alles.'

'Hoe kan dat?'

'Gegevens verwerken is immers mijn werk.'

'Je hebt geen toegang tot mijn gegevens. Mijn zaak is nooit in de gedigitaliseerde archieven terechtgekomen.'

'Er bestaan indirecte gegevens, Olga. Heb je wel eens een kring op het water gezien? De steen ligt dan misschien al lang op de bodem, overdekt met slijm, maar dan breiden de kringen zich nog steeds uit. Overspoelen het talud, spoelen afval en schuim naar de oever en, als de steen maar groot genoeg is, laten ze schepen kantelen. En deze was heel groot. Ga er maar van uit dat ik lang op de oever heb gestaan; daar heb gestaan en naar de golven heb gekeken die tegen de oever aanklotsten.'

'Je bluft.'

'Nee. Olga, wat staat Swetlana te wachten? Welke fase van haar opleiding?'

De tovenares keek me aan, vergat haar koud geworden sjasliek en haar halflege glas. Ik sloeg nog een keer toe. 'Jij hebt die fase toch ook doorlopen?'

'Ja.' Kennelijk was ze niet van plan nog langer te zwijgen. 'Dat is zo. Maar er was meer tijd voor mijn voorbereiding.'

'Waarom wordt alles bij Sweta zo overhaast?'

'Niemand had erop gerekend dat er deze eeuw nog een Grote Tovenares geboren zou worden. Geser moest improviseren, tijdens het spel van alles omgooien.'

'Heb je daarom je vroegere gedaante weer teruggekregen? En niet alleen omdat je goed werk had geleverd?'

'Je weet immers alles al!' Olga's ogen fonkelden onvriendelijk. 'Waarom kwel je me zo?'

'Hou jij toezicht op de voorbereidingen? Rekening houdend met je eigen ervaringen?'

'Ja. Ben je nu tevreden?'

'Olga, we staan allebei aan dezelfde kant,' fluisterde ik.

'Dan moet je je maten niet in de rug aanvallen.'

'Wat is het doel van dit alles, Olga? Wat heb jij niet voor elkaar gekregen? Wat moet Sweta doen?'

'Jij...' Ze was helemaal van slag. 'Je hebt dus toch gebluft, Anton!'

Ik zweeg.

'Je weet helemaal niets! Die kringen op het water zeggen je helemaal niets; je weet niet eens waar je moet kijken om ze te kunnen zien!'

'Misschien niet. Maar in grote lijnen heb ik toch gelijk?'

Olga keek me aan en beet op haar lip.

Ze schudde haar hoofd en zei: 'Ja. Een duidelijke vraag, een duidelijk antwoord. Maar ik zal niets uitleggen. Je mag het niet weten, het gaat je niets aan.'

'Daar vergis je je in.'

'Niemand van ons wenst Sweta iets slechts toe,' zei Olga op scherpe toon. 'Is dat duidelijk?'

'Wij kunnen sowieso niemand iets slechts toewensen. Alleen is het zo dat het goede van ons zich vaak helemaal niet onderscheidt van het slechte.'

'Laten we maar ophouden, Anton. Ik heb niet het recht je vragen te beant-woorden. En we willen deze onverwachte vrije dagen toch zeker niet voor de anderen bederven?'

'Hoe onverwachts zijn die echt?' vroeg ik liefjes. 'Olga?'

Ze had zichzelf alweer in de hand, haar gezicht was ondoorgrondelijk. Te ondoorgrondelijk voor zo'n vraag.

'Je hebt ook nu al veel te veel gehoord.' Ze verhief haar stem, was weer even vastbesloten als vroeger.

'Ze hebben ons nog nooit allemaal tegelijk op vakantie gestuurd, Olga. Zelfs niet op een dagtochtje. Waarom wilde Geser de Lichten de stad uit hebben?'

'Niet alle.'

'Polina Wassiljewna en Andrej tellen niet mee. Je weet heel goed dat die het kantoor nooit uitkomen. Er is geen enkele Wachter in Moskou achtergeble-ven!'

'Maar de Duisteren gedragen zich toch goed?'

'Ja, en?'

'Nu is het genoeg, Anton.'

Ik begreep wel dat ik geen woord meer uit haar zou krijgen. Ik bond in: 'Goed, Olga. Een halfjaar geleden waren we nog gelijkwaardig, hoewel dat misschien gewoon toeval was. Kennelijk is dat nu veranderd. Neem me niet kwalijk. Het zijn mijn problemen niet, die gaan mijn bevoegdheid te boven.'

Olga knikte. Dat was zo verrassend dat ik mijn ogen niet kon geloven.

'Eindelijk heb je het door.'

Maakte ze zich soms vrolijk over mij? Of dacht ze echt dat ik me er verder niet mee zou bemoeien?

'Ik ben per slot van rekening niet op mijn achterhoofd gevallen,' zei ik. Ik keek naar Swetlana die grapjes met Tolik stond te maken.

'Ben je niet boos op me?' vroeg Olga.

Ik raakte even haar hand aan, glimlachte en liep het huis weer in. Ik wilde iets doen. Nu. Alsof ik de geest was die duizend jaar in de fles heeft gezeten en nu de fles uitstroomde. Iets doen: paleizen bouwen, steden verwoesten, een pro-gramma in Basic schrijven of een borduurwerk in kruissteek maken.

Ik deed de deur open zonder hem aan te raken... ik duwde hem door de Sche-mer open. Ik weet niet waarom. Zoiets overkomt me zelden, soms als ik dronken ben, soms als ik woedend ben. En nu was ik zeker niet dronken.

Er was niemand in de woonkamer. Waarom zou je ook binnen zitten als bui-ten sjasliek werd gegrild, koude wijn was en er voldoende ligstoelen onder de bomen stonden?

Ik liet me in een stoel vallen. Greep mijn – of Sweta's – glas van de tafel en schonk er cognac in. Dronk hem in één teug leeg, alsof het geen vijftien jaar oude Prasdnitsjny was, maar goedkope wodka. Schonk nog eens in.

Toen kwam Tijgerjong de kamer in.

'Je vindt het toch niet erg?' vroeg ik.

'Nee, natuurlijk niet.' De tovenares ging naast me zitten. 'Wat is er met je, Anton?'

'Trek je maar niets van mij aan.'

'Hebben jullie ruzie, Sweta en jij?'

Ik schudde mijn hoofd. 'Nee, dat is het niet.'

'Heb ik iets verkeerds gedaan, Anton? Vinden jullie het hier niet leuk?'

Ik keek haar stomverbaasd aan. 'Hoe kan dat nou, Tijgerjong! Alles is geweldig. Iedereen vindt het hier leuk.'

'En jij?'

Ik had Tijgerjong nog nooit zo moedeloos gezien. Wat gaf het nou of ik het leuk vond? Ze kon het toch zeker niet iedereen naar de zin maken?

'Swetlana wordt nog verder voorbereid,' zei ik.

'Waarop?' De vrouw fronste haar voorhoofd.

'Ik weet het niet. Op iets wat Olga niet voor elkaar heeft gekregen. Iets wat én heel gevaarlijk én heel belangrijk is.'

'Goed.' Ze pakte een glas, schonk zich wat in, nam een slok cognac.

'Goed?'

'Ja. Dat ze haar voorbereiden, instrueren.' Tijgerjong keek zoekend om zich heen en keek toen met gefronste wenkbrauwen naar de muziekinstallatie. 'Ik ben altijd de afstandsbediening kwijt.'

De installatie ging aan, de lampjes lichtten op. Queen weerklonk: *Kind of Magic*. Ik kon die nonchalante actie wel waarderen. Het op afstand aansturen van elektronica, dat is nog eens wat anders dan gaten in de muur boren met je blik of muggen verjagen met een vuurbol.

'Hoe lang heb jij je op je werk bij de Wacht voorbereid?' vroeg ik.

'Vanaf mijn zevende. Toen ik zestien was, heb ik voor het eerst meegedaan aan een actie.'

'Negen jaar! En voor jou was het gemakkelijker, want jouw magie is natuurlijk. Maar van Swetlana willen ze binnen een paar maanden, binnen een jaar, een Grote Tovenares maken!'

'Dat wordt lastig,' gaf ze toe. 'Denk je dat de Chef een fout maakt?'

Ik haalde mijn schouders op. Zeggen dat de Chef een fout maakte, zou net zo dom zijn als beweren dat de zon niet in het oosten opkomt. Honderden... wat heet honderden: duizenden jaren heeft hij geleerd om geen fouten te maken. Geser kon dan wel streng of heel streng zijn zelfs, de Duisteren provoceren en de Lichten opofferen; hij kon alles. Maar hij kon zich niet vergissen.

'Ik denk dat hij Sweta overschat.'

'Onzin! De Chef calculeert goed.'

'Hij doet alles goed. Ik weet het, hij beheerst dit spel volkomen.'
'En hij wil alleen maar het beste voor Sweta,' voegde de tovenares er streng aan toe. 'Begrijp je wel? Misschien dan wel op zijn eigen manier. Jij zou het anders doen, en ik en Semjon ook. Of Olga. Wij zouden het allemaal anders doen, maar hij is het Hoofd van de Wacht. En volkomen terecht.'
'Omdat hij de boel beter kan overzien?' vroeg ik vinnig.
'Ja.'
'En hoe zit het met de vrijheid?' Ik schonk mijn glas weer vol. Wat misschien niet nodig was, want mijn hoofd tolde al. 'De vrijheid?'
'Je praat net als de Duisteren,' snauwde ze.
'Ik zie het liever zo, dat ze net zo praten als ik.'
'Het is allemaal toch heel eenvoudig, Anton.' Tijgerjong boog zich naar me toe en keek me aan. Ze rook naar cognac en licht naar bloemen, maar die geur kon amper door parfum worden veroorzaakt, want zoiets vinden dier-mensen niet lekker. 'Je houdt van haar.'
'Klopt. Is er iemand die dat nog niet weet?'
'Je weet toch dat haar krachten de jouwe binnenkort zullen overstijgen?'
'Als dat nu al niet het geval is.' Ik wilde daar niet verder op ingaan, maar dacht er weer aan hoe gemakkelijk Swetlana daarnet de magische afscher-ming had ontdekt.
'Ze zullen de jouwe verreweg overtreffen. Jullie krachten zullen niet meer te vergelijken zijn. Jij zult haar problemen niet kunnen begrijpen; ze zullen je vreemd zijn. Als je bij haar blijft, zul je al snel het gevoel hebben dat je een overbodig aanhangsel bent, een gigolo, en je aan het verleden vastklampen.'
'Ja.' Ik knikte en zag tot mijn verbazing dat mijn glas al weer leeg was. Onder de aandachtige blik van de gastvrouw schonk ik me nog eens in. 'Dan moet ik maar bij haar weggaan. Daar zit ik niet op te wachten.'
'Het gaat niet anders.'
Ik had nooit gedacht dat ze zo hard kon zijn. Of dat ze zich zenuwachtig zou afvragen of het iedereen wel smaakt of leuk vindt. Maar ook deze vervelende waarheid had ik niet verwacht.
'Ik weet het.'
'Dan is er maar één reden waarom jij je zo zit op te winden, Anton: dat de Chef Sweta zo vastbesloten naar boven trekt.'
'Omdat mijn tijd op raakt,' zei ik. 'Me als zand door de vingers glipt.'
'Jouw tijd? Jullie tijd, Anton.'
'Die tijd was niet van ons, nooit geweest ook.'
'Waarom niet?'
Inderdaad, waarom eigenlijk niet? Ik haalde mijn schouders op. 'Veel dieren planten zich niet voort in gevangenschap.'
De jonge vrouw wond zich op: 'Nu doe je het alweer! Wat voor gevangen-

schap? Je zou blij voor haar moeten zijn. Swetlana zal de trots van de Lichten worden. Jij hebt haar ontdekt, alleen jij kon haar redden.'

'En waarvoor? Voor de volgende strijd met de Duisteren? Een overbodige strijd?'

'Anton, nu praat je echt als een Duistere. Je houdt toch van haar! Dan moet je niets eisen, geen tegenprestatie! Dat is de weg van het Licht!'

'Daar waar de liefde begint, eindigen Licht en Duister.'

De vrouw was boos en zei niets meer. Ze schudde verdrietig haar hoofd. Met tegenzin zei ze: 'Je zou me in elk geval één ding kunnen beloven...'

'Hangt ervan af wat.'

'Dat je verstandig bent. Je oude makkers vertrouwt.'

'De helft beloof ik je.'

Tijgerjong zuchtte. 'Luister naar me, Anton,' drong ze met tegenzin aan. 'Waarschijnlijk denk je dat ik je helemaal niet begrijp. Dat denk je verkeerd. Ik wilde namelijk geen diervrouw worden. Ik had behoorlijke capaciteiten als genezeres.'

'Echt waar?' Ik keek haar stomverbaasd aan. Dat had ik niet verwacht.

'Ja, echt waar,' bevestigde ze luchtigjes. 'Maar toen ik moest kiezen welke kracht ik wilde ontwikkelen, riep de Chef me bij zich. We hebben bij elkaar gezeten, theegedronken en gebak gegeten. En heel ernstig met elkaar gepraat, als volwassenen, hoewel ik toen nog een klein meisje was, jonger dan Joelja nu is. Over wat het Licht nodig heeft, wat noodzakelijk is voor de Wacht, wat ik kon bereiken. En we besloten dat ik de capaciteiten voor vechttransforma-tie zou ontwikkelen, ten koste van alle andere talenten die ik had. In het begin was ik niet bijster enthousiast. Heb je enig idee hoe pijnlijk het is om te transformeren?'

'In een tijger?'

'Nee, in een tijger veranderen stelt niets voor. Terug, dat is lastig. Maar ik heb het volgehouden. Omdat ik de Chef geloofde, omdat ik begreep dat het goed is.'

'En nu?'

'Nu ben ik gelukkig,' zei de vrouw vol vuur. 'Als ik eraan denk wat ik allemaal zou verliezen, aan wat ik dan zou moeten doen: de kruiden, de toverspreu-ken, het geharrewar met een vervormd psychisch veld, de strijd tegen de Zwarte Wervel en zwarte magie...'

'Bloed, pijn, angst, dood,' zei ik veelzeggend. 'Een gevecht dat gelijktijdig in twee of drie lagen van de realiteit plaatsvindt. Het vuur mijden, bloed drin-ken, alles ondervinden.'

'Dat is oorlog.'

'Ja, misschien wel. Maar waarom moet dan uitgerekend jij in de voorste linies vechten?'

'Ach, iemand moet dat toch doen, nietwaar? En trouwens, anders zou ik dit huis niet hebben.' Tijgerjong maakte een gebaar dat de hele kamer omvatte. 'Jij weet ook wel dat je als genezeres niet veel verdient. Je kunt genezen als een gek, maar iemand anders slaat dan onafgebroken aan het moorden.'

'Je hebt een mooi huis,' verzekerde ik haar. 'Maar ben je hier dan vaak?'

'Als het zo uitkomt.'

'Niet zo heel vaak, denk ik. Je draait de ene dienst na de andere en probeert je er nooit aan te onttrekken.'

'Zo ben ik nu eenmaal.'

Ik knikte. Ik was eigenlijk net zo. 'Ja, je hebt gelijk. Ik ben waarschijnlijk moe. Daarom zit ik zo'n onzin uit te kramen.'

Tijgerjong keek me argwanend aan, kennelijk verrast door deze snelle capitulatie.

Ik voegde eraan toe: 'Ik wil hier nog even blijven zitten, met mijn glas. Me lekker bezatten in mijn eentje, aan tafel in slaap vallen en met koppijn wakker worden. Dan gaat het wel weer beter.'

'Goed dan,' zei de tovenares een beetje wantrouwend. 'Waarom zijn we hier anders? De bar is open, pak maar waar je zin in hebt. Zullen we naar de anderen gaan? Of zal ik hier bij je blijven?'

'Nee, ik wil graag alleen zijn,' zei ik en greep de bolle fles. 'Me echt belabberd voelen, zonder iets te eten, zonder vrienden. Kijk nog maar even om het hoekje als jullie gaan zwemmen, misschien kan ik me dan nog bewegen.'

'Afgesproken.'

Glimlachend verliet ze de kamer. Ik bleef in mijn eentje achter, afgezien natuurlijk van het gezelschap van mijn fles Armeense cognac waar je soms in wilde geloven.

Echt een fantastische vrouw. Ze zijn allemaal fantastisch en goed, mijn vrienden en kameraden van de Wacht. Ik kon hun stemmen boven de muziek van Queen uit horen en dat vond ik prettig. Met een paar van hen was ik meer bevriend dan met anderen, maar er zaten geen vijanden tussen. Dat zou ook nooit zover komen. We hadden samen al een stuk van de weg afgelegd en zouden hem ook in de toekomst samen bewandelen en er was maar één reden waardoor we zouden verdwalen.

Waarom was ik dan zo ontevreden over de gang van zaken? Ik stond daar alleen in: zowel Olga als Tijgerjong keurden de handelwijze van de Chef goed en de anderen zouden er zich desgevraagd bij aansluiten.

Kon ik de zaak niet meer objectief beoordelen?

Waarschijnlijk niet.

Ik nam een slok cognac, keek de Schemer in en probeerde de vage glans van een onbekend leven zonder verstand te ontdekken.

In de woonkamer ontdekte ik drie muggen, twee vliegen en helemaal achterin, in een hoekje onder de deken een spinnetje.

Ik bewoog mijn vingers en vormde een heel klein vuurkogeltje met een door-snede van slechts twee millimeter. Richtte op de spin – een onbeweeglijke schietschijf is eigenlijk beter als warming-up – en vuurde de vuurkogel af.

Mijn gedrag was niet verwerpelijk. Wij zijn geen boeddhisten, de meeste Anderen in Rusland tenminste niet. We eten vlees, slaan vliegen en muggen dood en vergiftigen kakkerlakken. Omdat we wel eens te lui zijn om elke maand nieuwe intimidatiemagie te leren, worden de insecten al snel immuun voor magie.

Niet verwerpelijk. Het is gewoon grappig, zoals ze wel eens zeggen, om 'met een kanon op een mug te schieten'. Dit vinden kinderen van elke leeftijd die deelnemen aan de cursussen van de Wacht, het allerleukst. Volgens mij amu-seren zelfs de Duisteren zich op dezelfde manier, behalve dan dat zij geen onderscheid maken tussen een vlieg en een vogel of een mug en een hond.

De spin verbrandde ik meteen. Ook de half slapende muggen vormden geen probleem.

Op elke overwinning dronk ik een glas cognac, waarbij ik eerst proostte met de bereidwillige fles. Daarna trok ik ten strijde tegen de vliegen, maar ik had óf te veel alcohol in mijn bloed óf de vliegen hadden eerder door wanneer het vlammende puntje bij hen in de buurt kwam. Voor de eerste vlieg had ik vier ladingen nodig, maar gelukkig slaagde ik er wel in om de verkeerd gerichte op tijd te verstrooien. De tweede schoot ik met de zesde vuurkogel neer, waarbij ik twee minikogelgaten maakte in de glazen deur van een vitrinekast die tegen de muur stond.

'Dat is niet zo best,' zei ik berouwvol en dronk de cognac op. Ik stond op – de kamer draaide. Ik liep naar de vitrine, waar op zwarte zijde zwaarden lagen te pronken. Op het eerste gezicht uit de vijftiende of zestiende eeuw, uit Duits-land. De spot was niet aan, zodat ik de precieze ouderdom niet kon schatten. Ik zag kleine putjes in het glas, maar ik had de zwaarden niet geraakt.

Ik dacht er een tijdje over na hoe ik mijn gedrag weer kon goedmaken. Ik kon echter niets beters verzinnen dan het glas dat was verdampt en in de kamer was verdwenen weer op zijn plek te brengen. Daarvoor moest ik veel meer kracht gebruiken dan wanneer ik de hele glasplaat zou vermorzelen en een nieuwe zou maken.

Toen keek ik in de huisbar. Om de een of andere reden wilde ik geen cognac meer. De fles met Mexicaanse koffielikeur leek me daarentegen een prima compromis tussen de wens dronken te worden en weer een helder hoofd te krijgen. Koffie en alcohol – samen in één fles.

Ik draaide me om en zag dat Semjon in mijn stoel zat. 'De anderen zijn naar het meer gegaan,' vertelde de tovenaar. 'Ik kom eraan,' beloofde ik terwijl ik naar hem toe liep. 'Ik kom zo.'

'Zet die fles maar neer,' zei Semjon.

'Waarom?' wilde ik weten, maar zette de fles toch maar neer.

Semjon keek me strak aan. De barrières werkten niet, en ik zag de val te laat. Ik probeerde mijn blik af te wenden, maar slaagde daar niet in.

'Hufter,' zei ik, terwijl ik in elkaar kromp.

'Door de gang en dan rechts,' riep Semjon me achterna. Zijn blik boorde zich nog steeds in mijn rug, slingerde als een onzichtbare draad achter me aan.

Ik bereikte het toilet nog maar net op tijd. Vijf minuten later kwam ook mijn beul eraan.

'Zo beter?'

Ik zat op mijn knieën voor het toilet en antwoordde hijgend: 'Ja.' Ik stopte mijn hoofd in de wastafel. Zonder iets te zeggen draaide Semjon de kraan open en klopte op mijn rug.

'Ontspan je,' zei hij. 'Tot nu toe waren het gewone huismiddeltjes, maar...'

Er liep een hete golf over mijn lichaam. Ik kreunde, maar verzette me niet langer. Het doffe gevoel was al weg en nu verdween de laatste roes uit mijn lichaam.

'Wat doe je?' vroeg ik alleen maar.

'Ik help je lever. Een paar slokken water en dan voel je je weer beter.'

Dat was zo.

Vijf minuten later verliet ik het toilet, rechtop, badend in het zweet, doorweekt, met een rood hoofd, maar helemaal nuchter. En probeerde zelfs te doen alsof ik weer helemaal in orde was. 'Waarom heb jij je ermee bemoeid? Ik wilde dronken worden – en ik heb me bezat.'

'Die jongelui toch!' Semjon keek verwijtend en schudde zijn hoofd. 'Meneer wilde dronken worden! Wie bezat zich nu met cognac? Na die wijn en met een halve liter per halfuur. Toen Sasjka Koeprin en ik ons een keer klem wilden zuipen...'

'Welke Sasjka?'

'Ach, je weet wel, die auteur. Maar toen had hij nog niets geschreven. Wij hebben ons echt bezat, zoals mensen die blijven staan dat doen, namelijk tot ze omvallen, terwijl er op de tafels werd gedanst en in het plafond werd geschoten en iedereen losbandig was.'

'En hij? Was hij een Andere?'

'Sasjka? Nee, maar een prima vent. We hebben een kwart leeggedronken en toen de gymnasiastes volgegoten met sekt.'

Ik liet me zwaar op de bank vallen. Ik slikte, keek naar de lege fles en kreeg weer een oprisping.

'En jullie werden dronken van een kwart liter?'

'Een kwart emmer, hoe kun je daar nou niet dronken van worden?' vroeg

Semjon verbaasd. 'Je kunt wel dronken worden, Anton. Als het moet. Maar dan met wodka. Cognac, wijn – dat is voor je hart.'

'En waar is wodka dan voor?'

'Voor de ziel. Als die echt pijn doet.'

Hij keek me enigszins verwijtend aan, een grappige kleine tovenaar met een sluwe kop, met zijn grappige, onbetekenende herinneringen aan grote mensen en grote gevechten.

'Ik heb een fout gemaakt,' erkende ik. 'Dank je wel voor je hulp.'

'Onzin, mijn beste. In mijn tijd heb ik een naamgenoot van je drie keer per avond nuchter gemaakt. Toen was het nodig om wel te drinken, maar om niet dronken te worden – voor de zaak.'

'Mijn naamgenoot? Tsjechow?' raadde ik.

'Nee, hoe kom je daar nu bij? Een andere Anton, iemand van ons. Hij is overleden, in het Verre Oosten, toen de samoerai...' Semjon maakte een afwijzend gebaar en zweeg. Na een tijdje zei hij bijna teder: 'Je moet niets overhaasten. Vanavond doen we alles zoals het hoort. Kom, nu moeten we naar de anderen toe, Anton.'

Gehoorzaam liep ik achter Semjon aan naar buiten. En zag Sweta. Ze zat in een ligstoel, had zich al omgekleed en had nu een badpak aan en een bonte rok, of een lap stof om haar heupen.

'Alles goed met je?' vroeg ze me, enigszins verbaasd.

'Perfect, maar de sjasliek is niet goed gevallen.'

Swetlana keek me doordringend aan. Maar behalve mijn rode gezicht en mijn natte haar was er kennelijk niets meer waaraan te zien was dat ik zo dronken was geweest.

'Je moet je alvleesklier een keer laten onderzoeken.'

'Het gaat echt weer goed,' zei Semjon snel. 'Geloof me, ik heb me ook met genezing beziggehouden. De hitte, de zure wijn, de vette sjasliek – daar kwam het door. Nu gaat hij zwemmen en vanavond drinken we in de schaduw een fles wodka.'

Sweta stond op, liep naar ons toe en keek me vol medelijden aan.

'Zullen we hier even gaan zitten? Dan zet ik een pot sterke thee.'

Ja, dat zou heerlijk zijn. Gewoon zitten. Samen. Theedrinken. Praten, of zwijgen. Dat maakt niet uit. Af en toe even naar haar kijken, of niet. Haar horen ademen, of nergens naar luisteren. Als we maar samen zijn. Wij tweeën en niet al die lui van de Nachtwacht. En dat we bij elkaar zijn omdat wíj dat willen en niet omdat het op het programma staat dat Geser heeft opgesteld. Had ik het lachen echt verleerd?

Ik schudde mijn hoofd. En trok mijn gezicht in een lafhartige, uitdagende glimlach. 'Laten we gaan. Ik ben nog geen ouwe vent die in de magische oorlog is onderscheiden. Ga je mee, Sweta?'

Semjon was al vooruitgegaan, maar om de een of andere reden wist ik dat hij me een knipoogje gaf. Goedkeurend.

Die avond was het niet veel koeler, maar het was niet meer zo benauwd. Al om een uur of zes, zeven hadden we kleine groepjes gevormd. De onvermoeibare Ignat, Lena en – vreemd genoeg – ook Olga bleven bij het meer. Tijgerjong en Joelja zwierven door het bos. De rest was in het huis of er vlakbij.

Semjon en ik hadden het grote balkon op de eerste verdieping in bezit genomen. Daar was het gezellig, voelde je het zachte briesje beter en er stonden rieten stoelen; heerlijk in deze hitte.

'Nummer één,' zei Semjon. Hij haalde uit een plastic tasje met de opdruk DANONE KIDS een fles wodka: Smirnowka.

'Is dat een goed merk?' vroeg ik aarzelend. Ik wist niet veel van wodka.

'Dit merk drink ik al honderd jaar. En vroeger was hij veel slechter, geloof me maar.'

Nu haalde hij twee grote waterglazen uit het tasje, een weckpot van twee liter met augurken erin en een grote zak zuurkool.

'En waarmee spoelen we na?'

'Bij wodka hoef je niet na te spoelen, jongeman,' zei Semjon hoofdschuddend. 'Dat is alleen nodig bij surrogaat.'

'Je bent nooit te oud om te leren...'

'Dat had je toch moeten weten. En over deze wodka hoef je je geen zorgen te maken. De wijk Tsjernogolowka valt binnen mijn controlegebied. In de fabriek daar werkt een heksenmeester en die is de beroerdste niet. Hij levert me goed spul.'

'Je verspilt je tijd aan kleinigheden.'

'Nee hoor, ik betaal hem met geld. Het gaat er allemaal heel eerlijk aan toe, maar het is een privékwestie; de Wachten hebben daar niets mee te maken.'

Behendig draaide Semjon de dop van de fles en schonk ons ieder een half glas in. Hoewel het tasje de hele dag op de veranda had gestaan, was de wodka koud.

'Op onze gezondheid?' vroeg ik.

'Te vroeg. Op ons.'

Hij had me die middag echt ontnuchterd en dan ook helemaal: hij had niet alleen de alcohol uit mijn bloed gehaald, maar ook alle stofwisselingsproducten. Ik dronk mijn glas leeg, zonder te huiveren, en ontdekte tot mijn verbazing dat wodka niet alleen in de winter als het koud is een goed gevoel geeft, maar ook op een warme dag in de zomer.

'Fijn.' Semjon gromde tevreden en nestelde zich in zijn stoel. 'Iemand zou Tijgerjong eens voorzichtig moeten voorstellen hier schommelstoelen neer te zetten.'

Hij haalde zijn afschuwelijke *jawa's* tevoorschijn en stak er een op.

'Ik rook ze toch,' zei hij toen hij mijn misprijzende blik zag. 'Uit liefde voor mijn land.'

'En ik hou van mijn gezondheid,' gromde ik.

Semjon snoof. 'Heeft een buitenlander met wie ik bevriend ben, me toch een keer bij hem thuis uitgenodigd,' begon hij.

'Een oude zaak?' vroeg ik.

'Nee, vorig jaar. Hij had me uitgenodigd omdat hij wilde leren hoe je in Rusland dronken wordt. Hij had een kamer in de Penta. Ik had een toevallige kennis meegenomen en haar broer, die net uit het leger ontslagen was en niet wist wat hij moest. Toen zijn we ernaartoe gegaan.'

Toen ik me het groepje voorstelde, schudde ik mijn hoofd. 'Hebben ze jullie dan binnengelaten?'

'Ja?'

'Omdat je magie had ingezet?'

'Nee, omdat mijn buitenlandse vriend geld had ingezet. Hij had gezorgd voor een grote voorraad wodka en hapjes. Wij begonnen 30 april te drinken en zijn 2 mei gestopt. We hebben de kamermeisjes niet binnengelaten en de televisie is niet uit geweest.'

Ik keek eens naar Semjon, die in een verfrommeld geruit overhemd van Russische makelij, een verbleekte Turkse spijkerbroek en versleten Tsjechische sandalen voor me zat. Ik kon me probleemloos voorstellen hoe hij vers getapt bier uit een drieliterglas dronk, maar in het Penta... nee.

'Wat brutaal,' zei ik vol medelijden.

'Nee, hoezo? Mijn vriend vond het geweldig. Hij zei dat hij toen pas doorhad wat een echte Russische zuippartij was.'

'En wat is dat dan?'

'Dat is wanneer je 's ochtends wakker wordt en alles om je heen grijs is: de lucht is grijs, de zon is grijs, de stad is grijs, de mensen zijn grijs, je gedachten zijn grijs. En de enige oplossing is dan om door te drinken. Dan voel je je weer beter. Dan komen de kleuren terug.'

'Dat was dus een interessante buitenlander!'

'Dat kun je wel zeggen!'

Semjon schonk ons nog eens in, maar schonk het glas minder vol. Toen dacht hij even na en vulde de glazen tot aan de rand.

'Laten we drinken, mijn vriend. Laten we drinken op het feit dat we niet hoeven te drinken om een blauwe lucht, een gele zon en een gekleurde stad te zien. Laten we daarop drinken. We treden beiden de Schemer in en zullen zien dat de wereld vanaf de achterkant bekeken niet zo is als iedereen denkt. Maar waarschijnlijk houdt het niet op met die ene achterkant. Op de schitterende kleuren!'

Helemaal in de war dronk ik mijn glas half leeg.

'Geen halve maatregelen, jongen,' zei Semjon op dezelfde toon als daarnet.

Ik dronk mijn glas leeg. At een handjevol frisse zuurkool.

'Waarom doe je zo overdreven, Semjon?' vroeg ik. 'Waarom dit aplomb, dit image?'

'Wat een dure woorden! Die begrijp ik niet.'

'Kom nou toch!'

'Dat maakt het gemakkelijker, Antosjka. Iedereen zorgt zo goed als hij kan voor zichzelf. En ik doe dat zo.'

'Wat moet ik doen, Semjon?' vroeg ik, zonder uitleg.

'Dat wat nodig is.'

'En als ik niet wíl doen wat nodig is? Als onze o zo lichte waarheid, ons Wachter-erewoord en onze fantastisch goede bedoelingen me de keel uithangen?'

'Je moet één ding begrijpen, Anton.' De tovenaar beet in een knapperig augurkje. 'Je had het allang moeten begrijpen, maar je hebt immers continu die metalen dingen in je hoofd. Onze waarheid, hoe groot en licht die ook is, bestaat uit een ongelooflijke hoeveelheid kleine waarheden. Geser met al zijn slimheid en ervaring waar wij alleen maar van kunnen dromen, heeft bovendien magisch genezen aambeien, een oedipuscomplex en de gewoonte om steeds maar weer oude beproefde patronen op een nieuwe manier in te zetten. Dat zijn slechts voorbeelden; ik zeg niet dat hij bekrompen is, per slot van rekening is hij de Chef.'

Hij viste weer een sigaret uit zijn zak en deze keer maakte ik er geen opmerking over.

'Maar daar gaat het helemaal niet om, Anton. Je bent nog jong, bent bij de Wacht gekomen, vond dat prettig. En toen bleek dat de wereld kon worden ingedeeld in goed en kwaad! De droom der mensheid was uitgekomen, eindelijk was duidelijk wie goed en wie slecht is. Maar je moet één ding begrijpen. Zo is het niet. Niet zo. Ooit waren we allemaal hetzelfde, de Duisteren en de Lichten. Hebben in ons hol bij het kampvuur gezeten, in de Schemer gekeken om te zien op welke weide de mammoet graasde, hebben enthousiast gezongen en gedanst, en met vuurkogels andere stammen geroosterd. En stel je nu eens, om ons voorbeeld inzichtelijk te maken, twee broers voor, twee Anderen. De broer die als eerste de Schemer is ingetreden, was op dat moment misschien dronken, of voor het eerst verliefd. Bij de andere broer was precies het tegenovergestelde het geval. Hij had last van zijn maag door het eten van onrijpe bamboe, zijn vrouw had niet met hem willen vrijen omdat ze hoofdpijn had en moe was van het afkrabben van de huiden. Zo ging het maar door. De ene stuurt de andere naar de mammoet en is tevreden. De andere wil een stuk van de slurf en als toegift ook nog eens de dochter van de hoofdman. Zo hebben we ons opgesplitst, in Duisteren en Lichten, in goed en kwaad. Simpel, vind je niet? Zo vertellen we het ook aan de kleine Anderen. En wie heeft jou, mijn vriend, verteld dat dit veranderd is?' Semjon boog zich zo plotseling naar me over dat de stoel kraakte. 'Zo was het, zo is het en zo zal het zijn. Voor altijd, Antosjka. Er is geen einde. Nu zijn wij het die iemand die ervandoor gaat en ten strijde trekt en ongevraagd iets goeds doet, zijn lichaam afnemen. En de Schemer in met hem als hij het evenwicht verstoort, de Schemer in met de psychopaat en de hystericus! En hoe zal het morgen zijn? En over honderd jaar? Over duizend? Wie kan dat voorzien? Jij? Ik? Geser?'

'Maar wat dan?'

'Bestaat jouw waarheid, Anton? Vertel op, bestaat die? Ben je daarvan overtuigd? Geloof er dan ook in, en niet in mijn waarheid of in die van Geser. Geloof en vecht. Als je daar de moed voor hebt. Als je hart niet een slag overslaat. De vrijheid van de Duisteren, die is niet slecht omdat die betekent dat je vrij bent van anderen. Dat is ook alleen maar de uitleg voor kinderen. De vrijheid van de Duisteren is in eerste instantie vrij zijn van jezelf, van je geweten en je ziel. Als je merkt dat in je borst niets meer pijn doet, dan moet je alarm slaan. Hoewel het dan eigenlijk al te laat is...'

Hij zweeg, zijn hand verdween in de plastic tas en kwam er weer uit met een nieuwe fles wodka.

'De tweede,' zuchtte hij. 'We zijn namelijk nog steeds niet dronken, dat voel ik. Dat zal ons niet lukken. En wat Olga betreft, en wat ze zei...'

Hoe krijgt hij het voor elkaar om zijn oren altijd en overal open te hebben?

'Ze is niet jaloers omdat Swetlana iets kan afmaken wat haar niet is gelukt, niet omdat voor Sweta alles nog openligt. Maar omdat voor Olga de trein, eerlijk gezegd, al is vertrokken. Ze is jaloers, omdat Sweta jou heeft en jij je geliefde wilt houden. Ook al kun je er niets aan doen. Geser kon dat wel, maar hij wilde het niet. Maar dat komt waarschijnlijk op hetzelfde neer. Maar iets blijft toch hangen. Het verscheurt de ziel, hoe oud je ook bent.'

'Weet je waar Sweta op wordt voorbereid?'

'Ja.' Semjon schonk de glazen tot aan de rand toe vol met wodka.

'Waarop?'

'Mag ik niet zeggen. Ik heb het beloofd. Wat ik kon zeggen, heb ik gezegd.'

'Semjon...'

'Ik zei toch, ik heb het beloofd. Moet ik mijn overhemd soms uittrekken, zodat je het strafvuur op mijn rug kunt zien? Eén woord, en ik zal met stoel en al verbranden en dan kun je mijn as in de asbak vegen. Het spijt me, Anton. Probeer het niet.'

'Dank je,' zei ik. 'Laten we drinken. Misschien lukt het ons toch nog om ons te bezatten? Ik kan het wel gebruiken.'

'Dat zie ik,' beaamde Semjon. 'Kom op.'

3

Ik werd heel vroeg wakker. Het was stil in huis; het was de levendige stilte van een datsja, met het ruisen van de wind die tegen de ochtend eindelijk koeler werd. Maar dat deed me geen plezier. Mijn bed was nat van het zweet, mijn hoofd gloeide. In het bed naast me – we sliepen met z'n drieën in een kamer – lag Semjon monotoon te snurken. Tolik lag op de grond te slapen, in een deken gehuld. De aangeboden hangmat had hij geweigerd met de mededeling dat hij last had van zijn rug na een actie waar hij in 1976 aan had deelgenomen en dat hij daarom het liefst op een harde ondergrond sliep.

Met mijn handen om mijn nek, zodat ik door een te snelle beweging niet uit elkaar zou vallen, ging ik rechtop zitten. Verbaasd zag ik op het nachtkastje twee aspirines liggen, met een flesje Borzjomi-water ernaast. Welke goede ziel had dat gedaan?

Gisteren hadden we met z'n tweeën drie flessen wodka leeggedronken. Toen was Tolik bij ons komen zitten. Daarna nog iemand, met wijn. Maar daar bleef ik af, zo verstandig was ik nog wel.

Nadat ik de aspirine met een half flesje water had ingenomen, bleef ik nog een tijdje beneveld zitten wachten tot ze begonnen te werken. De pijn verdween niet. Dat zou ik niet uithouden.

'Semjon,' riep ik schor. 'Semjon!'

De tovenaar deed één oog open. Hij leek in uitstekende conditie, alsof hij niet heel veel meer had gedronken dan ik. Wat maken honderd jaar ervaring toch veel verschil.

'Mijn hoofd, red me...'

'Heb geen bijl bij de hand,' gromde de tovenaar.

'Haal er dan eentje,' kreunde ik. 'Kun je die pijn wegnemen?'

'Zijn we vrijwillig dronken geworden, Anton? Of heeft iemand ons daartoe gedwongen? Hebben we lol gehad?'

Hij draaide zich om, met zijn rug naar me toe.

Ik begreep dat ik van Semjon geen hulp hoefde te verwachten. In feite had hij natuurlijk gelijk, maar toch hield ik het niet langer uit. Met mijn voeten probeerde ik mijn gympen te vinden, stapte over de slapende Tolik heen en verliet het vertrek.

Er waren twee logeerkamers, maar de deur van de andere was dicht. Maar achter in de hal stond de deur van onze gastvrouw open. Ik dacht opeens aan wat Tijgerjong had gezegd over haar capaciteiten als genezeres en zonder aarzelen stormde ik erop af.

Kennelijk zat alles me die dag tegen: ze was er niet. Zelfs Ignat en Lena waren er niet. Joelenka had bij Tijgerjong geslapen. Het meisje sliep nog, één arm en één been hingen uit het bed, als bij een kind.

Ondertussen kon het me niets meer schelen wie ik om hulp vroeg. Voorzichtig liep ik naar het grote bed en hurkte ernaast. 'Joelja, Joeljenka...' fluisterde ik. Knipperend opende het meisje haar ogen.

'Heb je een kater?' vroeg ze meelevend.

'Ja.' Ik knikte maar niet, want er was zojuist een granaat in mijn hoofd ontploft.

'Erg?'

Ze sloot haar ogen en ik dacht dat ze weer wegdoezelde, met haar armen om mijn hals. Een paar seconden gebeurde er helemaal niets, toen verdween de pijn heel snel. Alsof er in mijn hals een verborgen kraantje was geopend en het opgehoopte vergif wegvloeide.

'Dank je,' fluisterde ik alleen maar. 'Dank je, Joelenka.'

'Je moet niet zoveel drinken, dat kun je niet,' bromde het meisje en begon te snuiven – zo gelijkmatig, alsof ze van het ene op het andere moment van werken naar slapen was overgeschakeld. Alleen kinderen en computers kunnen dat.

Ik stond op en constateerde enthousiast dat de wereld haar kleuren weer terug had. Natuurlijk had Semjon gelijk: je moet de verantwoordelijkheid aanvaarden. Alleen heb je daar de kracht niet altijd voor. Ik keek de kamer rond. De slaapkamer was in beigetinten gehouden, zelfs het schuine raam was iets getint, de muziekinstallatie goudkleurig en het zachte tapijt lichtbruin.

Niet zo netjes van me, om hier zomaar binnen te stappen.

Ik liep zachtjes naar de deur en hoorde, net toen ik de kamer wilde verlaten, Joelja's stem: 'Je koopt een Snickers voor me, oké?'

'Twee,' beloofde ik.

Ik had nu nog wel even kunnen slapen, maar ik associeerde het bed met te veel onaangename sensaties. Alsof ik alleen maar hoefde te gaan liggen en de verborgen pijn weer over me heen zou vallen. Daarom sloop ik de kamer in, pakte mijn spijkerbroek en overhemd, en kleedde me bij de deur aan.

Niet iedereen lag toch zeker nog te slapen? In elk geval zwierf Tijgerjong al ergens buiten rond, en iemand zou toch wel al kletsend met een fles drank tot de ochtend buiten hebben gezeten?

Op de eerste verdieping was nog een kleine ruimte, en daar zag ik Danila en Nastja van de wetenschappelijke afdeling die vredig op een bank lagen te slapen. Snel trok ik mijn hoofd terug. Schudde mijn hoofd. Danila had een heel lieve, bijzonder sympathieke vrouw en Nastja een oudere man van wie ze heel veel hield.

Maar dat waren natuurlijk wel gewoon mensen.

Wij echter zijn de Anderen, de vechters van het Licht. Wat doe je eraan? Wij hebben een andere moraal. Net zoals die oorlogsromances aan het front en die kleine verpleegstertjes die officieren en gewone soldaten niet alleen in hun ziekbed troostten. Daarvoor proefde je het leven te goed in de oorlog.

Verder was hierboven nog een bibliotheek. Daar vond ik Garik en Farid. Daar waren ze, degenen die de hele nacht hadden zitten kletsen, met een fles – maar het was niet bij één gebleven. Ze waren in hun stoel in slaap gevallen, kennelijk nog maar net: op de tafel voor Farid lag nog een pijp zachtjes te roken. Op de grond lagen stapels boeken die ze uit de kast hadden gehaald. Waar zouden ze over gediscussieerd hebben, terwijl ze auteurs en dichters, filosofen en historici, en bondgenoten citeerden?

Via een houten wenteltrap ging ik naar beneden. Zou ik iemand vinden om me deze kalme, vredige ochtend gezelschap te houden?

In de woonkamer lag iedereen nog te slapen. Toen ik in de keuken keek, zag ik niemand, afgezien van een hond die zich in een hoekje drukte.

'Zo, weer boven water?' vroeg ik.

De terriër liet zijn tanden zien en jankte zielig.

'Wie heeft je gisteren dan ook gevraagd om te gaan vechten?' Ik knielde voor de hond op de grond. Pakte een stukje worst van de tafel; dat had het welopgevoede dier zelf niet durven doen. 'Pak het maar.'

Zijn bek klapte boven mijn hand dicht en hij slokte het stukje worst op.

'Als jij je goed gedraagt, zijn wij ook goed voor jou!' vertelde ik hem. 'En ga niet zo in een hoekje zitten piepen.'

Er was toch zeker al wel iemand wakker!

Ik nam zelf ook een stuk worst. Kauwend liep ik de woonkamer door en keek de werkkamer in.

Ook hier lagen er een paar te slapen.

De hoekbank was zelfs uitgeklapt nog klein. Daarom lagen ze dicht tegen elkaar aan. Ignat in het midden, zijn gespierde armen breeduit en met een lieve glimlach. Lena lag links tegen hem aangevleid, met de ene hand in zijn dikke blonde manen en de andere over zijn borst, zodat ze de tweede partner van Don Juan aanraakte. Swetlana had haar hoofd ergens onder Ignats geschoren oksel begraven en met haar handen hield ze de half afgegleden deken vast.

Zachtjes en heel voorzichtig sloot ik de deur.

Het was een gezellig restaurantje. De Zeewolf stond bekend, zoals de naam al zei, om zijn visgerechten en het vriendelijke 'scheepsinterieur'. Bovendien lag het vlak bij de metro. Dat was een niet onbelangrijk gegeven voor een kleine man uit de middenklasse die af en toe lekker in een restaurant wilde eten, maar dan niet ook nog eens geld aan een taxi wilde uitgeven.

Deze gast kwam met een auto, een oude, maar volledig intacte zescilinder. De kelner zag met zijn ervaren blik dat hij trouwens veel kredietwaardiger was dan zijn auto deed vermoeden. De kalmte waarmee de man de dure Deense wodka zat te drinken en zich niet druk maakte over de prijs noch om eventuele problemen met de verkeerspolitie, versterkte deze indruk nog eens. Toen de kelner de bestelde steur opdiende, keek de man even op. Tot dan toe had hij daar alleen maar gezeten, met een tandenstoker lijntjes op het tafel-kleed getrokken en was steeds weer verstijfd, zijn blik gericht op de vlammen van de glazen petroleumlampen. Nu keek hij de kelner opeens aan.

Deze zou niemand vertellen wat hij in dit korte ogenblik meende te zien. Hij had het gevoel alsof hij in twee fonkelende putten keek, zo verblindend dat het licht verzengt en niet meer van het donker te onderscheiden is.

'Bedankt,' zei de gast.

De kelner liep weg en moest zich inhouden om niet sneller te gaan lopen. Zei steeds weer tegen zichzelf: dat was alleen maar het geschitter van de lamp in het gezellige halfdonkere restaurant. Het was alleen maar het geschitter van de lichtjes dat van zijn ogen weerkaatste.

Boris Ignatjewitsj bleef nog een tijdje zitten en brak de tandenstoker doormid-den. De steur werd koud, de wodka in de kristallen karaf warm. Achter een afscheiding van dikke touwen, namaakstuurwielen en een namaakzeil vierde een groot gezelschap iemands verjaardag. Ze riepen gelukwensen naar elkaar, mopperden op de hitte, op de belastingen en op bepaalde 'oneerlijke' schurken. Geser, de Chef van de Moskouse afdeling van de Nachtwacht, wachtte.

Zodra ik buiten kwam, weken de honden die buiten lagen schuw achteruit. De 'freeze' had hen hevig aangegrepen: je lichaam gehoorzaamt je niet, je kunt niet grommen en blaffen, kwijl bevriest in je bek, de lucht drukt op je als de zware hand van een koortspatiënt, maar je ziel leeft.

De poort stond halfopen, ik liep erdoor, bleef even staan, wist niet goed waar ik naartoe zou gaan en wat ik zou doen.

Was dat eigenlijk wel belangrijk?

Ik was niet gekwetst. Het deed niet eens pijn. We waren nooit intiem geweest. Sterker nog, ík was degene geweest die deze muur tussen ons had opgeworpen. Ik leef tenslotte niet voor het moment; ik wil alles, nu en voor altijd.

Ik zocht mijn minidiscspeler en deed hem aan zonder een bepaald nummer uit te kiezen. Daarmee had ik altijd geluk. Of zou ik, net als Tijgerjong, het eenvoudige elektronische systeem beïnvloeden zonder dat ik het doorhad?

Wie treft de blaam dat jouw kracht
Die je ten hemel droeg, verslapt,
Dat je niet vindt wat je zoekt,
En het gevondene vervloekt?
En wie is schuld dat dag na dag
Geleid door een vreemd klokgeslag
Het leven uit je lichaam vloeit
Je huis eenzaam wordt en leeg?
De klank verstomt, het licht verdwijnt,
en elke keer komt nieuwe pijn,
en als je pijn langzaam verdwijnt —
staat de volgende tegenslag al klaar.

Ik had het zelf gewild. Er zelfs ruzie over gemaakt. En nu mocht ik niemand de schuld geven. In plaats van gisteren de hele avond met Semjon over de wereldwijde confrontatie tussen goed en kwaad te filosoferen, had ik bij Swetlana moeten blijven. In plaats van me druk te maken over de valse waarheid van Geser en Olga, had ik me aan mijn waarheid moeten houden. En nooit, nooit denken dat ik niet zou kunnen winnen.
Je hoeft die gedachten alleen maar toe te laten, en dan heb je al verloren.

Wie treft de blaam en waaraan ligt het,
dat hij bedriegt en hij niets krijgt?
Hij is verliefd en hij is bedroefd,
Hij is een nar, die brengt gevaar,
En wie treft blaam dat elk jaar
je alleen maar hebt gewacht op haar?
En warme plekjes bestaan niet meer...
De klank verstomt, het licht verdwijnt,
en elke keer komt nieuwe pijn,
en als je pijn langzaam verdwijnt —
staat de volgende tegenslag al klaar.

Wie treft de blaam dat wijd en zijd
geen geluk en ook geen leed gedijt?
Geen zege en geen nederlaag.
Succes en falen zijn in balans,
en wie kun je de schuld dan geven,
dat je alleen bent en je leven
Zo troosteloos is en slechts bestaat
uit tijd — tot je naar het einde gaat...

'Dat gaat dus niet gebeuren,' fluisterde ik en trok de oordopjes eruit. 'Daar hoeven jullie niet op te wachten.'

Ze hadden ons zo lang geleerd om te geven, zonder er iets voor terug te nemen. Jezelf opofferen ter wille van anderen. Elke stap als in het spervuur van een machinegeweer, elke blik goedmoedig en wijs, geen enkele zinloze gedachte, geen enkele zinloze afweging. Want wij zijn de Anderen. Wij hebben onszelf boven de massa verheven, hebben onze perfecte vaandels ontrold, onze lakschoenen glimmend gepoetst, witte handschoenen aangetrokken. O ja, we veroorloven ons van alles in ons eigen kleine wereldje. Voor elke daad is wel een rechtvaardiging, een eerlijke en een grootse. Een uniek nummer: voor het eerst staan we er allemaal stralend bij, terwijl alles om ons heen in de stront zit.

Genoeg!

Een warm hart, schone handen, een koel hoofd... Het was toch zeker niet toevallig dat de meeste Lichten zich tijdens de revolutie en de burgeroorlog bij de Tsjeka hebben aangemeld? Terwijl degenen die zich niet hadden aangemeld grotendeels omkwamen? Vermoord door de Duisteren, maar nog vaker door degenen die zij verdedigden. Door mensenhanden. Door de domheid, gemeenheid, lafheid, bigotterie en de jaloezie van de mensen. Een warm hart, schone handen. Het hoofd kan rustig koel blijven. Anders gaat het niet. Maar met die twee andere zaken ben ik het niet eens. Het hart moet schoon zijn en de handen warm. Dat zou ik beter vinden!

'Ik wil jullie niet verdedigen!' zei ik in de stilte van die zomermorgen. 'Ik wil het niet! Geen vrouwen of kinderen, geen ouderen of bedelaars! Niemand! Leef zoals je goeddunkt. Krijg wat je verdient! Ren weg voor vampiers, aanbid tovenaars van het Duister, onderwerp je zonder morren aan je straf! Je krijgt wat je verdient! Als mijn liefde minder zwaar weegt dan jullie gelukkige leven, dan wens ik jullie geen geluk toe!'

Ze konden en moesten beter worden; zij zijn onze wortels, onze toekomst, onze beschermelingen. Kleine en grote mensen, conciërges en presidenten, misdadigers en politieagenten. In hen brandt het licht dat kan losbarsten in leven schenkende warmte of in dood veroorzakend vuur.

Ik geloof het niet!

Ik heb jullie allemaal gezien. Conciërges en presidenten, dieven en klabakken. Heb gezien hoe moeders hun zonen aftuigen, vaders hun dochters misbruiken. Heb gezien hoe zonen hun moeder het huis uitjoegen, dochters hun vader met arseen vergiftigden. Heb gezien hoe een man, die nog maar net zijn gasten had uitgelaten, nog steeds glimlachend zijn zwangere vrouw een klap in het gezicht gaf. Heb gezien hoe een vrouw, die de deur achter haar dronken man die een nieuwe voorraad drank gaat halen, dichtslaat, en hem bedriegt en zijn beste vriend hartstochtelijk kust. Dat is heel gemakkelijk te zien. Je hoeft alleen maar te kunnen kijken. Want ze leren ons, nog voordat ze ons leren hoe we in de Schemer kunnen kijken, ze leren ons níet te kijken. Maar we doen het toch.

Ze zijn zwak, leven kort, maar zijn vooral bang. Je mag hen niet verachten en het is een misdaad om hen te haten. Je kunt alleen maar van ze houden, hen beklagen en beschermen. Dat is ons werk en onze plicht. Wij zijn de Wacht. Dat geloof ik niet!

Je kunt niemand dwingen gemeen te zijn. Hoeft niemand de stront in te duwen, want dat kan iedereen zelf wel. Hoe je leven ook is, daar is geen excuus voor, ook in de toekomst niet. Toch zoekt en vindt men ze, die excuses. Alle mensen leren dat, en ze bleken allemaal leergierige leerlingen te zijn. En wij zijn heel zeker de besten van de besten.

Ja zeker, ja natuurlijk, er was, is en zal altijd iemand zijn die geen Andere is geworden, maar erin is geslaagd een mens te blijven. Maar dat zijn er niet veel, heel weinig. Maar misschien zijn we gewoon bang om goed naar hen te kijken. Bang om te zien wat we dan kunnen ontdekken.

'Voor jullie leven?' vroeg ik. Het bos zweeg, was het van tevoren al eens met alles wat ik zei.

Waarom moeten we alles opgeven? Onszelf en allen die we liefhebben?

Voor hen die dat nooit zullen weten en nooit zullen waarderen?

Zelfs als ze het al te weten zouden komen, zou dat ons niets meer opleveren dan een ongelovig gezicht en de uitroep: 'Stommelingen!'

Misschien moeten we de mensen toch eens een keer uitleggen wat het betekent om een Andere te zijn? Wat één enkele Andere kan aanrichten als hij zich niet door het Grote Verdrag gebonden voelt, als hij zich onttrekt aan de controle van de Wachten?

Ik moest zelfs glimlachen toen ik me dat probeerde voor te stellen, in zijn algemeenheid. Niet dat ik dat zou doen, mij zouden ze al snel tegenhouden. Net zoals iedere Grote Tovenaar en Grote Tovenares die het Verdrag overtreedt en besluit om de wereld van de Anderen te openbaren.

Wat een spektakel zou dat zijn!

Geen buitenaards wezen dat tegelijkertijd in het Kremlin en in het Witte Huis zou landen, zou iets dergelijks voor elkaar krijgen.

Maar nee, dat is niet mijn manier.

Ten eerste al niet omdat ik niet zit te wachten op de wereldheerschappij of op algemene chaos.

Ik wil maar één ding: dat de vrouw van wie ik houd, zich niet hoeft op te offeren. Want de weg van de Grote Tovenaars betekent altijd een offer. De ongelooflijke krachten die zij verkrijgen, veranderen hen radicaal: tot er niets meer van hen over is.

Wij zijn allemaal geen volledige mensen. Maar we kunnen ons tenminste nog wel herinneren dat we ooit mens zijn geweest. En kunnen ons nog verheugen, kunnen treurig zijn, liefhebben en haten. De Grote Tovenaars en Tovenaressen overschrijden de grens van menselijke emoties. Vermoedelijk hebben zij hun eigen emoties, die wij ons niet kunnen voorstellen. Zelfs Geser, een tovenaar buiten elke categorie, is geen Grote Tovenaar. Olga is er niet in geslaagd om een Grote Tovenares te worden.

Iets hebben ze fout gedaan. Hebben een gigantische operatie in de strijd tegen het Duister niet goed uitgevoerd.

En nu zijn ze bereid een nieuwe kandidate in de voorste linie neer te zetten.

Ter wille van de mensen die lak hebben aan het Licht en het Duister.

Ze jagen haar overal doorheen waar een Andere doorheen moet. Hebben haar al op het derde krachtniveau getild en nu moet haar bewustzijn daar ook nog komen. In een gigantisch tempo.

Waarschijnlijk heb ik ook een plekje in deze waanzinnige race naar een onbekend doel. Geser gebruikt alles wat hij maar in handen krijgt, mij dus ook. Wat ik ook allemaal heb gedaan – op vampiers gejaagd, de Wilde achtervolgd, in Olga's lichaam met Sweta gepraat – ik heb gewoon naar de pijpen van de Chef gedanst.

Wat ik nu ook doe, het is allemaal ingecalculeerd.

Mijn enige hoop is dat zelfs Geser niet alles kan voorzien.

Dat ik het enige kan verzinnen wat zijn plan in duigen laat vallen. Het grote plan van de krachten van het Licht.

Zonder daarbij iets slechts aan te richten. Want dan staat me de Schemer te wachten.

En dan zou Swetlana toch nog de grote dienst moeten doen.

Ik realiseerde me opeens dat ik met mijn gezicht tegen een verdorde den stond. Met mijn vuist tegen de boom sloeg. Van woede en verdriet. Tot ik mijn hand liet zakken, die al bloedde. Maar het geluid verstomde niet. Het kwam uit het bos, bijna vanaf de plek waar de magische barrière was opgetrokken. Net zulke ritmische slagen, een zenuwachtig geklop.

Ik rende, gebukt als een paintballer die oorlogje speelt, tussen de bomen door. Ik had een flauw vermoeden van wat ik te zien zou krijgen.

Op een kleine open plek in het bos sprong een tijger rond. Nou ja, een tijgerin. De zwart-oranje gestreepte staart glansde in de stralen van de opkomende zon. De tijgerin zag me niet, ze zag niets en niemand. Ze dartelde tussen de bomen door en de scherpe dolken aan haar klauwen maakten scheuren in de bast. Er zaten witte krassen op de dennen. Na een tijdje werd de tijgerin wat rustiger, ging op haar achterpoten staan en begon doelbewust de stammen met haar klauwen te bewerken.

Ik trok me langzaam terug.

Allemaal ontspannen we ons op onze eigen manier. Wij vechten niet alleen

een strijd uit tegen de Duisteren, maar ook tegen het Licht. Want dat verblindt je af en toe.

Men mag ons alleen niet beklagen: wij zijn heel, heel erg trots. Soldaten in een wereldoorlog tussen goed en kwaad, eeuwige vrijwilligers.

4

De jongeman stapte het restaurant zo zelfverzekerd binnen alsof hij hier elke dag kwam ontbijten. Maar dat was niet zo.

Ook liep hij rechtstreeks naar het tafeltje waar een kleine, donkere man aan zat, alsof ze elkaar al heel lang kenden. Dat was trouwens ook niet zo. Toen hij bij de man was aangekomen, knielde hij langzaam voor hem neer. Hij zakte niet in elkaar, liet zich niet op de grond vallen, maar liet zich langzaam zakken, waardig en met een rechte rug.

Een passerende kelner slikte eens en draaide zich om. Hij had al veel meege-maakt, veel ergere dingen dan zoiets onzinnigs als een armzalige maffioso die voor zijn baas kruipt. Maar om eerlijk te zijn, leek de jongeman helemaal niet op een schurk, en de oudere man niet op een baas.

En de problemen die hij voorzag, dreigden veel serieuzer te worden dan een bendeoorlog. Hij wist niet wat hier precies aan de hand was, maar hij voelde iets. Hij was namelijk een Andere, hoewel geen geïnitieerde.

Het volgende moment was hij dit tafereel trouwens al helemaal vergeten. Iets had zijn hart samengeperst, maar hij had geen idee wat.

'Sta op, Alisjer,' zei Geser zachtjes. 'Sta op. Dat is niet de gewoonte bij ons.'

De jongeman stond op en ging tegenover het Hoofd van de Nachtwacht zit-ten. Hij knikte. 'Bij ons ook niet. Niet meer. Maar mijn vader heeft me gevraagd om voor jou te knielen, Geser. Hij was nog van de oude school. Hij zou voor jou geknield hebben, maar kan dat niet meer.'

'Weet je hoe hij gestorven is?'

'Ja. Ik heb het met zijn ogen gezien, met zijn oren gehoord en heb zijn pijn gevoeld.'

'Geef ook mij zijn pijn, Alisjer, zoon van Devona en een mensenvrouw.'

'Neem dat waar je om vraagt, Geser. Vernietig het kwaad, jij die op de goden lijkt die niet bestaan.'

Ze keken elkaar aan. Na een tijdje knikte Geser en zei: 'Ik weet wie de moor-denaar is. Je vader zal worden gewroken.'

'Dat moet ik doen.'

'Nee. Jij kunt dat niet én je hebt er het recht niet toe. Jullie zijn illegaal naar Moskou gekomen.'

'Neem me in je Wacht op, Geser.'

De Chef van de Nachtwacht schudde zijn hoofd.

'Ik was de beste in Samarkand, Geser.' De jongeman keek hem doordringend aan. 'Lach niet, ik weet dat ik hier de laatste zal zijn. Neem me op in de Wacht. Als minste van je leerlingen. Als waakhond. Ter nagedachtenis aan mijn vader smeek ik je, neem me op in je Wacht.'

'Je vraagt te veel, Alisjer. Je vraagt of ik je jouw dood wil schenken.'

'Ik ben al gestorven, Geser. Toen ze de ziel van mijn vader dronken, ben ik samen met hem gestorven. Glimlachend ben ik heengegaan, terwijl hij de Duisteren afleidde. Ben de metro ingestapt, terwijl men zijn as met voeten trad. Geser, ik heb het recht je dit te vragen.'

Geser knikte. 'Dan zal het zo zijn. Je zit in mijn Wacht, Alisjer.'

Op het gezicht van de jongeman was geen enkele emotie af te lezen. Hij knikte en drukte heel even zijn hand tegen zijn borst.

'Waar is dat wat je hebt meegenomen, Alisjer?'

'Ik heb het bij me, meester.'

Zwijgend stak Geser zijn hand uit.

Alisjer opende de tas die aan zijn riem hing. En haalde heel voorzichtig een klein rechthoekig pakje uit de grove stof. 'Neem het, Geser. Verlos me van deze plicht.'

Geser legde zijn hand op die van de jongeman, hun vingers sloten zich. De volgende seconde al, toen Geser zijn hand terugtrok, was de hand van de jongeman leeg. 'Hierdoor ben je ontslagen van je plicht, Alisjer. Nu kunnen we ons gewoon ontspannen. Eten, drinken en herinneringen ophalen aan je vader. Ik zal je alles vertellen wat ik me kan herinneren.'

Alisjer knikte. Uit niets bleek of de woorden van Geser hem plezier deden of dat hij gewoon met elk voorstel zou hebben ingestemd.

'We hebben een halfuur,' zei Geser terloops. 'Dan duiken de Duisteren hier op. Ze hebben je spoor toch nog gevonden. Weliswaar te laat, maar toch.'

'Gaat er gevochten worden, meester?'

'Dat weet ik niet.' Geser haalde zijn schouders op. 'Wat geeft het ook? Seboelon is ver weg. En voor de anderen ben ik niet bang.'

'Er zal een gevecht uitbreken,' zei Alisjer peinzend. En liet zijn blik door het restaurant dwalen.

'Zorg dat de gasten weggaan,' zei Geser. 'Rustig, ontspannen. Ik wil je techniek beoordelen. Daarna kunnen we ons ontspannen en op ons bezoek wachten.'

Tegen elf uur werd iedereen eindelijk wakker.

Ik wachtte op het terras, in een ligstoel, met mijn benen uitgestrekt. Af en toe zoog ik aan een rietje dat in een hoog glas met gin-tonic stak. Ik voelde me goed; als een masochist genoot ik van de zoete pijn. Zodra iemand in de deuropening verscheen, begroette ik hem vriendelijk en schonk hem een kleine regenboog die vanuit mijn gespreide vingers de lucht in schoot. Een grapje voor kinderen waar iedereen om moest lachen. Toen een gapende Joelja deze groet zag, gilde ze en stuurde me een regenboog terug. We deden twee minuten lang een wedstrijd en toen maakten we van onze twee regenbogen één nieuwe, relatief grote die tot aan het bos reikte. Joelja deelde mee dat ze nu de pot met goud ging zoeken en schreed trots onder de gekleurde boog door. Een van de terriërs rende gehoorzaam naast haar mee.

Ik wachtte.

Als eerste van degenen op wie ik wachtte, verscheen Lena. Een vrolijke, opgewekte vrouw in een zwempak. Toen ze me zag, leek ze heel even pijnlijk getroffen. Toen knikte ze en liep naar de poort. Wat een feest om te zien hoe ze zich bewoog, deze slanke, goedgevormde, levendige vrouw. Nu zou ze in het koude water springen, zich in haar eentje afreageren en met smaak gaan ontbijten.

De volgende die verscheen, was Ignat. Met een zwembroek en plastic slippers aan. 'Hallo, Anton!' riep hij vrolijk. Hij liep naar me toe, trok een ligstoel bij en liet zich erop vallen. 'Hoe voel je je?'

'Vechtlustig,' zei ik tegen hem en hief mijn glas.

'Zo!' Ignat probeerde de fles te ontdekken, maar zag hem niet. Hij deed het rietje in zijn mond en dronk onbekommerd uit mijn glas. 'Te slap, je hebt hem verdund!'

'Ik heb gisteravond meer dan genoeg gehad.'

'Dat is zo, je moet het nu rustig aan doen,' adviseerde Ignat. 'Wij hebben gisteren de hele avond alleen maar sekt gedronken. 's Nachts zijn we pas op cognac overgestapt. Ik was al bang dat ik vandaag barstende koppijn zou hebben, maar dat is niet zo. Geluk gehad.'

Je kon gewoon niet boos op hem worden.

'Wat wilde je worden toen je klein was, Ignat?' vroeg ik.

'Ziekenverzorger.'

'Wat?'

'Nou ja, ze zeiden dat jongens geen verpleegkundige konden worden, en ik wilde mensen gezond maken. Daarom besloot ik dat ik later ziekenverzorger wilde worden.'

'Geweldig,' zei ik enthousiast. 'En waarom geen dokter?'

'Ik vond de verantwoordelijkheid te groot,' bekende Ignat met zelfkritiek. 'Bovendien vond ik de studie te lang duren.'

'En? Ben je ziekenverzorger geworden?'

'Ja. Ik reed mee op een ambulance, voor de psychiatrie. Alle artsen werkten graag met mij samen.'

'Waarom?'

'Ten eerste omdat ik heel charmant ben,' hemelde Ignat zichzelf naïef op. 'Ik kon op zo'n manier met zowel mannen als vrouwen praten dat ze rustig werden en ermee instemden dat we hen naar het ziekenhuis brachten. Ten tweede zag ik het, als iemand écht ziek was en wanneer hij het onzichtbare zag. Regelmatig kon ik iemand even apart nemen en hem duidelijk maken dat alles in orde was, waardoor we hem geen injectie hoefden te geven.'

'De medische wereld heeft iets gemist.'

'Ja.' Ignat zuchtte. 'Maar de Chef overtuigde me ervan dat ik in de Wacht nuttiger zou zijn. En dat is toch ook zo?'

'Absoluut.'

'Ik verveel me hier nu al,' zei Ignat peinzend. 'Jij niet? Ik heb nu alweer zin om aan het werk te gaan.'

'Ik ook, denk ik. Heb je een hobby, Ignat? Naast je werk?'

'Waarom zit je me zo uit te horen?' vroeg de tovenaar verbaasd.

'Ik ben gewoon nieuwsgierig. Of is dat een geheim?'

'Wat voor geheimen hebben wij nou?' Ignat haalde zijn schouders op. 'Ik verzamel vlinders. Heb de beste verzameling van de wereld. Die neemt twee kamers in beslag.'

'Geweldig,' zei ik.

'Kom maar eens langs, dan kun je ze zien,' stelde Ignat voor. 'Samen met Sweta, zij zegt dat zij ze ook graag wil zien.'

Ik bleef zo lang lachen dat zelfs Ignat het begreep. Met een onzeker glimlachje stond hij op.

'Ik ga even helpen het ontbijt klaarmaken,' mompelde hij.

'Veel succes,' zei ik alleen maar. Maar toen hij bij de deur was, kon ik me niet meer inhouden en riep hem achterna: 'Zeg eens, de Chef maakt zich toch voor niets zorgen om Sweta, hè?'

Ignat wreef peinzend over zijn kin en zei: 'Je weet toch dat hij zich niet voor niets zorgen maakt. Ze is heel zenuwachtig en kan zich niet ontspannen. En ze moet belangrijke dingen doen. Dat kun je van ons niet zeggen, hè?'

'Maar je hebt echt je best gedaan?'

'Wat een vraag!' Ignat was beledigd. 'Kom eens langs, dat zou ik heel leuk vinden, echt waar.'

Ondertussen was de gin warm en smolt het ijs in het glas. Op het rietje zat een vage afdruk van lippenstift. Ik schudde mijn hoofd en zette het glas weg. Geser, je kunt niet alles voorzien.

Maar om me niet in een magisch gevecht met je te storten – alleen de gedachte daaraan is al belachelijk – maar om met je te vechten op dat ene terrein dat toegankelijk voor me is, op het gebied van woorden en daden, moet ik weten wat je van plan bent. Moet weten hoe de kaarten liggen en welke je in je hand hebt.

Wie spelen allemaal mee?

313

Geser, de organisator en inspirator. Olga, zijn geliefde, de bestrafte tovenares en adviseur. Swetlana, de ijverig gekoesterde executeur. Ik, een van de werktuigen van haar opvoeding. Ignat, Tijgerjong, Semjon en alle andere Lichten kunnen we vergeten. Zij zijn ook werktuigen, maar van minder belang. Op hen kan ik niet rekenen.

De Duisteren?

Natuurlijk spelen zij een rol, maar niet openlijk. Zowel Seboelon als zijn handlangers werden ongerust toen Swetlana bij ons opdook. Maar ze kunnen er niet direct iets tegen doen. Ze moeten in het diepste geheim een intrige bedenken of een zodanig vernietigende slag voorbereiden dat de Wachten op het randje van oorlog komen te staan.

Wat nog meer?

De Inquisitie?

Ik trommelde met mijn vingers op de armleuning van mijn stoel.

De Inquisitie. De structuur die boven de Wachten staat. Ze beoordeelt alle geschillen, bestraft missers – aan beide zijden. Ze waakt. Verzamelt informatie over ons allemaal. Maar komt slechts zelden tussenbeide; haar kracht ligt vooral in de geheimhouding en niet zozeer in haar gevechtskracht. Als de Inquisitie de zaak van een tamelijk sterke tovenaar beoordeelt, consulteert ze vechters van beide Wachten.

Maar toch, de Inquisitie is erbij betrokken. Ik ken de Chef. Hij haalt overal altijd ten minste twee, drie voordeeltjes voor zichzelf uit. Kortgeleden nog met Maxim, de Wilde, de Lichte die nu voor de Inquisitie werkt, maar dat is maar één voorbeeld. De Chef heeft Swetlana in deze zaak betrokken om haar een lesje in zelfbeheersing en intriges te geven, maar heeft daarnaast ook een nieuwe inquisiteur ontdekt.

Als ik maar wist waar Swetlana op werd voorbereid!

Ik tast nog steeds in het duister. En het ergste is dat ik het licht steeds verder achter me laat.

Ik propte de oordopjes van de koptelefoon in mijn oren en deed mijn ogen dicht.

Vannacht, als de varen zich ontrolt met veel kleur,
Vannacht, als de huisgeest het huis betreedt via de deur,
Noorderstorm op komst, een koude westenwind,
Wenkt de tovenares me: kom gezwind.
Zoals de muis in de val wacht ik op een wonder,
Zoals de spin in haar web zit te wachten,
Zoals een boom op de vlakte zich verschuilt,
Zoals de zwarte vos in zijn hol daaronder.

Dat is gevaarlijk. Heel gevaarlijk. De Grote Tovenaressen trekken zich niets van hun eigen mensen aan, maar zelfs zij zouden het niet wagen om tégen hun eigen mensen in te gaan. Eenlingen overleven het niet.

Door de verrekijker ben ik gevlucht voor bange kinderogen
Met de waternimf wilde ik slapen – nou ja, dat zou nooit mogen.
Ik wilde je raam binnenrijden, vermomd als tram.
Van buiten de stad komt de wind – ach, wat maakt dat uit?
Van buiten de stad komt de wind – ach, wat maakt dat uit?

Wees mijn schaduw, kraak als planken in de vloer,
Vrolijke zondag, mijn spetterende regen.
Wees mijn godsbeeld, berkensap, mijn deken,
Bel die nu rinkelt, jij bent de wind
die mij tegemoet waait;
Ik vecht om je, zolang ik het nog ben
die door de dromen naar jou gaat.

Ik voelde een hand op mijn schouder.
'Goedemorgen, Sweta,' zei ik en deed mijn ogen open.
Ze had een korte broek aan en een badpak. Haar haren waren vochtig en netjes gekamd. Waarschijnlijk had ze gedoucht. Daar had ik, viespeuk, niet aan gedacht.
'Heb je gisteravond overleefd?' wilde ze weten.
'Ja. En jij?'
'Ik ook.' Ze keerde zich van me af.
Ik wachtte. Via mijn koptelefoon hoorde ik Splin.
'Wat verwachtte je dán?' vroeg Sweta op scherpe toon. 'Ik ben een normale, gezonde jonge vrouw. Sinds de afgelopen winter ben ik niet meer met een man naar bed geweest. Ik weet heus wel dat jij je inbeeldt dat Geser mij naar je toe heeft gebracht als een paard dat gedekt moet worden en dat jij je daarom zo vreemd gedraagt.'
'Ik heb niets verwacht.'
'Dan moet je me deze onaangename verrassing ook maar niet kwalijk nemen!'
'Voelde je dat ik in de kamer was geweest? Toen je wakker werd?'
'Ja.' Swetlana haalde omslachtig een pakje sigaretten uit haar kleine broekzak en stak er een op. 'Ik ben moe. Zelfs nu ik alleen nog maar aan het leren ben en niet werk, ben ik moe. En ik ben hiernaartoe gekomen om me te ontspannen.'
'Je zei toch zelf dat de vrolijkheid hier zo onecht leek...'

'En jij hebt je er maar al te gretig ingestort!'
'Dat is zo,' bekende ik.
'En toen ben je weggegaan, om wodka te zuipen en complotten te smeden.'
'Complotten tegen wie?'
'Tegen Geser. Tegen mij ook trouwens. Echt heel grappig! Zelfs ik voelde dat!
Je moet niet denken dat je zo'n grote tovenaar bent dat je...'
Ze zweeg. Maar ze had al te veel gezegd.
'Ik ben geen Grote Tovenaar,' zei ik. 'Derde graad. Misschien tweede. Meer
niet. Iedereen heeft zijn eigen grenzen die hij niet kan overschrijden, zelfs niet
als hij duizend jaar leeft.'
'Neem me niet kwalijk. Ik wilde je niet beledigen,' zei Sweta ontdaan. Ze liet
haar hand met de sigaret erin zakken.
'Het geeft niet, ik neem het je niet kwalijk. Weet jij eigenlijk waarom de
Duisteren zo vaak een gezin met elkaar stichten, terwijl wij vaker een men-
senman of een mensenvrouw nemen? De Duisteren kunnen beter dan wij
met ongelijkheid en permanente concurrentie omgaan.'
'Een mens en een Andere... dat is een nog grotere ongelijkheid.'
'Dat telt niet. Wij zijn van een verschillende soort. Appels en peren kun je
niet met elkaar vergelijken.'
'Je moet één ding weten.' Swetlana nam een diepe trek. 'Ik wilde het niet zo
ver laten komen. Ik heb gewacht tot je naar beneden zou komen, alles zou
zien en jaloers zou worden.'
'Het spijt me, maar ik wist niet dat het de bedoeling was dat ik jaloers werd,'
gaf ik eerlijk toe.
'Maar toen is het op de een of andere manier uit de hand gelopen. Ik kon er
niets meer aan doen.'
'Ik begrijp het wel, Sweta. Het is al goed.'
Ze keek me verbaasd aan. 'Goed?'
'Natuurlijk. Zoiets kan iedereen toch overkomen? De Wacht is één grote
hechte familie. Met alle gevolgen van dien.'
'Wat bén je toch een zak!' brieste ze. 'Je zou jezelf eens moeten zien, Anton!
Hoe durf jij je nog als een van ons te beschouwen!'
'Sweta, ben je niet naar me toe gekomen om het goed te maken?' vroeg ik ver-
baasd. 'Goed dan, ik maak het weer goed. Alles is in orde. Wat gebeurd is, is
niet belangrijk. Zo is het leven, je moet overal rekening mee houden.'
Ze stond plotseling op en keek me ijzig aan. Ik knipperde verbaasd.
'Idioot!' slingerde ze me naar het hoofd en liep het huis in.
Wat had ze dan verwacht? Dat ik beledigd zou zijn, haar verwijten zou
maken, verdrietig zou zijn?
Maar dat was niet belangrijk. Wat had Geser verwacht? Wat zou er veranderen als ik uit mijn rol zou stappen van de ongelukkige die verliefd was gewor-

den op Sweta? Zou iemand anders deze rol dan op zich nemen? Of was de tijd voor haar al gekomen om alleen te blijven – alleen met haar grote lot?

Het doel! Ik moest te weten komen wat Gesers bedoeling was.

Abrupt stond ik op en liep het huis in. Waar ik meteen Olga zag. Ze was alleen in de woonkamer en stond voor de openstaande vitrinekast met de zwaarden. Er lag een lang, dun zwaard op haar vlakke hand. Ze keek ernaar – nee, zo keek je niet naar een antiek stuk speelgoed. Tijgerjong keek waarschijnlijk met net zo'n blik naar haar zwaarden. Behalve dan dat de liefde van Tijgerjong voor haar oude wapens abstract was. Voor Olga niet.

Toen Geser naar Rusland kwam om hier te wonen en te werken – ter wille van haar trouwens – waren deze wapens waarschijnlijk nog in gebruik.

Tachtig jaar geleden, toen Olga alle rechten werden ontzegd, werd er al anders gevochten.

De voormalige Grote Tovenares. Het enige grote doel. Tachtig jaar geleden.

'Wat een geweldig plan!' zei ik.

Olga huiverde en draaide zich om.

'Alleen zul je het Duister niet verslaan. Je moet wachten tot de mensen vrolijker zijn. Beter en tederder, vlijtiger en wijzer. Je moet wachten tot iedere Andere niets anders meer ziet dan het Licht. Wat een doel! Wat hebben de ketens lang gescheiden van elkaar moeten lopen, terwijl dat doel wegzakte in het bloed!'

'Je bent het dus toch te weten gekomen,' zei Olga. 'Of heb je het geraden?'

'Geraden.'

'Goed. En verder?'

'Wat heb je verkeerd gedaan, Olga?'

'Ik heb een compromis gesloten. Een klein compromis met het Duister. Met als gevolg dat wij verloren.'

'Wij? Wij zullen er altijd heelhuids uitkomen. Ons aanpassen, ons inleven. En de oude strijd weer oppakken. Alleen de mensen hebben verloren.'

'Af en toe moet je je terugtrekken.' Ontspannen hield Olga het tweehandige zwaard met één hand vast en zwaaide ermee boven haar hoofd. 'Lijk ik op een stationair draaiende helikopter?'

'Je lijkt op een vrouw die met een zwaard zwaait. Hebben we dan helemaal niets geleerd, Olga?'

'Ja zeker, absoluut! Deze keer wordt alles anders, Anton.'

'Een nieuwe revolutie?'

'We wilden die eerste al niet. Alles moet zonder bloedvergieten verlopen. Je begrijpt het toch wel: alleen dankzij de mensen kunnen we winnen. Als we hen informeren, hun ziel verheffen. Het communisme was een geweldig slim systeem, en het komt alleen door mij dat het niet is verwezenlijkt.'

'Aha! En waarom ben je dan nog niet in de Schemer, als het jouw schuld was?'

'Omdat alles afgesproken werk was. Elke stap was van tevoren gefiatteerd. Zelfs dat ongelukkige compromis, zelfs dat bleek mogelijk.'

'En nu wordt er een nieuwe poging gedaan om de mensen te veranderen?'

'De volgende.'

'Waarom hier?' vroeg ik. 'Waarom alweer bij ons?'

'Wat bedoel je, bij ons?'

'In Rusland. Hoeveel moet dit land nog verdragen?'

'Zoveel als nodig is.'

'Dus, waarom alweer bij ons?'

Ze zuchtte, schoof het zwaard soepel in zijn schede en legde hem weer in de vitrine. 'Omdat, lieve jongen, er hier nog iets bereikt kan worden. Europa, Noord-Amerika – die landen zijn al voltooid. Alles wat mogelijk was, is al uitgeprobeerd. Ja zeker, ook nu nog wordt er nog wel eens iets uitgeprobeerd. Maar ze zitten al voor zich uit te suffen, ze slapen. De kloeke gepensioneerde in korte broek met een videocamera – dat zijn de welvarende westerse landen. Maar met de jongeren moet je experimenteren. Rusland, Azië, de Arabische wereld – daar moet je tegenwoordig beginnen. En kijk niet zo verbolgen, ik hou niet minder van mijn vaderland dan jij! Voor dit land heb ik al meer bloed vergoten dan in jouw aderen stroomt. Je moet één ding begrijpen, Antosjka – de hele wereld is het strijdtoneel. Dat weet je immers net zo goed als ik.'

'Wij vechten tegen het Duister, niet tegen de mensen!'

'Ja, tegen het Duister. Maar we kunnen alleen maar winnen als we een ideale maatschappij creëren. Een wereld waarin liefde, goedheid en rechtvaardigheid heersen. Het is per slot van rekening niet het werk van de Wacht om op straat achter psychopathische tovenaars aan te gaan en licenties aan vampiers te verstrekken! Al deze futiliteiten kosten ons tijd en kracht, maar zijn secundair, zoals de warmte van een gloeilamp. Lampen zijn er om licht te geven en niet om warmte af te geven. We moeten de mensenwereld veranderen in plaats van de kleinere wanproducten van het Duister liquideren. Dat is het doel. Dat is de weg die naar de overwinning leidt!'

'Dat begrijp ik toch, Olga.'

'Goed. Dan moet je ook begrijpen waarover men niet openlijk praat. We vechten al duizenden jaren. En de hele tijd proberen we de loop van de geschiedenis in een compleet nieuwe baan te leiden. Een nieuwe wereld te creëren.'

'Een mooie nieuwe wereld.'

'Daar hoef je niet lollig over te doen. Iets hebben we al bereikt: door bloed en door leed is de wereld wel humaner geworden. Maar wat noodzakelijk is, is een echte, een heuse omwenteling.'

'Was het communisme ons idee?'

'Nee, maar we hebben dat idee wel gesteund. Dat idee beviel ons wel.'

'En nu?'

'Dat zul je wel zien.' Olga glimlachte. Vriendelijk, oprecht. 'Alles komt goed, Anton. Vertrouw me maar.'

'Ik moet het weten.'

'Nee. Dat is dus helemaal niet nodig. Je hoeft je niet op te winden, er is geen revolutie gepland. Geen legerkampen, geen beschietingen, geen schijnprocessen. Die oude fout herhalen we niet.'

'Maar we zullen nieuwe fouten maken!'

'Anton!' Ze verhief haar stem. 'Wat verbeeld je je wel? We hebben een uitstekende kans om te winnen, om ons land vrede, rust en verlichting te schenken. Om aan het hoofd van de mensen te gaan staan. Het Duister te overwinnen. Twaalf jaren van voorbereiding, Anton. En niet alleen Geser heeft daaraan meegewerkt, maar de complete hoogste leiding.'

'Wát zeg je?'

'Ja. Dacht je dan dat we zomaar wat doen?'

Ik begreep er niets van. 'Jullie zijn Swetlana al twaalf jaar op het spoor?'

'Natuurlijk niet! We hebben een nieuw maatschappijmodel uitgewerkt. Bepaalde onderdelen van het plan uitgeprobeerd. Zelfs ik ken niet alle details. Zo lang wacht Geser al op het moment waarop de deelnemers van het plan in ruimte en tijd samenkomen.'

'Wie precies? Swetlana en de inquisiteur?'

Haar pupillen vernauwden zich even en ik wist dat ik gelijk had. Gedeeltelijk.

'Wie nog meer? Welke rol speel ik hier dan in? En wat ga jij doen?'

'Dat zul je te zijner tijd wel horen.'

'Olga, er is nog nooit iets goeds uit voortgekomen als men het leven van de mensen door magie wilde veranderen.'

'Bespaar me de axioma's uit de school, alsjeblieft.' Ze leek echt boos. 'Denk maar niet dat je slimmer bent dan iemand anders. We zijn niet van plan magie te gebruiken. Je kunt dus gewoon kalmeren en ontspannen.'

Ik knikte. 'Goed. Je hebt me de situatie uitgelegd, maar ik kan daar niet aan meewerken.'

'Officieel?'

'Nee, officieus. En als privépersoon heb ik het recht tegenstand te bieden.'

'Tegen wie? Tegen Geser?' Olga sperde haar ogen open en haar mondhoeken vertrokken tot een vage glimlach. 'Anton!'

Ik draaide me om en vertrok.

Ja, het was belachelijk.

Het was dus niet zomaar een door Geser en Olga georganiseerde actie. Niet zomaar een poging het mislukte maatschappelijke experiment te herhalen.

Dit was een al lang geleden in gang gezette, goed voorbereide operatie waar ik helaas middenin zat.

Goedgekeurd door de hoogste leiding.

Goedgekeurd door het Licht.

Waarom wond ik me zo op? Daar had ik het recht niet toe. Helemaal niet. En ik had geen vooruitzichten. Absoluut geen vooruitzichten. Ik voelde me alsof ik een zandkorrel was die tussen twee molenstenen in zat.

En, wat het ergste was, het waren vriendelijke en zorgzame molenstenen. Niemand zou me achtervolgen. Niemand zou tegen me vechten. Alleen maar voorkomen dat ik stommiteiten zou uithalen waar toch al niets goeds uit zou voortvloeien, nooit. Waarom doet het dan zo'n pijn, waarom heb ik dan zo'n ondraaglijke pijn in mijn borst?

Ik stond op het terras en balde uit machteloze woede mijn handen tot vuisten toen ik een hand op mijn schouder voelde.

'Je bent dus iets te weten gekomen, Anton?'

Ik keek Semjon aan en knikte.

'Is het erg?'

'Ja,' bekende ik.

'Je moet één ding begrijpen, Anton. Je bent geen zandkorrel. Geen mens is een zandkorrel. En een Andere al helemaal niet.'

'Hoe lang moet je leven om iemands gedachten zo precies te kunnen raden?'

'Een jaar of honderd, Anton.'

'Dan kan Geser dus de gedachten van ieder van ons lezen, als een open boek.'

'Natuurlijk.'

'Dan moet ik het denken maar afleren,' zei ik.

'Maar eerst moet je het leren. Weet je dat er in de stad iets is gebeurd?'

'Wanneer?'

'Een kwartier geleden. Het is alweer voorbij.'

'Wat is er gebeurd?'

'De Chef heeft een koerier ontvangen, iemand uit het Verre Oosten. De Duisteren hebben geprobeerd hem te vinden en te vernietigen. Onder de ogen van de Chef.' Semjon grijnsde.

'Maar dat betekent oorlog!'

'Nee, ze stonden in hun recht. Die koerier was het land illegaal binnengekomen.'

Ik keek om me heen. Niemand rende in het rond, niemand startte een auto, niemand greep zijn spullen bij elkaar. Ignat en Ilja staken de barbecue alweer aan.

'Moeten we dan niet terug?'

'Nee. De Chef heeft het in z'n eentje kunnen afhandelen. Er is een vechtpartijtje geweest, zonder slachtoffers. Hij heeft de koerier in de Wacht opgenomen en toen moesten de Duisteren zich wel terugtrekken. Alleen het restaurant heeft wat schade opgelopen.'

'Welk restaurant?'

'Waar de Chef en de koerier met elkaar hadden afgesproken,' zei Semjon geduldig. 'We hoeven onze vakantie niet af te breken.'

Ik keek naar de lucht – die was helderblauw, bezwangerd met hitte.

'Eigenlijk wil ik me niet langer ontspannen. Ik ga terug naar Moskou. Ik denk niet dat iemand me dat kwalijk zal nemen.'

'Natuurlijk niet.'

Semjon haalde zijn sigaretten tevoorschijn en stak er een op. 'Als ik jou was, zou ik proberen uit te vinden,' zei hij als terloops, 'wat die koerier uit het Verre Oosten precies heeft meegenomen. Misschien is dat je kans.'

Ik lachte bitter. 'De Duisteren hebben dat niet kunnen ontdekken en jij stelt voor dat ik de kluis van de Chef ga kraken?'

'De Duisteren hebben het niet te pakken gekregen, wat het dan ook is. Jij hebt natuurlijk niet het recht om het te pakken of het zelfs maar aan te raken. Maar uitvinden...'

'Dank je. Eerlijk waar, heel erg bedankt.'

Semjon knikte en accepteerde mijn dankbetuiging zonder valse bescheidenheid. 'In de Schemer zullen we quitte staan. Ja, weet je, ik heb er ook genoeg van. Na het eten leen ik de motor van Tijgerjong en rij naar de stad. Wil je meerijden?'

'Hm.'

Ik vond het pijnlijk. Dit soort schaamte kan waarschijnlijk alleen een Andere volledig voelen. Wij weten het altijd als iemand ons tegemoetkomt, als iemand ons onverdiend iets cadeau geeft wat we niet kunnen afslaan.

Ik kon hier niet langer blijven. In geen geval. Sweta zien, Olga, Ignat. Hun waarheid aanhoren.

Mijn waarheid zou ik nooit opgeven.

'Kun je motorrijden?' vroeg ik; onhandig probeerde ik over iets anders te beginnen.

'Ik heb deelgenomen aan de eerste Parijs-Dakar. Kom, laten we de jongens helpen.'

Somber keek ik naar Ignat. Hij hanteerde de bijl virtuoos. Na elke slag bleef hij even stilstaan, keek de omstanders vluchtig aan en rolde met zijn spieren. Hij was dol op zichzelf. Ook op de hele wereld, trouwens. Maar vooral op zichzelf.

'Ja, laten we hen helpen,' zei ik. Ik spreidde mijn armen en gooide het teken van de drievoudige snede de Schemer in. Enkele houtblokken vielen in keurige stukken uiteen. Ignat, die de bijl al had opgeheven voor de volgende slag, verloor zijn evenwicht en viel bijna. Hij keek achterom.

Natuurlijk had mijn slag een spoor achtergelaten. De Schemer rammelde en zoog de energie gulzig op.

'Wat doe je nou, Antosjka?' vroeg Ignat een beetje beledigd. 'Waarom heb je dat gedaan? Dat is niet sportief!'

'Maar wel effectief,' antwoordde ik en verliet het terras. 'Moet er nog meer gehakt worden?'

'Wat denk je wel!' Ignat bukte zich en verzamelde de houtblokken. 'Het komt nog eens zo ver dat we de sjasliek met vuurkogels gaan grillen.'

Ik voelde me niet schuldig, maar hielp hem toch. Het brandhout was perfect gehakt en de stukken hout hadden een prachtige barnsteengele kleur. Het was eigenlijk jammer om zoiets moois te verbranden.

Na een tijdje keek ik naar het huis en zag Olga op de eerste verdieping voor het raam staan.

Ze keek met een heel ernstig gezicht naar mijn escapades. Met een veel te ernstig gezicht.

Ik zwaaide naar haar.

5

Tijgerjong had een fantastische motor, als je dat nietszeggende woord tenminste kunt gebruiken voor een Harley. Zelfs bij het eenvoudigste model
geldt: er zijn Harley-Davidsons en andere motoren.
Ik wist niet waarvoor Tijgerjong het ding nodig had; ze kon er immers hooguit een of twee keer per jaar op rijden. Waarschijnlijk om dezelfde reden als
die gigantische villa waar de tovenares alleen in de weekends was. In elk geval
kwamen we rond twee uur 's middags al in de stad aan.
Semjon ging zeer bedreven om met de zware tweewieler. Dat had ik nooit
kunnen doen, zelfs niet als ik de in mijn geheugen opgeslagen 'extreme vaardigheden' zou hebben geactiveerd en de realiteitslijnen gecontroleerd. Ik kon
weliswaar net zo hard rijden als hij, als ik een normale hoeveelheid van mijn
kracht zou verbruiken. Maar Semjon had dat niet nodig – vergeleken met
menselijke motorrijders was hij alleen al dankzij zijn enorme ervaring in het
voordeel.
Zelfs bij een snelheid van honderd kilometer per uur bleef de lucht heet. De
wind sloeg ons in het gezicht als een ruwe, verschroeiende handdoek. Alsof
we door een kachelpijp raasden – langs een eindeloze sliert asfalt vol kreunende, zich voortslepende, door de zon gegrilde auto's. Drie keer dacht ik dat we
tegen een auto zouden opknallen of tegen een plotseling opduikende kilome-
terpaal.
We zouden natuurlijk niet dodelijk verongelukken; de anderen zouden iets
merken, komen, onze ledematen bij elkaar rapen – maar het zou niet prettig
zijn.
Zonder incidenten bereikten we ons doel. Nadat we de ringweg hadden verlaten, gebruikte Semjon vijf keer magie: alleen maar om de blik van de verkeerspolitie een andere kant op te sturen.
Semjon vroeg niet waar ik woonde, hoewel hij nog nooit bij me thuis was
geweest. Hij stopte voor mijn huisdeur en schakelde de motor uit. De jongelui die op de speelplaats goedkoop bier naar binnen goten, zwegen onmiddellijk en staarden naar de motor. Wat fijn als je in je leven nog zulke simpele en
heldere dromen hebt: bier, xtc in de disco, een leuke vriendin en een Harley
onder je kont.
'Heb je het al lang geleden zien aankomen?' vroeg Semjon.
Ik rilde. Eigenlijk had ik helemaal niet verteld dat ik dat kon. 'Al een tijdje.'

Semjon knikte. Keek naar boven, naar mijn ramen. Hij legde niet uit waarom hij dat had gevraagd. 'Zal ik meekomen naar boven?'

'Luister, ik ben geen klein meisje dat je tot aan haar voordeur moet begeleiden.'

'Ik ben Ignat niet,' lachte de tovenaar. 'Goed, maar alle gekheid op een stokje: wees voorzichtig.'

'Waarbij?'

'Bij alles, denk ik.'

De motor van de Harley begon te loeien. De tovenaar schudde zijn hoofd. 'Er is iets gaande, Anton. Er staat iets te gebeuren. Wees voorzichtig.'

Hij schoot ervandoor, onder toejuichingen van de jongelui, reed precies tussen een geparkeerd staande Wolga en een doodgemoedereerd voortsukkelende Zjiguli door. Ik keek hem hoofdschuddend na. Ook zonder zienersgave kon ik weten dat Semjon de hele dag door Moskou zou rijden en zich dan bij een groepje rockers zou aansluiten die hem binnen een kwartier als een van hen zouden beschouwen. Daardoor ontstonden er allerlei legenden over die gekke oude motorrijder.

Wees voorzichtig...

Waarbij?

En vooral, waarom?

Ik liep naar de portiekdeur, toetste gedachteloos de code in en drukte op het liftknopje. Die ochtend was ik nog fijn in de datsja geweest, bij mijn vrienden; toen was alles nog in orde geweest.

Er was niets veranderd, behalve dat ik daar niet meer was.

Ze zeggen dat als een tovenaar van het Licht doordraait, hij dan allemaal flitsen ziet; net zoals een patiënt vlak voor een epileptische aanval. Zinloos gebruik van kracht, bijvoorbeeld om vliegen te beschieten met vuurkogels en brandhout te hakken met vechtmagie. Ruzie maken met je geliefde. Onverwachte vervreemding van de ene vriend en even verrassend nader komen tot de andere. Dat weten we allemaal, en we weten ook allemaal waar een dergelijke uitbarsting van een Lichte op uitdraait.

Wees voorzichtig...

Ik liep naar mijn voordeur en zocht mijn huissleutel.

Maar de deur stond open.

Mijn ouders hadden een sleutel. Maar zij waren nog nooit vanuit Saratow hiernaartoe gekomen zonder me dit vooraf te laten weten. Bovendien zou ik hun aanwezigheid hebben gevoeld.

Een gewone menselijke dief zou nooit in mijn huis kunnen inbreken; hij zou zich laten tegenhouden door dat eenvoudige teken op de drempel. Ook voor een Andere zijn er een paar hindernissen en of je die kunt nemen, hangt af van hoe sterk je bent. Hoe dan ook, de alarminstallatie had moeten werken!

Ik bleef bij de voordeur staan, tuurde door de smalle spleet tussen de deur en het kozijn, door die spleet die er niet had mogen zijn. Keek door de Schemer, maar zag niets.

Ik had geen wapens bij me. Mijn pistool lag binnen. Evenals een stuk of tien vechtamuletten.

Nu zou ik de instructies precies kunnen opvolgen. Een Wachter van de Nacht die vaststelt dat een onbekende zijn magisch beveiligde huis is binnengedrongen, is verplicht de dienstdoende speurder en zijn baas hiervan op de hoogte te stellen, waarna...

Alleen al door de gedachte dat ik Geser nu zou moeten opbellen, twee uur nadat hij de totale Dagwacht had opgepord, verdreef elke wens om de instructies op te volgen. Ik kromde mijn vingers, om met de snelle invriesmagie te beginnen. Misschien wist ik nog hoe Semjon dat zo effectief had gedaan.

Wees voorzichtig?

Ik duwde de deur open en stapte mijn huis binnen dat nu opeens niet meer vertrouwd aanvoelde.

Terwijl ik naar binnenliep, begreep ik wie voldoende krachten bezat, wie de macht en domweg de brutaliteit zou hebben om onuitgenodigd mijn huis binnen te dringen.

'Goedendag, Chef!' zei ik en keek in mijn werkkamer.

Eén ding had ik goed.

Seboelon zat in een stoel bij het raam en trok verbaasd zijn wenkbrauwen op. Hij legde de krant *Argumenten en Feiten* neer waarin hij had zitten lezen. Zette met een precies gebaar zijn bril met het smalle gouden montuur af. Verwaardigde zich toen pas antwoord te geven.

'Goedendag, Anton. Weet je, ik wou dat het waar was, dat ik je Chef zou zijn.'

Hij glimlachte, deze tovenaar van het Duister buiten elke categorie, het Hoofd van de Dagwacht van Moskou. Zoals altijd droeg hij een perfect zittend zwart pak en een lichtgrijs overhemd. Deze magere tovenaar met het korte haar van onbestemde leeftijd.

'Ik heb me gewoon vergist,' zei ik. 'Wat doe je hier?'

Seboelon haalde zijn schouders op. 'Pak de amulet. Die ligt ergens in je bureau, dat voel ik.'

Ik liep naar het bureau, trok de la open en haalde de ivoren amulet met de koperen ketting eruit. Zodra ik mijn vuist eromheen sloot, voelde ik dat de amulet warm werd.

'Seboelon, je hebt geen macht over me.'

'Goed,' zei de tovenaar van het Duister knikkend. 'Ik wil niet dat je twijfelt aan je eigen veiligheid.'

'Wat doe je in het huis van een Lichte, Seboelon? Dat geeft me het recht je voor het Tribunaal te slepen.'

'Ik weet het.' Seboelon spreidde zijn armen. 'Dat weet ik allemaal. Ik sta niet in mijn recht. Ik ben dom. Breng mezelf en de Dagwacht in de problemen. Maar ik ben niet als vijand naar je toe gekomen.'

Ik bleef zwijgen.

'Je hoeft je geen zorgen te maken over de observatieapparatuur,' zei Seboelon snel. 'Niet om die van jullie en niet om die van de Inquisitie. Ik heb de vrijheid genomen om die, hoe zal ik het zeggen, uit te schakelen. Alles wat wij met elkaar bespreken, blijft voor altijd onder ons.'

'Vertrouw een mens voor de helft, een Lichte voor een kwart en de Duistere helemaal niet,' bromde ik.

'Natuurlijk, je hebt het recht me niet te vertrouwen. Dat moet je zelfs doen! Maar ik smeek je naar me te luisteren!' Onverwachts begon Seboelon te glimlachen en wel verrassend open en vriendelijk. 'Je bent immers een Lichte. Je bent verplicht om te helpen. Iedereen die je daarom vraagt, zelfs mij. En ik vraag je erom.'

Ik liep aarzelend naar mijn kleine bank en ging zitten. Zonder mijn schoenen uit te trekken, zonder de in de lucht hangende 'freeze' op te heffen, alsof het helemaal geen absurd idee was dat ik met Seboelon zou gaan vechten.

Een vreemde in mijn eigen huis. *My home is my castle* – tijdens mijn jaren bij de Wacht was ik deze woorden bijna gaan geloven.

'Ten eerste: hoe ben je hier binnengekomen?' vroeg ik.

'Ten eerste heb ik een heel gewone loper gebruikt, maar...'

'Seboelon, je weet heel goed wat ik bedoel. Die signaalbarrières kun je wel verstoren, maar niet voor de gek houden. Het alarm had moeten afgaan, zodra een onbekende het huis binnendrong.'

De tovenaar van het Duister zuchtte. 'Kostja heeft me geholpen hier binnen te komen. Je hebt hem immers toestemming gegeven je huis binnen te gaan.'

'Ik dacht dat hij mijn vriend was. Ook al is hij een vampier.'

'Maar hij is je vriend.' Seboelon glimlachte. 'En hij wil je helpen.'

'Op zijn manier.'

'Op onze manier. Anton, ik ben dan wel je huis binnengedrongen, maar ik wil je geen schade berokkenen. Ik heb niet gekeken naar paperassen van je werk die je hier thuis hebt liggen. Heb hier niets aangebracht waarmee ik je kan observeren. Ik ben gekomen om met je te praten.'

'Praat dan.'

'Wij tweeën hebben een probleem, Anton. Hetzelfde probleem. En vandaag heeft dat probleem kritieke vormen aangenomen.'

Meteen al toen ik Seboelon had gezien, wist ik waarop dit gesprek zou uitdraaien. Daarom knikte ik alleen maar.

'Goed, je begrijpt het dus.' De tovenaar van het Duister schoof een stukje naar voren en zuchtte. 'Ik maak me geen illusies, Anton. Wij kijken ieder op een andere manier naar de wereld. En we kijken ieder op een andere manier naar onze plicht. Maar zelfs in een dergelijke situatie kunnen er lijnen zijn die elkaar kruisen. Van jullie standpunt uit bezien, is ons, de Duisteren, wel het een en ander te verwijten. We gedragen ons niet altijd helemaal ondubbelzinnig. Wij zijn, hoewel noodgedwongen, minder attent naar de mensen toe, maar zo zijn we nu eenmaal. Ja, dat is allemaal waar. Maar niemand, onthou dat, niemand heeft ons ooit verweten dat we zouden proberen het lot van de mensheid door een mondiale interventie te veranderen! Nadat het Grote Verdrag was afgesloten, hebben wij ons eigen leven geleid en wilden ook dat jullie dat deden.'

'Niemand verwijt jullie dat,' gaf ik toe. 'Want de tijd werkt voor jullie, hoe vreemd het ook klinkt.'

Seboelon knikte. 'En wat betekent dat? Misschien dat wij dichter bij de mensen staan? Misschien dat we gelijk hebben? Maar zullen we dit meningsverschil laten rusten, daar zal toch nooit een einde aan komen. Ik herhaal het nog een keer: wij houden ons aan het Verdrag. En wij houden ons er gedeeltelijk veel beter aan dan de krachten van het Licht.'

De gebruikelijke tactiek bij een gevecht. Eerst erken je dat je ergens wel schuldig aan bent. Dan verwijt je je tegenstander een soortgelijke overtreding. Je leest hem de les en wimpelt een discussie meteen af met het voorstel om dat te laten rusten.

En pas daarna begin je over waar het echt om gaat.

'Laten we het nu hebben over waar het echt om gaat.' Seboelon werd ernstig. 'Waarom zouden we eromheen draaien? In de afgelopen honderd jaar hebben de krachten van het Licht drie mondiale experimenten uitgevoerd. De revolutie in Rusland, de Tweede Wereldoorlog en nu weer. Steeds volgens hetzelfde scenario.'

'Ik begrijp niet wat je bedoelt,' zei ik. In mijn borst voelde ik een weemoedige pijn opkomen.

'Echt niet? Dan zal ik het je uitleggen. Er zijn modellen ontwikkeld die – weliswaar slechts na veel ellende en veel bloedvergieten – voor de mensheid, of een aanzienlijk deel ervan, een ideale maatschappij hadden moeten creëren. Ideaal vanuit jullie standpunt bezien, maar daar heb ik het niet over! Echt niet. Iedereen heeft recht op zijn eigen droom. Maar jullie weg is wreed...' Alweer dat droevige glimlachje. 'Jullie verwijten ons dat we wreed zijn, en terecht. Maar wat is een door een zwart mes geofferd kind in vergelijking met een heel gewoon fascistisch concentratiekamp voor kinderen? En het fascisme is ten slotte ook jullie werk. Dat jullie niet meer onder controle hebben. Eerst het internationalisme en het communisme – die niet functioneerden. Toen het nationaal-socialisme. Ook een vergissing? Jullie hebben het allemaal op één hoop gegooid en toen afgewacht wat eruit zou komen. Hebben een diepe zucht geslaakt, alles uitgeveegd en nu zijn jullie met een nieuw experiment begonnen.'

'Die fouten zijn te wijten aan jullie inspanningen.'

'Natuurlijk! Ons instinct tot zelfbehoud functioneert immers! Wij ontwikkelen geen maatschappijmodellen gebaseerd op onze ethiek. Waarom zouden we jullie projecten dan wel toelaten?'

Ik bleef zwijgen.

Seboelon knikte, kennelijk tevreden. 'Zo staan de zaken ervoor, Anton. We zouden vijanden kunnen zijn en dat zijn we ook. Afgelopen winter heb je ons voor de voeten gelopen, heel erg zelfs. Dit voorjaar heb je me weer tegengewerkt en twee medewerkers van de Dagwacht vernietigd. Zeker, de Inquisitie heeft vastgesteld dat je uit noodweer hebt gehandeld, dat je het wel moest doen, maar geloof me: daardoor kwam ik in een slecht daglicht te staan. Wat voor Hoofd ben je als je je eigen medewerkers niet kunt beschermen? Daarom zijn we vijanden. Maar nu is er sprake van een unieke situatie. Een nieuw experiment. En daar ben jij indirect bij betrokken.'

'Ik weet niet waar je het over hebt.'

Seboelon begon te lachen. Hief zijn hand op. 'Anton, ik wil je niet te slim af zijn. Ik vraag je niets. Zal je ook nergens om vragen. Luister alleen maar naar wat ik te zeggen heb. Daarna vertrek ik.'

En opeens dacht ik er weer aan dat Alissa die winter op het dak van dat flatgebouw gebruik had gemaakt van haar recht op een interventie. Een kleine maar, waarmee ze mij toestemming gaf de waarheid te vertellen. En die waarheid had de jongen Gregor naar de kant van het Duister gedreven.

Waarom is dat zo?

Waarom werkt het Licht met de leugen en het Duister met de waarheid? Waarom is onze waarheid hulpeloos, terwijl de leugen effectief blijkt te zijn? En waarom kan het Duister de waarheid zo prachtig benutten om iets slechts te bewerkstelligen? Waar ligt dat aan, aan de menselijke natuur of aan die van ons?

'Swetlana is een fantastische tovenares,' zei Seboelon. 'Maar haar toekomst ligt niet in het leidinggeven aan de Nachtwacht. Ze hebben haar maar voor één ding nodig. Voor de missie die Olga niet met succes heeft afgesloten. Weet je dat er vanochtend een koerier uit Samarkand in Moskou is aangekomen?'

'Dat weet ik,' gaf ik om de een of andere reden toe.

'Ik kan je vertellen wat hij heeft meegenomen. Dat wil je toch graag weten?'

Ik klemde mijn kiezen op elkaar.

'Natuurlijk wil je dat.' Seboelon knikte. 'Die koerier heeft een stuk krijt meegenomen.'

Een Duistere moet je nooit geloven. Toch had ik niet het idee dat hij loog.

'Een klein stukje krijt.' De tovenaar van het Duister glimlachte. 'Waarmee je iets op een schoolbord kunt schrijven. Of een hinkelbaan op straat kunt tekenen. Of je biljartkeu kunt inwrijven. Dat gaat net zo gemakkelijk als noten kraken met het koninklijke zegel. Maar als een Grote Tovenares dit stukje krijt vastpakt... En echt een Grote, want een mindere is niet sterk genoeg. En echt een Tovenares, want in handen van een man blijft het krijtje gewoon maar een gewoon stukje krijt. Bovendien moet deze tovenares een Lichte zijn. Voor het Duister is dit object nutteloos.'

Zag ik dat nou goed, dat hij zuchtte? Ik bleef zwijgen.

'Een klein stukje krijt.' Seboelon leunde achterover in zijn stoel, wiegde naar voren en naar achteren. 'Het is al versleten, want het is al vaker in handen geweest van mooie vrouwen in wier ogen een licht vuur smeulde. Ze hebben het gebruikt, en de aarde beefde, landsgrenzen verdwenen, wereldrijken ontstonden, herders werden profeten, timmerlieden werden goden, vondelingen werden gewettigd als koningen, sergeanten wierpen zich op tot opperbevelhebbers, mislukte seminaristen en talentloze kunstenaars werden tirannen. Een klein stukje krijt. Meer niet.'

Seboelon stond op. Spreidde zijn armen. 'Dat is alles, mijn dierbare vijand, wat ik je wilde zeggen. De rest kun je zelf bedenken, als je dat wilt tenminste.'

'Seboelon.' Ik opende mijn vuist en keek naar de amulet. 'Jij bent een uitwas van het Duister.'

'Ja zeker. Maar dan wel van het Duister dat in mij was. Van het Duister dat ik zelf heb uitgezocht.'

'Zelfs jouw waarheid brengt het kwaad met zich mee.'

'Voor wie? Voor de Nachtwachters? Ja zeker. Voor de mensen? Daar ben ik het niet mee eens.'

Hij liep naar de deur.

'Seboelon,' zei ik nog een keer. 'Ik heb gezien wie je echt bent. Ik weet wie en wat je bent.'

De tovenaar van het Duister bleef als aan de grond genageld staan. Toen draaide hij zich langzaam om, streek met zijn hand over zijn gezicht – heel even vervormde het, glansden er op de plaats van zijn huid wazige schubben, werden zijn ogen smalle spleetjes.

De nevel trok op.

'Ja natuurlijk, dat heb je gezien.' Seboelon had zijn menselijke gedaante weer terug. 'En ik heb jou gezien. En jij was ook, als ik het zeggen mag, geen witte engel met een fonkelend zwaard. Het hangt er maar van af hoe je ernaar kijkt. Vaarwel, Anton. Geloof me maar, ooit zal het me een genoegen zijn je te vernietigen. Maar voor nu wens ik je geluk toe. Vanuit het diepste van mijn ziel, die ik natuurlijk niet bezit.'

De deur viel achter hem dicht.

Precies op dat moment, alsof hij opeens wakker werd, begon vanuit de Schemer het alarm te loeien. Het masker van de Tsjoyong aan de muur vertrok zijn mond, in de houten oogkassen flitste woede op, hij ontblootte zijn tanden.

Die kleine bewaker...

Met twee handgebaren bracht ik het teken tot zwijgen, terwijl ik de opgespaarde 'freeze' op het masker afvuurde. Kon ik die magie dus toch nog gebruiken.

'Een stukje krijt,' zei ik hardop.

Daar had ik al eens iets over gehoord. Al wel een hele tijd geleden, er met een half oor naar geluisterd. Misschien een paar zinnen, uitgesproken door een docent tijdens de les, een kletspraatje van vrienden of een sprookje, opgepikt tijdens een cursus. Gewoon over een stukje krijt...

Ik stond op, hief mijn hand en gooide de amulet op de grond.

'Geser!' riep ik door de Schemer. 'Geser, geef antwoord!'

De schaduw dook vanuit de grond naar me toe, klampte zich aan mijn lichaam vast, slorpte hem op. Het licht werd donker, de kamer vervaagde, de contouren van de meubels vervlogen. Het werd ondraaglijk stil. De hitte loste op. Ik stond daar, spreidde mijn armen en de gulzige Schemer slurpte mijn krachten in zich op.

'Geser, ik roep je met je naam!'

Grijze slierten nevel flakkerden door het vertrek. Het kon me geen moer schelen wie mijn kreet nog meer kon horen.

'Geser, mijn mentor, ik roep je. Geef antwoord!'

Heel in de verte zuchtte een onzichtbare schaduw. 'Ik hoor je, Anton.'

'Geef antwoord!'

'Waar wil je antwoord op?'

'Seboelon heeft niet gelogen, of wel?'

'Nee.'

'Geser, hou ermee op!'

'Het is te laat, Anton. Alles loopt al zoals het lopen moet. Vertrouw me.'

'Geser, hou ermee op!'

'Je hebt het recht niet om iets te eisen.'

'Jawel! Als wij onderdeel zijn van het Licht, als we het goede brengen, dan heb ik dat recht wel!'

Hij zweeg. Ik vroeg me al af of de Chef nog wel iets tegen me zou zeggen.

'Goed dan. Ik verwacht je over een halfuur in de Springerbar.'

'Waar? Waar is dat?'

'In de bar van de parachutespringers. Metro Toergenjewskaja. Achter het voormalige hoofdpostkantoor.'

330

Het werd stil.

Ik zette een stap naar achteren, dook op uit de Schemer. Een originele plek voor een afspraak. Had Geser daar met de Dagwacht afgerekend? Nee, dat was immers het een of andere restaurant.

Om het even, de Springerbar, de Rose of de Chance. Wat was het verschil? Parachutespringers, yuppen of homo's.

Maar voor ik Geser zou ontmoeten, moest ik nog één ding te weten komen.

Ik pakte mijn mobieltje en koos Swetlana's nummer. Ze nam meteen op.

'Hallo,' zei ik. 'Ben je nog steeds in de datsja?'

'Nee.' Kennelijk stoorde ze zich aan mijn zakelijke toon. 'Ik rij nu terug naar de stad.'

'Met wie?'

Ze aarzelde. 'Met Ignat.'

'Prima,' zei ik eerlijk. 'Luister, weet jij iets over een krijtje?'

'Waarover?' Nu was ze duidelijk in de war.

'Over de magische eigenschappen van krijt. Heeft niemand je geleerd hoe je magisch een krijtje moet gebruiken?'

'Nee. Gaat het wel goed met je, Anton?'

'Beter dan ooit.'

'Er is dus niets met je gebeurd?'

Typisch een vrouw: twee, drie versies van dezelfde vraag.

'Niets bijzonders.'

'Wil je...' Ze haperde. 'Wil je dat ik het aan Olga vraag?'

'Is zij ook bij jullie?'

'Ja, we rijden met ons drieën naar de stad.'

'Ach, dat is niet nodig. Bedankt.'

'Anton...'

'Ja, wat is er, Sweta?'

Ik liep naar mijn bureau, trok de la open waar allerlei magische rommel in zat. Zag troebele kristallen, een onhandig gesneden toverstaf – toen wilde ik nog vechttovenaar worden. En schoof de la weer dicht.

'Vergeef me.'

'Er is niets wat ik je moet vergeven.'

'Kan ik misschien naar je toe komen?'

'Zijn jullie nog ver hiervandaan?'

'We zijn halverwege.'

Ik schudde mijn hoofd. 'Dan lukt het niet meer,' zei ik. 'Ik heb een belangrijke afspraak. Ik bel je nog wel.'

Ik verbrak de verbinding en glimlachte. Vaak is de waarheid slecht en leugenachtig, bijvoorbeeld als je maar de halve waarheid vertelt en zegt dat je niet wilt praten, maar niet vertelt waarom niet.

331

Ik hoopte dat ik erin zou slagen om met behulp van het kwaad goed te doen. Want op dit moment kon ik niets anders doen.

Uit voorzorg controleerde ik mijn huis. Ik keek in de slaapkamer, in het toilet, in de badkamer en in de keuken. Maar voorzover ik kon zien, had Seboelon inderdaad geen 'cadeautjes' achtergelaten.

Toen ik weer in mijn werkkamer was, sloot ik mijn laptop aan en deed er een diskette in met een magiedatabank. Ik toetste het wachtwoord in. En klikte op het woord 'krijt'.

Eigenlijk verwachtte ik niet dat het iets zou opleveren. Dat wat ik te weten wilde komen, kon wel eens zo belangrijk zijn dat het nooit in een bestand zou opduiken.

Er stonden drie vermeldingen bij het woord 'krijt'.

Bij de eerste vermelding ging het om een krijtgroeve, waar in de vijftiende eeuw een duel tussen een tovenaar eerste graad van het Licht en een tovenaar eerste graad van het Duister plaatsvond. Beiden kwamen om, stierven domweg omdat ze na het gevecht niet meer uit de Schemer konden komen. In de vijfhonderd jaar daarna stierven in dit gebied ongeveer drieduizend mensen.

De tweede vermelding betrof het gebruik van krijt bij het maken van magische tekens en verdedigingscirkels. Hier stond uitgebreide informatie die ik snel doorlas. Niets bijzonders. Het gebruik van krijt heeft geen noemenswaardige voordelen ten opzichte van kool, balpen, bloed of olieverf. Hooguit het feit dat krijt het gemakkelijkst uit te vegen is.

De derde vermelding was te vinden onder het kopje 'Mythen en onbevestigde feiten'. Hier stond natuurlijk allemaal onzin, zoals de toepassing van zilver en knoflook in de strijd tegen vampiers of de beschrijving van niet-bestaande gebruiken en rituelen.

Maar ik was al eens onder het kopje 'Mythen' op authentieke, maar al lang vergeten gebeurtenissen gestoten.

Krijt werd genoemd in het artikel over 'Boeken van het lot'.

Nadat ik de helft van de tekst had gelezen, wist ik dat ik in de roos had geschoten. De informatie werd heel openlijk gegeven, helder gepresenteerd, was toegankelijk voor iedere beginnende tovenaar en bevond zich waarschijnlijk ook in bronnen die mensen konden consulteren.

Boeken van het lot. Krijt.

Alles klopte.

Ik sloot de databank af en schakelde de laptop uit. Bleef zitten en beet op mijn lip. Keek op de klok.

Zo langzamerhand moest ik me klaarmaken voor mijn vreemde afspraak.

Ik nam een douche en trok schone kleren aan. Van de amuletten nam ik alleen het medaillon van Seboelon, het teken van de Nachtwacht en een vechtschijf mee. Die laatste had ik een keer van Ilja gekregen: een oud bronzen plaatje, niet veel groter dan een muntje van vijf roebel. Dat schijfje had ik nog nooit gebruikt. Volgens de tovenaar zaten er nog één, hooguit twee ladingen in de amulet.

Ik haalde het pistool uit zijn geheime bergplaats. Controleerde het magazijn. Zilveren dumdumkogels. Goed tegen diermensen, twijfelachtig tegen vampiers en meestal effectief tegen tovenaars van het Duister.

Alsof ik ten strijde trok en niet naar een onderhoud met mijn baas.

Ik stond al bij de voordeur toen mijn mobieltje overging.

'Anton?'

'Sweta?'

'Olga wil met je praten. Ik geef je haar.'

'Ja,' zei ik en opende de deur.

'Anton, ik hou heel veel van je. Doe alsjeblieft geen domme dingen.'

Ik wist niet wat ik daarop moest zeggen. Olga pakte het mobieltje.

'Anton, ik wil dat je één ding weet: alles is al beslist. En alles zal heel gauw gebeuren.'

'Vannacht,' raadde ik.

'Hoe weet je dat?'

'Dat voel ik. Ik voel het gewoon. Daarom is de Wacht ook de stad uitgestuurd, ja toch? En bij Swetlana hebben jullie voor de noodzakelijke gemoedsgesteldheid gezorgd.'

'Wat jij allemaal weet.'

'Het Boek van het lot. Het krijt. Ik heb alles begrepen.'

'Te laat,' was Olga's bondige reactie. 'Anton, je moet...'

'Ik moet helemaal niets. Ik ben aan niemand iets verplicht. Behalve aan het Licht in mij.'

Ik verbrak de verbinding en deed mijn mobieltje uit. Zo kon het wel weer. Geser kon ook zo contact met me opnemen, zonder technische apparatuur. Olga zou blijven proberen me over te halen. Swetlana begreep sowieso al niet wat ik waarom deed.

Als je hebt besloten tot het uiterste te gaan, ga dan alleen. En vraag niemand om met je mee te gaan.

'Ga zitten, Anton,' zei Geser.

Het bleek een heel kleine kroeg te zijn. Zes, zeven tafels, met een afscheiding ertussen. Een bar. Helemaal vol rook. De televisie stond aan, zonder geluid: aan één stuk door parachutesprongen. Hetzelfde was te zien op de foto's aan de muur: tijdens de val uitgespreide lichamen in felgekleurde overalls. Weinig klanten, maar dat lag misschien aan het tijdstip van de dag: te laat voor de lunch, veel te vroeg voor de avonddrukte. Ik had mijn blik over de tafels laten glijden en zag Boris Ignatjewitsj aan een tafel in een hoek zitten.

De Chef was niet alleen. Voor hem stond een schaal met fruit en hij trok langzaam druiven van een tros af. Een stukje van hem af zat een grote donkere man met zijn armen over elkaar. Onze blikken ontmoetten elkaar en ik voelde een zachte, maar duidelijke druk.

Ook een Andere.

We bleven elkaar ongeveer vijf seconden aankijken en voerden de druk op. Hij bezat capaciteiten, gewone capaciteiten, maar hij had te weinig ervaring. Op een bepaald moment bood ik iets minder weerstand en onttrok me aan zijn verkenning om – nog voordat de jongeman zijn verdediging kon opbouwen – hem te scannen.

Een Andere. Een Lichte. Vierde graad.

Het gezicht van de man vertrok, alsof er pijnscheuten door hem heen gingen. Hij keek als een geslagen hond naar Geser.

'Mag ik jullie aan elkaar voorstellen?' zei Geser. 'Anton Gorodetski, van de Nachtwacht van Moskou. Alisjer Ganijew, Andere, sinds kort bij de Nachtwacht van Moskou.'

De koerier.

Ik stak mijn hand uit en liet mijn verdediging varen.

'Een Lichte, tweede graad,' constateerde Alisjer terwijl hij me aankeek en boog.

Ik schudde mijn hoofd en verbeterde hem: 'Derde.'

De man keek weer naar Geser. Nu niet schuldbewust, maar verbaasd.

'Tweede,' bevestigde de Chef. 'Je bent in topvorm, Anton. Ik ben blij voor je. Ga zitten en laten we praten. Alisjer, let op.'

Ik ging tegenover de Chef zitten.

'Enig idee waarom ik per se hier met je wilde afspreken?' vroeg de Chef.

'Neem een paar druiven, ze zijn lekker.'

'Hoe moet ik dat weten? Misschien omdat ze hier de lekkerste druiven van Moskou hebben.'

Geser lachte. 'Bravo. Ook niet onbelangrijk. Wij hebben die druiven gekocht, op de markt.'

'Dan omdat het hier zo leuk is.'

De Chef haalde zijn schouders op. 'Het stelt niets voor; een klein vertrek; achter die deur staan een biljarttafel en nog een paar tafeltjes.'

'Dan doet u stiekem aan parachutespringen, Chef.'

'Ik heb al twintig jaar niet meer gesprongen,' antwoordde Geser gelaten. 'Mijn beste Anton, ik ben hiernaartoe gekomen, heb aardappels met boeuf stroganoff gegeten en als dessert druiven genuttigd, alleen maar om jou een micromilieu te kunnen laten zien. Een kleine, een minuscule maatschappij. Ontspan je nu en ga zitten. Alisjer, bestel een biertje voor Anton! Kijk om je heen, soldaat. Kijk naar de gezichten. Luister naar het gepraat. Adem hun lucht in.'

Ik keerde me van de Chef af. Keek over de rand van de houten bank heen om ten minste een stukje van de omgeving te kunnen zien. Alisjer stond al bij de bar op mijn biertje te wachten.

Ze hadden bijzondere gezichten, deze stamgasten van de Springerbar. Ze hadden iets ondefinieerbaars met elkaar gemeen. Bijzondere ogen of bijzondere gebaren. Nee, toch niet bijzonder, alleen leek iedereen wel een onzichtbaar stempel op te hebben.

'Een collectief,' zei de Chef. 'Een micromilieu. Ik had dit gesprek ook kunnen voeren in de homobar Chance, in het Centrale Huis van Literaire Auteurs of in een snackbar waar ze ook wijn verkopen. Dat maakt niet uit; wat wel belangrijk is, is dat het hier gaat om een klein, naar buiten toe afgeschermd collectief. Dat zich min of meer afzondert van de maatschappij. Geen McDonald's, geen chic restaurant, maar een open of intieme club. Weet je waarom? Dat zijn wij; het is een model van onze Wacht.'

Ik zweeg. Keek hoe een jongeman op krukken naar het tafeltje naast hem liep, niet op de stoel ging zitten die hem werd aangeboden, maar tegen de tussenwand leunde en iets begon te vertellen. De muziek overstemde zijn woorden, maar de grote lijnen kreeg ik door de Schemer wel mee. De parachute die niet open was gegaan en die hij af had moeten doen. De landing met de reserveparachute. En wat een gelazer, een halfjaar niet springen!

'Deze maatschappij is bijzonder karakteristiek,' zei de Chef kalm. 'Het risico. De sterke indrukken. De wereld om hen heen die met onbegrip reageert. Het jargon. Problemen die gewone mensen absoluut niet begrijpen. En, maar dat terzijde, regelmatig verwondingen en sterfgevallen. Vind je het leuk hier?'

Ik dacht even na en zei: 'Nee. Je moet er hier bijhoren. Of wegblijven.'

'Natuurlijk. Bij elk micromilieu is het alleen de eerste keer spannend om naar binnen te kijken. Daarna moet je zijn wetten overnemen en in die kleine maatschappij opgaan of je ervan distantiëren. Wat dit betreft verschillen we absoluut niet van hen. En dat komt door hoe we zijn. Iedere Andere die we vinden en die zijn capaciteiten ontdekt, staat voor die keuze. Hij wordt lid van de Wacht van zijn keuze, wordt een soldaat, een strijder, en is onvermijdelijk ten dode opgeschreven. Of hij blijft zijn bijna menselijke leven leven, ontwikkelt zijn magische capaciteiten niet echt, maakt af en toe gebruik van het voordeel een Andere te zijn, maar ondervindt ook de nadelen van een dergelijk leven aan den lijve. Het naarste is als hij bij zijn oorspronkelijke keuze een verkeerde beslissing heeft genomen. Een Andere wil om deze of gene reden de wetten van de Wachten niet accepteren. Maar het is bijna onmogelijk om uit onze structuren te stappen. Vertel me eens, Anton, zou je buiten de Wacht kunnen leven?'

Natuurlijk stelde de Chef nooit theoretische vragen.

'Waarschijnlijk niet,' bekende ik. 'Ik zou het moeilijk vinden, het zou bijna onmogelijk zijn om binnen de grenzen te blijven die voor een gewone tovenaar gelden.'

'Want als je niet bij de Wacht komt, dan kun je je magische manipulaties niet rechtvaardigen met de strijd tegen het Duister. Zo is het toch?'

'Ja.'

'Dat maakt de zaak behoorlijk gecompliceerd, Anton. Dat is het hele probleem.' De Chef zuchtte. 'Alisjer, blijf daar niet staan alsof je wortel hebt geschoten.'

Hij behandelde die knaap echt beroerd. Maar ik dacht dat de redenen daarvoor voor de hand lagen: de koerier had koste wat het kost een plaatsje in de Wacht willen krijgen en moest nu de onvermijdelijke gevolgen dragen.

'Je bier, Lichte Anton.' Met een vaag knikje zette de man het glas voor me neer. Zwijgend pakte ik het glas. Hij kon er niets aan doen, deze onschuldige en getalenteerde tovenaar. We zouden vast en zeker vrienden kunnen worden, maar op dit moment koesterde ik zelfs een wrok tegen hem: Alisjer had iets naar Moskou gebracht wat Swetlana en mij voor altijd zou scheiden.

'Wat moeten we doen, Anton?' vroeg de Chef.

'Wat is het probleem eigenlijk?' vroeg ik en keek hem met een trouwe blik aan.

'Swetlana. Je bent tegen haar missie.'

'Natuurlijk.'

'Dat is toch boekenwijsheid, Anton. Axioma's. Je hebt het recht niet om bezwaren te opperen tegen het beleid van de Wacht als die alleen maar voortkomen uit je persoonlijke belangen.'

'Wat hebben mijn persoonlijke belangen daarmee te maken?' vroeg ik oprecht verbaasd. 'Ik vind de hele operatie die nu wordt voorbereid immoreel. Die zal geen voordelen opleveren voor de mensen. Hoe dan ook zijn alle pogingen om de maatschappij van de mensen fundamenteel te veranderen, totaal mislukt.'

'Vroeg of laat zullen we er wel in slagen, hoewel ik niet wil beweren dat dit nu zo zal zijn, maar we staan er heel goed voor.'

'Dat geloof ik niet.'

'Je kunt bij de hoogste leiding een bezwaar indienen.'

'Zullen die er dan in slagen om dat bezwaar te behandelen voor de dag waarop Swetlana het krijtje vastpakt en het Boek van het lot opent?'

De Chef kneep zijn ogen tot spleetjes. Slaakte een zucht. 'Nee, dat zullen ze niet. Alles gaat vannacht gebeuren, zodra de tijd rijp is. Tevreden? Dat je nu ook weet wanneer onze actie zal plaatsvinden?'

'Boris Ignatjewitsj.' Ik sprak hem expres aan met de naam waaronder ik hem had leren kennen. 'Luister naar me. Ik smeek het u. Lang geleden hebt u uw vaderland verlaten en bent u naar Rusland gekomen. Niet in het belang van het Licht, niet in het belang van uw carrière, maar omwille van Olga. Ik weet een beetje van wat u hebt meegemaakt. Hoeveel haat en liefde, verraad en hoogmoed u al hebt ondervonden. Maar u moet mij ook begrijpen. Dat kunt u.'

Ik weet niet wat ik verwachtte. Welk antwoord. Dat hij zijn blik zou neerslaan of tussen dichtgeklemde lippen zou zeggen dat hij de geplande actie zou afblazen.

'Ik begrijp je heel goed, Anton.' De Chef knikte. 'Je hebt geen idee hoe goed. En juist daarom zal de actie doorgang vinden.'

'Maar waarom?'

'Ja, omdat er zoiets als het lot bestaat, mijn jongen, en omdat niets sterker is dan het lot. De een is voorbestemd de wereld te veranderen. De ander is dat niet gegeven. De een is voorbestemd een land aan het wankelen te brengen. De ander om achter de schermen te blijven, met in zijn door het krijt wit geworden handen de touwtjes van de marionetten vast te houden. Anton, geloof me, ik weet wat ik doe.'

'Nee.'

Ik stond op, liet het onaangeraakte bier met de al ingezakte schuimkraag staan. Alisjer keek de Chef vragend aan, alsof hij bereid was me tegen te houden.

'Je hebt het recht alles te doen wat je wilt,' zei de Chef. 'Het Licht is in je, maar achter je ligt de Schemer op de loer. Je weet wat een onzekere stap betekent. En je weet dat ik bereid en verplicht ben om je te hulp te schieten.'

'Geser, mijn mentor, heel erg bedankt voor alles wat je me hebt geleerd.' Ik maakte een buiging en trok de nieuwsgierige blikken van de parachutespringers naar me toe. 'Ik geloof niet dat ik het recht heb om nog weer op je hulp te rekenen. Aanvaard mijn dank.'

'Je bent ontslagen van elke verplichting jegens mij,' zei de Chef gelaten. 'Doe wat je lot je opdraagt.'

Afgelopen. Wat geeft hij zijn enige leerling gemakkelijk op! Hoeveel leerlingen heeft hij wel niet gehad die de hoogste doelen en heilige idealen niet wilden erkennen?

Honderden, duizenden.

'Vaarwel, Geser,' zei ik. Toen keek ik Alisjer aan. 'Veel geluk, nieuwe Wachter van de Nacht.'

De koerier keek me afkeurend aan. 'Als ik iets mag zeggen...'

'Spreek,' commandeerde ik.

'Als ik jou was, zou ik geen overhaaste beslissingen nemen, Lichte Anton.'

'Ik heb al veel te lang geaarzeld, Lichte Alisjer.' Ik glimlachte. In de Wacht had ik mijzelf meestal beschouwd als een van de kleinste tovenaars, maar dat was nu voorbij. Deze beginneling beschouwde mij al als een autoriteit. Nog wel. 'Ooit zul je horen hoe de tijd ruist, hoe het zand je door de vingers glipt. Denk dan aan mij. Veel succes.'

6

Wat een hitte.

Ik ging naar beneden, naar de Oude Arbat. Schilders die hun banale portretten tekenden, muzikanten die hun stereotiepe muziek speelden, handelaars die altijd en eeuwig dezelfde souvenirs verkochten, buitenlanders met die standaardinteresse in hun blik, Moskovieten die de matroesjka-imitaties met hun gebruikelijk irritatie voorbijliepen...

En hen moest je wakker schudden?

Een kleine voorstelling laten zien?

Met bliksemflitsen jongleren? Echt vuur spuwen? Barsten in het plaveisel maken en mineraalwater uit de bronnen laten komen? Een stuk of tien kreupelen genezen? De door de omgeving rennende straatkinderen te eten geven vanuit een zomaar tevoorschijn getoverde keuken?

Waarom?

Ze zouden me een handjevol kleingeld toewerpen voor vuurkogels waarmee je een duivel kon vellen. De mineraalwaterbronnen zouden gesprongen waterleidingen blijken te zijn. De arme kreupelen zijn sowieso gezonder en rijker dan de meeste andere mensen die hier voorbijlopen. De straatkinderen zouden wegrennen, omdat ze al heel lang weten: een keuken krijg je niet voor niets.

Ja, ik begrijp Geser, ik begrijp alle hogere tovenaars die al duizenden jaren tegen het Duister strijden. Je kunt niet eeuwig met dat machteloze gevoel blijven rondlopen. Je kunt niet eeuwig in de loopgraven blijven zitten. Op die manier sterft een leger sneller dan door vijandelijke kogels.

Maar wat had ik met dat alles te maken?

Moet het vaandel van de overwinning per se met mijn liefde worden gevoed?

En wat hebben de mensen met dat alles te maken?

De wereld is gemakkelijk omver te werpen en komt er ook weer gemakkelijk bovenop, maar wie helpt de mensen om niet om te vallen?

Zouden we echt niet in staat zijn om iets te leren?

Ik wist wat Geser van plan was, beter gezegd wat Swetlana in opdracht van hem zou doen. Begreep waar dat toe kon leiden, kon me zelfs voorstellen welke gaten er in het Grote Verdrag zaten waarmee deze manipulatie van het Boek van het lot kon worden gerechtvaardigd. Wist wanneer deze actie zou plaatsvinden. Aan het totaalplaatje ontbraken alleen nog de locatie en het onderwerp van de actie.

En juist dat was cruciaal.

Het werd tijd om met hangende pootjes naar Seboelon te kruipen.

En daarna meteen de Schemer in.

Ik was net in het midden van de Arbat aangekomen toen ik een lichte, amper waarneembare beweging van kracht voelde. Vlak bij me was er sprake van een magische manipulatie. Geen sterke, maar...

Bij het Duister!

Hoe ik ook over Geser had gedacht, hoe ik ook met hem had gediscussieerd – ik bleef een soldaat van de Nachtwacht.

Met één hand pakte ik de amulet in mijn zak vast, riep mijn schaduw en trad de Schemer in.

Wat zag alles er verwaarloosd uit!

Het was al langgeleden dat ik de laatste keer in de Schemer door het centrum van Moskou had geslenterd.

Het blauwe mos lag als een tapijt overal overheen. De draden bewogen lang-zaam heen en weer; het leek alsof ze in het water bewogen. Er stroomden kringen bij me vandaan – het mos dronk mijn emoties en probeerde tegelij-kertijd van mij weg te kruipen. Maar op dit moment had ik geen aandacht voor de grapjes van de Schemer.

Ik was niet alleen in de grijze ruimte onder de zonloze hemel.

Heel even keek ik naar de jonge vrouw die met haar rug naar me toe stond. Keek naar haar en voelde dat er een boosaardig glimlachje op mijn gezicht verscheen. Een glimlachje dat een tovenaar van het Licht onwaardig is. Hoe-zo 'geen sterke manipulatie'!

Een magische interventie van de derde graad?

Ai-ai-ai!

Dat is heel erg, mijn kind. Dat is zo erg dat je waarschijnlijk gek bent gewor-den. Derde graad. Dat gaat je krachten eigenlijk te boven; je gebruikt de amulet van iemand anders.

Maar ik zal proberen om het met mijn krachten tegen je op te nemen.

Ik liep naar haar toe en ze kon mijn voetstappen op het zachte, blauwe tapijt niet eens horen. De vage schaduwen van de mensen gleden heen en weer, en ze was domweg te zeer afgeleid.

'Anton Gorodetski, Nachtwacht,' zei ik. 'Alissa Donnikowa, je bent gearres-teerd.'

Het heksje begon opeens te krijsen en draaide zich snel om. Alissa hield een amulet vast, een kristalprisma, waardoor ze naar de voorbijgangers had geke-ken. Ze probeerde hem eerst met een impulsief gebaar voor me te verstoppen en daarna probeerde ze me door het prisma heen aan te kijken.

Ik greep haar hand en dwong haar daarmee op te houden. Heel even stonden we naast elkaar; langzaam maar zeker verstevigde ik de druk en draaide haar hand om. Als wij een man en een vrouw waren geweest, zou dit pijnlijk zijn geweest. Bij ons, Anderen, is fysieke kracht niet afhankelijk van het geslacht en ook niet van de opgebouwde spiermassa. De kracht komt uit de omgeving, uit de Schemer, uit de mensen om ons heen. Ik wist niet hoeveel kracht Alissa uit de wereld om haar heen kon halen; misschien wel meer dan ik.

Maar ik had haar op heterdaad betrapt. Er konden nog meer Wachters in de buurt zijn. En verzet tegen een medewerker van de andere Wacht die je officieel arresteert, is reden voor onmiddellijke vernietiging.

'Ik verzet me niet,' zei Alissa en opende haar hand. Het prisma viel zachtjes op het mos, dat begon te sudderen en te pruttelen, en de kristalamulet omhulde.

Ik stelde een retorische vraag: 'Een krachtprisma? Alissa Donnikowa, je hebt een magische interventie van de derde graad uitgevoerd.'

'Vierde,' zei ze snel.

Ik haalde mijn schouders op. 'Derde graad of vierde, dat maakt in feite geen verschil. Dat betekent het Tribunaal, Alissa. Je zit goed in de problemen.'

'Ik heb niets gedaan.' De heks probeerde tevergeefs ontspannen over te komen. 'Ik heb toestemming gekregen om dat prisma te dragen. Ik heb het niet gebruikt.'

'Alissa, iedere hoge tovenaar kan uit al deze informatie zijn eigen conclusies trekken.'

Ik liet mijn hand zakken, dwong het blauwe mos opzij te gaan, waardoor het prisma gehoorzaam in mijn hand sprong. Het was koud, erg koud.

'Zelfs ik kan geen verhalen lezen,' zei ik. 'Alissa Donnikowa, Andere, Duistere, heks van de Dagwacht, vierde krachtniveau, ik beschuldig je officieel van overtreding van het Grote Verdrag. Wanneer je je verzet, ben ik gedwongen je te doden. Handen op de rug.'

Ze gehoorzaamde. Toen begon ze snel te praten en legde alle overredingskracht die ze in zich had in haar stem. 'Anton, wacht alsjeblieft. Toe nou, luister naar me. Ja, ik heb het prisma uitgeprobeerd, maar je moet het begrijpen: dit was de eerste keer dat ze me een amulet met zoveel kracht hebben toevertrouwd! Anton, ik ben toch niet zo stom om midden in Moskou mensen te overvallen! Wat zou me dat opleveren? Anton, we zijn allebei toch Anderen! Laten we dit in der minne schikken, oké? Anton!'

'Wat bedoel je met in der minne?' vroeg ik en stak het prisma in mijn zak. 'Kom, we gaan.'

'Je krijgt een interventie van de vierde of derde graad, Anton! Een willekeurige interventie van de derde graad ten bate van het Licht! Niet zoiets als mijn domme spel met het prisma, maar een echte interventie!'

Ik begreep wel waarom ze in paniek was. Het zag er niet best uit voor haar. Een medewerkster van de Dagwacht die voor persoonlijke doeleinden het leven uit de mensen zuigt – dat zou een enorm schandaal worden! Alissa zou zonder meer worden uitgeleverd.

'Je hebt niet de bevoegdheid compromissen te sluiten. De leiding van de Dagwacht zal je beloftes niet accorderen.'

'Seboelon zal ze bekrachtigen!'

'O ja?' De zekerheid waarmee ze dat zei, irriteerde me. Was ze dan echt de minnares van Seboelon? Zelfs dan was het vreemd. 'Alissa, ik heb al eens een keer een vredesafspraak met je gemaakt...'

'Dat klopt, en toen heb ik voorgesteld om jouw interventie door de vingers te zien.'

'En waar heeft dat toe geleid?' Ik glimlachte. 'Weet je dat nog?'

'Nu is de situatie anders. Nu heb ik de wet overtreden.' Alissa sloeg haar blik neer. 'Jij hebt nu het recht op een tegenactie. Heb jij echt geen toezegging nodig dat je Lichte magie van de derde graad mag toepassen? Elke mogelijke Lichte magie? Je zou een stuk of twintig boeven kunnen remoraliseren, zodat ze weer rechtschapen mensen worden! Op slag een stuk of tien tot as verbranden! Een ramp voorkomen, lokaal een verandering van de tijd doen plaatsvinden! Weegt dat niet op tegen mijn domme fout, Anton? Kijk toch om je heen, niemand heeft eronder geleden! Ik heb niets kunnen doen, was nog maar net begonnen...'

'Alles wat je zegt, kan tegen je worden gebruikt.'

'Dat weet ik heus wel!'

Er blonken tranen in haar ogen. En die waren misschien wel echt. Achter het uiterlijk van de heks zat nog steeds dat heel gewone meisje. Dat sympathieke geschrokken meisje dat iets stoms had gedaan. Het was haar schuld toch niet dat ze de weg van het Duister had gekozen?

Ik voelde mijn emotionele pantser doorbuigen en schudde mijn hoofd. 'Het heeft geen zin me onder druk te zetten.'

'Anton, alsjeblieft, laten we het in der minne schikken!'

Had ik wat aan het recht op een interventie van de derde graad?

Nou en of! Iedere tovenaar van het Licht droomt van een dergelijke carte blanche! Zodat je in elk geval éven het gevoel kon hebben dat je een moedige soldaat was in plaats van een armzalige loopgraafsoldaat die moedeloos naar de witte vlag ligt te kijken.

'Je hebt het recht niet me dit soort voorstellen te doen,' zei ik op vaste toon.

'Dat krijg ik!' Alissa schudde haar hoofd en haalde diep adem. 'Seboelon!'

Ik klemde mijn hand om de kleine vechtamulet en wachtte.

'Seboelon, ik roep je!' Haar stem ging over in gejammer. Het viel me op dat de schaduwen van de mensen om ons heen sneller bewogen. Ze voelden een onrust die ze niet begrepen en gingen sneller lopen.

Kon ze de Chef van de Duisteren al weer aanroepen?

Net zoals toen, in restaurant Maharadja, toen Seboelon me bijna met zijn vechtstaaf had gedood?

Maar het was hem niet gelukt. Hij had me niet te pakken gekregen.

Hoewel de intrige toen op Gesers conto geschreven moest worden, kon Seboelon me zonder meer de dood van de Duistere ten laste leggen.

Wilde hij me er nóg een in de schoenen schuiven?

Of had Geser zich ermee bemoeid, in het geheim en onopgemerkt, en de aanval van mij afgeleid?

Ik wist het niet. Zoals altijd wist ik niet genoeg om een conclusie te kunnen trekken. Ik zou 33 versies kunnen bedenken die allemaal tegenstrijdig met elkaar zouden zijn.

Ik zou het fijner hebben gevonden als Seboelon niet zou reageren. Dan zou ik Alissa uit de Schemer trekken, de Chef of een willekeurige speurder roepen, het domme kind aan hem overdragen en aan het einde van de maand een premie krijgen. Maar wat kon die premie me nu schelen?

'Seboelon!' Haar stem klonk vleiend. 'Seboelon!'

Ze huilde al, zonder dat ze het doorhad. De make-up onder haar ogen liep uit.

'Dit heeft geen zin,' zei ik. 'Kom, we gaan.'

Op dat moment ging twee meter voor ons een donker portaal open.

Eerst voelden we kou, een ontzettende kou. Zodat we verlangden naar de hitte die in de mensenwereld heerste. Het mos vlamde op, de hele straat stond in brand. Natuurlijk had Seboelon het niet met opzet in brand gestoken, maar toen hij het portaal opende, verspreidde dat zoveel kracht dat het mos dat niet meer kon verwerken.

'Seboelon,' fluisterde Alissa.

Vijf meter van ons af schoot een paarse straal vanuit het plaveisel de lucht in. De lichtflits was zo fel dat ik in een reflex mijn ogen dichtkneep. Toen ik die kant weer opkeek, hing er een pikzwarte luchtbel in de grijze nevel. Langzaam kwam daar iets uit met ruw haar en schubben dat vaag aan een mens deed denken. Door de tweede of derde laag van de Schemer kwam Seboelon naar ons toe. In vergelijking met deze lagen verliep de tijd hier net zo langzaam als voor ons de tijd in de mensenwereld.

Ik kreeg opeens een gevoel van onvermogen, waar ik me eigenlijk al heel lang geleden bij had neergelegd: de capaciteiten die Seboelon en Geser zo gemakkelijk benutten, waren niet alleen onbereikbaar voor mij, maar lagen ver boven mijn macht.

'Seboelon!' Alissa stormde, haar handen nog steeds op de rug, op het afzichtelijke monster af. Vlijde zich tegen hem aan en begroef haar gezicht in de stekelige schubben. 'Help me, help me alsjeblieft!'

Seboelon was hier natuurlijk niet als duivel gekomen om indruk op mij te maken; in de gedaante van een mens zou hij het in de diepe lagen van de Schemer geen minuut hebben uitgehouden. En hij was daar waarschijnlijk al een aantal uren, of zelfs dagen.

Het monster bekeek me met zijn spleetogen. Er kwam een lange, gespleten tong uit zijn bek die over Alissa's hoofd gleed, waardoor er druppels wit slijm in haar haren achterbleven. Hij nam Alissa's kin in zijn klauwen en tilde voorzichtig haar hoofd omhoog... ze keken elkaar aan. In een mum van tijd hadden ze informatie uitgewisseld.

'Idioot!' zei de duivel woedend. Zijn tong glipte tussen zijn dichtslaande kaken door terug in zijn bek, waardoor hij er bijna op gebeten had. 'Jij gulzig kreng!' Aha. Daar ging mijn interventie van de derde graad.

De korte staart van de duivel sloeg tegen Alissa's benen, scheurde haar zijden jurk kapot en wierp haar op de grond. De ogen van het monster schoten vuur, de heks werd omhuld door een lichtblauw schijnsel en ze versteende.

En daar ging de hulp voor Alissa.

'Kan ik de arrestante afvoeren, Seboelon?' vroeg ik.

Het monster wipte lichtjes op zijn kromme poten heen en weer. De klauwen aan zijn vingers werden uitgezet en ingetrokken. Toen zette hij één stap en ging tussen mij en de bewegingloze vrouw in staan.

'Ik verzoek je de rechtmatigheid van de arrestatie te bevestigen,' zei ik. 'Anders moet ik er hulp bijhalen.'

De duivel begon te transformeren. Zijn lichaamsproporties veranderden, zijn schubben werden kleiner, zijn staart verschrompelde en zijn penis deed niet langer denken aan een knuppel met spijkers erin. Daarna kreeg Seboelons kleding vorm.

'Wacht, Anton.'

'Waarop?'

Het gezicht van de tovenaar van het Duister bleef ondoorgrondelijk. Waarschijnlijk liet hij in duivelsgedaante veel meer emoties zien, of had hij het niet noodzakelijk gevonden ze te verbergen.

'Ik bekrachtig de belofte die Alissa je heeft gegeven.'

'Wat?!'

'Als je de zaak niet officieel maakt. Dan neemt de Dagwacht een interventie door jou tot en met de derde graad op de koop toe.'

Het leek alsof hij het meende.

Ik slikte eens. Een dergelijke belofte krijgen van het Hoofd van de Dagwacht...

'Geloof nooit wat een Duistere zegt!'

'Inclusief een willekeurige interventie tot en met de tweede graad.'

'Ben je zó bang voor een schandaal?' vroeg ik. 'Of heb je haar ergens voor nodig?'

Seboelons gezicht vertrok even.

'Ik heb haar nodig. Ik hou van haar.'

'Dat geloof ik niet.'

'Als Hoofd van de Dagwacht van Moskou verzoek ik jou, Wachter Anton, de zaak in der minne te schikken. Dat is mogelijk, want mijn protégee Alissa Donnikowa heeft de mensen geen noemenswaardige schade berokkend. Als compensatie voor haar poging,' Seboelon legde extra nadruk op dit woord, 'een Duistere magische manipulatie van de derde graad uit te voeren, zal de Dagwacht een willekeurige, door jou uit te voeren Lichte manipulatie tot en met de tweede graad accepteren. Ik vraag je niet om deze afspraak geheim te houden. Ik beperk je handelingen op geen enkele manier. Ik leg er de nadruk op dat de door Wachter Alissa begane daad streng zal worden bestraft. Moge het Duister mijn getuige zijn.'

Een lichte, zachte trilling. Een onderaards gerommel, het gehuil van een aanstormende orkaan. In Seboelons hand verscheen een minuscuul zwart kogeltje, dat ronddraaide.

'Aan jou de keus,' zei Seboelon.

Ik likte langs mijn lippen, keek neer op de betoverde Alissa. Een loeder, dat was ze. Met wie ik nog een appeltje te schillen had.

Wilde ik daarom geen compromis sluiten? En niet, omdat het gevaarlijk was een afspraak met het Duister te maken? Alissa had geprobeerd om met behulp van het krachtprisma iets van de levensenergie van de mensen te drinken. Dat is magie van de derde of vierde graad. Ik zou een manipulatie van de tweede graad mogen uitvoeren. En dat is veel, heel veel. In feite is dat een mondiale manipulatie! Een stad waar 24 uur lang geen enkele misdaad wordt gepleegd. Een geniaal en absoluut goed idee. Hoe vaak had de Nachtwacht in het verleden al een interventie van de derde of vierde graad nodig gehad, maar die niet gehad. Daarom hadden we onbezonnen moeten handelen en in paniek op de tegenzet moeten wachten!

En nu bood zich de mogelijkheid van een interventie van de tweede graad aan, vrijwel voor niets.

'Moge het Licht je getuige zijn,' zei ik. En stak mijn hand uit naar Seboelon.

Ik had de oerkrachten nog niet eerder als getuige hoeven aan te roepen. Ik wist alleen maar dat hier geen speciale toverformule voor nodig was.

Maar ik was er helemaal niet zeker van dat het Licht zou luisteren.

In mijn hand laaide een bloemblad van wit vuur op.

Seboelon fronste zijn voorhoofd, maar trok zijn arm niet terug. Toen wij ons Verdrag met een handdruk bezegelden, kwamen het Licht en het Duister met elkaar in contact tussen onze handpalmen. Ik voelde een stekende pijn, alsof ik met een stompe naald werd geprikt.

'Het Verdrag is gesloten,' zei de tovenaar van het Duister.

Ook hij vertrok zijn gezicht. Ook hij voelde de pijn.

'Verwacht je dat je hier zelf iets aan hebt?' vroeg ik.

'Natuurlijk, ik probeer altijd overal iets aan te hebben. En meestal lukt me dat ook.'

Gelukkig was Seboelon niet alleen maar blij met onze afspraak. Wat hij ook van onze deal verwachtte, hij was er niet zeker van dat het zou lukken.

'Ik ben te weten gekomen wat de koerier uit het Verre Oosten naar Moskou heeft gebracht en waarom.'

Seboelon begon bijna te glimlachen. 'Uitstekend. Deze situatie maakt me zenuwachtig en het is heel erg prettig om te weten dat ik nu niet meer de enige ben met dit gevoel.'

'Seboelon! Hebben de Nacht- en de Dagwacht ooit wel eens samengewerkt? Echt samengewerkt, niet alleen maar samen misdadigers en psychopaten opgepakt?'

'Nee. Elke samenwerking betekent een nederlaag voor één van beide kanten.'

'Daar zal ik rekening mee houden.'

'Doe dat.'

We bogen zelfs beleefd voor elkaar. Alsof hier niet twee tovenaars van elkaar bestrijdende krachten tegenover elkaar stonden – een adept van het Licht en een dienaar van het Duister – maar twee bekenden die het goed met elkaar konden vinden.

Toen liep Seboelon naar het onbeweeglijke lichaam van Alissa, tilde haar op en gooide haar over zijn schouder. Ik had verwacht dat ze de Schemer zouden verlaten, maar in plaats daarvan liep het Hoofd van de Duisteren met een minzaam glimlachje naar mij het portaal in. Heel even trilde dat nog, maar toen verdween het. Ik liep de andere kant op.

Nu pas voelde ik hoe moe ik was. De Schemer vindt het prachtig als je er binnenkomt, maar nog mooier als je je zelfbeheersing verliest. De Schemer is een onverzadigbare sloerie die blij is met iedereen.

Ik koos een plekje waar minder mensen waren en sprong in één keer uit mijn schaduw.

De ogen van de mensen die me voorbijliepen, keerden zich zoals altijd van me af. Wat komen jullie ons vaak tegen, mensen... De Lichten en de Duisteren, de tovenaars en diermensen, de heksen en genezeressen. Jullie kijken ons aan, maar hebben het recht niet ons te zien. Moge dat voortaan ook zo zijn.

Wij kunnen honderd of duizend jaar leven. Het is bijzonder moeilijk ons te doden. En de problemen die het menselijke leven bepalen, betekenen voor ons hetzelfde als de wrevel die een eersteklasser voelt over een kras in zijn schrift.

Maar alles heeft een keerzijde. Ik zou zo met jullie ruilen, mensen. Neem het vermogen schaduwen te zien en in de Schemer te treden. Neem de verdediging van de Wacht en het vermogen het bewustzijn van iemand anders te veranderen.

Geef mij de rust maar die ik voor altijd kwijt ben!

Iemand liep met opzet tegen me op, duwde me opzij. Het was een jongeman met een kale kop, een mobieltje aan zijn riem en een gouden ketting om zijn nek. Hij keek me doordringend aan, stak zijn tong uit en liep door. Zijn vriendin, die zijn hand vasthield, probeerde tevergeefs zijn blik te imiteren, de blik die kleine schurken voor 'aardige idioten' reserveren.

Ik begon hartelijk te lachen.

Ja, ik zag er waarschijnlijk echt heel fraai uit! Zoals ik daar stokstijf midden op straat stond.

Als ik zou willen, kon ik de hele straat wakker schudden. Een mondiale remoralisatie uitvoeren – en dan zou die kale als verpleegkundige in een ziekenhuis voor geestelijk gehandicapten gaan werken, zijn vriendin zou naar het station snellen en haar oude moeder opzoeken die ergens op het platteland woonde en die ze lang had verwaarloosd.

Ik zou dolgraag iets goeds willen doen, mijn vingers jeukten gewoon!

Juist omdat het verboden is.

Zelfs als het hart schoon is en de handen warm, moet je het hoofd koel houden.

Ik ben een eenvoudige, gewone Andere. Ik heb niet de kracht die Geser of Seboelon gegeven is, en zal die ook nooit krijgen. Misschien omdat ik op mijn eigen manier naar de gebeurtenissen kijk. En zelfs een onverwacht cadeau – het recht op Lichte magie – kan ik niet benutten. Dat zou onderdeel uitmaken van het spel dat buiten mij om wordt gespeeld.

En ik heb alleen maar een kans als ik uit het spel stap.

En Swetlana eruit haal.

Ja, en daardoor de langdurig voorbereide operatie te laten mislukken! Ja, geen speurder meer zijn! Een eenvoudige tovenaar worden die slechts een fractie van zijn krachten benut. En dat alleen maar als ik geluk heb; in het ergste geval wacht me de eeuwige Schemer.

Vandaag, vandaag om middernacht.

Waar? En wie? Wiens Boek van het lot zal de tovenares openen? Wat had Olga gezegd? Twaalf jaar geleden zijn ze al met de voorbereidingen voor deze operatie begonnen. Ze zijn al twaalf jaar op zoek naar de Grote Tovenares die in staat is het tot nu toe bewaarde krijtje in haar hand te nemen. Stop!

Ik had bijna tegen iedereen in de Arbat geroepen dat ik een stommeling was. Maar mijn gezicht sprak al boekdelen.

Waarom zou ik uitspreken wat toch al van mijn gezicht is af te lezen?

De hoge tovenaars plannen vele zetten vooruit. Er bestaat geen toeval in hun spel. Er zijn koninginnen en pionnen. Maar geen overbodige schaakstukken!

Jegor!

De jongen, die bijna het slachtoffer was geworden van een jacht waarvoor geen licentie was verleend. Die daarom in de Schemer was getreden, in een gemoedsgesteldheid die hem naar de kant van de Duisteren heeft gedreven. De jongen, wiens lot nog niet is bepaald, wiens aura nog net zo kleurrijk is als die van een klein kind. Ja, een uniek geval; daar had ik me al over verbaasd toen ik hem voor het eerst zag.

Had me erover verbaasd en was het daarna vergeten. Bijna had ik niet geweten dat de Chef zijn potentiële capaciteiten kunstmatig had vergroot. Om de Duisteren af te leiden, maar ook om Jegor in staat te stellen in elk geval enige weerstand aan de vampiers te bieden.

Dat was hij voor mij gebleven: een persoonlijke nederlaag, want ik was de eerste geweest die in hem een Andere had gezien, maar ook – tenminste nog wel – een goed mens, maar ook – in de toekomst – een tegenstander in de eeuwige strijd tussen goed en kwaad. En ergens in mijn achterhoofd was de herinnering blijven hangen aan zijn nog onbepaalde lot.

Hij kan nog van alles worden. Een nog niet bepaalde toekomst. Een open boek. Het Boek van het lot.

Hij zal voor Swetlana staan als zij het krijtje in haar hand neemt. Hij zal daar graag staan, nadat Geser hem alles helder en ernstig heeft uitgelegd. En uitleggen kan hij, de Chef van de Nachtwacht, het Hoofd van de Lichten van Moskou, de grote oeroude tovenaar. Geser zal het hebben over het corrigeren van fouten. Waarheidsgetrouw. Geser zal Jegor vertellen welke grote toekomst hem wacht. En dat, daar gaat het om, zal ook waar zijn! De Duisteren kunnen nog zoveel bezwaren opperen – de Inquisitie zal er zonder twijfel rekening mee houden dat de jongen in het begin te lijden heeft gehad van hun daden.

En ze zullen Swetlana waarschijnlijk vertellen dat ik terneergeslagen ben door mijn fiasco met Jegor. Dat de jongen veel heeft moeten lijden omdat de Wacht het te druk had om haar – Swetlana – te redden.

Ze zal absoluut niet aarzelen.

Zal alles doen wat men van haar vraagt.

Het krijtje vastpakken, dat heel gewone krijtje waarmee je op de stoep een hinkelbaan tekent of op het schoolbord 2 + 2 = 4 schrijft.

En ze zal het lot bepalen dat nog niet vastligt.

Wat zullen ze van de jongen maken?

Wie?

Een initiator, leider, aanvoerder van nieuwe partijen en revoluties?

De profeet van een religie die nog niet uitgevonden is?

Een denker die een nieuwe maatschappelijke leer ontwikkelt? Een muzikant, dichter of auteur wiens werk het bewustzijn van miljoenen zal veranderen?

Hoe ver reikt dit behoedzame plan van de krachten van het Licht de toekomst in?

Natuurlijk, de aard die een Andere van nature heeft, kan men niet veranderen. Jegor zal een bijzonder zwakke tovenaar zijn, maar dankzij de interventie van de Wacht toch een tovenaar van het Licht.

Maar je hoeft niet per se een Andere te zijn om het lot van de mensheid te veranderen. Dat is zelfs lastig. Het is veel nuttiger om terug te vallen op steun van de Wacht om de mensenmenigte, die het door ons ontdekte geluk zo nodig heeft, achter zich aan te krijgen.

En hij zal hen aanvoeren. Ik weet niet hoe, weet niet waar naartoe, maar dat zal hij doen. Het is dan wel zo dat de Duisteren van hun kant een tegenzet doen. Voor iedere president is er een moordenaar. Op iedere profeet zijn er duizenden exegeten die de essentie van de religie verdraaien, het lichte vuur vervangen door de hitte van de brandstapels van de inquisitie. Elk boek wordt ooit een keer in het vuur gegooid, symfonieën worden hits die in kroegen worden gedraaid. Elke laagheid kan men op een solide filosofisch grondbeginsel baseren.

Ja, wij hebben niets geleerd. Waarschijnlijk wilden we dat helemaal niet.

Maar ik heb in elk geval nog wat tijd. En nog het recht om een zet te doen. Eentje maar.

Als ik maar wist welke.

Swetlana dringend vragen om tegen Geser in te gaan, zich niet over te geven aan de hoogste magie, niet het lot van iemand anders te veranderen?

Waarom eigenlijk niet? Eigenlijk is het toch goed. De gemaakte fouten corrigeren, één enkel mens en de hele mensheid kans geven op een gelukkige toekomst. Dan zou de last van de fouten die ik heb gemaakt, van me af worden genomen. Van Swetlana de wetenschap dat haar succes is betaald met het leed van iemand anders. En dan sluit ze zich aan bij de Grote Tovenaressen. Welke prijs wil ik voor mijn vage twijfels betalen? En welke daarvan zijn oprechte zorgen en welke vloeien voort uit mijn eigen persoonlijke egoïsme? Wat is het Licht, wat is het Duister?

'Hé, vriend!'

Ik stond naast de tafel van een handelaar. Hij keek me aan, niet boos, maar geïrriteerd. 'Wil je iets kopen?'

'Zie ik er zo stom uit?' vroeg ik.

'Ja, zeker weten. Of je koopt iets, of je loopt door.'

Eigenlijk had hij gelijk. Maar ik had wel zin hem van repliek te dienen. 'Je weet niet half hoeveel mazzel je hebt. Doordat ik hier sta, trek ik klanten aan.'

De handelaar was me er eentje: dik, een rode kop en enorme armen met evenveel vet als spieren. Hij keek me doordringend aan, kon kennelijk niets gevaarlijks aan me ontdekken en wilde er al op los slaan.

En begon opeens te glimlachen.

'Nou, blijf dan maar staan. Maar wel een beetje meer actie. Doe net alsof je iets wilt kopen. Je kunt me zelfs voor de grap wat geld geven.'

Dit was heel vreemd, heel onverwachts.

Ik glimlachte terug. 'Wil je dat ik echt wat koop?'

'Wat moet je ermee, dit is toch rommel voor toeristen?' De verkoper glimlachte niet langer, maar keek ook niet langer vijandig. 'Het is zo heet, die hitte maakt ons allemaal nog eens gek. Ging het maar regenen!'

Ik keek naar de lucht en haalde mijn schouders op. Kennelijk was er iets veranderd: iets in het transparante blauw van de hemelse oven zag er nu anders uit.

'Volgens mij gaat het ook regenen,' zei ik.

'Zou mooi zijn.'

We knikten elkaar toe en ik liep door, dompelde me in de stroom mensen.

Ook al wist ik nog niet wat ik moest doen, ik wist wel waar ik naartoe moest. Dat was in elk geval iets.

7

Onze krachten zijn grotendeels geleend.

De Duisteren putten hun krachten uit het leed van anderen. Zij hebben het veel gemakkelijker. Zij hoeven de mensen niet per se leed te berokkenen. Zij hoeven alleen maar lang genoeg te wachten. Zij hoeven alleen maar alert om zich heen te kijken en dan te zuigen, aan het leed van een ander zuigen alsof ze een cocktail drinken met een rietje.

Deze weg ligt ook open voor ons. Alleen ziet hij er iets anders uit. Wij moeten de kracht van de mensen nemen als het goed gaat met ze, als ze gelukkig zijn.

Maar er is één detail dat dit proces voor de Duisteren mogelijk maakt, terwijl dat detail het ons praktisch verbiedt. Geluk en leed – dat zijn zeer zeker niet twee extremen in het brede scala aan menselijke gevoelens. Anders zou er geen lichte droefheid bestaan, of bitterzoete vreugde. Het zijn twee parallelle processen, twee gelijkwaardige stromen van de kracht die de Anderen kunnen zien en benutten.

Als een tovenaar van het Duister de pijn van iemand anders opdrinkt, wordt deze groter.

Als een tovenaar van het Licht de vreugde van iemand anders in zich opneemt, smelt deze.

Wij kunnen de kracht op elk moment opnemen, maar dat veroorloven we ons maar een heel enkele keer.

Vandaag besloot ik het te doen.

Ik nam een beetje van een stelletje dat elkaar net omhelsde en wel aan de ingang van de metro vastgegroeid leek te zijn. Ze waren gelukkig, op dit moment zelfs erg gelukkig. En toch voelde ik dat hen een scheiding te wachten stond, een langdurige zelfs, en dat de geliefden onvermijdelijk door droefheid zouden worden getroffen. Ik besloot dat mijn daad gerechtvaardigd was. Hun vreugde lichtte fel en trots op, als een boeket paarsrode, tere en hooghartige rozen.

Ik raakte een jongen aan die me net voorbijliep; het ging goed met hem, hij voelde de drukkende, zware hitte niet, maar rende om een ijsje te kopen. Hij zou al snel weer geregenereerd zijn. Zijn kracht was eenvoudig en puur als een weidebloem. Een bos kamille, geplukt door mijn hand, die niet trilde.

Ik zag een oude vrouw voor het raam zitten. De schaduw van de dood was al zo dicht bij haar, dat ze hem waarschijnlijk zelf voelde. Toch glimlachte het oude vrouwtje. Vandaag had haar kleinkind haar bezocht. Waarschijnlijk om te zien of het oude mens nog leefde en of dat dure huis in het centrum van Moskou ondertussen nog niet beschikbaar was. Dat wist ze. En toch was ze gelukkig. Ik vond het pijnlijk, ontzettend pijnlijk, maar ik raakte haar aan en nam een beetje van haar kracht. Een verwelkende geeloranje krans, bestaande uit asters en herfstbladeren.

Ik liep door, zoals ik 's nachts af en toe in een nachtmerrie ronddool en overal geluk uitdeel. Aan iedereen, zodat niemand hier gekrenkt weggaat. Maar nu liet ik een heel ander spoor achter: hier en daar een glimlachje dat langzaam verdween, een gefronst voorhoofd, een lip waarop even werd gebeten.

Je zag trouwens sowieso waar ik langs was gelopen.

Een patrouille van de Dagwacht zou me niet aanhouden, zelfs niet als onze wegen zich kruisten.

En ook de Lichten, als ze me in de gaten hielden, zouden zwijgen.

Ik deed wat ik noodzakelijk vond. Iets waartoe ik me bevoegd achtte. Leende. Stal. En de manier waarop ik met die verkregen krachten omging, zou mijn lot bepalen.

Of ik zou alles tot op de laatste cent terugbetalen.

Of de Schemer zou zich voor me openen.

Een tovenaar van het Licht die kracht put uit de mensen, zet alles op één kaart. Dat rekenen de Wachten ons minder zwaar aan dan onze andere daden. De omvang van het veroorzaakte goede hoeft namelijk niet groter te zijn dan de omvang van het door mij veroorzaakte kwaad.

Ik mag niet eens een spoortje twijfel hebben dat ik alles tot op de laatste cent heb terugbetaald.

Verliefden, kinderen, ouderen. Een groepje dat bij een monument bier zat te drinken. Ik was al bang dat hun vreugde gemaakt was, maar die bleek echt te zijn en ik nam hun kracht.

Vergeef me.

Ik zou me heel vaak bij ieder van hen kunnen verontschuldigen. Ik kan voor alles betalen wat ik heb gepakt. Alleen zou het onoprecht zijn.

Ik vecht namelijk alleen maar voor mijn liefde. In eerste instantie. Pas dan voor jullie, voor wie een nieuw, ongelooflijk geluk wordt voorbereid.

Maar misschien telt dat ook mee?

Dat ik, zodra ik voor mijn liefde vecht, ook voor de hele wereld vecht?

Voor de hele wereld, en niet met de hele wereld.

Kracht!

Kracht.

Kracht?

Ik verzamelde hun korreltjes, vaak zorgvuldig en voorzichtig, vaak ook grof en heftig, opdat mijn hand niet zou trillen, opdat ik mijn ogen niet van schaamte zou afwenden terwijl ik bijna het laatste bij elkaar graaide.

Misschien was geluk voor deze jongelui sowieso een zeldzame gast?

Ik wist het niet.

Kracht!

Misschien zou de vrouw, nadat ze haar glimlachje kwijt was, ook iemands liefde kwijtraken?

Kracht.

Misschien zou deze sterke man met zijn ironische glimlachje morgen sterven?

Kracht.

De amuletten in mijn zak zouden me niet helpen. Er zou geen gevecht plaatsvinden. Mijn 'topvorm' waar de Chef het over had gehad, zou me niet helpen. Die had toch al niet veel te betekenen. En dat recht op een onbelemmerde interventie van de tweede graad, die Seboelon me zo grootmoedig had verleend, was een val. Daar kon geen twijfel over bestaan. Hij had zijn vriendin als lokaas gebruikt, de probabiliteitslijnen zo bij elkaar gebracht dat we elkaar wel móésten tegenkomen en mij met een van woede vertrokken gezicht het dodelijke geschenk overhandigd. Ik kan niet zover in de toekomst kijken dat het goede in mij nooit in iets slechts kan omslaan.

Maar als je zelf geen wapens hebt, pak ze dan van je vijand af.

Kracht!

Kracht.

Kracht!

Als die dunne verbindingslijntjes naar Geser, tussen een jonge tovenaar en zijn mentor, nog intact waren, had hij allang moeten merken dat ik me volpompte met energie. Met ongelooflijk veel energie die onberedeneerd werd afgetapt en voor een tot nu toe onbekend doelwit zou worden ingezet.

Wat zou hij doen?

Het is zinloos om te proberen een tovenaar tegen te houden die deze weg is ingeslagen.

Ik liep naar de 'Tentoonstelling van de verworvenheden'. Ik wist waar het allemaal zou gaan gebeuren. Er bestaat geen toeval als hoge tovenaars hem sturen. Het logge 'huis op poten', deze rechtopstaande lucifersdoos, daar had Seboelon zijn gevecht om Swetlana beslecht, daar had Geser zijn protegee ontdekt, aan de Inquisitie overgedragen en en passant Swetlana opgeleid.

Het centrum van de kracht voor de hele combinatie.

Voor de derde keer.

Ik wilde niet eten of drinken. Toch bleef ik een keer staan, kocht een beker koffie en dronk hem leeg. De koffie smaakte nergens naar, alsof het helemaal geen koffie was. De mensen ontweken me, hoewel ik in de gewone wereld was. De concentratie magie om me heen werd groter.

Ik kon mijn komst niet onopgemerkt houden. Maar ik was ook helemaal niet van plan om stiekem aan te komen sluipen.

Een zwangere jonge vrouw zette voorzichtig, heel aandachtig, haar ene voet voor de andere. Ik huiverde toen ik haar zag glimlachen. En had me bijna van haar afgekeerd toen ik zag dat haar ongeboren kindje in zijn minuscule wereldje ook glimlachte.

Haar kracht leek op een lichtroze pioenroos, een grote bloem, nog in de knop.

Ik moest alles pakken wat me voor de voeten kwam.

Zonder aarzelen, zonder medelijden.

Er gebeurde iets in de wereld om me heen.

De hitte leek nog erger te worden. En dan ook nog eens met een vertwijfelde, krampachtige ruk.

Zeker niet toevallig. De tovenaars van het Duister en van het Licht hadden de afgelopen dagen steeds weer geprobeerd de hitte te verdrijven. Er gebeurde iets. Ik bleef staan, keek omhoog en keek door de Schemer heen naar de lucht.

Een bijna onzichtbare cirkel.

Vonken aan de horizon.

Nevel in het zuidoosten.

Aureolen om de top van de televisietoren in Ostankino.

Het zou een bijzondere nacht worden.

Ik raakte een meisje aan dat me passeerde en nam iets van haar onschuldige vreugde: haar vader was nuchter thuisgekomen. Als een afgebroken tak van een wilde roos, stekelig en vol gaatjes.

Vergeef me.

Toen ik bij het 'huis op poten' was aangekomen, was het al bijna elf uur 's avonds.

De laatste die ik aanraakte, was een dronken arbeider die tegen de muur van een poort geleund stond – dezelfde poort waar ik voor de eerste keer een Duistere had gedood. Hij was bijna niet meer toerekeningsvatbaar. En hij was gelukkig.

Ik nam ook zijn kracht. De vlammende, bezoedelde bloem van een weegbree, een lelijk, vaalbruin stompje.

Ook dat is kracht.

Toen ik de straat overstak, merkte ik dat ik hier niet alleen was. Ik riep mijn schaduw en trad in de Schemerwereld.

Ze hadden een kordon om het gebouw heen gevormd.

Het was het vreemdste kordon dat ik ooit had gezien: om en om Duisteren en Lichten. Ik ontdekte Semjon, knikte naar hem en hij reageerde met een kalme, ietwat verwijtende blik. Tijgerjong, Beer, Ilja, Ignat...

Wanneer waren ze hier allemaal naartoe gehaald? Terwijl ik door de stad had gedwaald en kracht had verzameld? Het was zeker geen leuke vakantie, hè jongens?

En de Duisteren. Zelfs Alissa ontbrak niet. Het was afschuwelijk om naar haar te kijken: het gezicht van de heks leek op een verfrommeld en weer vlak gestreken papieren masker. Seboelon had dus niet gelogen toen hij haar straf had aangekondigd. Naast Alissa stond Alisjer en toen ik zijn blik opving, wist ik dat die twee een dodelijke strijd zouden voeren. Misschien niet nu, maar later zeker.

Ik liep door het kordon heen.

'Verboden toegang,' zei Alisjer.

'Verboden toegang,' echode Alissa.

'Ik ben bevoegd.'

Ik had zoveel kracht in me dat ik ook wel zonder toestemming door kon lopen. Alleen Grote Tovenaars zouden me nu kunnen tegenhouden, maar die waren hier niet.

Maar niemand hield me tegen. Dus had iemand, Geser of Seboelon maar misschien ook wel beide Hoofden van de Wacht opdracht gegeven me alleen maar te waarschuwen.

'Veel succes,' fluisterde iemand achter me. Ik draaide me om en ving Tijgerjongs blik op. Knikte.

De entree was leeg. Ook in het gebouw was alles rustig, net als toen, toen die vreselijke Wervel van onvoorstelbare omvang boven Swetlana ronddraaide. Het kwaad dat ze over zichzelf had afgeroepen.

Ik liep door een grauwe nevel. Onder mijn voeten voelde ik een doffe trilling: hier, in de Schemerwereld, reageerde zelfs de grond op magie, zelfs de schaduwen van de huizen van mensen.

Het luik van het dak stond open. Niemand legde me ook maar een strobreed in de weg. Het ergste was dat ik niet wist of ik daar nu blij om moest zijn of niet.

Ik trad uit de Schemer. Het had helemaal geen zin om daar te blijven. Nu niet.

Ik beklom de ladder naar het dak. De eerste die ik zag, was Maxim.

Hij leek in niets meer op de man van toen, die spontane tovenaar van het Licht, de Wilde die gedurende een paar jaar adepten van het Duister had vermoord. Misschien hadden ze iets met hem gedaan. Maar misschien was hij ook wel uit zichzelf veranderd. Veel mensen zijn ideale beulen.

Maxim had succes gehad. Hij was beul geworden. Een inquisiteur. Iemand die boven het Licht en het Duister staat, die allen dient... en niemand. Hij hield zijn handen gekruist voor zijn borst en zijn hoofd licht gebogen. Iets aan hem deed me denken aan Seboelon, de eerste keer dat ik hem zag. En ook aan Geser. Toen ik verscheen, tilde Maxim zijn hoofd een beetje op. Zijn heldere blik gleed over me heen. Toen keek hij naar de grond.

Dus mocht ik echt deelnemen aan dat wat hier gebeurde.

Aan de ene kant stond Seboelon, onbeweeglijk. Hij had een lichtgekleurde cape om en schonk me niet de minste aandacht. Hij wist immers al dat ik zou komen.

Geser, Swetlana en Jegor stonden bij elkaar. Zij reageerden veel sterker op mijn komst.

'Je bent dus toch gekomen?' vroeg de Chef.

Ik knikte. Keek Swetlana aan. Ze droeg een lang wit gewaad en haar lange haar waaierde over haar schouders. In haar hand glansde spookachtig een foedraal – een klein foedraal van wit marokijnleer, voor een broche of een medaillon.

'Anton, je weet het, ja hè?' schreeuwde Jegor.

Als iemand van de aanwezigen gelukkig was, dan was hij het. Helemaal.

'Ik weet het,' antwoordde ik. En liep naar hem toe. Woelde door zijn haar.

Zijn kracht leek op de diepgele bloem van een paardenbloem.

Nu had ik alles verzameld wat ik krijgen kon.

'Heb je nu alles?' vroeg Geser. 'Anton, wat ben je van plan?'

Ik gaf geen antwoord. Er was iets wat me waarschuwde. Er klopte iets niet. Ja natuurlijk! Olga ontbrak, om welke reden dan ook.

Had ze haar instructies al gegeven? Wist Swetlana wat ze moest doen?

'Het krijt,' zei ik. 'Het stukje krijt dat al aan beide kanten is gebruikt. Daarmee kan men overal schrijven. Ook in het Boek van het lot bijvoorbeeld. De oude zinnen doorstrepen en nieuwe toevoegen.'

'Anton, je vertelt geen van ons allen iets nieuws,' zei de Chef gelaten. 'Is er al toestemming gegeven?'

Geser keek Maxim aan. Alsof hij diens blik voelde, tilde de beul zijn hoofd op. 'De toestemming ligt klaar,' bevestigde hij met een zware stem.

'Bezwaar van de kant van de Dagwacht,' zei Seboelon verveeld.

'Afgewezen,' antwoordde Maxim bedaard. En weer liet hij zijn hoofd op zijn borst zakken.

'De Grote Tovenares kan het krijtje nu vastpakken,' zei ik. 'Elke zin in het Boek van het lot zal een deel van haar ziel wissen. Wissen, en vervangen. Je kunt het lot van een mens alleen maar veranderen als je je eigen ziel opgeeft.'

'Ik weet het,' zei Swetlana. Ze glimlachte. 'Anton, vergeef me. Ik denk dat het goed is. Het zal nut hebben, voor iedereen.'

In Jegors ogen flakkerde ongerustheid op. Hij voelde dat er iets niet klopte.

'Anton, je bent een strijder van de Wacht,' zei Geser. 'Als je bezwaren hebt, kun je ze nu noemen.'

Bezwaren? Waartegen dan? Dat Jegor niet een tovenaar van het Duister, maar een tovenaar van het Licht wordt? Dat hij probeert, ook al is het al heel vaak mislukt, het goede te doen voor de mensen? Dat Swetlana een Grote Tovenares wordt? Ook al offert ze dan al het menselijke op dat nog in haar zit?

'Ik heb niets te zeggen,' verklaarde ik.

Zag ik dat goed, dat Geser verbaasd keek?

Het was moeilijk te bevroeden waar de Grote Tovenaar nu aan dacht.

'Laten we beginnen,' zei hij. 'Swetlana, je weet wat je moet doen.'

'Ja.' Ze keek me aan. Ik deed een paar stappen achteruit. Nu stonden ze daar samen, Swetlana en Jegor. Beiden even verward. Even gespannen. Ik boog me over naar Seboelon. Die wachtte. Swetlana opende het foedraal – het knersen van het slotje klonk als een schot – en haalde er langzaam, alsof ze zich moest dwingen, het stukje krijt uit. Een heel klein stukje. Was hij echt zo versleten geraakt gedurende die duizenden jaren waarin het Licht had geprobeerd het lot van de wereld te veranderen?

Geser slaakte een zucht.

Swetlana hurkte neer en begon een cirkel te trekken om haar en de jongen heen.

Er was niets wat ik kon zeggen. Niets wat ik kon doen.

Ik had zoveel kracht verzameld dat het over de rand stroomde.

Ik heb het recht het goede te doen.

Maar ik miste nog een klein detail: inzicht.

Het begon te waaien. Een zachte, aarzelende wind. Die weer ging liggen.

Ik keek omhoog en rilde. Hier was iets aan de hand. Hier, in de mensenwereld, was de lucht bedekt met wolken. Ik had niet eens gemerkt dat ze kwamen opzetten.

Swetlana was klaar met de cirkel. Ze stond op.

Ik probeerde haar door de Schemer aan te kijken, en keerde me meteen weer van haar af. In haar hand vlamde een gloeiend kooltje. Voelde ze de pijn wel?

'Het begint te onweren,' zei Seboelon vanuit de verte. 'Een echte storm, zoals we al heel lang niet hebben meegemaakt.' Hij begon honend te lachen.

Niemand lette op wat hij zei. Hooguit de wind, die begon bestendig te worden en werd steeds sterker. Ik keek naar beneden, daar was het rustig. Swetlana zwaaide met het krijtje door de lucht, alsof ze iets aan het tekenen was wat alleen zij kon zien. Een rechthoek. Met iets erin.

Jegor kreunde zachtjes. Gooide zijn hoofd naar achteren. Ik wilde al een stap naar voren zetten, maar hield me in. Ik zou toch niet door de barrière heen kunnen. Waarom zou ik ook?

Daar ging het niet om.

Als je niet weet wat je moet doen, moet je nergens op vertrouwen; niet op je koele hoofd, niet op je schone hart en niet op je warme handen.

'Anton!'

Ik keek Geser aan. De Chef zag er wat bezorgd uit.

'Dat is geen gewone storm, dat is een orkaan, Anton. Er zullen slachtoffers vallen.'

'De Duisteren?' vroeg ik alleen maar.

'Nee, het natuurgeweld.'

'Hebben we wat overdreven met de krachtsconcentratie?' vroeg ik. De Chef reageerde niet op mijn spottende toon.

'Anton, tot welke graad mag jij magie inzetten?'

Natuurlijk wist hij van mijn deal met Seboelon.

'Tot en met de tweede.'

'Jij kunt de orkaan tegenhouden,' zei Geser. Constateerde gewoon een feit. 'Dan blijft het bij een wolkbreuk. Je hebt kracht genoeg.'

De wind begon weer te razen. Die zou niet afnemen. De wind trok en duwde, alsof hij vastbesloten was ons van het dak te vegen. De regen striemde.

'Dit is waarschijnlijk de laatste kans,' zei de Chef. 'Maar het is jouw beslissing.'

Met een gerinkel als van glas ontstond er om Geser heen een krachtschild, alsof hij een zak van verfrommeld cellofaan had opgezet. Nooit eerder had ik gezien dat een tovenaar zichzelf met dergelijke maatregelen beschermde tegen het gewone razende natuurgeweld.

Swetlana ging in haar wapperend gewaad verder met het schrijven in het Boek van het lot. Jegor bewoog niet en stond daar alsof hij aan een onzichtbaar kruis hing. Misschien kreeg hij helemaal niets meer mee. Wat gebeurt er met een mens wanneer hij zijn oude lot kwijtraakt en zijn nieuwe nog niet heeft gekregen?

'Geser, je bent een tyfoon aan het voorbereiden! Vergeleken daarmee betekent deze storm helemaal niets!' schreeuwde ik.

De wind smoorde onze woorden al.

'Dat is onvermijdelijk,' antwoordde Geser. Het leek wel alsof hij fluisterde, maar elk woord klonk heel helder. 'Dat is zich al aan het voltrekken.'

Het Boek van het lot werd zelfs al zichtbaar in de mensenwereld. Swetlana had het natuurlijk niet in het oorspronkelijke boek getekend, maar het uit de diepste lagen van de Schemer getrokken. Een kopie gemaakt, en elke verandering van de kopie zou in het origineel terechtkomen. Het Boek van het lot verscheen als een model, een kopie van brandende vuurdraden die onbeweeglijk in de lucht hingen. Regendruppels vlamden op zodra ze op het boek vielen.

Nu zou Swetlana beginnen met het veranderen van Jegors lot.

En later, decennia later, zou Jegor het lot van de wereld veranderen.

Zoals altijd ten goede.

Zoals altijd zonder resultaat.

Ik begon te wankelen. Van het ene moment op het andere was de sterke wind een orkaan geworden. Om ons heen gebeurde iets onvoorstelbaars. Ik zag hoe de auto's op straat stopten en langs de stoeprand samendromden, zo ver mogelijk bij de bomen vandaan. Helemaal zonder geluid – de huilende wind verstikte elk geluid – smakte een gigantisch reclamebord op de kruising. Mensen renden naar de huizen alsof ze hoopten dat de muren hun beschutting zouden bieden.

Swetlana stopte even. De gloeiende punt glom in haar hand. 'Anton!'

Ik kon haar stem bijna niet horen.

'Anton, wat moet ik doen? Zeg het me! Moet ik het doen, Anton?'

De kring van krijt beschermde haar, maar niet helemaal: de orkaan scheurde haar bijna de kleren van het lijf, maar ze slaagde er toch in haar evenwicht te bewaren.

Alles leek te verdwijnen. Ik keek haar aan, zag het brandende krijtje dat bereid was het lot van iemand anders te veranderen. Swetlana wachtte op een antwoord, maar ik had niets te zeggen. Niets, omdat ik het antwoord zelf niet wist. Ik hief mijn handen naar de donderende hemel. En zag de transparante bloemen van kracht in mijn handen.

'Krijg je het wel voor elkaar?' vroeg Seboelon vol medelijden. 'De storm gaat nu echt tekeer.'

Zijn stem was door het gedonder van de orkaan heen net zo goed te horen als de stem van de Chef.

Geser slaakte een zucht.

Ik opende mijn handen, keerde ze naar de hemel, waar geen sterren meer te zien waren, waar alleen nog maar het geflikker van wolken, stortregens en bliksemflitsen was.

Het was een van de eenvoudigste toverkunsten. Die leer je bijna als eerste.

Een remoralisatie.

Zonder enige precisering.

'Doe het niet!' riep Geser. 'Waag het niet!'

Met één enkele beweging stond hij ergens anders en schermde Swetlana en Jegor voor me af. Alsof dat invloed op de magie zou hebben. Nee, niets zou hem nu nog kunnen tegenhouden.

Een lichtstraal, onzichtbaar voor mensen, schoot uit mijn handpalmen. Alle korreltjes die ik daaronder had verzameld, meedogenloos en onvermurwbaar.

De paarsrode vlammen van de rozen, de lichtroze pioenrozen, het geel van de asters, de witte kamille, de bijna zwarte orchideeën.

Seboelon stond achter me en lachte zachtjes.

Swetlana stond met het krijtje in haar hand boven het Boek van het lot.

Jegor stond verstijfd voor haar, met zijn armen opzij.

De stukken op het schaakbord. De kracht in mijn handen. Nog nooit had ik over zoveel kracht kunnen beschikken, zoveel ongecontroleerde, overstromende kracht die zich over wie dan ook zou uitstorten.

Ik glimlachte naar Swetlana. En bracht heel langzaam mijn handen, met de daaruit schietende lichtstralen in alle kleuren van de regenboog, naar mijn gezicht.

'Nee!'

De kreet van Seboelon kwam niet boven de orkaan uit – die werd erdoor gesmoord. Een bliksemflits doorboorde de hemel. Het Hoofd van de Duisteren wilde zich op me storten, maar Geser kwam hem tegemoet, waardoor de tovenaar van het Duister bleef staan. Ik zag dat niet, voelde het alleen maar. Een kleurrijk licht spoelde over mijn gezicht. Ik werd duizelig. Ik voelde de wind niet meer.

Alleen de regenboog bleef, de eindeloze regenboog waar ik in verdronk.

De wind raasde om me heen, maar raakte me niet. Ik keek Swetlana aan en hoorde hoe de onzichtbare muur die altijd tussen ons in had gestaan in elkaar stortte. In elkaar stortte, en ons beiden in de barrière insloot. Sweta's haren waaiden in zachte golven om haar gezicht heen.

'Je hebt alles voor jezelf gegeven?'

'Ja,' zei ik.

'Alles wat je verzameld had?'

Ze geloofde het niet. Kon het nog steeds niet geloven. Swetlana wist welke prijs je voor geleende kracht moest betalen.

'Tot en met de laatste korrel,' antwoordde ik.

Ik voelde me goed, verbazingwekkend goed.

'Waarom?' De tovenares strekte haar hand uit. 'Waarom, Anton? Je had deze storm tegen kunnen houden. Je had duizend mensen gelukkig kunnen maken. Hoe kón je alles voor jezelf uitgeven?'

'Om geen fouten te maken,' zei ik. Om de een of andere reden vond ik het pijnlijk dat zij, een toekomstige Grote, deze kleinigheid niet begreep.

Heel even zweeg Swetlana. Toen keek ze naar het brandende krijtje in haar hand.

'Wat moet ik doen, Anton?'

'Je hebt het Boek van het lot al geopend.'

'Anton! Wie heeft gelijk, Geser of jij?'

Ik schudde mijn hoofd.

'Dat moet je zelf bepalen.'

Swetlana fronste haar wenkbrauwen.

'En dat is alles, Anton? Heb je daarvoor zoveel licht van anderen verspild? Heb je daarvoor magie van de tweede graad ingezet?'

'Je zult het nog wel begrijpen.' Ik wist niet hoeveel overtuiging er in mijn stem doorklonk. Zelfs nu was het voor mijzelf niet genoeg. 'Vaak is de daad niet het belangrijkst. Vaak is het belangrijker om niets te doen. Er is iets wat je alleen moet beslissen. Zonder advies, niet van mij en niet van Geser, Seboelon, het Licht of het Duister. Alleen jij.'

Ze schudde haar hoofd. 'Nee!'

'Jawel, jij neemt die beslissing zelf. Deze verantwoordelijkheid neemt niemand van je over. Maar wat je ook doet, het zal je in elk geval spijten dat je het andere niet hebt gedaan.'

'Anton, ik hou van je!'

'Dat weet ik. En ik hou ook van jou. Daarom zeg ik ook niets.'

'Is dat je liefde?'

'Alleen dat is liefde.'

'Ik heb advies nodig!' riep ze. 'Anton, ik heb je advies nodig!'

'Iedereen bepaalt zijn eigen lot,' zei ik. Dat was zelfs al iets meer dan ik mocht zeggen. 'Beslis.'

Het krijtje in haar hand gloeide als een dunne, brandende naald toen ze zich omdraaide naar het Boek van het lot. Een streep... ik hoorde hoe de bladzijden ritselden toen ze begon te gummen.

Licht en Donker zijn maar vlekken op de bladzijden van het lot. Een versiering.

Een snelle loop van de brandende zinnen.

Swetlana opende haar hand en het krijtje van het lot viel op de grond. Zwaar als een loden kogel. Die zou door de orkaan zijn weggeblazen, maar ik bukte me en verborg het krijtje in mijn hand.

Het Boek van het lot begon te smelten.

Jegor wankelde, kromde zich, viel op zijn zij en trok zijn knieën tegen zijn borstkas. Hij dook in elkaar als een betreurenswaardig bundeltje.

De witte cirkel om hen heen was al door de regen weggevaagd, en ik kon naar hen toe lopen. Hurkte en greep de jongen bij zijn schouder.

'Je hebt er niets in geschreven!' schreeuwde Geser. 'Swetlana, je hebt alleen iets weggeveegd!'

De tovenares haalde haar schouders op. Ze bekeek me van top tot teen. De regen, die nu door de verdwijnende barrière heen kwam, had haar witte gewaad doordrenkt en veranderd in een dunne doek die haar lichaam niet meer verhulde. Zo-even nog was Swetlana een offerpriesteres in een sneeuwwit gewaad en nu stond er een drijfnatte jonge vrouw voor me, met haar armen langs haar lichaam, midden in een storm.

'Dit was je examen,' zei Geser zacht. 'Je hebt het verprutst.'

'Lichte Geser, ik wil niet in dienst zijn van de Wacht,' antwoordde de jonge vrouw. 'Vergeef me, Lichte Geser. Maar dat is niet mijn weg, niet mijn lot.'

Geser schudde verdrietig zijn hoofd. Hij keek niet meer naar Seboelon die een paar passen bij ons vandaan stond.

'En dat was alles,' vroeg de tovenaar van het Duister. Keek naar mij, Sweta, Jegor. 'Jullie hebben dus niets voor elkaar gekregen?'

Hij liet zijn blik naar de inquisiteur dwalen, die opkeek en knikte.

Verder reageerde niemand op zijn woorden.

Er verscheen een scheef glimlachje op Seboelons gezicht.

'Zoveel kracht en dan eindigt alles met een farce. Alleen maar omdat een hysterische jonge vrouw haar besluiteloze vereerder niet wilde opgeven. Anton, je hebt me teleurgesteld. Swetlana, je hebt me een plezier gedaan. Geser...' – de Duistere keek de Chef aan – '... gefeliciteerd met zulke medewerkers.'

Het portaal achter Seboelon ging open. Zachtjes lachend stapte hij de zwarte wolk in.

Vanaf de straat drong een zwaar zuchtend geluid tot me door. Ik kon niets zien, maar wist wat er gebeurde. De Wachten van het Duister traden stuk voor stuk uit de Schemer. Snelden naar de in de buurt van de huizen geparkeerd staande auto's om ze zo snel mogelijk daarvandaan te rijden. Liepen gebogen naar de huizen ernaast.

Toen verlieten de tovenaars van het Licht het kordon. Enkelen om dezelfde eenvoudige en begrijpelijke menselijke handelingen te verrichten. Maar de meesten, dat wist ik, zouden blijven en aandachtig naar boven kijken, naar het dak van het gebouw. Tijgerjong zeer zeker met een schuldbewust gezicht. Semjon met het sombere glimlachje van een Andere die al heel veel andere stormen heeft doorstaan. En Ignat met zijn altijd oprechte medeleven.

'Ik kon het niet,' zei Swetlana. 'Het spijt me, Geser. Ik kon het niet.'

'Je kon het niet,' zei ik. 'En dat hoeft ook helemaal niet...'

Ik opende mijn hand. Keek naar het stuk krijt dat in mijn hand gewoon een vochtig, plakkerig krijtje was. Aan één kant spits toelopend. Aan de andere kant ongelijkmatig afgebroken.

'Had je het al lang door?' vroeg Geser. Hij liep naar me toe, ging bij me zitten. Zijn schild hing boven ons en het geraas van de orkaan verstomde.

'Nee, nog maar net.'

'Wat is er aan de hand?' gilde Swetlana. 'Anton, wat gebeurt er?'

'Iedereen heeft zijn eigen lot, mijn kind,' antwoordde Geser. 'De een moet het leven van iemand anders sturen of wereldrijken verslaan. En de ander moet gewoon leven.'

'Terwijl de Dagwacht wachtte tot jij de aantekeningen had gemaakt,' zei ik, 'heeft Olga het andere deel van het krijtje gepakt en daarmee het lot van iemand herschreven. Zoals het Licht het wilde.'

Geser zuchtte. Reikte met zijn hand naar Jegor en raakte hem even aan. De jongen bewoog en probeerde op te staan.

'Het komt wel goed,' zei de Chef teder. 'Het is allemaal voorbij, het komt wel goed.'

Ik nam de jongen in mijn armen en legde zijn hoofd op mijn knieën. Hij werd weer rustig.

'Vertel eens, waarom?' vroeg ik. 'Als je toch al wist wat er ging gebeuren?'

'Zelfs ik kan niet alles weten.'

'Waarom?'

'Omdat alles ongedwongen moest gaan,' antwoordde Geser enigszins geprikkeld. 'Alleen op die manier zou Seboelon alles geloven. Overtuigd zijn van onze plannen en van onze nederlaag.'

'Dat is niet het hele antwoord, Geser.' Ik keek hem aan. 'Bij lange na niet!'

De Chef zuchtte. 'Goed dan. Ja, ik had het ook anders kunnen doen. Swetlana had een Grote Tovenares kunnen worden. Tegen haar wil. Dan was Jegor, hoewel de Wacht ook nu al bij hem in het krijt staat, ons werktuig geworden.'

Ik wachtte. Wilde per se weten of Geser de hele waarheid zou vertellen. In elk geval één keer.

'Ja, ik had het ook zo kunnen doen.' Geser zuchtte. 'Maar, mijn jongen... Alles wat ik behalve de strijd tussen het Licht en het Duister heb gedaan, alles wat ik in de twintigste eeuw heb gedaan, was ondergeschikt aan één enkel doel, natuurlijk zonder daarbij de zaak te schaden...'

Opeens had ik medelijden met hem. Ontzettend veel medelijden. Misschien omdat de Grote Tovenaar, de zeer Lichte Geser, de vernietiger van uitwassen en hoeder van de straten, voor het eerst in duizend jaar gedwongen was de volledige waarheid te vertellen. Die niet zo welbespraakt en hoogmoedig klonk als anders.

'Het is al goed, ik weet het!' riep ik uit.

Maar de Grote Tovenaar schudde zijn hoofd. 'Alles wat ik heb gedaan,' zei Geser langzaam, 'was ondergeschikt aan een ander doel. Namelijk om de Leiding te dwingen Olga's straf volledig op te heffen. Haar alle krachten terug te geven en haar toe te staan het krijtje van het lot opnieuw ter hand te nemen. Ze moet mijn gelijke zijn. Anders is onze liefde ten dode opgeschreven. En ik hou van haar, Anton.'

Swetlana begon te lachen. Zachtjes, heel zachtjes. Ik dacht dat ze de Chef een klap in zijn gezicht zou geven, maar ik begreep haar nog steeds niet helemaal. Swetlana knielde voor Geser neer en kuste zijn rechterhand.

De tovenaar rilde. Alsof hij zijn oneindige krachten kwijt was: de beschermende koepel trilde en smolt. En weer verstikte het gejammer van de orkaan onze stemmen.

'En zullen we het lot van de wereld weer veranderen?' vroeg ik. 'Naast onze kleine persoonlijke aangelegenheden?'

Hij knikte. En vroeg: 'Ben je daar blij om?'

'Nee.'

'Nou ja, Anton, per slot van rekening kun je niet altijd winnen. Dat is mij

ook niet gelukt. En het zal jou ook niet lukken.'
'Dat weet ik,' antwoordde ik. 'Natuurlijk weet ik dat, Geser. Maar het zou wel verdomd fantastisch zijn.'

Januari-augustus 1998
Moskou